"十四五"职业教育国家规划教材

U0642309

建筑工程材料与检测

JIANZHU GONGCHENG
CAILIAO YU JIANCE

第2版

主 编 曹世晖

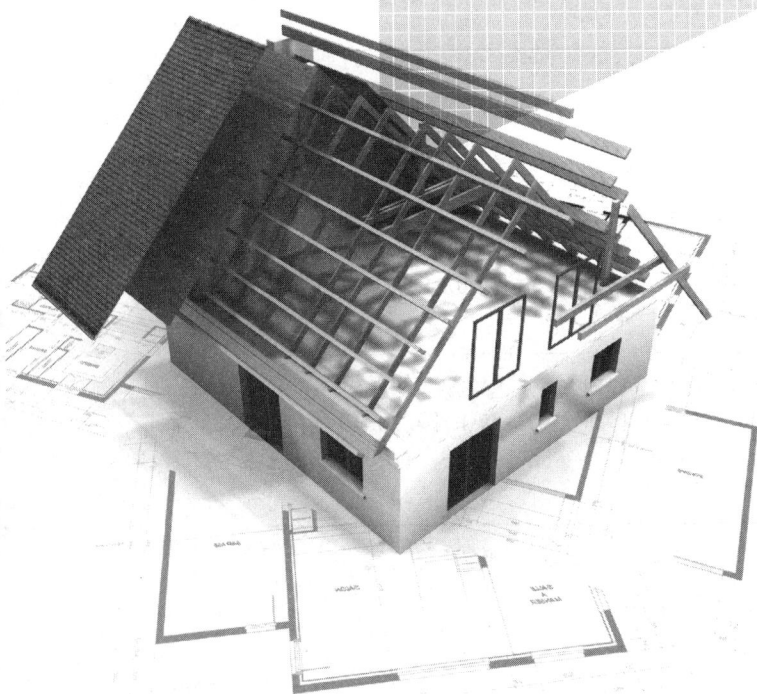

中南大学出版社
www.csupress.com.cn
·长沙·

内容简介

本书为"十四五"职业教育国家规划教材。

全书分九个模块，内容包括：建筑材料的基本性质、气硬性无机胶凝材料、水泥、普通混凝土、建筑砂浆、墙体材料、建筑钢材、建筑功能材料、建筑装饰材料等。各模块均明确了教学目标和技能抽查要求，还附有单选题、多选题、填空题、判断题、简答题、案例分析题等多种题型的技能考核题。通过对本书的学习，读者可以根据工程实际正确选择、合理使用建筑工程材料，并能掌握建筑工程材料的检测方法，具备对进场材料进行取样、送检、质量验收等能力。

本书可作为高职高专建筑工程技术、建筑工程管理、建筑装饰工程、工程造价等专业教材，也可作为相关专业工程技术人员的参考书。

本书配有多媒体教学电子课件和技能考核题答案。

图书在版编目（CIP）数据

建筑工程材料与检测／曹世晖主编. —2 版. —长沙：中南大学出版社，2022.8（2024.1 重印）
ISBN 978-7-5487-4896-0

Ⅰ. ①建… Ⅱ. ①曹… Ⅲ. ①建筑材料－检测－高等职业教育－教材 Ⅳ. ①TU502

中国版本图书馆 CIP 数据核字（2022）第 083276 号

建筑工程材料与检测
第 2 版

曹世晖　主编

□ 出 版 人	林绵优	
□ 策划组稿	周兴武	
□ 责任编辑	周兴武	
□ 责任印制	李月腾	
□ 出版发行	中南大学出版社	
	社址：长沙市麓山南路	邮编：410083
	发行科电话：0731-88876770	传真：0731-88710482
□ 印　　装	长沙印通印刷有限公司	
□ 开　　本	787 mm×1092 mm 1/16　□ 印张 19　□ 字数 485 千字	
□ 版　　次	2022 年 8 月第 2 版　　□ 印次 2024 年 1 月第 3 次印刷	
□ 书　　号	ISBN 978-7-5487-4896-0	
□ 定　　价	54.00 元	

图书出现印装问题，请与经销商调换

出版说明 INSTRUCTIONS

为了深入贯彻党的二十大精神和全国教育大会精神，落实《国家职业教育改革实施方案》（国发〔2019〕4号）和《职业院校教材管理办法》（教材〔2019〕3号）有关要求，深化职业教育"三教"改革，全面推进高等职业院校土建类专业教育教学改革，促进高端技术技能型人才的培养，依据教育部高职高专教育土建类专业教学指导委员会《高职高专土建类专业教学基本要求》和国家教学标准及职业标准要求，通过充分的调研，在总结吸收国内优秀高职高专教材建设经验的基础上，我们组织编写和出版了这套高职高专土建类专业规划教材。

高职高专教学改革不断深入，土建行业工程技术日新月异，相应国家标准、规范，行业、企业标准、规范不断更新，作为课程内容载体的教材也必然要顺应教学改革和新形势，适应行业的发展变化。教材建设应该按照最新的职业教育教学改革理念构建教材体系，探索新的编写思路，编写出版一套全新的、高等职业院校普遍认同的、能引导土建专业教学改革的系列教材。为此，我们成立了规划教材编审委员会。规划教材编审委员会由全国30多所高职院校的权威教授、专家、院长、教学负责人、专业带头人及企业专家组成。编审委员会通过推荐、遴选，聘请了一批学术水平高、教学经验丰富、工程实践能力强的骨干教师及企业专家组成编写队伍。

本套教材具有以下特色：

1. 教材符合《职业院校教材管理办法》（教材〔2019〕3号）的要求，以习近平新时代中国特色社会主义思想为指导，注重立德树人，在教材中有机融入中国优秀传统文化、"四个自信"、爱国主义、法治意识、工匠精神、职业素养等思政元素。

2. 教材依据教育部高职高专教育土建类专业教学指导委员会《高职高专土建类专业教学基本要求》及国家教学标准和职业标准（规范）编写，体现科学性、综合性、实践性、时效性等特点。

3. 体现"三教"改革精神，适应高职高专教学改革的要求，以职业能力为主线，采用行动导向、任务驱动、项目载体，教、学、做一体化模式编写，按实际岗位所需的知识能力来选取教材内容，实现教材与工程实际的零距离"无缝对接"。

4. 体现先进性特点，将土建学科发展的新成果、新技术、新工艺、新材料、新知识纳入教材，结合最新国家标准、行业标准、规范编写。

5. 产教融合，校企双元开发，教材内容与工程实际紧密联系。教材案例选择符合或接近真实工程实际，有利于培养学生的工程实践能力。

6. 以社会需求为基本依据，以就业为导向，有机融入"1+X"证书内容，融入建筑企业岗位(八大员)职业资格考试、国家职业技能鉴定标准的相关内容，实现学历教育与职业资格认证的衔接。

7. 教材体系立体化。为了方便教师教学和学生学习，本套教材建立了多媒体教学电子课件、电子图集、教学指导、教学大纲、案例素材等教学资源支持服务平台；部分教材采用了"互联网+"的形式出版，读者扫描书中的二维码，即可阅读丰富的工程图片、演示动画、操作视频、工程案例、拓展知识等。

高职高专土建类专业规划教材

编 审 委 员 会

修订版前言 PREFACE

本书为"十四五"职业教育国家规划教材。

建筑工程材料与检测是高等职业教育建筑工程类专业的一门重要的专业基础课。本书以建筑工程技术专业技能抽查考试标准、建筑企业专业技术管理人员岗位资格考试大纲、各种建筑工程材料的性能标准、各种建筑工程材料的检测标准等为引领,有机地融入"技能抽查标准""技能抽查题库"、建筑企业岗位资格考试要求掌握的相关内容,并适当融入"1+X"证书的相关内容,突出实用性和可操作性。

本书注重理论与实践相结合,文字表达力求浅显易懂,加大了实践环节的教学力度,重视职业岗位能力的培养。本书由校企"双元"合作开发,注重行业的技术发展动态和趋势,引用了国家(部)、行业颁布的最新规范和标准,力求反映最新的、最先进的技术和知识。本书分为九个模块,每个模块的知识框架都由材料的性能、材料的应用、材料的取样与验收、材料性能的检测等分项构成,符合学生的认知规律,增加了学习的整体性和完整性。每个模块都附有能力目标、知识目标、推荐学习的标准和规范、工程案例和模块小结,指导学生自主学习;还附有多种题型的技能考核题,引导学生带着工作任务学习,并用所学知识解决工程中的实际问题,培养学生分析问题、解决问题的能力。

本书经过多年的使用和多次修订,内容上更具科学性、创新性和实用性;进一步细化了能力目标和知识目标;增加了推荐学习的标准和规范,让读者通过自主学习拓宽知识面;增加了一些材料使用和检测设备的图片,使读者更进一步加深对建筑工程材料的感性认识;重新修订的技能考核题更注重对必备技能、综合能力的考核。利用"互联网+"部分的素材,强化职业素养养成和专业技术积累,将课程思政元素以及精益求精的工匠精神融入教材。

本书主编为湖南城建职业技术学院曹世晖,副主编为湖南软件职业学院谭诗思、湖南水利水电职业技术学院汪文萍和徐猛勇、湖南交通职业技术学院彭子茂,湖南城建职业技术学院杨泽宇参与了编写,全书由曹世晖统稿。教材文本部分中的绪论、模块一、模块二由彭子茂编写,模块三、模块四、模块五、模块七由曹世晖编写,模块六、模块九由谭诗思编写,模块八由汪文萍编写;教材"互联网+"内容,绪论、模块三、模块四、模块五、模块七中的部分由曹世晖搜集整理，模块一、模块二中的部分由杨泽宇搜集整理，模块六、模块九中的部分由谭诗思搜集整理，模块八中的部分由徐猛勇搜集整理。此次修订，针对书中重要知识点制作了微课视频，由曹世晖、杨泽宇录制。

由于编者的水平有限，本书存在的不足和疏漏之处在所难免，敬请各位读者批评指正。

本书的编写得到了湖南省建工集团有限公司的大力支持和关心，参阅了大量文献资料及电子资料，吸收了许多同行专家的最新研究成果，选用了国家精品课程资源网、百度图片、优酷网、土豆网、中国建筑工程网、中国建材网等网站的部分图片及视频资料，在此表示衷心感谢。

本书的修订再版，承蒙有关兄弟院校的老师提出许多宝贵意见，在编写过程中参考了大量文献资料，在此亦表示衷心的感谢。

编　者

目 录 CONTENTS

绪　论

【课程思政目标】

1. 具有坚定正确的政治方向、良好的职业道德和诚信品质；

2. 爱岗敬业，具有工匠精神、劳动精神、劳模精神。

【能力目标】

1. 能区分建筑材料各种技术标准。

2. 能辨别建筑材料的种类。

【知识目标】

1. 掌握建筑材料的定义与分类。

2. 熟悉建筑材料与建筑、结构、施工、预算的关系。

3. 了解建筑材料的现状和发展方向及其在国民经济中的地位。

0.1　建筑材料的定义与分类

微课1：建筑材料的分类

0.1.1　定义

广义的建筑材料是指建造建筑物和构筑物的所有材料的总称，包括使用的各种原材料、半成品、成品等。如石灰石、黏土、铁矿石等。

狭义的建筑材料是指直接构成建筑物和构筑物实体的材料。如石灰、水泥、钢筋、玻璃等。

0.1.2　分类

由于建筑材料种类繁多，为了方便区分和应用，实际工程应用中常从不同角度对其进行分类。最常用的分类方法是按材料的化学成分、使用功能、用途来分。

建筑材料分类

1. 按照化学成分分类

1）无机材料

无机材料是指由无机物单独或者混合其他物质制成的材料，包括金属材料和非金属材料。

（1）金属材料：金属材料是指金属元素或者以金属元素为主构成的具有金属特征的材料，包括黑色金属材料（钢、铁、不锈钢等）和有色金属材料（铝、铜及其合金等）。

（2）非金属材料：非金属材料是指由非金属元素或者化合物构成的材料，包括天然石材、烧土制品、胶凝材料及制品、混凝土及硅酸盐制品等。天然石材包括砂、石及石材制品等；烧土制品包括黏土砖、瓦、陶瓷、玻璃等；混凝土及硅酸盐制品包括混凝土、砂浆、硅酸盐制品等。

2）有机材料

有机材料包括沥青材料、植物材料、合成高分子材料。

（1）沥青材料包括煤沥青、石油沥青及沥青制品等。

（2）植物材料包括木材、竹材、植物纤维等。

（3）合成高分子材料包括塑料、涂料、合成橡胶、胶黏剂等。

3）复合材料

复合材料，包括有机与无机非金属复合材料、金属与无机非金属复合材料、金属与有机复合材料。

（1）有机与无机非金属复合材料，包括聚合物混凝土、沥青混合料、玻璃纤维增强塑料等。

（2）金属与无机非金属复合材料，包括钢筋混凝土、钢纤维混凝土等。

（3）金属与有机复合材料，包括有机涂层铝合金板、PVC 钢板等。

2. 按照使用功能分类

1）建筑结构材料

建筑结构材料主要指构成建筑物受力构件和结构所用的材料，如板、梁、柱子、基础、框架和其他受力构件和结构等所用的材料。如石头、砖、水泥混凝土、钢筋混凝土和预应力混凝土等。

2）墙体材料

墙体材料主要指建筑物内、外及分隔墙体所用的材料，有承重和非承重两类。如烧结砖、粉煤灰砌块、混凝土及加气混凝土砌块、混凝土墙板、石板、金属板材等。

3）建筑功能材料

建筑功能材料主要指负担某些建筑功能的非承重用材料。如防水材料、绝热材料、吸声材料、采光材料、装饰材料等。

3. 按照用途分类

按照用途来分，建筑材料可以分为建筑结构材料、桥梁结构材料、水工结构材料、路面结构材料、墙体材料、装饰材料等。

0.2　建筑材料在建筑工程中的地位

在工程建设中，建筑材料的好坏，直接影响着整个建筑物质量等级、结构安全、外部造型和建成后的使用功能等。由于各种材料组成、结构和构造不同，价格也相差悬殊，在工业建筑、水利工程、港口工程、交通运输工程以及大量民用住宅工程中用量很大，所以，合理使用建筑材料，对建筑物的安全、实用、美观、耐久及造价有着重大意义。

（1）正确合理使用建筑材料直接影响工程的造价和投资。目前，建筑材料市场发展较快，市场活跃，由于材料开采和加工方式不同，价格波动很大。一般建筑物，其材料费用占总投资金额的 50%~60%。材料费用高，相应地建筑工程造价就高。所以对于建筑工程而言，用质量好、功能多、档次高、性能优的材料，材料费用将占工程造价的比例更高。

（2）合理选择与使用材料，决定着建筑物的使用功能。不同的工程项目与使用环境，对材料的自身性能要求也不同。这需要结合建筑物的设计要求与自身的特点，合理选择与使用

材料，才能使结构的受力特性、环境条件、功能要求得到满足，才能最大限度地发挥材料的效能，也才能确保建筑物建成后的质量。

（3）新型材料的发展带来了技术创新与变革。传统的建筑材料虽然在基础工程中广泛应用，但是已越来越不能满足快速发展的项目建设对高标准工程的要求。轻质、高强材料的发展，使高层建筑不断更新。随着绿色建筑材料的开发、利用，就有山水城市、绿色建筑、生态房屋的问世。

建筑技术要发展，建筑材料必须先行。建筑工程中新技术、新工艺、新方法的问世，往往依赖于建筑材料的更新。建筑施工新技术的推广，新材料的出现，也促进了建筑物形式的变化、设计方法的改进、施工技术的革新。大跨度预应力结构、悬索结构、空间网架结构、节能型特色环保建筑的出现无疑都与新材料的产生密切相关。

0.3　建筑材料的发展状况和发展方向

建筑材料的发展

建筑材料是随着人类社会生产力和科学技术水平的提高而逐步发展起来的。人类最早穴居巢处，随着社会生产力的发展，人类社会进入石器、铁器时代，开始挖土凿石为洞，伐木搭竹为栅，能利用天然材料建造非常简陋的房屋等建筑。到人类能够用黏土烧制砖、瓦，用岩石烧制石灰、石膏之后，建筑材料才由天然材料进入人工生产阶段，为较大规模建造建筑物创造了基本条件。18 世纪至 19 世纪，资本主义兴起，促进了工商业及交通运输业的蓬勃发展，原有的建筑材料已不能适应形势的发展，在其他科学技术进步的推动下，建筑材料进入了一个新的发展阶段，钢材、水泥、混凝土及其他材料的相继问世，为现代建筑材料奠定了基础。进入 20 世纪后，社会生产力突飞猛进，以及材料科学与工程学的形成和发展，建筑材料不仅性能和质量不断改善，而且品种也不断增加，以有机材料为主的化工建材异军突起；一些具有特殊功能的新型建筑材料，如绝热材料、吸声隔声材料、各种装饰材料、耐热防火材料、防水抗渗材料以及耐磨、耐腐蚀、防爆和防辐射材料等应运而生。

随着人类的进步和社会的发展，更有效地利用地球有限的资源，全面改善人类工作与生活环境及迅速扩大生存空间已势在必行，未来的建筑物必将向多功能化、智能化方向发展，以满足人类对建筑物愈来愈高的安全、舒适、美观、耐久的要求。建筑材料在原材料、生产工艺、性能及产品形式诸方面都将面临可持续发展和人类文明进步的挑战。

今后，国家将不断努力发展绿色建材，以此来改变建材工业长期以来高投入、高污染、低效益的粗放型生产方式，尤其是我国对建材的需求量很大，而对绿色建材的研究较晚，很多绿色建材还未在工程实际中得到很好的推广应用。因而，加快资源节约型、污染最低型、科技先导型的绿色建材的发展是我国 21 世纪建材工业的战略目标。

0.4　建筑材料的技术标准

目前我国绝大多数建筑材料都制定了产品的技术标准，这些标准一般包括原材料、产品规格、分类、技术要求、检验方法、评定规则、运输和储存等方面的内容。

建筑材料的技术标准是产品质量的技术依据。目前，我国的技术标准分为国家标准、行业标准、地方标准和企业标准四类。

1. 国家标准

国家标准在全国范围内适用，它由国务院标准化行政主管部门编制，由国家技术监督局审批并发布，是最高标准，具有指导性、权威性。如《通用硅酸盐水泥》(GB 175—2007)，其中"GB"表示国家标准的代号，"175"为标准编号，"2007"为标准颁布的年号，《通用硅酸盐水泥》为该标准的技术(产品)名称；此标准为强制性国家标准，任何技术(产品)不得低于此标准。

2. 行业标准

行业标准在全国性的行业范围内适用。当没有国家标准，而又需要在全国某行业范围内统一技术要求时制定，由中央部委标准机构指定有关研究机构、院校或企业等起草或联合起草，报主管部门审批，国家技术监督局备案后发布。当国家有相应标准颁布时，该行业标准废止。

3. 地方标准

地方标准在某地区范围内适用。凡没有国家标准和行业标准时，可由相应地区根据生产厂家或企业的技术力量，以能保证产品质量的水平，制定有关标准。

4. 企业标准

企业标准只限于企业内部适用。在没有国家标准和行业标准时，企业为了控制生产质量而制定的技术标准，必须以保证材料质量，满足使用要求为目的。

各级标准都有各自的代号，如表0-1所示。由于技术水平不断提高，标准也不断更新，因而各类标准均具有时间性。随着我国加入WTO，常常还涉及一些与工程材料密切相关的国际或者外国标准，其中主要有：国际标准，代号为ISO；美国材料试验学会标准，代号为ASTM；日本工业标准，代号为JIS；德国工业标准，代号为DIN；英国标准，代号为BS；法国标准，代号为NF等。我国的各类标准正在实现与国际标准的接轨。

表0-1　各级标准代号

标准种类		代号	
1	国家标准	GB	国家强制性标准
		GB/T	国家推荐性标准
2	行业标准	JC	建材行业标准
		JGJ	建设部行业标准
		YB	冶金行业标准
		JT	交通行业标准
		SD	水电行业标准
	专业标准	ZB	国家级专业标准
3	地方标准	DB	地方强制性标准
		DB/T	地方推荐性标准
4	企业标准	QB	企业标准指导本企业的生产

0.5　本课程的内容、任务和学习方法

建筑工程材料及检测是建筑工程技术专业的一门专业基础课,它与物理学、化学、理论力学、材料力学以及工程地质等学科有着密切的联系。它的主要内容包括:建筑材料的基本概念;建筑材料的基本性质;常用材料如建筑胶凝材料(气硬性胶凝材料、水硬性胶凝材料等)、建筑结构材料(混凝土、砂浆、砖、建筑钢材等)、建筑功能材料(防水材料、绝热材料、装饰材料等)的品种、规格、技术性能、质量标准、检测方法、选用及保管等。

本课程的任务是论述常用建筑材料和新型材料的组成、结构、技术性质及它们之间的关系,论述材料的检验方法,利用试验评定其技术性质。通过本课程的学习,可以使学生掌握材料的性能及应用的基本理论知识,了解材料有关技术标准,掌握常用材料检测的方法;能正确选择材料,合理使用材料,准确地鉴定材料。

根据认知规律可将学习建筑材料课程的思路归结为"抓住一个中心和两条线索"。"一个中心"为材料的基本性质及检测标准、方法;"两条线索"为影响材料性质的两个方面的因素,一个是内在因素,如材料的组成结构,一个是外在因素,如环境、温度、湿度等外界条件。教学方法上要"三注重",即注重归纳对比、注重量度关系、注重理论实践结合。

模块小结

建筑工程材料最常用的分类方法是按材料的化学成分、使用功能和用途来分。合理使用建筑材料,对建筑物的安全、实用、美观、耐久及造价有着重大意义。建筑材料是随着人类社会生产力和科学技术水平的提高而逐步发展的。建筑工程材料的标准一般包括原材料、产品规格、分类、技术要求、检验方法、评定规则、运输和储存等方面的内容。学习建筑工程材料与检测课程的思路可归结为"抓住一个中心和两条线索"。

技能考核题

一、填空题

1. 建筑材料按化学成分可分为＿＿＿＿＿、＿＿＿＿＿和＿＿＿＿＿。
2. 按照使用功能分类,建筑材料可以分为＿＿＿＿、＿＿＿＿、＿＿＿＿。
3. 我国的技术标准分为＿＿＿＿、＿＿＿＿、＿＿＿＿、＿＿＿＿等四类。

二、名词解释

1. 无机材料
2. 复合材料
3. 强制性国家标准

模块一　建筑材料的基本性质

【课程思政目标】

1. 具有坚定正确的政治方向、良好的职业道德和诚信品质；

2. 爱岗敬业，具有工匠精神、劳动精神、劳模精神。

【能力目标】

1. 能从多个方面鉴别建筑材料性能。

2. 具有对建筑材料的密度、表观密度、吸水率等性能进行检测的能力。

3. 具有分析影响建筑材料性能因素的能力。

【知识目标】

1. 掌握物理性质、力学性质、耐久性等基本性质的概念、表示方法及衡量指标。

2. 熟悉材料的基本性质的影响因素。

3. 了解材料的基本性质的分类。

建筑物是由各种建筑材料建筑而成的，材料在建筑物的各个部位起着不同的作用。换句话说，材料是构成建筑物的物质基础，直接关系建筑物的安全性、功能性、耐久性和经济性。我们通常所说的材料的基本性质包括以下几个方面。

物理性质：表示材料的物理状态特征及与各种物理过程有关的性质。

力学性质：表示材料在力学作用下，抵抗破坏和变形能力的性质。

耐久性：指材料在使用过程中能长久保持其原有性质的能力。

1.1　材料的物理性质

1.1.1　与质量有关的性质

1. 密度

密度是指材料在绝对密实状态下单位体积的质量，按下式计算：

$$\rho = \frac{m}{V} \tag{1-1}$$

式中：ρ——材料的密度，g/cm^3；

　　　m——材料的绝对干燥质量，g；

　　　V——材料在绝对密实状态下的体积，cm^3。

所谓绝对密实状态下的体积，是指不包括任何孔隙的体积，也称实体积。在自然界中，除了钢材、玻璃等少数材料外，绝大多数固体物质都含有一些孔隙，如砖、石材等块状材料。而这些孔隙又根据是否与外界相连通分为开口孔隙(浸渍时能被液体填充)和闭口孔隙(与外界不相连通)，如图 1-1 所示。

对于开口孔隙的材料，测定其密度时，须先把材料磨成细粉（粒径小于0.2 mm），经干燥至恒重后，用李氏瓶测定其体积，然后按式（1-1）计算得到密度值。材料磨得越细，测得的密度数值就越准确。对于闭口孔隙的材料，测定其密度时，直接以块状材料为试样，以排液置换法测量其体积，近似作为其绝对密实状态的体积，并按照式（1-1）进行计算，所求得的密度称为近似密度（ρ_a）。

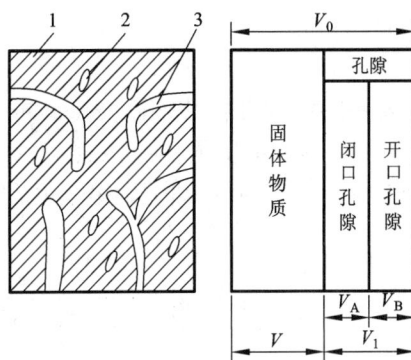

1—固体物质；2—闭口孔隙；3—开口孔隙。

图1-1 材料组成示意图

2. 表观密度

表观密度指材料在自然状态下单位体积的质量。在实际工程应用中，通常按散状材料与块状材料来区分表观密度。

1）散状材料

散状材料的表观密度是单位体积（包括内封闭孔隙）的质量。对于散状材料，如砂、石子、水泥等，可直接以排液法求得的体积 V' 作为自然状态下的体积（因未经磨细，而直接排液测体积，故 V' 也可理解为绝对密实状态体积的近似值，按该体积计算出的表观密度也称为视密度），用下式表示：

$$\rho' = \frac{m}{V'} \tag{1-2}$$

式中：ρ'——材料的表观密度（或称视密度），g/cm^3；

m——材料的绝对干燥质量，g；

V'——直接用排液法测得的材料体积，包括固体物质和闭口孔隙体积，cm^3。

2）块状材料

块状材料的表观密度指材料在自然状态下单位体积（包括闭口孔隙和开口孔隙）的质量，按下式计算：

$$\rho_0 = \frac{m}{V_0} \tag{1-3}$$

式中：ρ_0——材料的表观密度，g/cm^3 或 kg/m^3；

m——材料的质量，g 或 kg；

V_0——材料在自然状态下的体积，包括材料的固体物质体积和所含孔隙（开口及闭口）体积，cm^3 或 m^3。

表观密度的大小与密度、孔隙率及孔隙的含水程度有关。材料孔隙越多，表观密度越小；当材料内部孔隙含有水分时，其质量和体积均有所变化，表观密度一般变大。所以，材料的表观密度有气干状态下测得的值和绝对干燥状态下测得的值（干表观密度）。在进行材料试验时以干表观密度为准。

3. 堆积密度

堆积密度是指散粒状或粉状材料，在自然堆积状态下单位体积的质量，用下式表示：

$$\rho'_0 = \frac{m}{V'_0} \tag{1-4}$$

式中：ρ'_0——材料的堆积密度，g/cm^3 或 kg/m^3；

m——材料的质量，g 或 kg；

V'_0——材料的自然堆积体积，包括颗粒体积和颗粒之间空隙的体积(图 1-2)，cm^3 或 m^3。

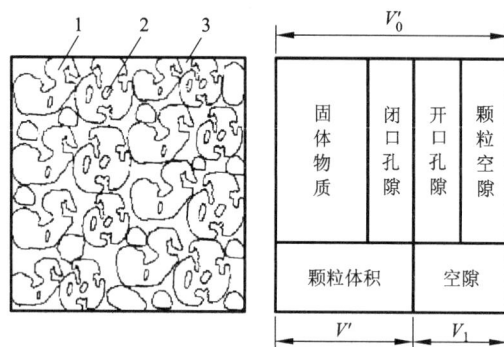

1—固体物质；2—闭口孔隙；3—空隙。

图 1-2　散粒材料堆积及体积示意图

材料的堆积密度与材料的表观密度、颗粒形状、级配及测定时材料装填方式和疏密程度有关。疏松堆积方式测得的堆积密度值通常小于紧堆积时的测定值。所以计算材料的用量、构件的自重、配料计算以及确定材料的堆放空间时，常用松散堆积密度来确定。常用的土木工程材料的有关数据见表 1-1。

表 1-1　常用材料的密度、表观密度及堆积密度数据表

材　　料	密度 $\rho/(g \cdot cm^{-3})$	表观密度 $\rho_0/(kg \cdot m^{-3})$	堆积密度 $\rho'_0/(kg \cdot m^{-3})$
石灰岩	2.60	1800~2600	—
花岗岩	2.60~2.90	2500~2900	—
碎石(石灰岩)	2.60	—	1400~1700
砂	2.60	—	1450~1650
普通黏土砖	2.50~2.80	1600~1800	—
空心黏土砖	2.50	1000~1400	—
水泥	3.10	—	1200~1300
普通混凝土	—	2100~2600	—
轻集料混凝土	—	800~1900	—
木材	1.55	400~800	—
钢材	7.85	7850	—
泡沫塑料	—	20~50	—
玻璃	2.55	—	—

8

4. 密实度和孔隙率

密实度是指材料体积内被固体物质所充实的程度，也就是固体物质的体积占总体积的比例，以 D 表示，可用下式计算：

$$D = \frac{V}{V_0} \times 100\% = \frac{\rho_0}{\rho} \times 100\% \qquad (1-5)$$

孔隙率是指材料的孔隙体积占材料总体积的百分率，以 P 表示，可用下式计算：

$$P = \frac{V_0 - V}{V_0} \times 100\% = \left(1 - \frac{\rho_0}{\rho}\right) \times 100\% \qquad (1-6)$$

即　　　　　　　　　　　　　　$D + P = 1$

或　　　　　　　　　　　　密实度+孔隙率 = 1

材料的密实度和孔隙率反映了材料的致密程度。材料的强度、吸水性、抗渗性、抗冻性、导热性、吸声性等都与材料的孔隙率大小有关。在孔隙率相同的条件下，材料内部开口孔隙增多会使材料的吸水性、吸湿性、透水性、吸声性提高，但是抗冻性和抗渗性变差；反之，材料内部闭口孔隙的增多会提高材料的保温隔热性和抗冻性。

5. 填充率和空隙率

填充率是指在某堆积体中，被散粒材料的颗粒所填充的程度，以 D' 表示。按下式计算：

$$D' = \frac{V_0}{V_0'} \times 100\% \quad 或 \quad D' = \frac{\rho_0'}{\rho_0} \times 100\% \qquad (1-7)$$

空隙率是指在某堆积体中，散粒或粉状材料颗粒之间的空隙体积占其自然堆积体积的百分率，用 P' 表示，按下式计算：

$$P' = \frac{V_0' - V_0}{V_0'} \times 100\% = \left(1 - \frac{\rho_0'}{\rho_0}\right) \times 100\% \qquad (1-8)$$

即　　　　　　　　　　　　　　$D' + P' = 1$

或　　　　　　　　　　　　填充率+空隙率 = 1

空隙率的大小反映了散粒或粉状材料颗粒之间相互填充的紧密程度。空隙率可以作为控制混凝土集料的级配及计算砂率的依据。

1.1.2　与水有关的性质

1. 材料的亲水性和憎水性

根据材料在与水接触时，能被水所润湿的程度，可将材料分为亲水性材料与憎水性材料两大类。

土木工程中的建筑物常与水或大气中的水汽接触，不同材料表面与水分接触都会产生相互作用。如图 1-3 所示，在材料、水、空气三相的交点处，沿水滴表面的切线与水和固体接触面之间所成的夹角 θ 称为润湿角。润湿角 θ 越小，浸润性越好，水分越容易被材料表面吸附。如果润湿角 θ 为零，则表示该材料完全被水浸润。当润湿角 $\theta \leq 90°$ 时，材料表面吸附水，材料表面能被水润湿而表现出亲水性，

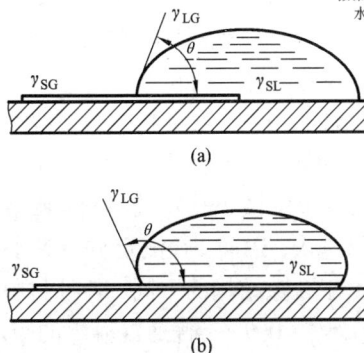

微课4：建筑材料与水有关的性质

图 1-3　材料的润湿示意图

（a）亲水性材料；（b）憎水性材料

这种材料为亲水性材料，如水泥、混凝土、砂、石、砖等；当润湿角 $\theta>90°$ 时，材料表面不吸附水，材料表面不会被水浸润，这种材料为憎水性材料，如沥青、石蜡、有机涂料(油漆或树脂类)、塑料等。憎水性材料常用作防水、防潮、防腐材料，也可用作亲水性材料的表面处理，以提高其耐久性。

材料表现出的亲水性或憎水性，是由材料分子与水分子间的引力以及水分子间的相互引力大小决定的，若前者大于后者，则呈亲水性；若前者小于后者，则呈憎水性。

2. 材料的吸水性和吸湿性

1)吸水性

材料在浸水状态下，即材料在水中吸收水分的能力称为吸水性。吸水性大小用吸水率表示。吸水率通常用质量吸水率和体积吸水率来表示。

(1)质量吸水率

材料吸水饱和时，它所吸收水分的质量占材料干燥时质量的百分率，按下式计算

$$W_{质}=\frac{m_{湿}-m_{干}}{m_{干}}\times100\% \tag{1-9}$$

式中：$W_{质}$——材料的质量吸水率，%；

    $m_{湿}$——材料吸水饱和后的质量，g；

    $m_{干}$——材料烘干至恒重的质量，g。

(2)体积吸水率

材料吸水饱和时，吸收水分的体积占干燥材料自然体积的百分率，可按下式计算

$$W_{体}=\frac{V_{水}}{V_0}=\frac{m_{湿}-m_{干}}{\rho_{水}\cdot V_0}\times100\% \tag{1-10}$$

式中：$W_{体}$——材料的体积吸水率，%；

    $V_{水}$——吸水饱和后，吸入水的体积，cm^3；

    $\rho_{水}$——水的密度，在常温下 $\rho_{水}=1.0\ g/cm^3$。

质量吸水率与体积吸水率的关系为

$$W_{体}=W_{质}\times\frac{\rho_0}{\rho_{水}} \tag{1-11}$$

在工程材料中，多数情况下是按照质量计算吸水率，也有按照体积计算吸水率的(吸入水的体积占材料表观体积的百分率)。吸水率的大小不仅取决于材料本身是亲水的还是憎水的，而且还与材料的孔隙率的大小及孔隙特征有关。一般孔隙率越大，开口孔隙越多，则材料吸水性越强；孔隙率相同的情况下，具有细小连通孔的材料比具有较多粗大开口孔隙或闭口孔隙的材料吸水性更强。这是由于闭口孔隙水分不能进入，而粗大开口孔隙不易吸满水分。具有很多微小孔隙的材料，吸收率较大，但由于微小孔隙中存在空气，在正常情况下水分不易进入，因而，在测定材料吸水性时一般采用真空法。

由于孔隙结构的不同，各种材料的吸水率也有差别。比如花岗岩等致密岩石，其吸水率仅为 0.5%~0.7%，普通混凝土的吸水率为 2%~3%，黏土砖的吸水率为 8%~20%，而木材或其他轻质材料的吸水率则大于 100%。同时，水分的吸入也给材料带来一系列的不良影响，使材料的许多性质发生改变，如体积膨胀、保温性下降、抗冻性变差等。

2）吸湿性

材料在潮湿的空气中吸收水分的性质，称为吸湿性。吸湿性的大小用含水率来表示，可按下式计算：

$$W_含 = \frac{m_含 - m_干}{m_干} \times 100\% \tag{1-12}$$

式中：$W_含$——材料的含水率，%；

$m_含$——材料含水时的质量，g；

$m_干$——材料在干燥状态下的质量，g。

材料含水率的大小不仅取决于自身的特征（亲水性、孔隙率和孔隙特征），还受周围环境的影响，及随温度、湿度变化而改变，气温越低，相对湿度越大，材料的含水率就越大。当材料的含水率达到与环境湿度保持相对平衡状态时，称为平衡含水率。

3. 耐水性

材料抵抗水的破坏作用的能力称为耐水性。材料的耐水性应包括水对材料的力学性质、光学性质、装饰性质等多方面性质的劣化作用。

当水分子材料进入后，由于材料表面力的作用，会在材料表面定向吸附，产生破坏作用，导致材料强度降低或使材料产生膨胀而开裂。因此，一般材料遇到水后，强度都会有不同程度的降低。材料的耐水性用软化系数来表示，可按下式计算

$$K_软 = \frac{f_饱}{f_干} \tag{1-13}$$

式中：$K_软$——材料的软化系数；

$f_饱$——材料在饱水状态下的抗压强度，MPa；

$f_干$——材料在干燥状态下的抗压强度，MPa。

软化系数一般为0~1，其值越小，说明材料吸水饱和后强度降低越多，材料耐水性越差。通常将软化系数大于0.80的材料称为耐水材料。对于经常位于水中或处于潮湿环境中的重要建筑物，它所选用的材料要求软化系数不得小于0.85；对于受潮较轻或次要结构所用材料，软化系数稍微降低，但不宜小于0.75。

材料的耐水性主要取决于其组成成分在水中的溶解度和材料内部开口孔隙率的大小。软化系数一般随溶解度增大、开口孔隙率增多而变小。溶解度很小的材料、孔隙率低或具有较多封闭孔隙的材料，软化系数一般较大，材料的耐水性好。

4. 抗渗性

材料抵抗压力水渗透的性质称为抗渗性，或称不透水性。材料的抗渗性可用以下两种方法表示。

1）渗透参数

根据达西定律，在一定时间 t 内，透过材料试件的水量 W 与试件的渗水面积 A 及水头差 h 成正比，与试件厚度 d 成反比，如图1-4所示，用公式表示为：

$$W = K \cdot \frac{h}{d} At \tag{1-14}$$

$$K = \frac{Wd}{Aht} \tag{1-15}$$

式中：K——渗透系数，cm/h；

W——透过材料试件的水量，cm^3；

t——透水时间，h；

A——渗水面积，cm^2；

h——静水压力水头，cm；

d——试件厚度，cm。

渗透系数越大，表明材料渗透的水量越多，即抗渗性越差。一些抗渗防水材料(如油毡)的抗渗性常用渗透系数表示。

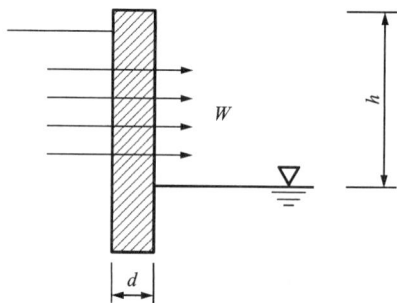

图 1-4 材料透水示意图

2)抗渗等级

材料的抗渗性也可用抗渗等级表示。抗渗等级是以规定的试件，在标准试验方法下所能承受的最大水压力来确定，以符号"Pn"表示，其中 n 以该材料所能承受的最大水压力(MPa)的 10 倍值来表示，用下式计算

$$Pn = 10p - 1 \qquad (1-16)$$

式中：Pn——抗渗等级；

p——开始渗水前最大水压力，MPa。

混凝土和砂浆抗渗性的好坏常用抗渗等级来表示，如 P4、P6、P8 分别表示试件能承受 0.4 MPa、0.6 MPa、0.8 MPa 的水压力而不渗水。抗渗等级越大，材料的抗渗性越好。

材料的抗渗性不仅取决于其是亲水性还是憎水性，更取决于材料的孔隙率及孔隙特征。孔隙率越小，抗渗性越好；在孔隙率相同条件下，开口孔隙越多、孔径尺寸大且连通的材料，抗渗性越差。

抗渗性是决定材料耐久性的重要因素，它影响到材料的抗冻性、抗腐蚀性及抗风化等性能。在设计地下建筑、防水工程、压力管道、容器等结构时，均要求所用材料具有一定的抗渗性能。抗渗性也是检验防水材料质量的重要指标。

5. 抗冻性

材料在吸水饱和状态下经受多次冻融循环而不被破坏，也不严重降低强度的性质，称为抗冻性。抗冻性的大小用抗冻等级和最大冻融循环次数表示，符号"Fn"，其中 n 表示最大冻融循环次数，如 F15、F25、F50、F100 等。

抗冻等级的选择，是根据结构物的种类、使用条件、气候条件等来决定的。将材料吸水饱和后，按规定方法进行冻融循环试验，以质量损失不超过 5%，或强度下降不超过 25%，所能经受的最大冻融循环次数来确定。材料在冻融循环作用下产生破坏的原因，是材料内部孔隙中的水结冰时发生体积膨胀，从而使孔隙中的水压力增大，对孔壁产生较大应力。当此应力超过材料的抗拉强度极限时，材料孔壁产生局部开裂，强度随之降低。随冻融循环次数的增多破坏逐渐加强。

工程中材料抗冻性的好坏取决于其孔隙率、孔隙特征及充水程度，材料的变形能力大、强度高、软化系数大时，其抗冻性较高。一般认为软化系数小于 0.80 的材料，其抗冻性较差。抗冻性良好的材料，对于抵抗大气温度变化、干湿交替等风化作用的能力较强。所以抗冻性常作为考察材料耐久性的一项指标。

1.1.3 与热有关的性质

1. 导热性

当材料两侧存在温度差时，热量将由温度高的一侧通过材料传递到温度低的一侧，材料的这种传导热量的能力称为导热性，如图 1-5 所示。材料传导的热量 Q 与导热面积 A 成正比，与时间 t 成正比，与材料的厚度 d 成反比，即

$$Q = \lambda \frac{At(T_1 - T_2)}{d} \tag{1-17}$$

$$\lambda = \frac{Qd}{At(T_1 - T_2)} \tag{1-18}$$

式中：λ——导热系数，W/(m·K)；

Q——传导的热量，J；

A——热传导面积，m^2；

d——材料厚度，m；

t——热传导时间，s；

$T_1 - T_2$——材料两侧温差，K。

材料的导热性用导热系数(亦称热导率 λ)来表示，单位为 W/(m·K)。导热系数 λ 的物理意义是：厚度为 1 m 的材料，当其相对两侧表面温度差为 1 K 时，在 1 s 时间内通过单位面积的热量。

显然，导热系数 λ 越小，材料的保温隔热性能越好。在多孔材料中，热是通过固体骨架和孔隙中的空气而传递的，空气的导热系数很小，$\lambda_{空气} \leqslant 0.023$ W/(m·K)，远远小于固体物质的导热系数。孔隙率越大的材料，内部空气较多，导热性较差。但是如果孔隙粗大，空气会形成对流，材料的导热性会增加。

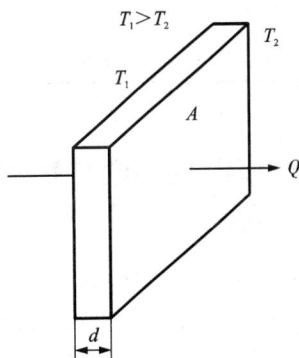

图 1-5 材料传热示意图

材料的导热系数大小与其组成及结构、孔隙率、孔隙特征、温度、湿度、热流方向等有关。一般来讲，金属材料、无机材料、晶体材料的导热系数分别大于非金属材料、有机材料、非晶体材料。

保温隔热性和导热性都是指材料传递热量的能力，工程中常采用多孔材料作为保温隔热材料，此类材料在使用中要注意防潮、防冻。因为水的导热系数是空气的 25 倍，而冰的导热系数又是水的 4 倍，因此，当材料受潮或受冻结冰时会使导热系数急剧增大，导致材料的保温隔热性能变差。

2. 热容量

材料受热时吸收热量或冷却时放出热量的能力称为热容量。热容量的大小用比热容来表示。比热容在数值上等于 1 g 材料，温度升高或降低 1 K 时所吸收或放出的能量 Q，用下式表示

$$c = \frac{Q}{m(T_1 - T_2)} \tag{1-19}$$

式中：c——材料的比热容，J/(g·K)；

　　　Q——材料吸收或放出的热量，J；

　　　m——材料的质量，g；

　　　T_1-T_2——材料受热或冷却前后的温度差，K。

比热容的大小直接反映出材料吸热或放热的能力大小。比热容大的材料，能在热流变动或者采暖设备供热不均匀时，缓解室内温度变动。材料的导热系数和比热容是设计建筑物维护结构、进行热工计算时的重要参数。不同的材料，其比热容不同，即使是同种材料，由于物态不同，其比热容也不相同。常见建筑材料的导热系数和比热容见表1-2。

表1-2　常用建筑材料的导热系数和比热容指标

材料名称	导热系数 λ /[W·(m·K)$^{-1}$]	比热容 c /[J·(g·K)$^{-1}$]	材料名称	导热系数 λ /[W·(m·K)$^{-1}$]	比热容 c /[J·(g·K)$^{-1}$]
建筑钢材	58	0.48	黏土空心砖	0.64	0.92
花岗岩	3.49	0.92	松土	0.17~0.35	2.51
普通混凝土	1.28	0.88	泡沫塑料	0.03	1.30
水泥砂浆	0.93	0.84	冰	2.20	2.05
白灰砂浆	0.81	0.84	水	0.60	4.19
普通黏土砖	0.81	0.84	静止空气	0.023	1.00

1.1.4　与声学有关的性质

1. 吸声性

声音来源于物体的振动，产生振动的物体称为声源。声音引起邻近空气的振动而形成声波，并在空气介质中向四周传播。当声音传入构件材料表面时，声能一部分被反射，一部分穿透材料，还有一部分由于构件材料的振动或者声音在其中传播时与周围介质摩擦，由声能转化成热能，声能被损耗，即通常所说的声音被材料吸收。被吸收声能（E）（包括部分穿透材料的声能在内）和传递给材料的全部声能（E_0）之比，是评定材料吸声性能好坏的主要指标，用吸声系数 α 表示。

$$\alpha = \frac{E}{E_0} \times 100\% \tag{1-20}$$

式中：α——材料的吸声系数；

　　　E_0——传递给材料的全部入射声能；

　　　E——被材料吸收（包括透过）的声能。

材料的吸声性能除与材料本身的厚度、结构及材料的表面特征有关外，还和声波的入射方向及频率有关。对于高、中、低不同频率的吸声系数不同。通常取 125 Hz、250 Hz、500 Hz、1000 Hz、2000 Hz、4000 Hz 等 6 个频率的吸声系数来表示材料的吸声频率特征。6 个频率平均吸声系数大于 0.2 的材料，称为吸声材料。材料的吸声系数越高，吸声效果越好。

1）影响材料吸声性能的主要因素

（1）材料的厚度：增加多孔材料的厚度，可提高对低频的吸声效果，而对高频吸声则没有明显影响。

（2）材料的表观密度：对同一种多孔材料，当其表观密度增大时，对低频的吸声效果提高，对高频的吸声效果则有所降低。

（3）孔隙的特征：材料的孔隙愈多愈细小，吸声效果愈好，如果孔隙太大，则效果就差。如果材料中的孔隙大部分为单独的封闭的气泡（如聚氯乙烯泡沫塑料），则因声波不能进入，从吸声机理上来讲，就不属多孔性吸声材料。当多孔材料表面涂刷油漆或材料吸湿时，则因材料的孔隙被水分或涂料所堵塞，其吸声效果亦将大大降低。

2）建筑上常用吸声材料（结构）类型

建筑工程中常用吸声材料有石膏砂浆（掺有水泥、玻璃纤维）、水泥膨胀珍珠岩板、矿渣棉、玻璃棉、超细玻璃棉、沥青矿渣棉毡、泡沫玻璃、泡沫塑料、软木板、木丝板、穿孔纤维板、工业毛毡、地毯、帷幕等。其种类及使用情况见表1-3。

吸声材料及吸收结构

表1-3 吸声材料种类及使用情况

主要材料		常用材料举例	使用情况
纤维材料	有机纤维材料	动物纤维：毛毡	价格昂贵，使用较少
		植物纤维：麻绒、海草	防火防潮性能差，原料来源丰富
	无机纤维材料	玻璃纤维：中粗棉、超细棉、玻璃棉毡	吸声性能好，保温、隔热、不燃、防腐防潮，应用广泛
		矿渣棉：散棉、矿棉毡	吸声性能好，松散材料易自重下沉，施工扎手
	纤维材料制品	软质木纤维板、矿棉吸声板、岩棉吸声板、玻璃棉吸声板	装配式施工，多用于室内吸声装饰工程
颗粒材料	砌块	矿渣吸声砖、膨胀珍珠岩吸声砖、陶土吸声砖	多用于砌筑截面较大的消声器
	板材	膨胀珍珠岩吸声装饰板	质轻、不燃、保温、隔热、强度偏低
泡沫材料	泡沫塑料	聚氨酯及脲醛泡沫塑料	吸声性能不稳定，吸声系数使用前需实测
	其他	泡沫玻璃	强度高、防水、不燃、耐腐蚀、价格昂贵，使用较少
		加气混凝土	微孔不贯通，使用较少
		吸声剂	多用于不易施工的墙面等处

除了采用多孔吸声材料吸声外，还可将材料组成不同的吸声结构，达到更好的吸声效果。常用的吸声结构形式有薄板共振吸声结构和穿孔板共振吸声结构（表1-4）。

薄板共振吸声结构式采用薄板钉牢在靠墙的木龙骨上，薄板与板后的空气层构成了薄板共振吸声结构。

穿孔板共振吸声结构式用穿孔的胶合板、纤维板、金属板或石膏板等为结构主体，与板后的墙面之间的空气层(空气层中有时可填充多孔材料)构成吸声结构。该结构吸声的频带较宽，对中频的吸声能力最强。

表1-4 吸声结构类型

结构类型	共振吸声结构	单个共振器
		穿孔板共振吸声结构
		薄板共振吸声结构
		薄膜共振吸声结构
	特殊吸声结构	空间吸声体、吸声尖劈等

3)吸声板的运输和保管注意事项

(1)用塑料布将每块板包起，再用纸箱或木箱将整批板包装捆好。

(2)搬运时需轻拿轻放，不得碰撞受压，并须将两块板面对面合在一起搬运。

(3)搬运车辆应有防雨、防潮措施。

(4)运输绑绳与吸声板箱接触部位要有保护措施，以防吸声板箱破损。

(5)吸声板须存放在干燥的仓库内，地面须用木板垫平，离墙距离以大于40 cm为宜。

(6)吸声板立放堆垛，每垛以两层为宜。

2. 隔声性

隔声性指材料隔绝声音的能力。人们要隔绝的声音按其传播途径可分为空气声(由于空气的振动)和固体声(由于固体撞击或振动)两种。

材料的隔声能力可以通过材料对声波的透射系数(τ)来衡量。

$$\tau = \frac{E_\tau}{E_0} \tag{1-21}$$

式中：τ——声波透射系数；

E_τ——透过材料的声能；

E_0——入射总声能；

材料的透射系数越小，表明材料的隔声性越好，常用隔声量R(分贝，dB)表示构件对空气声隔绝的能力，它与透射系数的关系是：

$$R = -10\lg\tau \tag{1-22}$$

式中：R——隔声量，dB。

隔绝空气声主要是减少声波的透射。对隔绝空气传声，根据声学中的"质量定律"，墙或板传声的大小主要取决于其单位面积质量，质量越大，越不易振动，则隔音效果越好，故必须选用密实、沉重的材料(如黏土砖、钢板、钢筋混凝土)作为隔声材料。

隔绝固体声的方法与隔绝空气声的方法是有区别的，因为建筑构件(材料)本身成为声源而直接向四周传播声能，声波沿固体材料传播时声能衰减极少，所以隔固体声最有效的措施是采用不连续的结构处理，即在墙壁和承重梁之间、房屋的框架和隔墙及楼板之间加弹性衬垫，如毛毡、软木、橡皮等材料，或在楼板上加弹性地毯。

1.2 材料的力学性质

微课5：建筑材料的力学性质

1.2.1 强度与比强度

1. 材料的理论强度

材料的理论强度是指材料在理想状态下具有的强度。材料的理论强度取决于其质点间的作用力。以共价键、离子键形成的结构，化学键能高，材料的理论强度和弹性模量值也高。而以分子键形成的结构，化学键能较低，材料的理论强度和弹性模量值均较低。

材料在理想状态下，受拉力破坏造成的结合键的断裂，或因剪力破坏造成的质点间的滑移，其他受力形式导致的材料破坏，实际上都是外力在材料内部产生拉应力和剪应力而造成的。

材料的理论抗拉强度，可用下式表示：

$$f_\mathrm{t} = \sqrt{\frac{E\gamma}{d}} \qquad (1-23)$$

式中：f_t——材料的理论抗拉强度，MPa；

E——材料的弹性模量，N/mm；

γ——单位表面能，N/mm^2；

d——原子间的距离，mm。

实际材料与理想材料的差别在于实际材料中存在许多缺陷，例如微裂纹、微孔隙等。当材料受外力作用时，在微裂纹的尖端部位会产生应力集中现象，使得其局部应力大大超过材料的理论强度，而引起裂纹不断扩展、延伸，以致相互连通，最后导致材料的破坏。故材料的理论强度远远大于其实际强度。而消除工程材料内部的缺陷，则会大大提高材料的强度。

2. 材料的强度

材料在外力(荷载)作用下，抵抗破坏的能力称为强度。当材料受外力作用时，其内部将产生应力，外力逐渐增大，内部应力也相应地加大，直到材料结构不再能够承受时，材料即破坏。此时材料所承受的极限应力值，就是材料的强度。

材料的强度通常以材料在外力或其他因素(如限制收缩、不均匀受热等)作用下失去承载能力时的极限应力来表示，常用单位为 MPa(N/mm^2)。

试验测定的强度值受材料本身的组成、组织结构、孔隙大小等内在因素的影响。如钢材，其强度随钢材中碳及合金元素含量的变化而变化，也随组织结构的变化而变化，所以钢材可进行冷加工和热处理。同时，也与试验条件有密切关系，如试件的形状、尺寸、含水率、表面状态、温度、试验机的测定范围及试验时的加荷速度等。所以，对于以强度为主要性质的材料，必须严格按照标准试验方法进行静力强度的测试，以使测定结果准确、可靠，具有可比性。

静力强度包括抗压强度、抗拉强度、抗弯强度和抗剪强度，分别表示材料抵抗压力、拉力、弯曲、剪力破坏的能力，如图 1-6 所示。

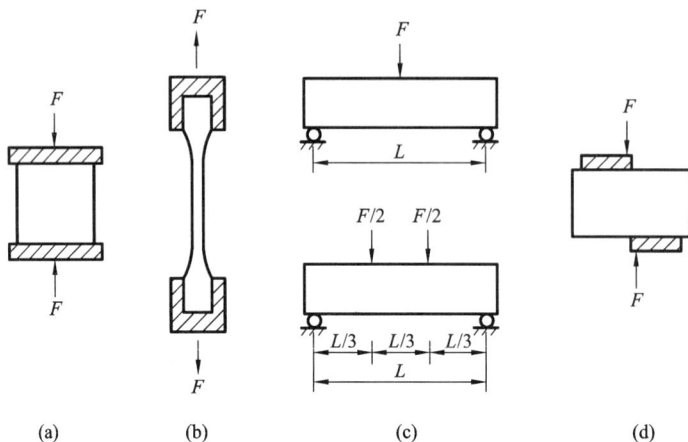

图 1-6 材料受力示意图

(a)抗压；(b)抗拉；(c)抗弯；(d)抗剪

材料的抗压强度、抗拉强度、抗剪强度的计算公式皆为：

$$f = \frac{F_{max}}{A} \tag{1-24}$$

式中：f——材料的强度，N/mm^2 或 MPa；

   F_{max}——材料破坏时的最大荷载，N；

   A——受力截面的面积，mm^2。

材料的抗弯强度与加荷方式有关，单点集中加荷和三分点加荷的计算公式如下

$$f_f = \frac{3F_{max}L}{2bh^2} \quad (单点集中加荷) \tag{1-25}$$

$$f_f = \frac{F_{max}L}{bh^2} \quad (三分点加荷) \tag{1-26}$$

式中：f_f——材料的抗弯强度，N/mm^2 或 MPa；

   F_{max}——材料破坏时的最大荷载，N；

   L——两支点的距离，mm；

   b，h——试件横截面的宽与高，mm。

相同种类的材料，随着其孔隙率及构造特征的不同，各种强度也有差别。一般来说，孔隙率越大的材料，强度越低，其强度与孔隙率有近似直线的关系，如图 1-7 所示。不同种类的材料，强度差异很大。砖、石材、混凝土和铸铁等材料的抗压强度较高，而抗拉强度及抗弯强度较低。木材的顺纹抗拉强度高于抗压强度。钢材的抗拉、抗压强度都很高。因此，砖、石材、混凝土等材料多用于结构的承压部位，如墙、柱、基础等；钢材则适用于承受各种外力的结构。常用材料的强度值列于表 1-5。

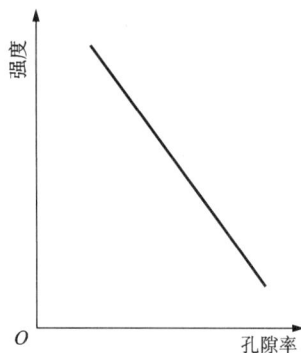

图 1-7 材料的强度与孔隙率的关系

表 1-5 常用材料的强度值($N \cdot mm^{-2}$ 或 MPa)

材料	抗压强度 f_c	抗拉强度 f_t	抗弯强度 f_f
花岗岩	100~250	5~8	10~14
普通黏土砖	10~30	—	2.6~10.0
混凝土	10~100	1~8	3.0~10.0
松木(顺纹)	30~50	80~120	60~100
建筑钢材	240~1500	240~1500	—

3. 比强度

不同材料强度大小的比较可以采用比强度。比强度是指材料的强度与表观密度之比 f/ρ_0。它是衡量材料轻质高强的一个重要指标。如 Q235 钢、C30 混凝土,其比强度分别为 0.53、0.012,而 MU10 烧结黏土砖的比强度只有 0.006。钢材、木材和混凝土的强度比较见表 1-6。

表 1-6 钢材、木材和混凝土的强度比较

材料	体积密度 $\rho_0/(kg \cdot m^{-3})$	抗压强度 f_c/MPa	比强度 f/ρ_0
低碳钢	7850	415	0.053
松木	500	34.3(顺纹)	0.069
普通混凝土	2400	29.4	0.012

1.2.2 弹性与塑性

弹性是指材料在应力作用下产生的变形,外力取消后,材料变形即可消失并能完全恢复原来形状的性质。这种可以恢复的变形,称为弹性变形。明显具有弹性特征的材料称为弹性材料。

塑性是指材料在应力作用下产生变形,但不破坏,当外力消失后,不能自动恢复到原来形状的性质。这种不可恢复的变形,称为塑性变形,或永久变形。明显具有塑性变形特征的材料称为塑性材料。

实际上,纯弹性与纯塑性的材料是不存在的。不同的材料在力的作用下表现出不同的特征。例如,有些材料在低应力作用下,主要发生弹性变形;而在高于其屈服强度时又产生塑性变形(如建筑钢材)。有些材料在受力时同时产生弹性和塑性变形,如图 1-8 所示,这种变形随外力消失而弹性变形消失,塑性变形存在(如混凝土材料)。

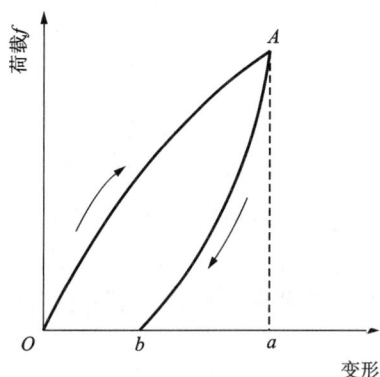

ab—可恢复的弹性变形;
bO—不可恢复的塑性变形。

图 1-8 弹塑性材料变形曲线

1.2.3　脆性与韧性

脆性是指材料在外力作用下变形达到一定的限度后，材料突然被破坏且被破坏时无明显的塑性变形的性质。具有这种特性的材料称为脆性材料。脆性材料的变形曲线如图 1-9 所示。脆性材料的特点是抗压强度远大于其抗拉强度，主要适应于压力静荷载。建筑材料中大部分无机非金属材料均为脆性材料，如天然岩石、陶瓷、砖、玻璃、生铁、普通混凝土等。

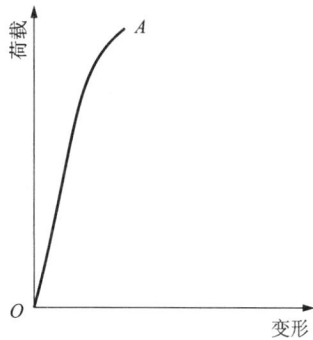

韧性是指材料在冲击或振动荷载作用下，能吸收较大能量，产生一定的变形，而不破碎的性能，又叫冲击韧性。具有这种性质的材料叫作韧性材料。

图 1-9　脆性材料的变形曲线

韧性材料的特点是其塑性变形大，受力时产生的抗拉强度接近或高于抗压强度，破坏前有明显征兆，主要适用于承受拉力或动荷载。木材、建筑钢材、沥青混凝土等属于韧性材料。用作路面、桥梁、吊车梁等需要承受冲击荷载和有抗震要求的结构用建筑材料均应具有较高韧性。

1.2.4　材料的硬度与耐磨性

硬度是指材料抵抗其他物体刻划、摩擦、压入其表面的能力。不同的材料要采用不同的硬度测试方法。天然矿物的硬度用抵抗刻划的能力表示，常用莫氏硬度计测定。莫氏硬度计规定了 10 种不同硬度的矿物作为硬度等级标准，按滑石、石膏、方解石、萤石、磷灰石、正长石、石英、黄玉、刚玉、金刚石依次排列。采用刻划的方法即可鉴定出被测矿物的硬度。

石材的硬度用抵抗磨耗的能力表示。试件用石英砂磨料经一定摩擦行程后，以单位摩擦面积上的质量损失表示其硬度。

耐磨性是指材料表面抵抗磨损的能力。材料的耐磨性用磨损率表示：

$$B = \frac{m_1 - m_2}{A} \qquad (1-27)$$

式中：B——材料的磨损率，g/cm^2；

　　　m_1——材料磨损前的质量，g；

　　　m_2——材料磨损后的质量，g；

　　　A——材料试件的受磨面积，cm^2。

材料的磨损率越低，表明材料的耐磨性越好。一般硬度较高的材料，耐磨性也较好。

1.3　材料的耐久性

耐久性是指材料在长期使用过程中，能抵抗周围各种介质的侵蚀而不破坏，并能保持原有性能的性质。

1.3.1 影响材料耐久性的因素

耐久性是一项综合指标,包括强度、抗冻性、抗渗性、抗风化性、抗老化性、耐化学腐蚀性、大气稳定性等。因此无法用一个统一的指标去衡量所有材料的耐久性。材料在实际使用中,除受到各种外力作用外,还会受周边环境和各种自然因素的作用,这些作用具体包括:

影响材料耐久性的因素

(1)物理作用:包括湿度、温度的循环变化。材料受到这些作用后将发生体积膨胀或收缩,反复作用下还会使材料性质改变。

(2)化学作用:包括大气和环境中的酸、碱、盐等溶液,以及光照和紫外线等对材料的破坏作用。

(3)生物作用:包括各类细菌和虫类对材料的破坏。

(4)机械作用:包括持续荷载或者交变荷载对材料产生的冲击、磨耗等破坏作用。

因而,材料的耐久性实际上是衡量材料在上述多种作用下能保持原有性能,从而保证建筑物安全正常使用的性质。材料品质不同,耐久性的内容和指标也不相同。如:金属材料由化学和电化学作用引起腐蚀、破坏,其耐久性主要指标是耐腐蚀性;无机非金属材料(如石料、砖、混凝土)由溶解、风蚀、温差、湿差、摩擦等引起破坏,其耐久性指标主要包括抗渗透性、抗冻性、抗风化性、耐磨性等方面的要求;有机材料由生物作用、光、热、电作用而引起破坏,其耐久性指标包含抗老化性、耐腐蚀性。

由于建筑工程所处的环境复杂,其材料受到的破坏因素也千变万化(如表1-7)。这使得我们必须合理选择材料,并采取相应的措施,如提高材料密实度等,以增强自身对外界作用的抵抗力,或采取表面保护措施、改善环境条件来减轻对材料的破坏。

表 1-7 材料耐久性与破坏因素的关系

名称	破坏因素分类	破坏因素	评定指标
抗渗性	物理	压力水、静水	渗透系数、抗渗等级
抗冻性	物理、化学	水、冻融作用	抗冻等级、耐久性系数
冲磨气蚀	物理	流水、泥沙	磨蚀率
碳化	化学	CO_2、H_2O	碳化程度
化学侵蚀	化学	酸、碱、盐及其溶液	*
老化	化学	阳光、空气、水、温度交替	*
钢筋锈蚀	物理、化学	H_2O、O_2、氯离子、电流	电位锈蚀率
碱集料反应	物理、化学	R_2O、H_2O、活性集料	膨胀率
腐朽	生物	H_2O、O_2、菌	*
虫蛀	生物	昆虫	*
耐热	物理、化学	冷热交替、晶型转变	*
耐火	物理	高温、火焰	*

注:* 表示可参考强度变化率、开裂情况、变形情况、破坏情况等进行评定。

1.3.2　耐久性的测定

对材料耐久性进行可靠的判断，需要很长的时间。通常采用快速检验法进行测定，该方法是在模拟使用条件下，将材料在实验室进行有关的快速试验，根据试验结果对材料的耐久性做出判定。在实验室进行快速试验的项目主要有冻融循环、干湿循环、碳化等。

提高材料的耐久性，对于节约材料、保障建筑物正常使用、减少维修、延长建筑寿命等都有非常重大的意义。

1.4　建筑材料基本物理性质的检测

1.4.1　材料密度的检测

1. 检测目的

检测材料的密度。本试验以石料的密度检测为例。

2. 主要仪器设备

（1）李氏密度瓶；容积为 220～250 mL，带有长为 18～20 cm 的细颈，细颈上刻有度数，精确到 0.1 mL（如图 1-10）。

（2）恒温水槽：测定密度时，需在相同温度下得到两次读数，容器温度应能保持在（$T\pm1$）℃。

（3）天平：感量为 0.001 g。

（4）轧石机：供初碎石料试样用。

（5）球研磨机：供磨碎石粉用。

（6）研钵：供磨细石粉用。

（7）烘箱：能使温度控制在（105±5）℃。

（8）煤油：无水，使用前应过滤，抽去煤油中的空气。

（9）干燥器：内装氯化钙或硅胶等干燥剂。

（10）其他用品：温度计、0.25 mm 筛、移液管、漏斗、瓷皿、滤纸。

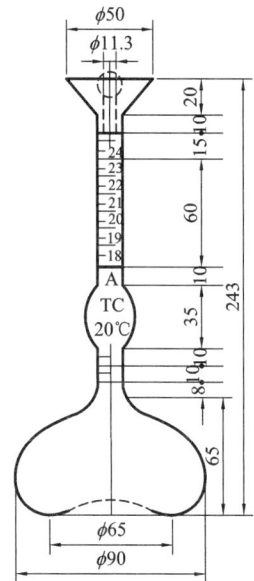

图 1-10　李氏密度瓶

3. 试样准备

先取一份岩石式样在小型轧石机上初碎（或手工锤碎），再放入球磨机中进一步磨碎，然后用研钵研细，通过 0.25 mm 筛，取通过部分石粉备用。

4. 检测步骤

（1）用瓷皿称取石粉约 100 g，将石粉放入（105±5）℃烘烤箱中烘 6～12 h 至恒重后，取出试样放于干燥器内冷却至室温备用。

（2）用抽去空气的煤油灌入李氏密度瓶中至零点刻度线以上，读起始读数，以弯液面的下部为准。将密度瓶置于标定温度恒温水槽内，使刻度线部分浸入水中，恒温 0.5 h，记下第一次读数 V_1，准确至 0.05 mL。恒温结束后取出李氏密度瓶，用滤纸把李氏密度瓶内起始读数以上部分仔细擦净。

（3）从干燥器中取出冷却后的试样，在天平上准确称量瓷皿加石粉的合质量 m_1，准确至 0.001 g。

（4）用小匙小心地把石粉通过漏斗装入瓶中，注意勿使石粉粘附于液面以上的瓶颈内壁上，也勿每次加入过多石粉以免漏斗颈堵塞。当液面上升至 20 mL 刻度处，停止加入石粉，转动李氏密度瓶排去其中的空气。然后再将密度瓶放入恒温水槽，在第一次相同的温度下恒温 0.5 h，记下第二次读数 V_2，准确至 0.05 mL。

（5）准确称量出瓷皿与剩余石粉的合质量 m_2，准确至 0.001 g。

5. 结果计算与结论评定

（1）石料真实密度按下式计算。

$$\rho = \frac{m_1 - m_2}{V} \tag{1-28}$$

$$V = V_2 - V_1$$

式中：ρ——石料真实密度，精确至 0.01 g/cm³；

　　m_1——试验前石粉加瓷皿的合质量，g；

　　m_2——试验后剩余石粉加瓷皿的合质量，g；

　　V——被石粉所排开的液体体积，即第二次读数 V_2 减去第一次读数 V_1，cm³。

（2）以两次试验结果的算术平均值作为测定值，若两次试验结果之差大于 0.02 g/cm³ 时，应重新取样试验。

6. 注意事项

（1）试样烘干至恒重是指相邻两次称量间隔时间不大于 3 h 的情况下，前后两次称量之差小于该项试验所要求的称量精度。

（2）用小匙向密度瓶中通过漏斗装入石粉时，注意石粉损失，倾注时注意勿使石粉黏附于液面以上的瓶颈内壁，每次加入少量石粉避免堵塞漏斗颈。倾注完后应当排除空气和保持恒温。

（3）两次平行试验的精度误差应满足试验规定的要求。

石料的密度试验报告

实验人员：　　　　　　　　试验日期：　　　　　　　　指导老师：

实验次数	试验前剩余石粉+瓷皿的质量 m_1/g	试验后剩余石粉+瓷皿的质量 m_2/g	装入李氏密度瓶的石粉质量 (m_1-m_2)/g	李氏密度瓶液面读数		石粉体积 $V=(V_2-V_1)$ /cm³	石料密度 /(g·cm⁻³)	
				装入石粉前 V_1/cm³	装入石粉后 V_2/cm³		单个值	平均值

1.4.2　材料的表观密度试验（标准法）

1. 检测目的

测定石子的单位体积物质的干质量，为空隙率计算和水泥混凝土配合比设计提供数据。

2. 主要仪器设备

(1)天平:量程 5 kg,感量 1 g。

(2)吊篮:直径与高度均为 150 mm,由孔径为 1~2 mm 的筛网或钻有 2~3 mm 孔洞的耐锈蚀金属板制成。

(3)烘箱:能使温度控制在(105±5)℃。

(4)试验筛:孔径为 4.75 mm。

(5)盛水容器:有溢流孔。

(6)温度计:0~100℃。

(7)带盖容器、浅盘、刷子和毛巾等。

3. 试样准备

试样制备应符合下列规定:试验前,将样品筛去 4.75 mm 以下的颗粒,并缩分至略大于表 1-8 所规定的数量,刷洗干净后分成两份备用。

表 1-8　表观密度试验所需的试样最少用量

最大粒径/mm	小于 26.5	31.5	37.5	63.0	75.0
试样最少质量/kg	2.0	3.0	4.0	6.0	6.0

4. 检测步骤

(1)取一份试样装入吊篮,浸入盛水容器中,液面需高出试样表面 50 mm。浸水 24 h 后,移放到称量用的盛水容器中,并用上下升降吊篮的方法排除气泡。吊篮每升降一次约 1 s,升降高度为 30~50 mm。

(2)测定水温后(吊篮应全浸在水中),准确称出吊篮及试样在水中的质量,精确至 5 g。称量时盛水容器中水面的高度由容器的溢流孔控制。

(3)提起吊篮,将试样倒入浅盘,放在烘箱中于(105±5)℃下烘干至恒温重,待冷却至室温后,称出其质量,精确至 5 g。

(4)称出吊篮在同样温度的水中的质量,精确至 5 g。称量时盛水容器的水面高度仍由溢流孔控制。

5. 结果计算与结论评定

石子表观密度 ρ_0 按下式计算(精确至 10 kg/m³):

$$\rho_0 = \frac{m_0}{m_0 + m_2 - m_1} \times \rho_{水} \%$$ (1-29)

式中:ρ_0——表观密度,kg/m³;

$\quad m_0$——烘干后试样的质量,g;

$\quad m_1$——吊篮及试样在水中的质量,g;

$\quad m_2$——吊篮在水中的质量,g;

$\quad \rho_{水}$——1000 kg/m³。

6. 注意事项

(1)试验时各项称量可以在 15~25℃范围内进行,但从试样加水静止的 2 h 起至试验结束, 其温度变化不应超过2℃。

(2)表观密度取两次试验的算术平均值, 两次试验结果之差大于20 kg/m³, 须重新试验。对颗粒材质不均的试样, 如两次试验结果之差超过20 kg/m³, 可取4次试验结果的算术平均值。

石子的表观密度试验报告

实验人员:_____　试验日期:_____　指导教师:_____

试验次数	烘干后试样质量 m_0/g	吊篮及试样在水中的质量 m_1/g	吊篮在水中的质量 m_2/g	表观密度 ρ_0 /(kg·m⁻³)	平均值 /(kg·m⁻³)
1					
2					
结论					

1.4.3　材料的吸水率试验

1. 检测目的

测定材料在吸水饱和状态下的吸水量与干燥状态下材料的质量或体积的比值。

2. 主要仪器设备

(1)烘箱。

(2)天平。

(3)玻璃(或金属)盆。

(4)游标卡尺。

3. 检测步骤

(1)从干燥器中取出试样, 称取其质量 m(g)。

(2)将试样放在金属或玻璃盆中, 并在盆底放置垫条(玻璃管或玻璃棒, 使试样底面与盆底不致紧贴, 试样之间应留出1~2 cm的间隙, 使水能够自由进入)。

(3)加水至试样高度的三分之一处, 24 h后再加水至试样高度三分之二处, 再过24 h后加满水, 并放置24 h。逐次加水的目的在于使试样内空气逸出。

(4)取出试样, 用拧干的湿毛巾轻轻擦去表面水分(不得来回擦拭)后称取其质量 m_1(g)。

(5)为检验试样是否吸水饱和, 可将试样再浸入水中至试样高度四分之三处, 过24 h后重新称量, 两次称量的结果之差不得超过1%。

4. 结果计算与结论评定

材料的吸水率 $W_质$ 及 $W_体$ 按下式计算

$$W_质 = \frac{m_1 - m}{m} \times 100\% \tag{1-30}$$

$$W_体 = \frac{m_1 - m}{\rho_水 V} \times 100\% \tag{1-31}$$

式中: $W_质$——材料的质量吸水率, %;

$W_体$——材料的体积吸水率，%；

m——试样的干燥质量，g；

m_1——试样的吸水饱和质量，g；

V——试样在自然状态下的体积，cm^3；

$\rho_水$——水的密度，常温下 $\rho_水 = 1.0 \ g/cm^3$。

材料吸水率试验报告

试验人员：＿＿＿＿＿＿＿＿＿＿ 试验日期：＿＿＿＿＿＿＿＿＿＿ 指导教师：＿＿＿＿＿＿＿＿＿＿

试验编号	试样干燥质量 m/g	试样的吸水饱和质量 m_1/g	材料的质量吸水率 $W_质$/%	材料的体积吸水率 $W_体$/%
1				
2				
3				
吸水率平均值				
备注	材料的吸水率试验应用三个试样平行进行，并用三个试样吸水率的算术平均值作为试验结果			

模块小结

在不同建筑物中各种建筑工程材料应具备的性质不同。一般来说，建筑工程材料的性质分为三个方面：物理性质、力学性质和耐久性。其中，物理性质包括与质量有关的性质、与水有关的性质、与热有关的性质和与声学有关的性质等；力学性质包括强度与比强度、弹性与塑性、脆性与韧性、硬度与耐磨性等；耐久性包括强度、抗冻性、抗渗性、抗风化性、抗老化性、耐化学腐蚀性、大气稳定性等。

建筑工程材料各种性质的表示方法、影响因素、检测方法等应重点掌握。

技能考核题

一、填空题

1. 材料的吸水性是指材料在＿＿＿＿＿＿吸收水分的性质，用＿＿＿＿＿＿来表示；吸湿性是指材料在＿＿＿＿＿＿吸收水分的性质，用＿＿＿＿＿＿来表示。

2. 材料耐水性的强弱可以用＿＿＿＿＿＿来表示；材料的耐水性越好，该数值越＿＿＿＿＿＿。

3. 材料的抗冻性以材料在＿＿＿＿＿＿状态下所能抵抗的＿＿＿＿＿＿来表示。

4. 一般来说，材料的孔隙率越大，则材料的强度越＿＿＿＿＿＿，保温性越＿＿＿＿＿＿，吸水率越＿＿＿＿＿＿。

5. 材料含水率增加，导热系数随之＿＿＿＿＿＿，当水结冰时，导热系数＿＿＿＿＿＿。

二、单项选择题

1. 将一批混凝土试件，经标准养护至此 28 天后测得其平均抗压强度为 23 MPa，干燥状态下的平均抗压强度为 25 MPa，吸水饱和状态下的平均抗压强度为 22 MPa，则其软化系数为(　　　)。

A. 0.92　　　　　　　B. 0.88　　　　　　　C. 0.96　　　　　　　D. 0.90

2. 在 100 g 含水率为 3% 的天然砂中,其中水的质量为(　　　)。

A. 3.0 g　　　　　　　B. 2.5 g　　　　　　　C. 3.3 g　　　　　　　D. 2.9 g

3. 某种材料的密度为 ρ,表观密度为 ρ_0,松散密度为 ρ_0',三者的大小关系为(　　　)。

A. $\rho > \rho_0 > \rho_0'$　　　B. $\rho_0 > \rho > \rho_0'$　　　C. $\rho_0' > \rho_0 > \rho$　　　D. $\rho > \rho_0' > \rho_0$

4. 材料的抗渗性是指材料抵抗(　　　)渗透的性质。

A. 水　　　　　　　　B. 潮气　　　　　　　C. 压力水　　　　　　　D. 饱和水

5. 表观密度是指材料在(　　　)下,单位体积的质量。

A. 自然状态　　　　　B. 绝对体积近似值　　C. 绝对密实状态　　　D. 松散状态

6. 经常位于水中或受潮严重的重要结构物的材料,其软化系数不宜小于(　　　)。

A. 0.70　　　　　　　B. 0.75　　　　　　　C. 0.85　　　　　　　D. 0.90

7. 当材料的润湿角(　　　),该材料称为憎水性材料。

A. ≤90°　　　　　　　B. ≥90°　　　　　　　C. <90°　　　　　　　D. >90°

8. 材料的耐水性是指材料(　　　)而不破坏,其强度也不会显著降低的性质。

A. 在水作用下　　　　　　　　　　　　B. 在压力水作用下

C. 长期在饱和水作用下　　　　　　　　D. 长期在湿气作用下

三、多项选择题

1. 材料吸水后将使材料的(　　　)降低。

A. 强度　　　　　　　B. 抗冻性　　　　　　C. 耐久性　　　　　　D. 导热系数

2. 材料的强度值受到材料(　　　)等内在因素的影响。

A. 组成成分　　　　　B. 结构　　　　　　　C. 体积　　　　　　　D. 孔隙大小

3. 通常所说的材料的基本性质包括(　　　)哪几个方面。

A. 物理性质　　　　　B. 化学性质　　　　　C. 力学性质　　　　　D. 耐久性

四、判断题

1. 含水率为 4% 的湿砂重 100 g,其中水的重量为 4 g。　　　　　　　　　　(　　　)

2. 材料的孔隙率相同时,连通粗孔者比封闭微孔者的导热系数大。　　　　　(　　　)

3. 在进行材料抗压强度试验时,大试件比小试件的试验结果指标值偏小。　　(　　　)

4. 材料的冻融破坏主要是由于材料的水结冰造成的。　　　　　　　　　　　(　　　)

五、名词解释

1. 堆积密度

2. 孔隙率

3. 抗冻性

4. 抗渗性

5. 耐久性

六、案例分析

新建的房屋保暖性差,到冬季保暖性更差,请分析原因。

模块二　气硬性无机胶凝材料

【课程思政目标】

1. 具有坚定正确的政治方向、良好的职业道德和诚信品质；

2. 爱岗敬业，具有工匠精神、劳动精神、劳模精神；

3. 具有良好的质量意识、规范意识、环保意识、安全意识；

4. 培养家国情怀，具有较强的集体荣誉感和团队协作精神。

【能力目标】

1. 能正确应用及保管石灰、石膏等气硬胶凝材料。

2. 能根据相关标准检测石灰的性能。

3. 能根据相关标准判定石膏的质量等级。

4. 能分析施工中气硬胶凝材料使用不当的原因。

【知识目标】

1. 掌握石灰、石膏等气硬胶凝材料的技术性能及应用。

2. 熟悉气硬胶凝材料的种类、凝结硬化特点及储运。

3. 熟悉气硬胶性凝材料的性能检测方法。

4. 了解气硬胶性凝材料的生产方法。

【本模块推荐学习的标准和规范】

《建筑生石灰》（JC/T 479—2013）

《建筑消石灰》（JC/T 481—2013）

《建筑石膏》（GB/T 9776—2008）

胶凝材料又称结合料，指经过一系列物理、化学作用，能将散粒材料（如砂、石等）或块、片状材料（如砖、石块等）胶结成整体的材料。

根据胶凝材料的化学组成可分为有机胶凝材料和无机胶凝材料两类。沥青、树脂、橡胶等属于有机胶凝材料，石灰、水泥、石膏、水玻璃和菱苦土等属于无机胶凝材料。其中无机胶凝材料按硬化条件又可分为水硬性胶凝材料和气硬性胶凝材料两类。所谓气硬性胶凝材料，是指只能在空气中硬化并保持或继续提高其强度的胶凝材料，如石灰、石膏、菱苦土、水玻璃等。气硬性胶凝材料一般只适合用于地上或干燥环境，不宜用于潮湿环境，更不可用于水中。水硬性胶凝材料是指不仅能在空气中硬化，而且能更好地在水中硬化并保持或继续提高其强度的胶凝材料（如水泥）。水硬性胶凝材料既适用于地上，也适用于地下或水中。

2.1　建筑石灰

石灰是不同化学组成和物理形态的生石灰、消石灰、水硬性石灰与气硬性石灰的统称。因其原料来源广，生产快，成本低，至今仍广泛应用于建筑工程中。

2.1.1 石灰的品种和生产

1. 品种

石灰是以碳酸盐类岩石经过高温煅烧得到的一种气硬性胶凝材料。其主要成分为氧化钙（CaO）和氧化镁（MgO）。

1）根据成品加工方法分类

（1）块状生石灰：由原料煅烧而成的块状产品，主要成分为 CaO；

（2）生石灰粉：块状生石灰直接磨细而得到的细粉，主要成分为 CaO；

（3）消石灰粉：生石灰用适量的水消化而得到的粉末，也称熟石灰，主要成分为 $Ca(OH)_2$；

（4）石灰膏：生石灰加多量的水（为石灰体积的 3~4 倍）消化而得到的可塑性浆体，称为石灰膏，主要成分为水和 $Ca(OH)_2$。

2）根据石灰的化学成分分类

分为钙质石灰（MgO≤5%）和镁质石灰（MgO>5%）。

建筑石灰的分类及代号见表 2-1。

表 2-1 建筑石灰的分类及代号

类别与代号		名称与代号
生石灰块（Q）生石灰粉（QP）	钙质石灰（CL）	钙质石灰 90（CL90）、钙质石灰 85（CL85）、钙质石灰 75（CL75）
	镁质石灰（ML）	镁质石灰 85（ML85）、镁质石灰 80（ML80）
消石灰（H）	钙质消石灰（HCL）	钙质消石灰 90（HCL90）、钙质消石灰 85（HCL85）、钙质消石灰 75（HCL75）
	镁质消石灰（HML）	镁质消石灰 85（HML85）、镁质消石灰 80（HML80）

2. 生产

生产石灰的原料有石灰石、白云石、贝壳、白垩等。它们的主要成分是碳酸钙，经高温煅烧（加热至 900℃ 以上），逸出 CO_2 气体，得到的白色或灰白色的块状生石灰，其主要化学成分为氧化钙和氧化镁。

建筑石灰的生产

$$CaCO_3 \xrightarrow{900℃} CaO + CO_2 \uparrow$$

在上述反应过程中，碳酸钙在高温 900℃ 下煅烧并开始分解，但速度较慢。温度较低、煅烧时间不足、石灰岩原料尺寸过大、装料过多等因素，都会产生"欠火石灰"。欠火石灰中 $CaCO_3$ 尚未分解完全，降低了石灰的有效成分含量；煅烧时间过长或者温度过高时，则产生"过火石灰"。因为随煅烧温度的提高和时间的延长，已分解的 CaO 体积收缩，表观密度增大，熟化速度慢。若原料中含有较多的 SiO_2 和 Al_2O_3 等黏土杂质，则会在表面形成熔融的玻璃物质，从而使石灰与水反应的速度变得更慢。过火石灰容易吸收水分，发生水化反应而体积膨胀，引起局部脱落或产生气泡。

在石灰的原料中，除主要成分碳酸钙外，常含有碳酸镁。煅烧过程中碳酸镁分解出氧化镁，存在于石灰中。其化学反应为：

$$MgCO_3 \xrightarrow{700℃} MgO + CO_2 \uparrow$$

根据石灰中氧化镁含量多少,将石灰分为钙质石灰(MgO含量≤5%)、镁质石灰(MgO含量>5%)。镁质石灰熟化较慢,但硬化后强度稍高。用于建筑工程中的多为钙质石灰。

3. 石灰的熟化

1)熟化过程

块状生石灰在使用前都要加水消化,这一过程称为"消解"或"熟化",也可称之为"淋灰"。其化学反应为

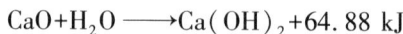

$$CaO+H_2O \longrightarrow Ca(OH)_2+64.88 \text{ kJ}$$

生石灰在熟化过程中有两个显著的特点:一是放热量大,放热速度快。煅烧良好、氧化钙含量高、杂质含量小的生石灰,其熟化速度快,放热量和体积增大也多。二是体积膨胀大(为1~2.5倍)。

2)熟化方法

(1)经过筛与陈伏后制成石灰膏

石灰中含有过火石灰和欠火石灰。欠火石灰降低石灰的利用率,而过火石灰则水化反应非常缓慢。为避免使用中过火石灰由于水化反应而产生体积膨胀和开裂,常将石灰中加入大量水使其成为石灰浆,通过筛网过滤(除渣)流入储灰池两周,石灰浆在储灰池中沉淀并除去上层水分后称为石灰膏。这一过程称为陈伏。陈伏期间,石灰膏表面应用其他材料覆盖,避免与空气接触而导致碳化。一般情况下,1 kg的生石灰可化成1.5~3 L的石灰膏。

(2)制成消石灰粉

用于拌制三合土、石灰土时,将生石灰中加入水(理论需水量为32%),消解成氢氧化钙,再经磨细、筛分而得干粉,称为消石灰粉或熟石灰粉。

消石灰粉放置一段时间,待进一步熟化后使用。由于其熟化中一部分水分被蒸发,而实际的加水量为生石灰重量的60%~80%,所以应以能充分消解而不过湿成团为宜。

2.1.2 石灰的技术标准

1. 建筑生石灰的技术要求

现行标准《建筑生石灰》(JC/T 479—2013)规定,建筑生石灰的技术要求包括化学成分和物理性能两个方面,其要求见表2-2。

表2-2 建筑生石灰的技术指标(JC/T 479—2013)

名称	CaO+MgO /%	MgO /%	CO_2 /%	SO_3 /%	产浆量 /(L/10 kg)	细度	
						0.2 mm筛 筛余/%	90 μm筛 筛余/%
CL90-Q CL90-QP	≥90	≤5	≤4	≤2	≥26 —	— ≤2	— ≤7
CL85-Q CL85-QP	≥85	≤5	≤7	≤2	≥26 —	— ≤2	— ≤7
CL75-Q CL75-QP	≥75	≤5	≤12	≤2	≥26 —	— ≤2	— ≤7

续表2-2

名称	CaO+MgO /%	MgO /%	CO₂ /%	SO₃ /%	产浆量 /(L/10 kg)	细度	
						0.2 mm 筛筛余/%	90 μm 筛筛余/%
ML85-Q ML85-QP	≥85	>5	≤7	≤2	—	— ≤2	— ≤7
ML80-Q ML80-QP	≥80	>5	≤7	≤2	—	— ≤7	— ≤2

2. 建筑消石灰的技术要求

现行标准《建筑消石灰》(JC/T 481—2013)规定，建筑消石灰的技术要求包括化学成分和物理性能两个方面，其要求见表2-3。

表 2-3　建筑消石灰的技术指标(JC/T 481—2013)

名称	CaO+MgO /%	MgO /%	SO₃ /%	游离水 /%	细度		安定性
					0.2 mm 筛筛余/%	90 μm 筛筛余/%	
HCL90	≥90	≤5	≤2	≤2	≤2	≤7	合格
HCL85	≥85						
HCL75	≥75						
HML85	≥85	>5					
HML80	≥80						

2.1.3　石灰的技术性质

石灰与其他胶凝材料相比具有以下特性：

1）保水性、可塑性好

生石灰熟化为石灰浆时，表面吸附形成一层厚的水膜，因而保水性能好，且水膜层也大大降低了颗粒间的摩擦力。因此，用石灰膏制成的石灰砂浆具有良好的保水性和可塑性。在水泥砂浆中掺入石灰膏，可配置成水泥石灰混合砂浆，以改善水泥砂浆易泌水的缺点。

2）硬化慢、强度低

由于空气中的二氧化碳浓度低，二氧化碳较难进入石灰内部，内部的水分也不易蒸发，所以硬化缓慢，硬化后的强度不高。

3）体积收缩大

石灰在凝结硬化中会蒸发大量的游离水而引起石灰内毛细孔失水而收缩，所以石灰除调成石灰乳液做薄层涂刷外，不宜单独使用，常掺入砂、纸筋、麻刀等，以减少收缩，增加抗拉强度，防止开裂。

石灰抹面的网状裂纹

4）耐水性差

石灰浆体在硬化过程中的较长时间内，主要成分仍是氢氧化钙(表层是碳酸钙)，由于氢

氧化钙溶于水,所以石灰的耐水性较差。硬化中的石灰若长期受到水的作用,会导致强度降低,甚至会溃散。

5)吸湿性强

生石灰极易吸收空气中的水分熟化成熟石灰粉,所以生石灰长期存放应在密闭条件下,应做到防潮、防水。

2.1.4 石灰的应用

1. 石灰的用途

1)拌制砂浆和粉刷墙体

将石灰膏或消石灰粉加入多量的水搅拌稀释,成为石灰乳,主要用于内墙和顶棚抹灰,我国农村房屋建设也用于外墙。还可以掺入各种色彩的耐碱颜料,作为很好的装饰材料。

2)拌制灰土、三合土

利用石灰与黏性土可拌制成灰土;利用石灰、黏土与砂石或碎砖、炉渣等填料可拌制成三合土;利用石灰与粉煤灰、黏性土按照比例可拌制成二灰土,大量应用于建筑物基础、地面、道路等垫层,地基的换土处理等。二灰土稳定性好、强度高、抗低温、施工方便。

灰土和三合土

3)制作碳化石灰板材

将磨细的生石灰掺30%~40%的短玻璃纤维或轻质骨料加水搅拌,可以制成轻质碳化石灰板。它能锯、能钉,适宜用作非承重内隔墙板、顶棚等。碳化石灰板保温隔热性好、导热系数低、易加工。

4)生成硅酸盐制品

将磨细的生石灰或消石灰粉与硅质材料(粒化高炉矿渣、炉渣、粉煤灰等)配合均匀,加水搅拌,再经陈伏、加压成形和压蒸处理等工序而成的建筑材料即为硅酸盐制品。如粉煤灰砌块、加气混凝土等。

2. 石灰的储运及保管

建筑石灰产品可以散装或包装,包装上应标明产品名称、标记、净重、批号、厂名、地址和生产日期,散装产品需要提供相应的标签。

建筑生石灰是自燃材料,不应与易燃、易爆和液体物品混装。建筑石灰产品在运输和储存时不应受潮和混入杂物,不宜长期储存,不同类石灰应分别储存或运输,不得混杂。

2.2 建筑石膏

石膏及石膏制品具有高强、轻质、隔热、耐火、吸声及易加工等特点,常用于框架轻质板结构工程。

2.2.1 石膏的生产与品种

石膏的生产

1. 品种

石膏主要化学成分为硫酸钙,建筑石膏按原材料种类分为天然建筑石膏(N)、脱硫建筑石膏(S)和磷建筑石膏(P)三类,按 2 h 强度(抗折)分为 3.0、2.0 和 1.6 三个等级。

2. 生产

将天然二水石膏或工业副产品石膏经脱水处理，以 β 半水石膏(β-$CaSO_4 \cdot 1/2H_2O$)为主要成分，不预加任何外加剂或添加物的粉状胶凝材料，称为建筑石膏。其化学反应如下：

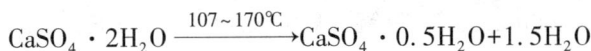

$$CaSO_4 \cdot 2H_2O \xrightarrow{107\sim170℃} CaSO_4 \cdot 0.5H_2O + 1.5H_2O$$

2.2.2 建筑石膏的水化和凝结硬化

建筑石膏与适量的水混合成可塑的浆体，但很快就失去塑性、产生强度，并发产生坚硬的固体。半水石膏易溶于水后将重新水化反应生成二水石膏，反应式为

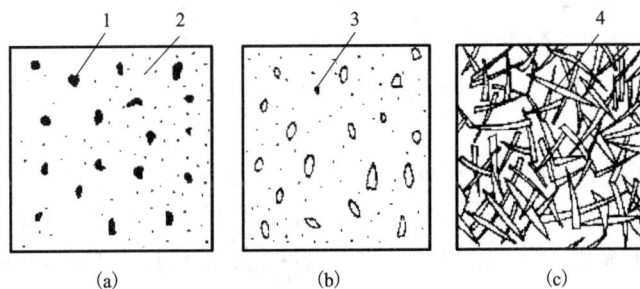

$$CaSO_4 \cdot 0.5H_2O + 1.5H_2O \longrightarrow CaSO_4 \cdot 2H_2O$$

1—半水石膏；2—二水石膏胶体微粒；3—二水石膏晶体；4—交错的晶体。

图 2-1 建筑石膏凝结硬化示意
(a)胶化；(b)结晶开始；(c)结晶长大与交错

分解出的二水石膏胶体，相应溶液中的半水石膏也转变为非饱和状态，这样，又有新的半水石膏溶解，接着继续重复水化、胶化的过程，随着析出的二水石膏胶体晶体的不断增多，彼此互相联结，使石膏具有了强度。所以说，石膏的凝结硬化是一个连续的溶解、水化、胶化、结晶的过程。

2.2.3 建筑石膏的技术标准与要求

根据《建筑石膏》(GB/T 9776—2008)规定，建筑石膏组成中 β-$CaSO_4 \cdot 1/2H_2O$ 的含量（质量分数）不应小于60%，其物理力学性能指标应符合表2-4的要求，工业副产品建筑石膏的放射性核素限量应符合 GB 6566 的要求。

表 2-4 建筑石膏的技术指标 (GB/T 9776—2008)

指　标		3.0 级	2.0 级	1.6 级
细度(0.2 mm 方孔筛的筛余量/%)，≤		10	10	10
2 h 抗折强度/MPa，≥		3.0	2.0	1.6
2 h 抗压强度/MPa，≥		6.0	4.0	3.0
凝结时间/min	初凝不早于	3		
	终凝不迟于	30		

2.2.4 建筑石膏的技术性质

建筑石膏(β型半水石膏)呈白色粉末状,密度为 2.60~2.75 g/cm³,堆积密度为 800~1000 kg/m³。建筑石膏中杂质少、色白的,可制作模型用于建筑装饰工艺。

1. 孔隙率大

建筑石膏水化反应的理论需水量只占半水石膏重量的 18.6%,在使用中为使浆体具有足够的流动性,通常加水量可达 60%~80%,因而,石膏浆体硬化后,由于多余自由水的蒸发,在内部形成大量孔隙,孔隙率可达 50%~60%,导致与水泥相比强度较低,表观密度小。

2. 保温性和吸声性好

石膏制品孔隙率大,孔隙多呈微细的毛细孔,所以导热系数小[0.12~0.20 W/(m·K)],保温、隔热性能好,吸湿性大,可调节室内的温度和湿度。

3. 防火性好

建筑石膏制品在遇火灾时,二水石膏中的结晶水蒸发,吸收热量,并在表面形成蒸汽幕和脱水物隔热层,并且无有害气体产生,所以具有较好的抗火性能。但建筑石膏制品不宜长期用于靠近 65℃ 以上高温的部位,以免二水石膏在此温度作用下脱水分解而失去强度。

4. 凝结硬化快

建筑石膏加水拌和后,浆体的初凝和终凝时间都很短,一般初凝时间为几分钟至十几分钟,终凝时间在半小时以内,大约一星期完全硬化。初凝时间较短,不便于使用,为延长凝结时间,可加入缓凝剂。常用的缓凝剂有硼砂、酒石酸钾钠、柠檬酸、聚乙烯醇、石灰活化骨胶或皮胶等。缓凝剂的作用在于降低半水石膏的溶解度和溶解速度。

5. 耐水性和抗冻性差

建筑石膏硬化后有很强的吸湿性,在潮湿条件下,晶粒间的结合力减弱,导致强度下降。若长期浸泡在水中,水化生成物二水石膏晶体将逐渐溶解,而导致破坏。若石膏制品吸水后受冻,会因孔隙中水分结冰膨胀而破坏。所以,石膏制品的耐水性和抗冻性较差,不宜用于潮湿部位。为提高其耐水性,可加入适量的水泥、矿渣等水硬性材料,也可加入氨基、密胺、聚乙烯醇等水溶性树脂,或沥青、石蜡等有机乳液,以改善石膏制品的孔隙状态和孔壁的憎水性。

6. 装饰效果好

石膏颜色洁白,凝结硬化过程中体积具有微膨胀性,所做制品图案饱满,立体感强,因而其装饰效果好。

2.2.5 石膏的应用

建筑石膏在建筑工程中可用作室内粉刷、制造建筑石膏制品等。

1. 室内粉刷

由建筑石膏或由建筑石膏与无水石膏混合后再掺入外加剂、细集料等可制成粉刷石膏。按用途分为面层粉刷石膏(M)、底层粉刷石膏(D)和保温层粉刷石膏(W)三类。粉刷石膏是一种新型室内抹灰材料,既具有建筑石膏快硬早强、尺寸稳定、吸湿、防火、轻质等优点,又不会产生开裂、空鼓和起皮现象。不仅可在水泥砂浆或混合砂浆上罩面,还可粉刷在混凝土墙、板、天棚等光滑的底层上。粉刷成的墙面致密光滑,质地细腻,且施工方便,工效高。

2. 建筑石膏制品

建筑石膏除用于室内粉刷外，主要用于生产各种石膏板和石膏砌块等制品。

石膏板具有轻质、高强、隔热保温、吸音和不燃等性能，且安装和使用方便，是一种较好的新型建筑材料，广泛用作各种建筑物的内隔墙、顶棚及各种装饰饰面。我国目前生产的石膏板主要有纸面石膏板、石膏空心条板、石膏装饰板、纤维石膏板及石膏吸音板等。石膏砌块是一种自重轻、保温隔热、隔声和防火性能好的新型墙体材料，有实心、空心和夹心三种类型。在建筑石膏中掺入耐水外加剂（如有机硅憎水剂等）可生产耐水建筑石膏制品，掺入无机耐火纤维（如玻璃纤维）可生产耐火建筑石膏制品。

建筑石膏制品

2.2.6 石膏的储存、运输

建筑石膏吸水性很强，在运输和贮存中，需要防雨防潮。贮存期为 3 个月，过期或受潮的石膏，强度显著降低，需经检验后才能使用。

2.3 水玻璃

水玻璃又称"泡花碱"，是一种水溶性硅酸盐，其水溶液俗称水玻璃，是一种矿黏合剂。化学式为 $R_2O \cdot nSiO_2$，式中 R_2O 为碱金属氧化物，n 为二氧化硅与碱金属氧化物物质的量的比值，称为水玻璃的模数。建筑上常用的水玻璃是硅酸钠（$Na_2O \cdot nSiO_2$）的水溶液。

水玻璃是气硬性胶凝材料，无色或淡黄、青灰色透明或半透明的黏稠状液体。密度一般为 $1.36 \sim 1.5 \ g/cm^3$，建筑中常用模数为 $2.6 \sim 2.8$ 的硅酸钠水玻璃，模数越大，黏结力越强，但越难溶于水，当模数大于 3.0 时，只能溶于热水中。

2.3.1 水玻璃的生产

生产水玻璃的方法有湿法和干法两种。湿法生产硅酸钠水玻璃时，将石英砂和烧碱溶液（$2 \sim 3 \ atm$）内用蒸汽加热，并加搅拌，使直接反应而成液体水玻璃。干法（碳酸盐法）是将石英砂和碳酸钠磨细搅匀，在熔炉内于 $1300 \sim 1400℃$ 温度下熔化，按下式反应生成固体水玻璃，然后在水中加热溶解而成液态水玻璃：

$$Na_2CO_3 + nSiO_2 \xrightarrow{\text{高温}} Na_2O \cdot nSiO_2 + CO_2 \uparrow$$

氧化硅和氧化钠的分子比 n 称为水玻璃的模数，一般在 $1.5 \sim 3.5$ 之间。固体水玻璃在水中溶解的难易随模数而定。$n=1$ 时能溶解于常温的水中，n 加大，则只能在热水中溶解；当 $n > 3$ 时，要在 $4 \times 10^5 Pa$ 以上的蒸汽中才能溶解。低模数水玻璃的晶体组分较多，模数提高时，液体组分相对增多，黏结力随之增大。

除了液体水玻璃外，尚有不同形状的固态水玻璃，如未经溶解的块状或粒状水玻璃、溶液除去水分后呈粉状的水玻璃等。

液体水玻璃因所含杂质不同，而呈青灰色、绿色或微黄色，以无色透明的水玻璃最好。液态水玻璃可以与水按任意比例混合成不同浓度（或比重）的溶液。同一模数的液态水玻璃，其浓度越稠，则比重越大，黏结力越强。在液态水玻璃中加入尿素，在不改变其黏度的情况下可提高黏结力 25% 左右。

2.3.2 水玻璃的硬化

液态水玻璃在空气中吸收二氧化碳，形成无定形硅胶，并逐渐干燥硬化。

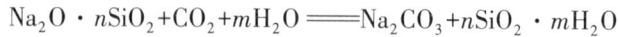

$$Na_2O \cdot nSiO_2 + CO_2 + mH_2O \Longrightarrow Na_2CO_3 + nSiO_2 \cdot mH_2O$$

这个过程进行很慢，为了加速硬化，可将水玻璃加热或加入氟硅酸钠（Na_2SiF_6）作为加速剂。水玻璃中加入氟硅酸钠后发生如下反应，促使硅酸凝胶析出：

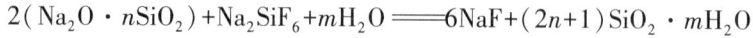

$$2(Na_2O \cdot nSiO_2) + Na_2SiF_6 + mH_2O \Longrightarrow 6NaF + (2n+1)SiO_2 \cdot mH_2O$$

氟硅酸钠的适宜用量为水玻璃的12%~15%，如果用量太少，不但硬化速度缓慢，强度降低，而且未经反应的水玻璃易溶于水，因而耐水性差，但如用量过多，又会引起凝结过速，使施工困难，而且渗透性差，强度也低。

2.3.3 水玻璃的性质

1. 黏结强度高

水玻璃有良好的黏结能力，硬化时析出的硅酸凝胶呈空间网络结构，比表面积大，有堵塞毛细孔隙而防止水渗透的作用。但水玻璃自身质量、配合料性能及施工养护对强度有显著影响。

2. 耐热性好

水玻璃不燃烧，在高温下硅酸凝胶干燥得更加强烈，强度并不降低，甚至有所增加。当采用耐热耐火骨料配制水玻璃砂浆和混凝土时，耐热度可达1000℃。故水玻璃常用于配置耐热混凝土、耐热砂浆、耐热胶泥等。

3. 耐酸性强

水玻璃能经受除氢氟酸、过热（300℃以上）磷酸、高级脂肪酸或油酸以外的几乎所有的无机酸和有机酸的作用，常用于配制水玻璃耐酸混凝土、耐酸砂浆、耐酸胶泥等。

4. 耐碱性和耐水性差

混合后的水玻璃易溶于碱，故水玻璃不能在碱性环境中使用。同样由于NaF、Na_2CO_3均溶于水而不耐水，可采用中等浓度的酸对已硬化水玻璃进行酸洗处理，提高耐水性。

2.3.4 水玻璃的应用

1. 土壤加固，提高地基的承载力和不透水性

将模数为2.5~3的液体水玻璃和氯化钙溶液轮流交替压入地基，反应生成的硅酸凝胶将土壤颗粒包裹并填实其空隙。硅酸凝胶吸收地下水而经常处于膨胀状态，可阻止水分的渗透而使土壤固结。常用于粉土、砂土和填土的地基加固，称为双液注浆。

2. 配制快凝防水剂

水玻璃可以两种、三种或四种矾配制成二矾、三矾或四矾快凝防水剂。这种防水剂凝结迅速，一般不超过1 min，工程上利用它的速凝作用和黏附性，掺入水泥浆、砂浆或混凝土中，用作缝隙修补、堵漏、表面处理等。

3. 涂刷建筑材料表面，可提高材料的抗渗和抗风化能力

用浸渍法处理多孔材料时，可使其密实度和强度提高。对黏土砖、硅酸盐制品、水泥混凝土等均有良好的效果。但不能用以涂刷或浸渍石膏制品，因为硅酸钠与硫酸钙会发生化学反应生成硫酸钠，在制品孔隙中结晶，体积显著膨胀，从而导致制品的破坏。用液体水玻璃涂刷或浸渍含有石灰的材料，如水泥混凝土和硅酸盐制品等时，水玻璃与石灰之间起反应生

成的硅酸钙胶体填实制品孔隙，使制品的密实度有所提高。

2.4 气硬胶凝材料性能的检测

2.4.1 气硬胶凝材料的取样与验收

1. 取样

建筑石灰取样时以班产量或日产量为一个批量。生石灰取样时每个批量随机选取 12 个取样点，每个取样点的取样量不少于 2000 g，其取样总量不少于 24 kg；生石灰粉或消石灰粉取样时每个批量随机选取 10 个取样点，每个取样点的取样量不少于 500 g，其取样总量不少于 5 kg。将所取份样均匀混合好后，采用四分法将其缩分到生石灰不少于 9 kg，生石灰粉或消石灰粉不少于 1 kg。

建筑石膏取样时对于年产量小于 15 万 t 的以不超过 60 t 为一批，对于年产量等于或大于 15 万 t 的以不超过 120 t 为一批，不足一批时按一批计。从一批产品中随机取样不少于 20 kg。

2. 验收

建筑石灰的化学成分和物理性能检验结果均达到标准要求时，则判定为合格产品。

建筑石膏的组成、物理力学性能和放射性核素限量检验结果均达到标准要求时，则判定为合格产品。若有一项以上指标不达标，则判该批产品不合格。若只有一项指标不合格，则取两份样品对不合格项重新检验，若两份样品指标全部合格则判该批产品合格，若仍有一份样品不合格则判该批产品不合格。

2.4.2 建筑石灰细度性能检测

1. 检测目的

检测石灰的细度，用以检验石灰的质量。

2. 主要仪器设备

(1)筛子：筛孔为 0.2 mm 和 90 μm 套筛。

(2)天平：量程为 200 g，称量精确到 0.1 g。

(3)羊毛刷。

3. 检测步骤

称取试样 100 g，放在顶筛上，手持筛子往复摇动，不时轻轻拍打，并保持水平，保持样品在筛子表面连续运动，用羊毛刷轻轻在筛面上刷，直至 1 min 内通过量不大于 0.1 g，分别称量筛余物质量 m_1、m_2，精确到 0.1 g。

4. 结果计算与结论评定

筛余百分含量(x_1)、(x_2)按下式计算：

$$x_1 = \frac{m_1}{m} \times 100\%$$

$$x_2 = \frac{m_1 + m_2}{m} \times 100\%$$

式中：x_1——0.2 mm 方孔筛筛余百分含量，%；

　　　x_2——90 μm 方孔筛、0.2 mm 方孔筛两筛上的总筛余百分含量，%；

m_1——0.2 mm 方孔筛筛余物质量，g；

m_2——90 μm 方孔筛筛余物质量，g；

m——样品质量，g。

计算结果保留小数点后两位。

石灰细度试验记录

试样方法	试验次数	筛析用试样质量/g	筛上筛余质量/g	筛余百分率/%

模块小结

气硬性胶凝材料是建筑物必不可少的组成材料，石灰、石膏、水玻璃等都是常见的气硬性胶凝材料。

石灰的主要成分为 CaO 和 MgO，其保水性好、硬化慢、可塑性好，但是强度低。生石灰熟化时放出大量的热且体积膨胀，故生石灰必须充分熟化后才能使用，同时要注意防止过火生石灰的危害。石灰常与黏土拌合制作三合土、二灰土等，拌制砂浆，也常用作硅酸盐制品。

石膏主要化学成分为硫酸钙，其孔隙率大、保温性和吸声性好、凝结快、耐水性差，常用作室内粉刷、制造石膏制品。

水玻璃又称"泡花碱"，是一种水溶性硅酸盐。它黏结强度高、耐热性好、耐酸性强、耐碱性差。常用作土壤加固和配置快凝防水剂等。

技能考核题

一、填空题

1. 无机胶凝材料按硬化条件分_____和_____，石灰属于_____。

2. 工程中使用生石灰一般会将其放入储灰坑里加水封存_____天以上，称为_____，其目的是消除_____的危害。

3. 硬化后石膏的颜色_____，表观密度_____，硬化后体积具有_____，所以常用于装饰工程中。

4. 石灰硬化时开裂，不能单独作制品，常加入_____、_____等提高其抗裂性。

5. 因为石灰具有_____和_____的优点，所以石灰膏掺入水泥砂浆中能改善水泥砂浆_____的缺点。

6. 利用石灰与粘土可拌制成_____，用石灰与砂石、粘土可拌制成_____，用于_____工程中。

二、单项选择题

1. 下列关于灰土和三合土的描述错误的是(　　)。

A. 消石灰粉与黏土、水泥等搅拌合夯实成三合土

B. 石灰改善了黏土的可塑性

C. 灰土和三合土的强度得到改善

D. 灰土和三合土可应用于建筑基础

2. 石灰粉刷的墙面出现网状裂缝，是由(　　)引起的。

A. 欠火石灰　　　　　B. 过火石灰　　　　　C. 干燥收缩　　　　　D. 碳化

3. 石灰不能单独使用的原因是硬化时(　　)。

A. 体积膨化大　　　　B. 体积收缩大　　　　C. 放热量大　　　　D. 耐水性差

4. 建筑石膏的存放期不能超过(　　)个月。

A. 1　　　　　　　　B. 2　　　　　　　　C. 3　　　　　　　　D. 4

5. 以下不属于建筑石膏的性能是(　　)。

A. 凝结硬化快　　　　B. 强度高　　　　　C. 体积微膨胀　　　　D. 保温隔热

三、多项选择题

1. (　　)成分含量是评价石灰化学成分的指标。

A. 氧化钙　　　　　B. 氢氧化钙　　　　C. 碳酸钙　　　　　D. 氧化镁

2. 石灰在消化过程中(　　)。

A. 容易形成干缩裂缝　　　　　　　　B. 放出大量热量

C. 体积膨胀　　　　　　　　　　　　D. 与 $Ca(OH)_2$ 作用形成 $CaCO_3$

四、判断题

1. 气硬性胶凝材料只能在空气中硬化，而水硬性胶凝材料只能在水中硬化。　　(　　)

2. 石膏即耐热又耐火。　　(　　)

3. 石灰陈伏是为了降低石灰熟化时的发热量。　　(　　)

4. 石灰使用时常掺入砂、纤维等材料，以增强其抗压强度。　　(　　)

5. 石灰浆体的硬化按其作用分为干燥作用和碳化作用，碳化作用仅限于表面。　　(　　)

五、名词解释

1. 胶凝材料

2. 气硬性胶凝材料

3. 水硬性胶凝材料

4. 石膏的初凝

5. 石膏的终凝

六、案例分析

某建筑物使用石灰砂浆作为内墙粉刷材料，使用了一段时间后，出现了凸出的呈放射状的裂缝，在墙面个别部位发现了鼓包，试分析上述现象产生的原因，如何防治？

模块三　水　泥

【课程思政目标】

1. 具有坚定正确的政治方向、良好的职业道德和诚信品质；

2. 爱岗敬业，具有工匠精神、劳动精神、劳模精神；

3. 具有良好的质量意识、规范意识、环保意识、安全意识；

4. 培养家国情怀，具有较强的集体荣誉感和团队协作精神。

【能力目标】

1. 能根据工程特点及使用环境条件正确选用水泥品种。

2. 能根据相关标准检测水泥的性能。

3. 能对施工现场的水泥进行验收和管理。

4. 能分析并解决施工中因水泥的质量等原因导致的工程技术问题。

【知识目标】

1. 掌握通用水泥的种类、性能特点、应用范围。

2. 掌握通用水泥主要性能指标的质量标准要求。

3. 熟悉通用水泥主要性能的检测方法。

4. 熟悉水泥的验收及施工现场管理。

5. 了解水泥的生产工艺、熟料矿物组成、凝结硬化过程及机理。

【本模块推荐学习的标准和规范】

《通用硅酸盐水泥》（GB 175—2007）

《水泥标准稠度用水量、凝结时间、安定性检验方法》（GB 1346—2011）

《水泥胶砂强度检验方法》（ISO 法）（GB/T 17671—2021）

水泥简史

水泥属于水硬性胶凝材料，是建筑工程中最为重要的建筑材料之一，工程中主要用于配制混凝土、砂浆和灌浆材料。

水泥的品种繁多，按其矿物组成，水泥可分为硅酸盐系列、铝酸盐系列、硫酸盐系列、铁铝酸盐系列、氟铝酸盐系列等。按其用途和特性又可分为通用水泥、专用水泥和特性水泥。

通用水泥是指目前建筑工程中通用的六大水泥，即硅酸盐水泥、普通硅酸盐水泥、矿渣硅酸盐水泥、火山灰硅酸盐水泥、粉煤灰硅酸盐水泥、复合硅酸盐水泥；专用水泥是指有专门用途的水泥，如砌筑水泥、大坝水泥、道路水泥、油井水泥等；而特性水泥是指具有与常用水泥不同的特性，多用于有特殊要求的工程，主要品种有快硬硅酸盐水泥、快凝硅酸盐水泥、抗硫酸盐水泥、膨胀水泥、白色硅酸盐水泥等。

不同系列的水泥，性能有很大的区别，在上述不同系列的水泥中，硅酸盐水泥系列的产量最大、应用范围最广泛。

3.1 硅酸盐水泥

根据现行国家标准《通用硅酸盐水泥》（GB 175—2007）规定，凡由硅酸盐水泥熟料、0%~5%石灰石或粒化高炉矿渣、适量石膏磨细制成的水硬性胶凝材料称为硅酸盐水泥。硅酸盐水泥分两种类型：不掺混合材料的称I型硅酸盐水泥，代号 P·I；在硅酸盐水泥熟料粉磨时掺加不超过水泥重量5%石灰石或粒化高炉矿渣混合材料的称II型硅酸盐水泥，代号 P·II。

3.1.1 硅酸盐水泥的生产工艺简介

硅酸盐水泥的生产工艺可以概括为三个阶段，简称"两磨一烧"，即生料粉磨、熟料煅烧、水泥粉磨。将石灰质原料、黏土质原料、校正原料根据生产硅酸盐水泥熟料的要求进行配料后入生料磨磨细成生料，然后将生料送入水泥熟料烧成窑煅烧成熟料，再把煅烧好的熟料与适量石膏、混合材料在水泥磨中磨成一定细度的粉状物料即为硅酸盐水泥。其生产流程可用图3-1表示。

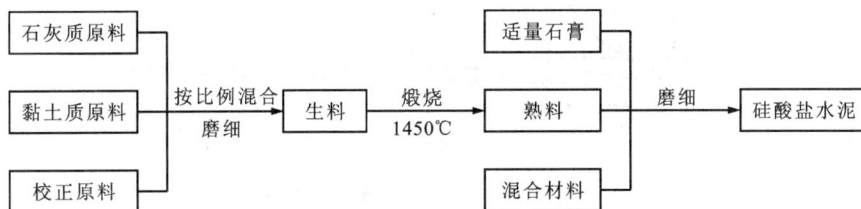

水泥生产工艺

图 3-1 硅酸盐水泥生产工艺流程示意图

3.1.2 硅酸盐水泥熟料矿物组成及特性

1.硅酸盐水泥熟料矿物组成

硅酸盐水泥熟料矿物成分及含量如下：

硅酸三钙 $3CaO \cdot SiO_2$，简写 C_3S，含量 36%~60%；

硅酸二钙 $2CaO \cdot SiO_2$，简写 C_2S，含量 15%~37%；

铝酸三钙 $3CaO \cdot Al_2O_3$，简写 C_3A，含量 7%~15%；

铁铝酸四钙 $4CaO \cdot Al_2O_3 \cdot Fe_2O_3$，简写 C_4AF，含量 10%~18%。

除此之外，还有少量的游离氧化钙（CaO）和游离氧化镁（MgO）等。

在以上矿物组成中可以看出，硅酸三钙和硅酸二钙的总含量占75%以上，而铝酸三钙和铁铝酸四钙的总含量仅占25%左右。

2. 硅酸盐水泥熟料矿物的性能

水泥熟料矿物

各种矿物单独与水作用时，表现出不同的性能，见表3-1。

表 3-1 硅酸盐水泥熟料矿物特性

矿物名称	水化反应速率	水化放热量	强 度	耐腐蚀性	干缩性
硅酸三钙	快	大	高	差	中
硅酸二钙	慢	小	早期低，后期高	好	小

矿物名称	水化反应速率	水化放热量	强　　度	耐腐蚀性	干缩性
铝酸三钙	最快	最大	低	最差	大
铁铝酸四钙	快	中	低	中	小

各熟料矿物的强度增长情况如图3-2所示,水化热的释放情况如图3-3所示。

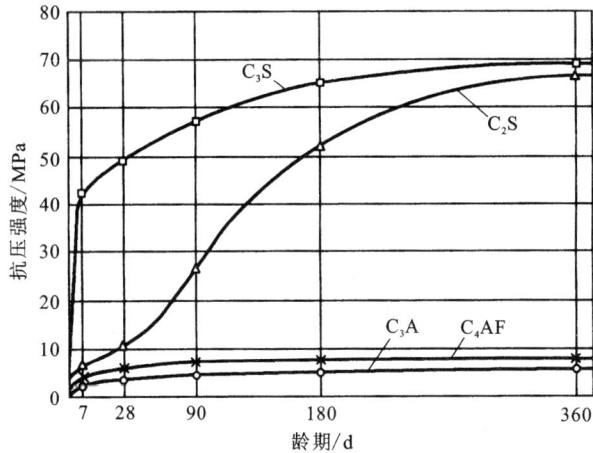

图3-2　不同熟料矿物的强度增长曲线图

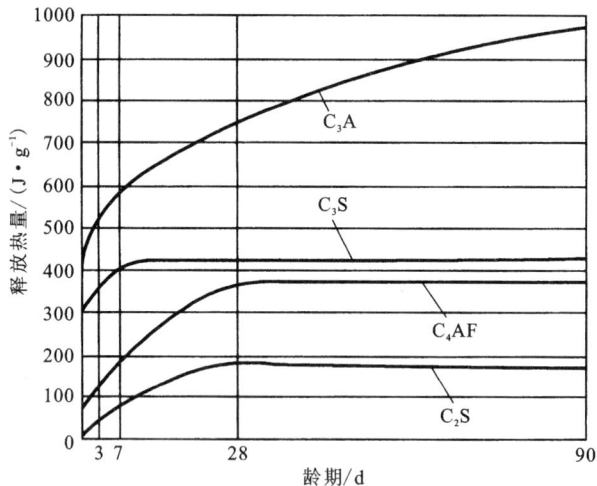

图3-3　不同熟料矿物的水化热释放曲线图

水泥由多种熟料矿物组成,改变矿物成分间的比例时,水泥性质即发生相应的变化,由此可制成不同性能的水泥。如增加 C_3S 含量,可制成高强水泥和早强水泥(我国水泥标准规定的 R 型水泥)。若增加 C_2S 含量而减少 C_3S 含量,水泥的强度发展慢,早期强度低,但后期强度较高,可制得低水化热水泥。若提高 C_4AF 和 C_3S 的含量,则可制得抗折强度较高的道路硅酸盐水泥。

3.1.3　硅酸盐水泥的水化和凝结硬化

当水泥与适量的水拌和后，最初是形成具有可塑性的浆体，随着水化反应的进行，水化产物逐渐增多(浆体中的水也逐渐减少)，水泥浆体逐渐变稠，继而开始失去可塑性(称初凝)，随着水化反应继续进行，水泥浆体完全失去可塑性(称终凝)，并形成一定的初始强度，从水泥与水拌和，经过初凝到终凝的这一过程称为水泥的"凝结"。随后凝结了的水泥浆体随着水泥水化的不断进行，强度逐步提高，并最终变成坚硬的石状物体——水泥石，这一过程称为"硬化"。水泥的凝结和硬化过程是人为划分的，实际上是一个连续的复杂的物理化学变化过程，这些变化决定了水泥的一系列技术性能，对水泥的应用有着重要意义。水泥的水化、凝结、硬化过程如图 3-4 所示。

图 3-4　水泥的水化、凝结与硬化示意图

1. 水泥的水化反应

水泥加水后，熟料矿物开始与水发生水化反应，生成水化产物，并放出一定的热量，硅酸盐水泥主要的水化产物有水化硅酸钙凝胶体、水化铁酸钙凝胶体、氢氧化钙晶体、水化铝酸钙晶体和水化硫铝酸钙晶体。在完全水化的水泥石中，水化硅酸钙约占 50%，氢氧化钙约占 25%。

水泥的水化与硬化

在四种熟料矿物中，C_3A 的水化速度最快，水化放热量大，若不加以抑制，则水泥的凝结过快，影响正常使用。为了调节水泥凝结时间，在水泥制成时需要加入适量石膏共同粉磨，石膏主要起缓凝的作用。但如果石膏掺入量过多，会引起水泥体积安定性不良，所以石膏的掺入量需适量。

2. 硅酸盐水泥的凝结与硬化

水泥的凝结硬化是一个由表及里、由快到慢连续的过程。由于较粗颗粒的内部很难完全水化，因此，硬化后的水泥石是由水泥水化产物凝胶体(内含凝胶孔)、结晶体、未完全水化的水泥颗粒、毛细孔(含毛细孔水)等组成。

3. 影响硅酸盐水泥凝结、硬化的因素

水泥的凝结硬化过程，也就是水泥强度发展的过程，受着许多因素的影响，除了熟料矿物本身结构、它们的相对含量及水泥粉磨细度等这些内部因素之外，还与外界条件如温度、湿度、加水量以及掺有不同种类的外加剂等外部因素密切相关。

3.1.4　硅酸盐水泥的技术性质和技术标准

根据国家标准《通用硅酸盐水泥》(GB 175—2007)对与硅酸盐水泥的细度、凝结时间、体积安定性、强度等做了如下规定。

1. 细度

细度是指水泥颗粒粗细的程度。水泥细度的评定可以采用筛分析法和比表面积法。筛分析法是用 80 μm 或 45 μm 的方孔筛对水泥的试样进行筛分析试验，用筛余百分数表示；比表面积法是指单位质量的水泥粉末所具有的总面积，以 m²/kg 来表示，水泥颗粒越细，比表面积便越大，用勃氏比表面积仪来测定。据国家标准《通用硅酸盐水泥》(GB 175—2007)的规定，硅酸盐水泥的比表面积应不小于 300 m²/kg。

2. 标准稠度用水量

在进行水泥的凝结时间、体积安定性等的测定时，为了让所测得的结果有可比性，要求必须采用标准稠度的水泥净浆来测定。水泥净浆达到标准稠度所需的用水量即为标准稠度用水量，以水占水泥质量的百分数来表示，用标准维卡仪来测定。对于不同的水泥品种，水泥的标准稠度的用水量也各不相同，一般在 24%~33% 之间。

水泥性能影响因素

3. 凝结时间

凝结时间分为初凝和终凝。初凝是指水泥加水拌和开始至水泥标准稠度的净浆开始失去可塑性所需时间；终凝是指水泥加水拌和开始至标准稠度的净浆完全失去可塑性所需时间。

水泥的凝结时间是采用试针沉入水泥标准稠度净浆至一定深度所需的时间表示。凝结时间的测定是以标准稠度的水泥净浆在规定的温度及湿度的环境下，用凝结时间测定仪来测定的。

凝结时间的规定对工程有着十分重要的意义。水泥制品(如混凝土构件)在施工过程中的搅拌、运输、浇筑、成型等工序均应在水泥初凝前完成，所以，水泥的初凝不能过快；当浇筑完毕之后，为使混凝土尽快凝结、硬化，产生强度，顺利地进入下一道工序，水泥的终凝不能太慢。据《通用硅酸盐水泥》(GB 175—2007)规定，硅酸盐水泥的初凝时间不得小于 45 min，终凝时间不得大于 390 min。凡是凝结时间不符合规定者为不合格品。

4. 体积安定性

水泥的体积安定性是指水泥浆体在凝结硬化的过程中体积变化的均匀性。当水泥浆体硬化的过程发生不均匀变化时，会导致膨胀开裂、翘曲等现象，称为体积安定性不良。安定性不良的水泥会使混凝土构件产生膨胀性裂缝，从而降低建筑物的质量，引起严重事故。因此，国家标准规定水泥体积安定性必须合格，否则水泥将作为不合格品处理，严禁用于工程中。

引起水泥体积安定性不良的原因主要是：水泥中含有过多的游离氧化钙和游离氧化镁，SO_3 含量过多，或石膏掺量过多。

国标规定，硅酸盐水泥的体积安定性经沸煮法检验必须合格。沸煮法分雷氏法(标准法)和试饼法(代用法)，在有争议时以雷氏夹法为准。熟料中 MgO 含量不宜超过 5.0%，经压蒸试验合格后，允许放宽到 6.0%，SO_3 含量不得超过 3.5%。

5. 强度及等级

强度是水泥力学性质的一项重要指标，是确定水泥强度等级的依据。根据《水泥胶砂强度检验方法(ISO 法)》(GB 17671—1999)规定，将水泥、标准砂和水按规定比例(水泥:标准砂:水 = 1:3.0:0.5)，用规定方法制成的规格为 40 mm×40 mm×160 mm 的标准试件，在标准养护条件下进行养护，测定其 3 d、28 d 的抗压强度和抗折强度。按照 3 d、28 d 的抗压强度

44

和抗折强度,将硅酸盐水泥分为42.5、42.5R、52.5、52.5R、62.5、62.5R六个强度等级。为了提高水泥的早期强度,现行标准将水泥分为普通型和早强型(用R表示)。各等级、各龄期的强度值不得低于表3-2中数值。

表3-2 硅酸盐水泥各等级、各龄期的强度值(GB 175—2007)

品　　种	强度等级	抗压强度/MPa,≥		抗折强度/MPa,≥	
		3 d	28 d	3 d	28 d
硅酸盐水泥	42.5	17.0	42.5	3.5	6.5
	42.5R	22.0	42.5	4.0	6.5
	52.5	23.0	52.5	4.0	7.0
	52.5R	27.0	52.5	5.0	7.0
	62.5	28.0	62.5	5.0	8.0
	62.5R	32.0	62.5	5.5	8.0

由于水泥的强度会随着放置时间的延长而降低,所以为了保证水泥在工程中的使用质量,生产厂家在控制出厂水泥28 d强度时,均留有一定的富余强度。通常富余系数为1.06~1.18。

6. 水化热

水泥与水发生水化反应所放出的热量称为水化热,通常用J/kg表示。水化热的大小主要是与水泥的细度及矿物组成有关。颗粒愈细,水化热愈大;矿物中C_3A、C_3S含量愈多,水化放热愈高。大部分的水化热会集中在早期放出,3~7 d以后逐步减少。

水化热在混凝土工程中,既有有利的影响,也有不利的影响。高水化热的水泥在大体积混凝土工程中是十分不利的(如大坝、大型基础、桥墩等)。这是由于水泥在水化时释放的热量积聚在混凝土内部,且散发非常缓慢,使混凝土内部温度升高,而温度升高又会加速了水泥的水化,使得混凝土表面与内部形成过大的温差而产生温差应力,致使混凝土受拉而开裂破坏。因此在大体积的混凝土工程中,应选择低热水泥。但是在混凝土冬季施工时,水化热却又有利于水泥的凝结、硬化和防止混凝土受冻。

7. 密度与堆积密度

硅酸盐水泥的视密度一般在3.1~3.2 g/cm³之间。水泥在松散状态时的堆积密度一般在900~1300 kg/m³。紧密堆积状态时可达1400~1700 kg/m³。在混凝土配合比设计中,通常取水泥的密度为3.1 g/cm³,堆积密度为1300 kg/m³。

《通用硅酸盐水泥》(GB 175—2007)除对上述内容做了规定外,还对不溶物、烧失量、碱含量等提出了要求。I型硅酸盐水泥中的不溶物含量不得超过0.75%,II型硅酸盐水泥中不溶物的含量不得超过1.5%。I型硅酸盐水泥中的烧失量不得大于3.0%,II型硅酸盐水泥中的烧失量不得大于3.5%。水泥中的碱含量按$Na_2O+0.658K_2O$计算值来表示,若使用活性骨料,要限制水泥中的碱含量,由供需双方商定。氯离子含量不得大于0.06%。

根据国家标准规定:凡化学指标、凝结时间、安定性、强度中有一项不符合标准规定时,均为不合格品。

3.1.5 水泥石的腐蚀与防止

硅酸盐水泥硬化后，在正常使用的条件下，水泥石强度会不断增长，具有较好的耐久性。但水泥石长期处在侵蚀性介质中(如流动的淡水、酸性或盐类溶液、强碱等)时，会逐渐受到侵蚀而变得疏松，强度下降，甚至破坏，这种现象称为水泥石的腐蚀。

1. 水泥石的腐蚀类型

1)软水的侵蚀(溶出性侵蚀)

当水泥石长期与软水接触时，水泥石中的氢氧化钙就会被溶出，在静水及无压水的情况下，氢氧化钙很快会处于饱和溶液中，使溶解作用中止，此时溶出仅限于表层，危害不大，但在流动水及压力水的作用下，溶解的氢氧化钙便会不断流失，其结果一方面是水泥变得疏松，另一方面也会使水泥石的碱度降低，导致其他水化物的分解溶蚀，最终使水泥石被破坏。

当环境水中含有重碳酸盐 $Ca(HCO_3)_2$ 时，重碳酸盐与水泥石中的氢氧化钙起反应，生成几乎不溶于水的碳酸钙。生成的碳酸钙会积聚在水泥石的空隙中，形成致密的保护层，阻止外界水的侵入和内部氢氧化钙的扩散析出：

$$Ca(HCO_3)_2 + Ca(OH)_2 \longrightarrow 2CaCO_3 + 2H_2O$$

因此，对需要与软水接触的混凝土构件，预先在空气中放置一段时间，使水泥石中的氢氧化钙在空气中的 CO_2 作用下形成碳酸钙外壳，则可对溶出性侵蚀起到一定的保护作用。

2)酸性侵蚀

(1)碳酸的侵蚀

地下水及某些工业废水中常溶解有较多的 CO_2，这种水对水泥石有侵蚀作用，其反应式如下：

$$Ca(OH)_2 + CO_2 + H_2O \longrightarrow CaCO_3 + 2H_2O$$

$$CaCO_3 + CO_2 + H_2O \Longleftrightarrow Ca(HCO_3)_2$$

上述第二个反应式是一个可逆反应，若水中含有较多的碳酸，超过了平衡浓度时，上式向右进行，水泥石中的 $Ca(OH)_2$ 经过上述两个反应式转变为 $Ca(HCO_3)_2$ 而溶解，进一步导致其他水泥水化产物分解和溶解，使水泥石的结构破坏；若水中碳酸含量不高，低于平衡浓度时，则反应进行到第一个反应式为止，对水泥石并不会起破坏作用。

(2)一般酸的侵蚀

在工业污水和地下水中常含有无机酸(HCl、H_2SO_4、H_3PO_4 等)和有机酸(醋酸、蚁酸等)，一般来说各种酸对水泥都有不同程度的腐蚀作用，它们在与水泥石中的 $Ca(OH)_2$ 作用后生成的化合物或溶于水或体积膨胀而导致破坏。腐蚀作用中最快的是无机酸中的盐酸、氢氟酸、硝酸、硫酸和有机酸中的醋酸、蚁酸和乳酸等。

例如：盐酸与水泥石中的 $Ca(OH)_2$ 作用会生成极易溶于水的氯化钙，导致溶出性化学腐蚀：

$$2HCl + Ca(OH)_2 \longrightarrow CaCl_2 + 2H_2O$$

硫酸与水泥石中的 $Ca(OH)_2$ 作用：

$$H_2SO_4 + Ca(OH)_2 \longrightarrow CaSO_4 \cdot 2H_2O$$

生成的二水石膏会在水泥石孔隙中结晶产生体积膨胀。二水石膏也可以再与水泥石中的水化铝酸钙作用,生成高硫型水化硫铝酸钙,高硫型水化硫铝酸钙含有大量的结晶水,体积将膨胀1.5倍,破坏作用更加大。由于高硫型水化硫铝酸钙呈针状晶体,所以又俗称"水泥杆菌"。

3) 盐类的腐蚀

(1) 镁盐的腐蚀

海水及地下水中常常含有氧化镁、硫酸镁等镁盐,它们可以与水泥石中的氢氧化钙反应生成易溶于水的氯化钙和松软无胶结能力的氢氧化镁:

$$MgCl_2 + Ca(OH)_2 \longrightarrow CaCl_2 + Mg(OH)_2$$

(2) 硫酸盐的腐蚀

硫酸钠、硫酸钾等对与水泥石的腐蚀同硫酸的腐蚀,而硫酸镁对与水泥石的腐蚀则具有镁盐和硫酸盐的双重腐蚀作用。

4) 强碱腐蚀

碱类溶液若浓度不大时一般无害。但是铝酸盐含量较高的硅酸盐水泥遇到强碱(如氢氧化钠)作用后会被腐蚀破坏。氢氧化钠与水泥熟料中未水化的铝酸盐作用时,会生成易溶的铝酸钠,出现溶出性腐蚀:

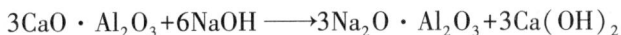

$$3CaO \cdot Al_2O_3 + 6NaOH \longrightarrow 3Na_2O \cdot Al_2O_3 + 3Ca(OH)_2$$

另外,当水泥石被氢氧化钠溶液浸透后,又在空气中干燥,会与空气中的二氧化碳作用生成碳酸钠,碳酸钠会在水泥石毛细孔中结晶沉积,可使水泥石胀裂。

综合上述,水泥石破坏有三种表现形式:一是溶解型侵蚀,主要是使水泥石中的$Ca(OH)_2$溶解致$Ca(OH)_2$浓度降低,进而引起其他水化产物的溶解;二是离子交换反应型侵蚀,侵蚀性介质与水泥石中的$Ca(OH)_2$发生离子交换反应,生成易溶解或没有胶结能力的产物,进而破坏水泥石原有的结构;三是膨胀型侵蚀,水泥石中的水化铝酸钙会与硫酸盐作用形成膨胀性结晶产物,产生有害的内应力,从而引起膨胀性破坏。

水泥石的腐蚀是内外因并存的。内因是水泥石中存在有能引起腐蚀的组分氢氧化钙和水化铝酸钙,且水泥石本身的结构不密实,有浸水的毛细管浸水通道;外因是在水泥石周围存在以液相形式存在的侵蚀性介质。

除上述四种腐蚀类型外,对水泥石有着腐蚀作用的还有其他一些物质,如糖、酒精、动物脂肪等。水泥石的腐蚀是一个极其复杂的物理化学过程,很少是单一类型的腐蚀,往往是几种类型的腐蚀作用同时存在,相互影响,共同作用。

2. 水泥石腐蚀的防治措施

1) 根据侵蚀性介质选择合适的水泥品种

如果采用水化产物中氢氧化钙含量少的水泥,可提高对淡水等侵蚀的抵抗能力;选择混合材料掺入量较大的水泥可提高抗各类腐蚀(除抗碳化外)的能力。

2) 提高水泥的密实度,降低孔隙率

硅酸盐水泥的理论水灰比为0.22左右,而实际施工中水灰比常为0.40~0.70,多余的水分会在水泥石内部形成连通的空隙,侵蚀介质就容易渗入水泥石内部,从而加速水泥石的腐蚀。在实际工程中,可通过降低水灰比、合理选择骨料、掺外加剂、改善施工方法等措施,来提高水泥石的密实度,从而提高水泥石的抗腐蚀性能。

3）加保护层

用一些耐腐蚀的材料，如石料、陶瓷、塑料、沥青等覆盖于水泥石的表面，防止侵蚀性介质与水泥石的直接接触，达到抗侵蚀的目的。

3.1.6 硅酸盐水泥的应用

1. 硅酸盐水泥的性质

（1）快凝快硬高强。与硅酸盐系列其他品种的水泥相比，硅酸盐水泥的凝结（终凝）快、早期（3 d）强度等级高。

（2）抗冻性好。由于硅酸盐水泥未掺或掺入很少量的混合材料，故其抗冻性好。

（3）抗腐蚀性差。硅酸盐水泥水化产物中有较多的氢氧化钙和水化铝酸钙，所以耐软水及化学腐蚀的能力差。

（4）碱度高，抗碳化能力强。碳化是指水泥石中的氢氧化钙与空气中的二氧化碳发生反应生成碳酸钙的过程。碳化对水泥石（或混凝土）本身其实是有利的，但是碳化会使水泥石（或混凝土）内部碱浓度降低，从而失去对钢筋的保护作用。

（5）水化热大。硅酸盐水泥中含有大量的 C_3A 和 C_3S，在水泥水化时，放热速度快而且放热量大。

（6）耐热性差。硅酸盐水泥中的一些重要成分在 250℃ 温度时就会发生脱水或分解，使水泥石的强度下降，当受热 700℃ 以上时，将会遭受破坏。

（7）耐磨性好。硅酸盐水泥的强度高，耐磨性好。

2. 硅酸盐水泥的应用

（1）适用于早期强度要求高的工程以及冬季施工的工程。

（2）适用于重要结构的高强混凝土和预应力混凝土工程。

（3）适用于严寒地区，遭受反复冻融的工程以及干湿交替的部位。

（4）不能用于大体积混凝土工程。

（5）不能用于高温环境的工程。

（6）不能用于有海水和侵蚀性介质存在的工程。

（7）不适宜需要蒸汽或蒸压养护的混凝土工程。

3.2 掺混合材料的硅酸盐水泥

凡在硅酸盐水泥熟料和适量石膏的基础上，掺入一定量的混合材料共同磨细制成的水硬性胶凝材料，均属于掺混合材料的硅酸盐水泥。掺混合材料的目的是为了要调整水泥强度等级，改善水泥的某一些性能，增加水泥品种，扩大适用范围，降低水泥的成本和提高产量，并且充分利用工业废料。

3.2.1 水泥混合材料

用于水泥中的混合材料，根据其是否参与了水化反应分为活性混合材料和非活性混合材料。

微课8：水泥混合材料

48

1. 活性混合材料

活性混合材料是指具有潜在活性的矿物材料。所谓潜在活性是指在单独时不具有水硬性，但在石灰或石膏的激发与参与下，可以一起和水反应，从而形成具有水硬化合物的性能。硅酸盐水泥熟料水化后将会产生大量的氢氧化钙，并且在水泥中需掺入适量的石膏，因此在硅酸盐水泥中具备了能使活性混合材料发挥潜在活性的条件。通常将氢氧化钙、石膏称为活性混合材料的"激发剂"，分别称为碱性激发剂或硫酸盐激发剂，但是硫酸盐激发剂必须在有碱性激发剂条件下才能发挥作用。

水泥中常用的活性混合材料有粒化高炉矿渣、火山灰质混合材料及粉煤灰。

1）粒化高炉矿渣

将炼铁高炉中的熔融矿渣经水淬等急冷方式处理而成的松软颗粒称为粒化高炉矿渣，又称水淬矿渣，其中主要的化学成分是 CaO、SiO_2 和 Al_2O_3，占90%以上。急速冷却的矿渣结构为一种不稳定的玻璃体，具有较高的潜在活性。如果熔融状态的矿渣缓慢冷却，其中的 SiO_2 等将会形成晶体，活性极小，称为慢冷矿渣，将不具有活性。

2）火山灰质混合材料

凡是天然或人工的以活性 SiO_2 和活性 Al_2O_3 为主要成分，且其含量一般可达到65% ~ 95%，具有火山灰活性的矿物材料，都称为火山灰质混合材料。按其成因可分为天然和人工的两类。天然火山灰主要是在火山喷发时随同熔岩一起喷发的大量碎屑沉积在地面或水中的松软物质，包括浮石、火山灰、凝灰岩等等。人工火山灰是将一些天然材料或是工业废料经加工处理而成，如硅藻土、沸石、烧黏土、煤矸石、煤渣等等。

3）粉煤灰

粉煤灰是发电厂燃煤锅炉排出的细颗粒废渣，其颗粒的直径一般为 0.001 ~ 0.050 mm，呈玻璃态实心或者空心的球状颗粒，表面比较致密，粉煤灰的成分主要为活性 SiO_2、活性 Al_2O_3 和活性 Fe_2O_3，以及一定量的 CaO，根据 CaO 的含量可以分为低钙粉煤灰（CaO 含量低于10%）和高钙粉煤灰。高钙粉煤灰通常活性较高，因为所含钙绝大多数是以活性结晶化合物的形式存在的，如 C_3A、CS，此外，其所含的钙离子使得铝硅玻璃体的活性得到增强。

2. 非活性混合材料

在水泥中主要起填充作用而不参与水泥水化反应或水化反应很微弱的矿物材料，称为非活性混合材料。将它们掺入水泥中的目的，主要是为了提高水泥的产量，调节水泥的强度等级。实际上非活性混合材料在水泥中仅起填充和分散的作用，所以又称为填充性混合材料、惰性混合材料。磨细的石英砂、石灰石、黏土、慢冷矿渣及各种废渣等都属于非活性材料。另外，凡不符合技术要求的粒化高炉矿渣、火山灰质混合材料及粉煤灰均可以作为非活性混合材料使用。

3. 掺活性混合材料的硅酸盐水泥的水化特点

掺入活性混合材料的硅酸盐水泥在与水拌合后，首先是水泥熟料的水化，水化反应生成的 $Ca(OH)_2$ 作为活性"激发剂"，并与活性混合材料中的活性 SiO_2 和活性 Al_2O_3 反应，即"二次水化反应"，生成具有水硬性的水化硅酸钙和水化铝酸钙，其反应式如下：

$$xCa(OH)_2 + SiO_2 + nH_2O \longrightarrow xCaO \cdot SiO_2 \cdot (x+n)H_2O$$
$$yCa(OH)_2 + Al_2O_3 + mH_2O \longrightarrow yCaO \cdot Al_2O_3 \cdot (y+m)H_2O$$

当有石膏存在的时候，石膏可与上述反应生成的水化铝酸钙进一步反应生成水硬性的低钙型水化硫铝酸钙。

与熟料的水化相比，二次水化反应具有的特点是：速度慢、水化热小、对温度和湿度较敏感。

3.2.2 普通硅酸盐水泥

1. 定义

凡由硅酸盐水泥熟料、活性混合材料掺入量>5%且≤20%，其中允许用不超过水泥质量8%的非活性混合材料或不超过水泥质量5%的窑灰，适量石膏磨细制成的水硬性胶凝材料，称之为普通硅酸盐水泥（简称普通水泥），代号P·O。

2. 技术要求

《通用硅酸盐水泥》（GB 175—2007）对普通水泥的技术要求如下：

（1）细度。普通硅酸盐水泥的比表面积应不小于300 m²/kg。

（2）凝结时间。初凝不得早于45 min，终凝不得迟于600 min。

（3）强度与强度等级。根据3 d和28 d龄期的抗折抗压强度，将普通硅酸盐水泥划分为42.5、42.5R、52.5、52.5R共四个强度等级。各个强度等级的水泥各龄期强度不得低于国家标准规定的数值（如表3-3）。

表3-3 普通硅酸盐水泥各等级、各龄期的强度值（GB 175—2007）

品 种	强度等级	抗压强度/MPa，≥		抗折强度/MPa，≥	
		3 d	28 d	3 d	28 d
普通水泥	42.5	17.0	42.5	3.5	6.5
	42.5R	22.0	42.5	4.0	6.5
	52.5	23.0	52.5	4.0	7.0
	52.5R	27.0	52.5	5.0	7.0

普通水泥的体积安定性、氧化镁含量、三氧化硫含量等其他技术要求与硅酸盐水泥相同。

3. 普通硅酸盐水泥的主要性能及应用

普通硅酸盐水泥中绝大部分仍然为硅酸盐水泥熟料，其性质与硅酸盐水泥相近，但由于掺加少量混合材料，与硅酸盐水泥相比，早期强度略低，水化热略低，耐腐蚀性略有提高，耐热性能稍好，抗冻性、耐磨性、抗碳化性略有降低。

微课9：掺混合材料的硅酸盐水泥

在应用范围方面,与硅酸盐水泥是基本相同的,甚至在一些不能用硅酸盐水泥的地方也可以采用普通水泥,使得普通水泥成为了建筑行业应用面最广,使用量最大的水泥品种。

3.2.3 矿渣硅酸盐水泥、火山灰质硅酸盐水泥和粉煤灰硅酸盐水泥

1.定义

凡是由硅酸盐水泥熟料和粒化高炉矿渣、适量石膏磨细制成的水硬性胶凝材料称为矿渣硅酸盐水泥(简称矿渣水泥),代号 P·S。水泥中粒化高炉矿渣掺入量按质量百分比计为>20%且≤70%,并分为 A 型和 B 型。A 型矿渣掺入量为>20%且≤50%,代号为 P·S·A;B 型矿渣掺入量为>50%且≤70%,代号为 P·S·B。

凡是由硅酸盐水泥熟料和火山灰质混合材料、适量石膏磨细制成的水硬性胶凝材料称为火山灰质硅酸盐水泥(简称火山灰水泥),代号 P·P。水泥中火山灰质混合材料掺入量按质量百分比计为>20%且≤40%。

凡是由硅酸盐水泥熟料和粉煤灰、适量石膏磨细制成的水硬性胶凝材料称为粉煤灰硅酸盐水泥(简称粉煤灰水泥),代号 P·F。水泥中粉煤灰掺入量按质量百分比计为>20%且≤40%。

2.技术要求

1)细度、凝结时间、体积安定性

国家标准 GB 175—2007 中规定,这三种水泥细度以筛余表示,80 μm 方孔筛筛余不大于10%或 45 μm 方孔筛筛余不大于30%;初凝不得早于45 min,终凝不得迟于600 min;沸煮法安定性必须合格。

2)氧化镁、三氧化硫含量

氧化镁含量≤6.0%,如果水泥中氧化镁的含量大于6.0%时,需进行水泥压蒸安定性试验并合格。

3)强度等级

这三种水泥的强度等级可按 3 d、28 d 的抗压强度和抗折强度来划分为 32.5、32.5R、42.5、42.5R、52.5、52.5R 六个等级,各强度等级水泥的各龄期强度不得低于表3-4数值。

表3-4 矿渣水泥、火山灰水泥、粉煤灰水泥的强度指标

强度等级	抗压强度 /MPa,≥		抗折强度 /MPa,≥		强度等级	抗压强度 /MPa,≥		抗折强度 /MPa,≥	
	3 d	28 d	3 d	28 d		3 d	28 d	3 d	28 d
32.5	10.0	32.5	2.5	5.5	42.5R	19.0	42.5	4.0	6.5
32.5R	15.0	32.5	3.5	5.5	52.5	21.0	52.5	4.0	7.0
42.5	15.0	42.5	3.5	6.5	52.5R	23.0	52.5	4.5	7.0

3. 性质与应用

矿渣水泥、火山灰水泥及粉煤灰水泥都是在硅酸盐水泥熟料的基础上加入了大量活性混合材料再加适量石膏磨细而制成，所加入的活性混合材料在化学组成与化学活性上基本相同，因而存在有很多共性；但这三种活性混合材料自身又有性质与特征的差异，又使得这三种水泥有各自的特征。

1）三种水泥的共性

（1）凝结硬化慢，早期强度低，后期强度发展较快

这三种水泥的水化反应可分为两步进行。首先是熟料矿物的水化，并生成水化硅酸钙、氢氧化钙等水化产物；其次是生成的氢氧化钙和掺入的石膏分别作为"激发剂"与活性混合材料中的活性 SiO_2 和活性 Al_2O_3 发生二次水化反应，生成的水化硅酸钙、水化铝酸钙等新的水化产物。

由于三种水泥中熟料含量少，二次水化反应又较慢，因此使早期强度低，但是后期由于二次水化反应的不断进行及熟料的继续水化，水化产物的不断增多，使得水泥强度发展较快，后期强度可赶上甚至于超过同强度等级的硅酸盐水泥及普通硅酸盐水泥。

（2）抗软水、抗腐蚀能力强

由于水泥中熟料少，因此在水化中生成的氢氧化钙及水化铝酸三钙含量少，加之二次水化反应还要消耗一部分氢氧化钙，因此水泥中能造成腐蚀的因素大大削弱，使得水泥抵抗软水、海水及硫酸盐腐蚀的能力增强，可适用于水工、海港工程及受侵蚀作用的工程。

（3）水化热低

由于水泥中熟料少，即水化中放热量高的 C_3A、C_3S 含量相对减小，而且二次水化反应的速度慢、水化热较低，使得水化放热量少且较慢，因此可适用于大体积混凝土工程。

（4）湿热敏感性强，适宜高温养护

这三种水泥在低温下水化反应明显减慢，强度较低，采用高温养护可以加速熟料的水化，并大大加快活性混合材料的水化反应速度，大幅度地提高早期强度，并且不影响后期强度的发展。与此相比，普通水泥、硅酸盐水泥在高温下的养护，虽然早期强度可提高，但后期强度的发展却受到影响，比一直在常温下养护的强度低。主要原因就是硅酸盐水泥、普通水泥的熟料含量高，熟料在高温下水化反应速度较快，短时间内生成大量的水化产物，这些水化产物对与未水化的水泥颗粒的后期水化起阻碍作用，因此硅酸盐水泥、普通水泥并不适合于高温养护。

（5）抗碳化能力低

由于这三种水泥的水化产物中的氢氧化钙含量少，碱度低，抗碳化的缓冲能力差，其中更是以矿渣水泥最为明显。当碳化深度达到钢筋表面时，就会导致钢筋锈蚀，最后使混凝土产生裂缝。

（6）抗冻性差、耐磨性差

由于加入了较多的混合材料，使得水泥的需水量增加，水分蒸发后容易形成毛细管通路或粗大孔隙，水泥石的孔隙率过大，导致抗冻性差和耐磨性差。

2）三种水泥的特性

（1）矿渣水泥

①耐热性强。矿渣水泥中的矿渣含量大，硬化后的氢氧化钙含量少，且矿渣本身又是高

温形成的耐火材料,故矿渣水泥的耐热性较好,适用于高温车间、高炉基础以及热气体通道等耐热工程。

②保水性差、泌水性大、干缩性大。粒化高炉矿渣难于磨得很细,再加上矿渣玻璃体亲水性差,且在拌制混凝土时泌水性大,容易形成毛细管道和粗大孔隙,在空气中硬化时容易产生干缩。

(2)火山灰水泥

①抗渗性好。火山灰混合材料中含有大量的微细孔隙,使其具有良好的保水性,并且在水化过程中形成大量的水化硅酸钙凝胶,使得火山灰水泥的水泥石结构密实,从而具有较高的抗渗性。

②干缩性大,在干燥环境中表面易"起毛"。火山灰水泥水化产物中会含有大量胶体,长期处于干燥环境时,胶体就会脱水产生严重的收缩,导致干缩裂缝。所以对于在干热环境中施工的工程,不宜使用火山灰水泥。

(3)粉煤灰水泥

①干缩性小、抗裂性高。粉煤灰呈球形颗粒,其比表面积小,吸附水的能力小,因此这种水泥的干缩性小、抗裂性高,但是致密的球形颗粒,保水性差,易泌水。

②早期强度和水化热低。粉煤灰由于其比表面积小,不易水化,所以活性主要是在后期发挥。因此,粉煤灰水泥的早期强度、水化热比矿渣水泥和火山灰水泥还要低,因此特别适用于大体积的混凝土工程。

3.2.4　复合硅酸盐水泥

凡是由硅酸盐水泥熟料,两种或两种以上规定的混合材料,适量石膏磨细制成的水硬性胶凝材料称为复合硅酸盐水泥(简称复合水泥),代号 P·C,水泥中混合材料总掺入量按质量百分比计应>20%且≤50%。

水泥中可允许用不超过8%的窑灰代替部分混合材料;掺矿渣时混合材料掺入量不得与矿渣硅酸盐水泥重复。复合水泥的水化、凝结硬化过程基本上与掺混合材料的硅酸盐水泥相同。

国家标准 GB 175—2007 的规定,对复合硅酸盐水泥的技术要求:氧化镁含量、细度、凝结时间、安定性、强度等级等指标同矿渣水泥、火山灰水泥、粉煤灰水泥。其 SO_3 含量 ≤3.5%。国标中规定复合水泥有四个强度等级:42.5、42.5R、52.5、52.5R,各等级、各龄期的强度值要求与矿渣水泥、火山灰水泥、粉煤灰水泥相同。

复合水泥与矿渣水泥、火山灰水泥、粉煤灰水泥相比,掺入混合材料种类不是一种而是两种或两种以上,多种混合材料互掺,可以弥补一种混合材料性能的不足,明显改善水泥的性能,让使用范围更广。复合硅酸盐水泥的特征取决于所掺混合材料的种类、掺入量及相对比例,因此,使用复合水泥时,应弄清楚水泥中主要混合材料的品种。为此,国家标准规定,在包装袋上应标明主要混合材料的名称。

3.2.5　通用水泥的主要特点及适用范围

以上所介绍的硅酸盐系列六大品种水泥其组成、性质及适用范围见表3-5。

表 3-5 六种常见水泥的组成、性质及应用的异同点

项目		硅酸盐水泥 P·I、P·II	普通水泥 P·O	矿渣水泥 P·S	火山灰水泥 P·P	粉煤灰水泥 P·F	复合水泥 P·C
组成		硅酸盐水泥熟料、适量石膏不加或加入很少（0～5%）的混合材料	硅酸盐水泥熟料、适量石膏加入>5%且≤20%的混合材料	硅酸盐水泥熟料、适量石膏加入>20%且≤70%的粒化高炉矿渣	硅酸盐水泥熟料、适量石膏加入>20%且≤40%的火山灰质混合材料	硅酸盐水泥熟料、适量石膏加入>20%且≤40%的粉煤灰	硅酸盐水泥熟料、适量石膏加入>20%且≤50%的两种或两种以上的混合材料
性质		强度（早期、后期）高、抗碳化性好、水化热大、耐腐蚀性差、耐热性差、耐磨性好、抗冻性好	早期强度稍低、后期强度高、抗碳化性较好、水化热略小、耐腐蚀性稍差、耐热性稍差、耐磨性较好、抗冻性好	共性：①早期强度低、后期强度高；②水化热小；③耐腐蚀性好；④抗冻性差；⑤抗碳化性差；⑥对温度和湿度敏感，适合湿热养护			
				泌水性大、抗渗性差、耐热性好、干缩性较大	保水性好、抗渗性好、干缩性大、耐磨性差	泌水性大、抗渗性差、干缩性小、抗裂性好、耐磨性差	早期强度较前三种水泥稍高、干缩较大
应用	优先使用	早期强度要求较高的混凝土、严寒地区有抗冻性要求的混凝土、抗碳化要求较高的混凝土、掺大量混合材料的混凝土、有耐磨性要求的混凝土		水下混凝土、海港混凝土、大体积混凝土、耐腐蚀性要求较高的混凝土、湿热养护混凝土			
		高强度混凝土	普通气候及干燥环境中的混凝土	有耐热性要求的混凝土	有抗渗性要求的混凝土	受荷载较晚的混凝土	
	可以使用	一般工程	高强度混凝土、水下混凝土、耐热混凝土、湿热养护混凝土	普通气候环境下的混凝土			
				有耐磨性要求的混凝土			
	不宜或不得使用	大体积混凝土、耐腐蚀性要求较高的混凝土、耐热混凝土、湿热养护混凝土		早期强度要求较高的混凝土、低温或冬季施工混凝土、抗冻性要求较高的混凝土、抗碳化要求较高的混凝土			
				抗渗性要求高的混凝土	干燥环境中的、有耐磨要求的混凝土	干燥环境中的、有耐磨要求的混凝土，有抗渗要求的混凝土	

3.3 其他品种水泥

3.3.1 快硬硅酸盐水泥

1.定义

凡是以硅酸盐水泥熟料和适量石膏磨细制成的,以 3 d 抗压强度表示等级的水硬性胶凝材料,称之为快硬硅酸盐水泥,简称快硬水泥。

快硬硅酸盐水泥制造过程与硅酸盐水泥基本相同,只是适当增加了熟料中硬化快的矿物的含量,如硅酸三钙为 50%～60%,铝酸三钙为 8%～14%,铝酸三钙和硅酸三钙的总量应不少于 60%～65%。

2.技术要求

(1)细度。0.08 mm 方孔筛筛余不得超过 10%。

(2)凝结时间。初凝时间不得早于 45 min,终凝时间不得迟于 600 min。

(3)体积安定性。用沸水法检验必须合格。

(4)强度。快硬硅酸盐水泥以 3 d 强度定等级,分为 32.5、37.5、42.5 三种,各龄期强度不得低于表 3-6 中的数值。

表 3-6 快硬水泥备龄期强度值

强度等级	抗压强度/MPa, ≥			抗折强度/MPa, ≥		
	1 d	3 d	28 d	1 d	3 d	28 d
32.5	15.0	32.5	52.5	3.5	5.0	7.2
37.5	17.0	37.5	57.5	4.0	6.0	7.6
42.5	19.0	42.5	62.5	4.5	6.4	8.0

3.性质

(1)凝结硬化快,但是干缩性较大。

(2)早期强度以及后期强度均高,抗冻性好。

(3)水化热大,且耐腐蚀性差。

4.应用

主要是用于紧急抢修工程、军事工程、冬季施工和混凝土预制构件。但不能用于大体积混凝土工程以及经常与腐蚀介质接触的混凝土工程。此外,由于快硬硅酸盐水泥细度大,容易受潮变质,所以在运输和储存中应注意防潮,一般存储期不宜超过一个月,已风化的水泥必须对其性能进行重新检验,合格后方可使用。

3.3.2 白色硅酸盐水泥及彩色硅酸盐水泥

1.白色硅酸盐水泥

凡是以适当成分的生料烧至部分熔融,所得以硅酸钙为主要成分、氧化铁含量很少的白

硅酸盐水泥熟料，再加入适量石膏，共同磨细而制成的水硬性胶凝材料称为白色硅酸盐水泥，简称白色水泥。

硅酸盐系列水泥的颜色通常呈灰色，主要是因为其中含有较多的氧化铁及其他杂质所致。白色水泥的生产工艺与硅酸盐水泥基本相同，关键是要严格控制水泥原料的铁含量，严防在生产过程中混入铁质(以及锰、铬等氧化物)。

1)白色水泥的技术性质

按照我国现行标准《白色硅酸盐水泥》(GB/T 2015—2017)的规定，白色水泥的细度要求 45 μm 的方孔筛筛余不得大于 30%；初凝时间不得早于 45 min，终凝时间不得迟于 600 min；体积安定性用沸水法检验必须合格；氧化镁的含量不得超过 5.0%；按照白度分为 1 级和 2 级，代号分别为 P.W-1 和 P.W-2，1 级白度不小于 89，2 级白度不小于 87。白色水泥按 3 d、28 d 的强度值将白水泥划分为 32.5、42.5、52.5 三个等级，各等级、各龄期的强度不得低于表 3-7 中的数值。

表 3-7　白色硅酸盐水泥的强度要求(GB/T 2015—2017)

强度等级	抗压强度/MPa，≥		抗折强度/MPa，≥	
	3 d	28 d	3 d	28 d
32.5	12.0	32.5	3.0	6.0
42.5	17.0	42.5	3.5	6.5
52.5	22.0	52.5	4.0	7.0

2)应用

白色水泥具备有强度高、色泽洁白等特点，在建筑装饰工程中常常用来配制彩色水泥浆，可用于建筑物内、外墙的粉刷及天棚、柱子的粉刷，还可用于贴面装饰材料的勾缝处理；配制各种色彩砂浆从而用于装饰抹灰。如常用的水刷石、斩假石等等，模仿天然石材的色彩、质感，具有较好的装饰效果；配制彩色混凝土，制作彩色水磨石等。

3)白水泥在应用中注意的事项

在制备混凝土时粗细骨料宜采用白色或彩色的大理石、石灰石、石英砂和各种颜色的石屑，不能掺和其他杂质，以免影响其白度及色彩。

白色水泥的施工和养护方法与普通硅酸盐水泥相同，但施工时底层以及搅拌工具必须清洗干净，以免影响了白色水泥的装饰效果。

2. 彩色硅酸盐水泥

凡由硅酸盐水泥熟料及适量石膏(或白色硅酸盐水泥)、混合材料及着色剂磨细或混合制成的带有色彩的水硬性胶凝材料称为彩色硅酸盐水泥。基本色有红色、黄色、蓝色、绿色、棕色和黑色等。

1)彩色硅酸盐水泥的技术性质

三氧化硫的含量不得超过 4.0%；80 μm 方孔筛筛余不得超过 6.0%；初凝不得早于 60 min，终凝不得迟于 600 min；安定性用沸煮法检验必须合格；按 3 d、28 d 的强度值将彩色硅酸盐水泥划分为 27.5、32.5 和 42.5 三个等级，各等级、各龄期的强度不得低于表 3-8 中的数值。

表 3-8 彩色硅酸盐水泥的强度要求

强度等级	抗压强度/MPa，≥		抗折强度/MPa，≥	
	3 d	28 d	3 d	28 d
27.5	7.5	27.5	2.0	5.0
32.5	10.0	32.5	2.5	5.5
42.5	15.0	42.5	3.5	6.5

2）应用

彩色硅酸盐水泥主要用于建筑装饰面材料，如地面、楼面、顶棚、楼梯、柱子及台阶等，可做成彩色水泥浆、混凝土、水磨石、水刷石和人行、车行铺地砖等饰面块，也可用于雕塑及装饰制品，以及作为瓷砖黏结嵌缝材料等。

3.3.3 膨胀水泥

一般的硅酸盐水泥在空气中凝结硬化时，通常的表现为收缩，收缩值的大小与水泥的品种、矿物组成、细度、石膏掺入量及水灰比大小等因素有关。收缩将会使混凝土内部产生微裂缝，影响混凝土的强度及耐久性。

膨胀水泥在硬化的过程中会产生一定体积的膨胀，由于这一过程发生在浆体完全硬化之前，故能使水泥石结构密实而不致破坏。膨胀水泥根据膨胀率大小和用途不同，可以分为膨胀水泥（自应力<2.0 MPa）和自应力水泥（自应力≥2.0 MPa）。膨胀水泥用于补偿一般硅酸盐水泥在硬化过程中所产生的体积收缩或有微小膨胀；自应力水泥实质上是一种依靠于水泥本身膨胀而产生预应力的水泥。在钢筋混凝土中，钢筋约束了水泥膨胀而使得水泥混凝土承受预压应力，这种压应力能使其免于产生内部微裂缝，当其值较大时，还能抵消一部分因外界因素所产生的拉应力，进而有效地改善混凝土抗压强度低的缺陷。

1. 明矾石膨胀水泥定义

明矾石膨胀水泥是以硅酸盐水泥熟料（58%~63%）、天然明矾石（12%~15%）、无水石膏（9%~12%）和粒化高炉矿渣（15%~20%）共同磨细制成的具有膨胀性能的水硬性胶凝材料。

明矾石膨胀水泥加水后，其硅酸盐水泥熟料中的矿物水化生成 $Ca(OH)_2$ 和 $3CaO \cdot Al_2O_3 \cdot 6H_2O$，分别同明矾石 $[K_2SO_4 \cdot Al_2(SO_4)_3 \cdot 4Al(OH)_3]$、石膏作用并生成大量体积膨胀的钙矾石（$CaO \cdot Al_2O_3 \cdot 3CaSO_4 \cdot 31H_2O$），填充于水泥石的毛细孔中，并与水化硅酸钙互相交织在一起，使水泥石结构密实，这就是明矾石水泥具有强度高和抗渗性好的主要原因。明矾石膨胀水泥的膨胀源均来自于生成钙矾石的多少。通过调整各种组成的配合比，控制生成钙矾石数量，可制得不同膨胀值的膨胀水泥。

2. 技术要求

（1）细度。比表面积不低于 450 m^2/kg。

（2）凝结时间。初凝时间不早于 45 min，终凝时间不迟于 360 min。

（3）膨胀率。对于明矾石膨胀水泥要求 1 d 不小于 0.15%、28 d 不小于 0.35% 和不大于 1.00%。

（4）强度。按 3 d、7 d、28 d 的强度值将明矾石膨胀水泥划分为 52.5 和 62.5 两个等级，各等级、各龄期强度值不得低于表 3-9 中的数值。

表 3-9　明矾石膨胀水泥强度要求

标号	抗压强度/MPa，≥			抗压强度/MPa，≥		
	3 d	7 d	28 d	3 d	7 d	28 d
52.5	24.5	34.3	51.5	4.1	5.3	7.8
62.5	29.4	43.1	61.3	4.9	6.1	8.8

3. 性质

（1）明矾石膨胀水泥在约束膨胀下（如内部配筋或外部限制）能产生一定的预应力，从而提高混凝土和砂浆的抗裂能力，以满足补偿收缩的要求，可以减少或防止混凝土和砂浆的开裂。

（2）明矾石膨胀水泥强度高，后期强度持续增长，空气稳定性良好。

（3）明矾石膨胀水泥与钢筋有良好的黏结力，其原因主要是产生的膨胀力转化为压力，从而提高黏结力。

4. 应用

明矾石膨胀水泥主要应用于可补偿收缩混凝土工程、防渗抹面及防渗混凝土（如各种地下建筑物、地下铁道、储水池、道路路面等），构件的接缝，梁、柱和管道接头，固定机器底座和地脚螺栓等等。

3.3.4　中热硅酸盐水泥、低热硅酸盐水泥

中热硅酸盐水泥，简称中热水泥，是以适当成分的硅酸盐水泥熟料，加入适量石膏，经过磨细制成的具有中等水化热的水硬性胶凝材料，代号 P·MH。

低热矿渣硅酸盐水泥，简称低热矿渣水泥，是以适当成分的硅酸盐水泥熟料，加入矿渣、适量石膏，经过磨细制成的具有低水化热的水硬性胶凝材料，代号 P·LH。

低热矿渣水泥和中热水泥主要是通过限制水化热较高的 C_3A 和 C_3S 含量来得以实现。根据现行规范《中热硅酸盐水泥、低热硅酸盐水泥》（GB 200—2017），其具体要求如下。

1. 熟料中 C_3A、C_3S、C_2S 的含量

（1）熟料中的 C_3A 含量。中热水泥和低热水泥不得超过 6%。

（2）熟料中的 C_3S、C_2S 含量。中热水泥熟料中 C_3S 不得超过 55%，低热水泥熟料中 C_2S 不得小于 40%。

2. 游离 CaO、MgO 及 SO_3 含量

（1）游离 CaO 对于中热水泥和低热水泥不得超过 1.0%。

（2）MgO 含量不宜超过 5%，若水泥经压蒸安定性试验合格，允许放宽到 6%。

（3）SO_3 含量不得超过 3.5%。

3. 细度、凝结时间

细度要求，比表面积≥250 m^2/kg；初凝时间不早于 60 min，终凝时间不得迟于 720 min。

4.强度

中热水泥为 42.5 强度等级，低热水泥为 42.5 和 32.5 强度等级。各龄期强度值详见表 3-10。

表 3-10　中、低热水泥及低热矿渣水泥各龄期强度值

品　种	强度等级	抗压强度/MPa，≥			抗折强度/MPa，≥		
		3 d	7 d	28 d	3 d	7 d	28 d
中热水泥	42.5	12.0	22.0	42.5	3.0	4.5	6.5
低热水泥	42.5	—	13.0	42.5	—	3.5	6.5
低热水泥	32.5	—	10.0	32.5	—	3.0	5.5

低热水泥 90 d 的抗压强度不小于 62.5 MPa。

5.水化热

低热水泥、低热矿渣水泥和中热水泥要求水化热不得超过表 3-11 规定。

表 3-11　中、低热水泥各龄期水化热值

品　种	强度等级	水化热/(kJ·kg⁻¹)，≤	
		3 d	7 d
中热水泥	42.5	251	293
低热水泥	42.5	230	260
低热水泥	32.5	197	230

32.5 级低热水泥 28 d 的水化热不大于 290 kJ/kg，42.5 级低热水泥 28 d 水化热不大于 310 kJ/kg。

中热水泥主要是适用于大坝溢流面或大体积建筑物的面层和水位变化区等部位，以及要求低水化热和较高耐磨性、抗冻性的工程；低热水泥和低热矿渣水泥主要是适用于大坝或大体积混凝土内部及水下等要求低水化热的工程。

3.4　水泥的选用、验收、储存及保管

水泥作为建筑材料中最重要的材料之一，在工程建设中发挥着巨大的作用。正确的选择、合理的使用水泥，严格质量验收并妥善保管就显得尤为重要，它是确保工程质量的重要措施。

微课10：水泥的选用、验收和保管

3.4.1　水泥的选用

水泥的选用包括水泥品种和强度等级的选择两方面。强度等级应与所配制的混凝土或砂浆的强度等级相适应。在此重点考虑水泥品种的选择。

1. 按环境条件选择水泥品种

环境条件主要指工程所处的外部条件，包括环境的温、湿度以及周围所存在的侵蚀性介质的种类及浓度等。如在严寒地区的露天混凝土应优先选用抗冻性较好的硅酸盐水泥、普通水泥，而不得选用矿渣水泥、粉煤灰水泥、火山灰水泥；若环境具有较强的侵蚀性介质时，就应选用掺混合材料的水泥，而不宜选用硅酸盐水泥。

2. 按工程特点选择水泥品种

冬季施工以及有早强要求的工程应优先选用硅酸盐水泥，而不得使用掺混合材料的水泥；对大体积混凝土工程(如大坝、大型基础、桥墩等工程)应优先选用水化热较小的低热矿渣水泥和中热水泥，而不得使用硅酸盐水泥；有耐热要求的工程(如工业窑炉、冶炼车间等)应优先选用耐热性较高的矿渣水泥、铝酸盐水泥；军事工程、紧急抢修工程应优先选用快硬水泥、双快水泥；修筑道路路面、飞机跑道等应优先选用道路水泥。

3.4.2 水泥的编号与取样

对于通用水泥的出厂前按品种、同强度等级编号和取样。袋装水泥的散装水泥应分别编号和取样。每一编号为一取样单位。水泥的出厂编号按水泥厂年生产能力规定：200 万 t 以上，不超过 4000t 为一编号；120 万 t 以上至 200 万 t，不超过 2400t 为一编号；60 万 t 以上至 120 万 t，不超过 1000t 为一编号；30 万 t 以上至 60 万 t，不超过 600t 为一编号；10 万 t 以上至 30 万 t，不超过 400t 为一编号；10 万 t 以下，不超过 200t 为一编号。取样应具有代表性，可以连续取，也可从 20 个以上不同部位取等量样品，总量至少 12 kg。所取样品按相应标准规定的方法进行出厂检验，检验项目包括了需要对产品进行考核的全部技术要求。

水泥的取样

3.4.3 水泥的验收

1. 品种的验收

水泥包装袋上应清楚标明：执行标准、水泥品种、代号、强度等级、生产者名称、生产许可证标志(QS)及编号、出厂编号、包装日期、净含量。包装袋两侧应根据水泥的品种采用不同的颜色印刷水泥名称和强度等级，硅酸盐水泥和普通硅酸盐水泥采用红色，矿渣硅酸盐水泥采用绿色；火山灰质硅酸盐水泥、粉煤灰硅酸盐水泥和复合硅酸盐水泥采用黑色或蓝色。散装发运时应提交与袋装标志相同内容的卡片。

水泥的品种验收

2. 数量的验收

水泥可以袋装，也可以散装。袋装水泥每袋净含量 50 kg，且不得少于标记质量的 99%；随机抽取 20 袋总质量不得少于 1000 kg，其他包装形式由双方协商确定，但有关袋装质量要求，必须符合上述原则规定；散装水泥平均堆积密度为 1450 kg/m³，袋装压实的水泥为 1600 kg/m³。

3. 质量验收

交货时水泥的质量验收可抽取实物试样以其检验的结果为依据，也可用水泥厂同编号水泥的检验报告为依据。采取何种方法验收由双方商定，并在合同或协议中注明。

以抽取实物试样的检验结果为验收依据时，买卖双方应该在发货前或交货地共同取样和签封,取样数量 20 kg,缩分为二等分。一份由卖方保存 40 d,另一份由买方按标准规定的项目和方法进行检验。在 40 d 内买方检验认为水泥质量不符合标准要求时,而卖方又有异议时,则双方应将卖方保存的另一份试样送省级或省级以上国家认可的水泥质量监督检验机构进行仲裁检验。水泥安定性仲裁检验时,应在取样之日起 10 d 以内完成。

以水泥厂同编号水泥的检验报告为验收依据时,在发货前或交货时买方在同编号水泥中抽取试样,双方共同签封后保存 90 d;或委托卖方在同编号水泥中抽取试样,签封后保存 90 d。在 90 d 后,买方对水泥质量有疑问时,买卖双方则可将签封的试样送省级或省级以上国家认可的水泥质量监督检验机构进行仲裁检验。

4. 结论

根据国家标准规定:凡化学指标、凝结时间、安定性、强度符合标准的为合格品。凡化学指标、凝结时间、安定性、强度中任一项不符合标准规定为不合格品。经确认水泥各项技术指标及包装质量符合要求时方可出厂。

3.4.4 水泥的储存与保管

水泥在保管时,应按不同生产厂,不同强度等级、品种和出厂日期分别堆放,严禁混杂。在运输及保管时应注意防潮,先存先用,不可储存过久。如果水泥保管不当,则会使水泥因风化而影响水泥正常使用,甚至会导致工程质量事故。

水泥的储存与保管

1. 水泥的风化

水泥中各种矿物都具有强烈与水作用的能力,这种趋于水化和水解的能力称为水泥的活性。具有活性的水泥在储存和运输的过程中,容易吸收空气中的水及 CO_2,使得水泥受潮而成粒状或块状,过程如下。

水泥中的游离氧化钙、硅酸三钙吸收空气中的水分发生水化反应,生成氢氧化钙,氢氧化钙又与空气中的二氧化碳发生反应,生成碳酸钙并释放出水。这样的连锁反应使水泥受潮加快,受潮后的水泥凝结迟缓、活性降低、强度降低。通常水泥的强度等级越高,细度越细,吸湿受潮也越快。在正常的储存条件下,储存 3 个月,强度降低 10%~25%,储存 6 个月,强度降低 25%~40%。因此规定,常用水泥储存期为 3 个月,铝酸盐水泥为 2 个月,双快水泥不宜超过 1 个月,过期水泥在使用时应重新检测,按实际强度使用。

水泥一般应入库存放。水泥仓库应保持干燥,库房地面应高出室外地面 30 cm,离开窗户和墙壁 30 cm 以上。袋装水泥堆垛不宜过高、以免下部水泥受压结块,一般为 10 袋,如存放时间短,库房紧张,也不宜超过 15 袋;袋装水泥露天临时储存时,应选择地势高、排水条件好的场地,并认真做好上盖下垫,以防水泥受潮。若使用散装水泥,可用铁皮水泥罐仓或散装水泥库存放。

2. 受潮水泥处理

受潮水泥处理参见表 3-12。

表 3-12　受潮水泥的处理

受潮程度	状况	处理方法	使用方法
轻微	有松块、可以用手捏成粉末，无硬块	将松块、小球等压成粉末，同时加强搅拌	经试验按实际强度使用
较重	部分结成硬块	筛除硬块，并将松块压碎	经试验按实际强度使用，用于不重要的、受力小的部位，或用于砌筑砂浆
严重	呈硬块状	将硬块压成粉末，换取25%硬块重量的新鲜水泥做强度试验	同上。严重受潮的水泥只可做掺和料或骨料

3.5　水泥性能的检测

3.5.1　水泥细度的检测

1. 试验目的

通过试验来检验水泥的粗细程度，作为评定水泥质量的依据之一；掌握《水泥细度检验方法（80 μm 筛筛析法）》（GB/T 1345—2005）的测试方法，正确使用所用仪器与设备，并熟悉其性能。

2. 方法原理

采用 45 μm 方孔标准筛和 80 μm 方孔标准筛对水泥试样进行筛析试验，用筛网上所得筛余物的质量百分数来表示水泥样品的细度。

水泥细度检测

3. 主要仪器设备

1）试验筛

试验筛由圆形筛框和筛网组成，筛网符合 GB/T 6005—2008 规定的 R20/3 80 μm，R20/3 45 μm 的要求，分负压筛、水筛和手筛三种，负压筛和水筛的结构尺寸见图 3-6 和图 3-7，负压筛应附有透明筛盖，筛盖与筛上口应有良好的密封性。手工筛结构符合 GB/T 6003.1—2012 的规定，其中筛框高度为 50 mm，筛子的直径为 150 mm。

筛网应紧绷在筛框上，筛网和筛框接触处，应用防水胶密封，防止水泥嵌入。

筛孔尺寸的检验方法按 GB/T 6003.1—2012 进行。由于物料会对筛网产生磨损，试验筛每使用 100 次后需要重新标定。

2）负压筛析仪

负压筛析仪由筛座、负压筛、负压源及收尘器组成，其中筛座由转速为 30±2 r/min 的喷气嘴、负压表、控制板、微电机及壳体等构成，见图 3-8。

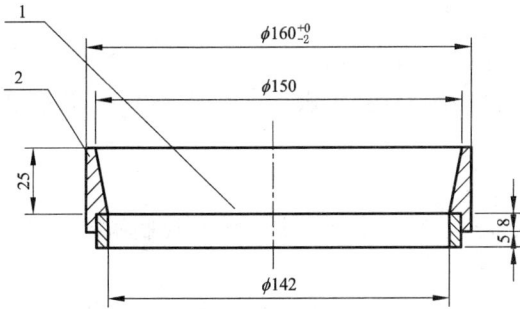

1—筛网，2—筛框。

图3-6　负压筛(单位：mm)

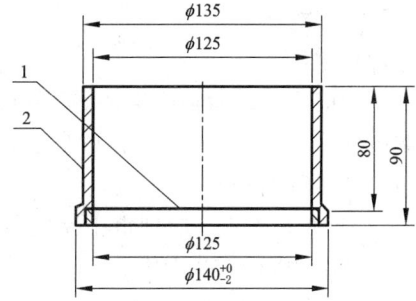

1—筛网，2—筛框。

图3-7　水筛(单位：mm)

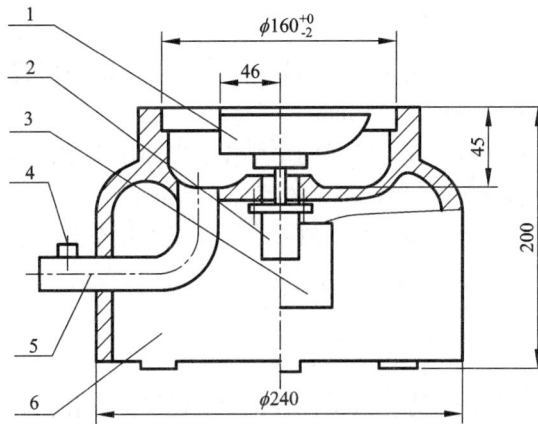

1—喷气嘴；2—微电机；3—控制板开口；4—负压表接口；5—负压源及收尘器接口；6—壳体。

图3-8　负压筛析仪筛座示意图(单位：mm)

筛析仪负压可调范围为4000～6000 Pa。

喷气嘴上口平面与筛网之间距离为2～8 mm。

喷气嘴的上口尺寸见图3-9。

负压源和收尘器，由功率≥600 W的工业吸尘器和小型旋风收尘筒组成或用其他具有相当功能的设备。

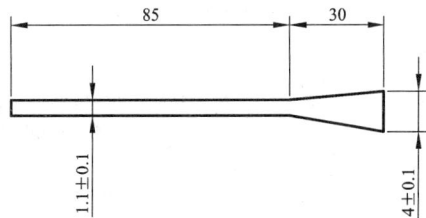

图3-9　喷气嘴上开口(单位：mm)

3)水筛架和喷头

水筛架和喷头的结构尺寸应符合 JC/T 728—2005 规定，但其中水筛架上筛座内径为 140_0^{-3} mm。

4)天平

分度值不大于 0.01 g。

4.样品要求

水泥样品应有代表性，样品处理方法按 GB 12573 第3.5条进行。

5. 试验步骤

1）试验准备

试验前所用试验筛应保持清洁，负压筛和手工筛应保持干燥。试验时，80 μm 筛析试验称取试样 25 g，45 μm 筛析试验称取试样 10 g。

2）负压筛析法

（1）筛析试验前，应把负压筛放在筛座上，盖上筛盖，接通电源，检查控制系统，调节负压至 4000~6000 Pa 范围内。

（2）称取试样精度至 0.01 g，置于洁净的负压筛中，放在筛座上，接通电源，开动筛析仪连续筛析 2 min，在此期间如有试样附着在筛盖上，可轻轻地敲击筛盖使试样落下。筛毕，用天平称量全部筛余物。

（3）当工作负压小于 4000 Pa 时，应清理吸尘器内水泥，使负压恢复正常。

3）水筛法

（1）筛析试验前，应检查水中无泥、砂，调整好水压及水筛的位置，使其能正常运转。并控制喷头底面和筛网之间距离为 35~75 mm。

（2）称取试样精度至 0.01 g，置于洁净的水筛中，立即用淡水冲洗至大部分细粉通过后，放在水筛架上，用水压为（0.05±0.02）MPa 的喷头连续冲洗 3 min。

（3）筛毕，用少量水把筛余物冲至蒸发皿中，等水泥颗粒全部沉淀后，小心倒出清水，烘干并用天平称量全部筛余物。

4）手工筛析法

（1）称取试样精度至 0.01 g，倒入手工筛内。

（2）用一只手持筛往复摇动，另一只手轻轻拍打，往复摇动和拍打过程应保持近于水平。拍打速度每分钟约 120 次，每 40 次向同一方向转动 60°，使试样均匀分布在筛网上，直至每分钟通过的试样量不超过 0.03 g 为止。称量全部筛余物。

5）对于其他粉状物，采用 45~80 μm 以外规格方孔筛进行筛析试验时，应指明筛子的规格、称样量、筛析时间等相关参数。

6）试验筛的清洗

试验筛必须经常保持洁净，筛孔通畅。使用 10 次后要进行清洗。金属框筛、铜丝网筛清洗时应用专门的清洗剂，不可用弱酸浸泡。

6. 试验结果评定

1）计算

水泥细度按试样筛余百分数（精确至 0.1%）计算：

$$F = \frac{R_s}{W} \times 100\%$$

式中：F——水泥试样的筛余百分数，%；

R_s——水泥筛余物的质量，g；

W——水泥试样的质量，g。

2）筛余结果的修正

试验筛的筛网会在试样中磨损，因此筛析结果应进行修正。修正的方法是将计算结果乘以该试验筛的有效修正系数，即为最终结果。

合格评定时，每个样品应称取两个试样分别筛析，取筛余平均值为筛析结果。若两次筛余结果绝对误差大于0.5%时(筛余值大于5.0%时可放宽至1.0%)应再做一次试样，取两次相近结果的算术平均值作为最终结果。

3)试样结果

负压筛法、水筛法和手工筛析法测定的结果发生争议时，以负压筛析法为准。

3.5.2 水泥标准稠度用水量的检测

1.试验目的

通过试验测定水泥净浆达到水泥标准稠度(统一规定的浆体可塑性)时的用水量，作为水泥凝结时间、安定性试验用水量之一；掌握《水泥标准稠度用水量、凝结时间、安定性检验方法》(GB 1346—2011)的测试方法，正确使用仪器设备，并熟悉其性能。

2.方法原理

水泥标准稠度净浆对标准试杆(或试锥)的沉入具有一定阻力，通过试验不同含水量水泥净浆的穿透性，以确定水泥标准稠度净浆中所需加入的水量。

3.主要仪器设备

1)水泥净浆搅拌机

主要由搅拌锅、搅拌叶片、传动机构和控制系统组成，搅拌叶片在搅拌锅内做旋转方向相反的公转和自转。如图3-10所示。

2)标准法维卡仪

如图3-11所示，标准稠度测定用试杆有效长度为(50±1) mm，由直径为(10±0.05) mm的圆柱形耐腐蚀金属制成。测定凝结时间时取下试杆，用试针代替试杆。试针由钢制成，其有效长度初凝针

图3-10 水泥净浆搅拌机

为50 mm±1 mm、终凝针为(30±1) mm，是直径为(1.13±0.05) mm的圆柱体。滑动部分的总质量为(300±1) g。与试杆、试针联结的滑动杆表面应光滑，能靠重力自由下落，不得有紧涩和旷动现象。

盛装水泥净浆的试模应由耐腐蚀的、有足够硬度的金属制成。试模为深(40±0.2) mm、顶内径(65±0.5) mm、底内径(75±0.5) mm的截顶圆锥体。每只试模应配备一个边长或直径为100 mm、厚度为4~5 mm的平板玻璃底板或金属底板。

3)天平

最大称量不小于1000 g，分度值不大于1 g。

4)量筒和滴定管

精度±0.5 mL。

4.材料

试验用水必须是洁净的饮用水，如有争议时应以蒸馏水为准。

5.试验条件

(1)实验室温度为20±2℃，相对湿度应不低于50%；水泥试样、拌和水、仪器和用具的

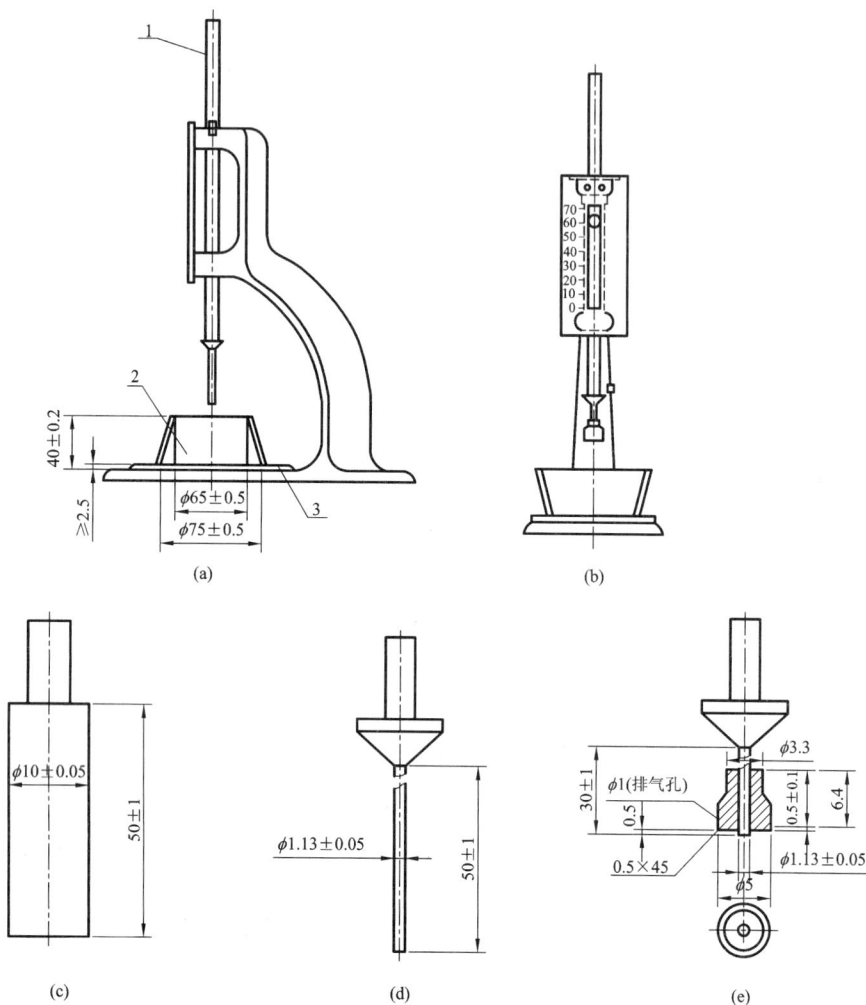

1—滑动杆；2—试模；3—玻璃板。

图 3-11 测定水泥标准稠度和凝结时间用维卡仪及配件示意图(单位：mm)

(a)初凝时间测定用立式试模的侧视图；(b)终凝时间测定用反转试模的前视图；
(c)标准稠度试杆；(d)初凝用试针；(e)终凝用试针

温度应与实验室一致。

(2)湿气养护箱的温度为(20±1)℃，相对湿度不低于90%。

6.试验方法及步骤

1)标准法

(1)试验前检查：仪器金属棒应能自由滑动，搅拌机运转正常等。

(2)调零点：将标准稠度试杆装在金属棒下，调整至试杆接触玻璃板时指针对准零点。

(3)水泥净浆制备：用湿布将搅拌锅和搅拌叶片擦一遍，将拌合用水倒入搅拌锅内，然后在5~10 s内小心将称量好的500 g水泥试样加入水中(按经验找水)；拌和时，先将锅放到搅拌机锅座上，升至搅拌位置，启动搅拌机，慢速搅拌120 s，停拌15 s，同时将叶片和锅壁上的水泥浆刮入锅中，接着快速搅拌120 s后停机。

（4）标准稠度用水量的测定：拌和完毕，立即将水泥净浆一次装入已置于玻璃板上的试模内，浆体超过试模上端，用宽约 25 mm 的直边刀轻轻拍打超出试模部分的浆体 5 次，以排除浆体中的孔隙，然后在试模上表面约 1/3 处，略倾斜于试模分别向外轻轻锯掉多余净浆，再从试模边沿轻抹顶部一次，使净浆表面光滑。在锯掉多余净浆和抹平的操作过程中，注意不要压实净浆；抹平后迅速放到维卡仪上，并将其中心定在试杆下，降低试杆直至与水泥净浆表面接触，拧紧螺丝，然后突然放松，让试杆自由沉入净浆中。在试杆停止沉入或释放试杆 30 s 时记录试杆距底板之间的距离，升起试杆后应立即擦净，整个操作应在搅拌后 1.5 min 内完成。以试杆沉入净浆并距底板（6±1）mm 的水泥净浆为标准稠度净浆。其拌和用水量为该水泥的标准稠度用水量（P），按水泥质量的百分比计。

2）代用法

（1）仪器设备检查：稠度仪金属滑杆能自由滑动，搅拌机能正常运转等。

（2）调零点：将试锥降至锥模顶面位置时，指针应对准标尺零点。

（3）水泥净浆制备：同标准法。

（4）标准稠度的测定：有调整水量法和固定水量法两种，可选用任一种测定，如有争议时以调整水量法为准。

①固定水量法：拌和用水量为 142.5 mL。拌和结束后，立即将拌和好的净浆装入锥模，用宽约 25 mm 的直边刀在浆体表面轻轻插捣 5 次，再轻振 5 次，刮去多余净浆；抹平后放到试锥下面的固定位置上，调整金属棒使锥尖接触净浆并固定松紧螺丝 1~2 s，然后突然放松，让试锥垂直自由地沉入水泥净浆中。在试锥停止下沉或释放试锥 30 s 时记录试锥下沉深度 s。整个操作应在搅拌后 1.5 min 内完成。

②调整水量法：拌和用水量按经验找水。拌和结束后，立即将拌和好的净浆装入锥模，用小刀插捣、振动数次，刮去多余净浆；抹平后放到试锥下面的固定位置上，调整金属棒使锥尖接触净浆并固定松紧螺丝（1~2）s，然后突然放松，让试锥垂直自由地沉入水泥净浆中。当试锥下沉深度为（30±1）mm 时的净浆为标准稠度净浆，其拌和用水量即为标准稠度用水量 P，按水泥质量的百分比计。

4.试验结果评定

1）标准法

以试杆沉入净浆并距底板（6±1）mm 的水泥净浆为标准稠度净浆。其拌和用水量为该水泥的标准稠度用水量 P，以水泥质量的百分比计，按下式计算：

$$P=\frac{拌和用水量}{水泥用量}\times100\%$$

2）代用法

（1）用固定水量方法测定时，根据测得的试锥下沉深度 s（mm），可从仪器上对应标尺读出标准稠度用水量或按下面的经验公式计算其标准稠度用水量。

$$P=33.4-0.185s$$

当试锥下沉深度小于 13 mm 时，应改用调整水量方法测定。

（2）用调整水量方法测定时，以试锥下沉深度为（30±1）mm 时的净浆为标准稠度净浆，其拌和用水量为该水泥的标准稠度用水量，以水泥质量百分数计，计算公式同标准法。

如下沉深度超出范围，须另称试样，调整水量，重新试验，直至达到（30±1）mm 为止。

3.5.3 水泥凝结时间的检测

1. 试验目的

测定水泥达到初凝和终凝所需的时间，用以评定水泥的质量。掌握《水泥标准稠度用水量、凝结时间、安定性检验方法》（GB 1346—2011）的测试方法，正确使用仪器设备。

2. 方法原理

凝结时间以试针沉入水泥标准稠度净浆至一定深度所需的时间表示。

3. 主要仪器设备

（1）标准法维卡仪。

（2）水泥净浆搅拌机。

（3）湿气养护箱。

4. 材料

试验用水必须是洁净的饮用水，如有争议时应以蒸馏水为准。

5. 试验条件

（1）实验室温度为（20±2）℃，相对湿度应不低于50%；水泥试样、拌和水、仪器和用具的温度应与实验室一致。

（2）湿气养护箱的温度为（20±1）℃，相对湿度不低于90%。

6. 试验步骤

（1）试验前准备将试模内侧稍涂上一层机油，放在玻璃板上，调整凝结时间测定仪的试针接触玻璃板时，指针应对准标准尺零点。

（2）以标准稠度用水量的水，按测标准稠度用水量的方法制成标准稠度水泥净浆后，立即一次装入试模振动数次刮平，然后放入湿气养护箱内，记录开始加水的时间作为凝结时间的起始时间。

（3）试件在湿气养护箱内养护至加水后30 min时进行第一次测定。测定时，从养护箱中取出试模放到试针下，使试针与净浆面接触，拧紧螺丝1~2 s后突然放松，试针垂直自由沉入净浆，观察试针停止下沉或释放试杆30 s时指针的读数。临近初凝时，每隔5 min测定一次，当试针沉至距底板（4±1）mm即为水泥达到初凝状态。从水泥全部加入水中至初凝状态的时间即为水泥的初凝时间，用min表示。

（4）初凝测出后，立即将试模连同浆体以平移的方式从玻璃板上取下，翻转180°，直径大端向上，小端向下，放在玻璃板上，再放入湿气养护箱中养护。

（5）取下测初凝时间的试针，换上测终凝时间的试针。

（6）临近终凝时间每隔15 min测一次，当试针沉入净浆0.5 mm时，即环形附件开始不能在净浆表面留下痕迹时，即为水泥的终凝时间。

（7）由开始加水至初凝、终凝状态的时间分别为该水泥的初凝时间和终凝时间，用min表示。

（8）在测定时应注意，最初测定的操作时应轻轻扶持金属棒，使其徐徐下降，防止撞弯试针，但结果以自由下沉为准；在整个测试过程中试针沉入净浆的位置距试模内壁至少大于10 mm；每次测定完毕需将试针擦净并将试模放入养护箱内，测定过程中要防止试模受振；每次测量时不能让试针落入原孔，测得结果应以两次都合格为准。

4.试验结果评定

(1)自加水起至试针沉入净浆中距底板 4±1 mm 时，所需的时间为初凝时间；至试针沉入净浆中不超过 0.5 mm（环形附件开始不能在净浆表面留下痕迹）时所需的时间为终凝时间。

(2)达到初凝状态时，应立即重复测一次，当两次结论相同时才能定为达到初凝状态；达到终凝时，需要在试体另外两个不同点测试，结论相同时才能确定达到终凝状态。

评定方法：将测定的初凝时间、终凝时间结果，与国家规范中的凝结时间相比较，可判断其合格性与否。

3.5.4 水泥安定性的检测

1.试验目的

安定性是指水泥硬化后体积变化的均匀性情况。通过试验可掌握《水泥标准稠度用水量、凝结时间、安定性检验方法》（GB 1346—2011）的测试方法，正确评定水泥的体积安定性。

安定性的测定方法有雷氏法和试饼法，有争议时以雷氏法为准。

2.方法原理

(1)雷氏法是观测由两个试针的相对位移所指示的水泥标准稠度净浆体积膨胀的程度。

(2)试饼法是观测水泥标准稠度净浆试饼的外形变化程度。

3.主要仪器设备

1)沸煮箱

符合 JC/T 955—2005 的要求。

2)雷氏夹

由铜质材料制成，其结构如图 3-12 所示。当一根指针的根部先悬挂在一根金属丝或尼龙丝上，另一根指针的根部再挂上 300 g 质量的砝码时，两根指针针尖的距离增加应在（17.5±2.5） mm 范围内，即 $2x = (17.5±2.5)$ mm（见图 3-13），当去掉砝码后针尖的距离能恢复至挂砝码前的状态。

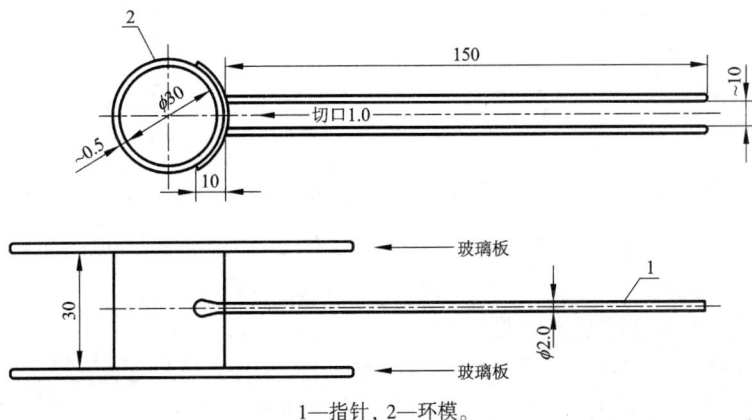

1—指针，2—环模。

图 3-12 雷氏夹（单位：mm）

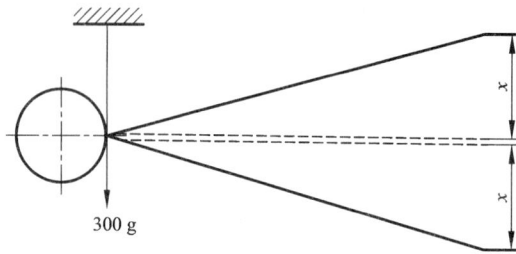

图 3-13　雷氏夹受力示意图

3）雷氏夹膨胀测定仪

标尺分度值为 0.5 mm。如图 3-14。

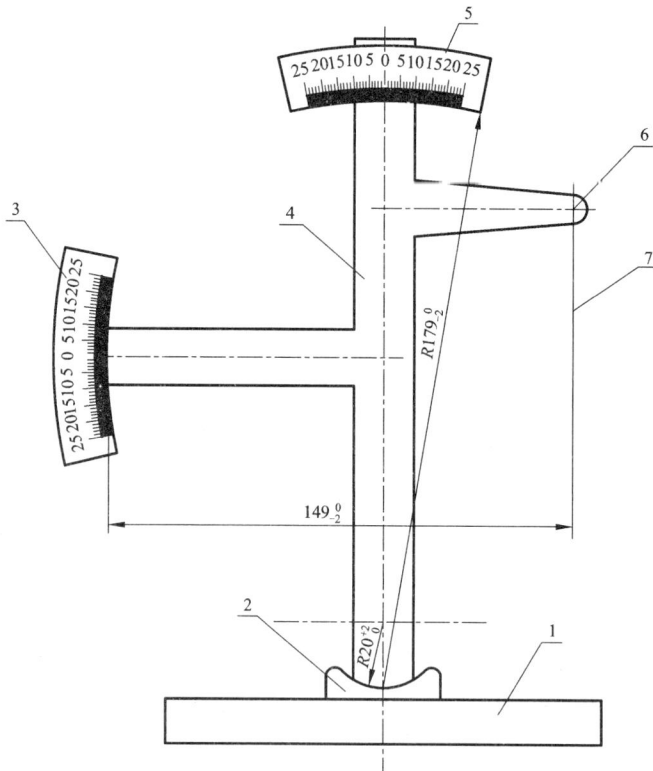

1—底座，2—模子座，3—测弹性标尺，4—立柱，5—测膨胀值标尺，6—悬臂，7—悬丝。

图 3-14　雷氏夹膨胀值测定仪（单位：mm）

4）其他，同标准稠度用水量试验。

4. 材料

试验用水必须是洁净的饮用水，如有争议时应以蒸馏水为准。

5. 试验条件

（1）实验室温度为（20±2）℃，相对湿度应不低于 50%；水泥试样、拌和水、仪器和用具的温度应与实验室一致。

(2)湿气养护箱的温度为(20±1)℃，相对湿度不低于90%。

6.试验方法及步骤

1)测定前的准备工作

若采用试饼法时，一个样品需要准备两块约100 mm×100 mm的玻璃板；若采用雷氏法，每个雷氏夹需配备边长或直径约80 mm、厚度4~5 mm的玻璃板两块。凡与水泥净浆接触的玻璃板和雷氏夹表面都要稍稍涂上一薄层机油。

微课11：水泥体积
安定性检测步骤

2)水泥标准稠度净浆的制备

以标准稠度用水量加水，按前述方法制成标准稠度水泥净浆。

3)成型方法

(1)试饼成型。将制好的净浆取出一部分分成两等份，使之成球形，放在预先准备好的玻璃板上，轻轻振动玻璃板，并用湿布擦过的小刀由边缘向中间抹动，做成直径为70~80 mm、中心厚约10 mm、边缘渐薄、表面光滑的试饼，然后将试饼放入湿气养护箱内养护(24±2)h。

(2)雷氏夹试件的制备。将预先准备好的雷氏夹放在已稍擦油的玻璃板上，并立即将已制好的标准稠度净浆装满试模，装模时一只手轻轻扶持试模，另一只手用宽约25 mm的直边刀在浆体表面轻轻插捣3次，然后抹平，盖上稍涂油的玻璃板，接着立即将试模移至湿气养护箱内养护24±2 h。

4)沸煮

(1)调整沸煮箱内的水位，使试件能在整个沸煮过程中浸没在水里，并在煮沸的中途不需添补试验用水，同时又保证能在(30±5) min内升至沸腾。

(2)脱去玻璃板取下试件，先测量雷氏夹指针尖端间的距离 A ，精确到0.5 mm，接着将试件放入沸煮箱水中的试件架上，指针朝上，试件之间互不交叉，然后在(30±5) min内加热至沸，并恒沸(180±5) min。

沸煮结束，立即放掉箱中的热水，打开箱盖，待箱体冷却至室温，取出试件进行判别。

5)试验结果评定

(1)试饼法判别。目测试饼未发现裂缝，用直尺检查也没有弯曲时，则水泥的安定性合格，反之为不合格。若两个判别结果有矛盾时，该水泥的安定性为不合格。

(2)雷氏夹法判别。测量试件指针尖端间的距离(C)，精确至0.5 mm，当两个试件沸煮后增加距离($C-A$)的平均值不大于5.0 mm时，即认为该水泥安定性合格。当两个试件沸煮后增加距离($C-A$)的平均值大于5.0 mm时，应用同一样品立即重做一次试验，以复验结果为准。

3.5.5　水泥胶砂强度的检测

1.试验目的

检验水泥各龄期强度，以确定强度等级；或已知强度等级，检验强度是否满足规范要求。掌握国家标准《水泥胶砂强度检验方法(ISO法)》(GB/T 17671—2021)，正确使用仪器设备并熟悉其性能。

水泥胶砂强度检测

2.方法原理

本方法为40 mm×40 mm×160 mm棱柱试体的水泥抗压强度和抗折强度测定。

试体是由按质量计的 1 份水泥、3 份中国 ISO 标准砂,用 0.5 份的水灰比拌制的一组塑性胶砂制成。

中国 ISO 标准砂的水泥抗压强度结果必须与 ISO 基准砂的相一致。

胶砂用行星搅拌机搅拌,在振实台上成型,也可使用频率 2800～3000 次/min,振幅 0.75 mm 振动台成型。

试体连模一起在湿气中养护 24 h,然后脱模在水中养护至强度试验。

到试验龄期时将试体从水中取出,先进行抗折强度试验,折断后每截再进行抗压强度试验。

3. 主要仪器设备

(1)胶砂搅拌机

(2)试模

(3)胶砂振实台

(4)抗折强度试验机

(5)抗压试验机

(6)抗压夹具

(7)刮平尺、养护室等

图 3-15 胶砂搅拌机

图 3-16 试模

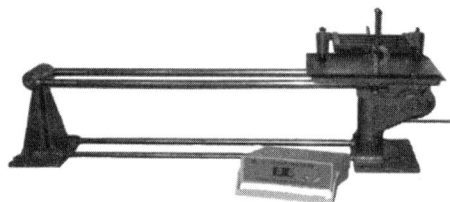

图 3-17 胶砂振实台

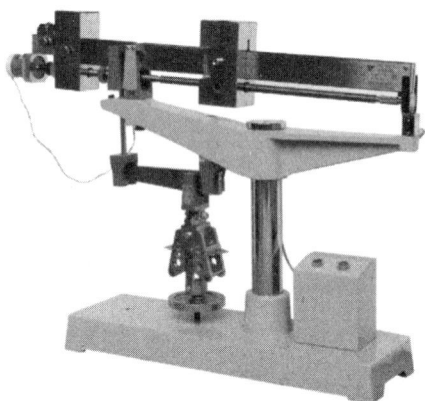

图 3-18 抗折强度试验机

图 3-19 抗压强度试验机

4. 材料

(1)中国 ISO 标准砂：中国 ISO 标准砂完全符合 ISO 基准砂颗粒分布的规定，湿含量小于 0.2%。生产期间这种测定每天应至少进行一次。这些要求不足以保证标准砂与基准砂等同。这种等效性是通过标准砂和基准砂比对检验程序来保持的。中国 ISO 标准砂以 1350±5 g 量的塑料袋混合包装，但所用塑料袋材料不得影响强度试验结果。

(2)水泥：当试验水泥从取样至试验要保持 24 h 以上时，应把它贮存在基本装满和气密的容器里，这个容器应不与水泥起反应。试验前混合均匀。

(3)水：验收试验或有争议时应使用符合 GB/T 6682 规定的三级水，其他试验可用洁净的饮用水。

5. 试验条件

(1)实验室温度为(20±2)℃，相对湿度应不低于 50%；水泥试样、拌和水、仪器和用具的温度应与实验室一致。

(2)湿气养护箱的温度为(20±1)℃，相对湿度不低于 90%。

(3)试体养护池水温度应在(20±1)℃范围内。

6. 试验步骤

1)试验前准备

成型前将试模擦净，四周的模板与底板接触面上应涂黄油，紧密装配，防止漏浆，内壁均匀刷一薄层机油。

2)胶砂制备

试验用砂采用中国 ISO 标准砂，其颗粒分布和湿含量应符合 GB/T 17671—2021 的要求。

(1)胶砂配合比。试体是按胶砂的质量配合比为水泥:标准砂:水 = 1:3:0.5 进行拌制的。一锅胶砂成三条试体，每锅材料需要量为：水泥(450±2) g，标准砂(1350±5) g，水(225±1) mL。

(2)搅拌。每锅胶砂用搅拌机进行搅拌。可按下列程序操作：①胶砂搅拌时先把水加入锅里，再加水泥，把锅放在固定架上，上升至固定位置。②立即开动机器，低速搅拌 30 s 后，在第二个 30 s 开始的同时均匀地将砂子加入；把机器转至高速再拌 30 s。③停拌 90 s，在第一个 15 s 内用一胶皮刮具将叶片和锅壁上的胶砂，刮入锅中间，在高速下继续搅拌 60 s，各个搅拌阶段的时间误差应在±1 s 以内。

3)试体成型

试件是 40 mm×40 mm×160 mm 的棱柱体。胶砂制备后应立即进行成型。将空试模和模套固定在振实台上，用一个适当勺子直接从搅拌锅里将胶砂分两层装入试模，装第一层时，每个槽里约放 300 g 胶砂，用大播料器垂直架在模套顶部沿每一个模槽来回一次将料层播平，接着振实 60 次。再装第二层胶砂，用小播料器播平，再振实 60 次。每次振实时可将一块用水湿过拧干、比模套尺寸稍大的棉砂布盖在模套上以防止振实时胶砂飞溅。移走模套，从振实台上取下试模，用一金属直尺以近似 90°的角度架在试模模顶的一端，然后沿试模长度方向以横向锯割动作慢慢向另一端移动，将超过试模部分的胶砂刮去，用拧干的湿毛巾将试模端板顶部的胶砂擦试干净，再用同一直尺以近乎水平的情况下将试体表面抹平。抹平的次数要尽量少，总数不应超过 3 次。最后将试模周边的胶砂擦除干净。

4)试体的养护

(1)脱模前的处理及养护。在试模上盖一块玻璃板，也可以用相似尺寸的钢板或不渗水的、和水泥没有反应的材料制成的板，板不应与水泥胶砂接触，盖板与试模之间的距离应控制在2~3 mm之间。为了安全，玻璃板应磨边，立即将做标记的试模放入养护室或湿箱的水平架子上养护，湿空气应能与试模周边接触。另外，养护时不应将试模放在其他试模上。一直养护到规定的脱模时间时取出脱模。用毛笔或其他方法对试体进行编号。两个龄期以上的试体，在编号时应将同一试模中的三条试体分在两个以上龄期内。

（2）脱模。脱模应非常小心，可用橡皮榔头或专门的脱模器。对于24 h龄期的，应在破型试验前20 min内脱模；对于24 h以上龄期的，应在20~24 h之间脱模。

（3）水中养护。将做好标记的试体水平或垂直放在(20±1)℃水中养护，水平放置时刮平面应朝上。试件应放在不易腐烂的箅子上，并彼此间保持一定间距，以让水与试件的六个面接触。养护期间试件之间间隔或试件上表面的水深不得小于5 mm。每个养护池只能养护同类型的水泥试件。最初用自来水装满养护池，随后随时加水保持适当的恒定水位，在养护期间，可以更换不超过50%的水。除24 h龄期或延迟至48 h脱模的试件外，任何到龄期的试件应在试验(破型)前15 min从水中取出，擦去试件表面沉积物，并用湿布覆盖至试验结束。

5）强度试验

（1）强度试验试体的龄期。试体龄期是从水加入开始搅拌时算起的。各龄期的试体必须在表3-14规定的时间内进行强度试验。试体从水中取出后，在强度试验前应用湿布覆盖。

表3-14　各龄期强度试验时间规定

龄期	时间
24 h	24 h±15 min
48 h	48 h±30 min
72 h	72 h±45 min
7 d	7 d±2 h
>28 d	28 d±8 h

（2）抗折强度试验。

①仪器调平：采用杠杆式抗折试验机试验时，试体放入前，应使杠杆成平衡状态。具体操作如下：按住加荷圆柱上的按钮，将加荷圆柱移至"0"刻度处，旋转平衡圆柱调节抗折仪的标尺处于水平状态。

②试体安装：每龄期取出3条试体先做抗折强度试验。试验前须擦去试体表面的附着水分和砂粒，清除夹具上圆柱表面粘着的杂物，将试体的一个侧面(成型面朝向检测人员)放入抗折夹具内，应使侧面与圆柱完全接触，试体长轴垂直于支撑圆柱，然后调整夹具，一只手轻压标尺，另一只手调节手轮，使标尺仰起一定角度，仰角大小应根据试件抗折强度的高低确定，合适的仰角是试件被折断时，标尺尽可能地接近水平状态(即标尺指针在"0"附近)。

③加载破型：接通电源，按"启动"按钮，通过加荷圆柱以(50±10)N/s的速率均匀地将荷载垂直地加在棱柱体相对侧面上，直至折断。保持折断后的两个半截棱柱体处于潮湿状态直至抗压试验。折断后读取破坏荷载F_f(N)、抗折强度R_f值。

（3）抗压强度试验。

①试体安装：抗折强度试验后的断块应立即进行抗压试验。抗压试验须用抗压夹具进行，试体受压面为 40 mm×40 mm。试验前应清除试体受压面与压板间的砂粒或杂物。将夹具置于压力试验机承压板的中心位置，然后将折断后的半截棱柱体置于抗压夹具内，试体的侧面作为受压面，棱柱体露在压板外的部分约有 10 mm。

②加载破型：接通电源，按"启动"按钮，以（2400±200）N/s 的速率均匀地加荷，直至半截棱柱体破坏，读取破坏荷载 F_c（N）。

7.试验结果评定

1）抗折试验结果

抗折强度按下式计算，精确到 0.1 MPa。

$$R_f = \frac{1.5 F_f L}{b^3}$$

式中：R_f——水泥抗折强度，MPa；

F_f——折断时施加于棱柱体中部的荷载，N；

L——支撑圆柱之间的距离，100 mm；

b——棱柱体正方形截面的边长，40 mm。

以一组 3 个棱柱体抗折结果的平均值作为试验结果。当 3 个强度值中有 1 个超出平均值 ±10% 时，应剔除后再取平均值作为抗折强度试验结果。当 3 个强度值中有两个超出平均值 ±10% 时，则以剩余 1 个作为抗折强度的结果。

2）抗压试验结果

抗压强度按下式计算，精确至 0.1 MPa。

$$R_c = \frac{F_c}{A}$$

式中：R_c——水泥抗压强度，MPa；

F_c——破坏时的最大荷载，N；

A——受压部分面积，mm^2（40 mm×40 mm = 1600 mm^2）。

以一组 3 个棱柱体上得到的 6 个抗压强度测定值的算术平均值为试验结果。如 6 个测定值中有一个超出 6 个平均值的±10%，就应剔出这个结果，而以剩下 5 个的平均数为结果；如果 5 个测定值中再有超过它们平均数±10%，则该组结果作废。当 6 个测定值中同时有两个或两个以上超出平均值的±10% 时，则此组结果作废。

模块小结

硅酸盐水泥是一种水硬性胶凝材料，其基本成分为硅酸盐熟料，熟料的主要矿物组成为硅酸三钙、硅酸二钙、铝酸三钙、铁铝酸四钙。其中硅酸三钙和硅酸二钙对水泥的强度起主要作用；硅酸三钙和铝酸三钙对水泥的水化热贡献较大；铁铝酸四钙有助于提高水泥的抗折强度。改变熟料的矿物组成可显著改变水泥的技术性质，以满足不同的使用要求。

为改善水泥的某些性能，拓宽水泥的应用范围，增加水泥产量和降低成本，在硅酸盐水泥熟料中掺加适量的各种混合材料，可制成各种掺混合材料的水泥，如普通硅酸盐水泥、矿渣硅酸盐水泥、火山灰硅酸盐水泥、粉煤灰硅酸盐水泥和复合硅酸盐水泥等。它们与硅酸盐水泥统称为通用硅酸盐水泥。

水泥的主要技术性质指标是细度、凝结时间、安定性和强度。细度常用负压筛析法检测；凝结时间分初凝时间和终凝时间，常用标准法维卡仪检测；安定性常用雷氏夹沸煮法检测；强度按《水泥胶砂强度的测定方法(ISO 法)》，检测水泥胶砂试块 3 d 和 28 d 龄期的抗折、抗压强度。

在建筑工程中经常使用的其他品种的水泥有快硬硅酸盐水泥、白色硅酸盐水泥、彩色硅酸盐水泥、膨胀水泥、中热硅酸盐水泥、低热硅酸盐水泥等。

技能考核题

一、填空题

1. 水泥的安定性检验方法有_____和_____，有争议时以_____为准。

2. 水泥中掺入的活性混合材料的种类有_____、_____和_____。

3. 水泥的初凝时间不宜_____，不得小于_____，终凝时间不宜_____。

4. 通用水泥的种类有硅酸盐水泥、_____、_____、_____、粉煤灰硅酸盐水泥、复合硅酸盐水泥等六个大类。

5. 国家标准中规定了各强度等级水泥的_____龄期的_____强度和_____强度不得低于标准规定值。

6. 引起水泥安定性不良的原因主要是水泥中有过多的_____、_____和_____。

7. 根据国家标准对水泥的规定：凡化学指标、_____、_____和_____均符合标准的为合格品。

8. 水泥的水化热使混凝土表面与内部形成_____，造成混凝土_____，所以大体积工程应选择水化热_____的水泥。

9. 水泥胶砂强度检验方法(ISO 法)中水泥胶砂标准试件的尺寸为_____mm×_____mm×_____mm。

10. 掺大量活性混合材的硅酸盐水泥凝结硬化_____，早期强度_____，后期强度发展_____。

11. 水泥的_____和_____的检测都必须采用标准稠度的水泥净浆，这样才能使试验数据具有_____性。

12. 水泥石在使用过程中往往会受到环境中的_____、_____和_____等的侵蚀。

二、单项选择题

1. 地下工程有抗渗要求，拌制混凝土时应优先选择(　　)水泥。

A. 硅酸盐 　　　　　B. 矿渣 　　　　　C. 火山灰 　　　　　D. 粉煤灰

2. 热工设备基础的混凝土工程，应优先选择(　　)水泥。

A. 硅酸盐 　　　　　B. 普通 　　　　　C. 矿渣 　　　　　D. 火山灰

3. 国家标准规定，硅酸盐水泥储存超过(　　)时，必须重新试验。

A. 一个月 　　　　　　B. 三个月 　　　　　　C. 六个月 　　　　　　D. 一年

4. 大体积混凝土工程中，不能选择(　　　)水泥。

A. 硅酸盐 　　　　　　B. 火山灰 　　　　　　C. 矿渣 　　　　　　D. 复合

5. 水泥初凝时间检测时试针距玻璃底板(　　　)mm 即为水泥达到初凝状态。

A. 3±1 　　　　　　B. 4±1 　　　　　　C. 5±1 　　　　　　D. 6±1

6. 抗硫酸盐侵蚀的混凝土工程应优先选择(　　　)水泥。

A. 硅酸盐 　　　　　　B. 普通 　　　　　　C. 矿渣 　　　　　　D. 中热

7. 严寒地区有抗冻要求的混凝土时应优先选择(　　　)水泥。

A. 硅酸盐 　　　　　　B. 矿渣 　　　　　　C. 火山灰 　　　　　　D. 粉煤灰

8. 高强混凝土工程中，应选择(　　　)水泥。

A. 硅酸盐 　　　　　　B. 火山灰 　　　　　　C. 矿渣 　　　　　　D. 复合

9. 国家标准规定，普通硅酸盐水泥的终凝时间不得迟于(　　　)min。

A. 600 　　　　　　B. 390 　　　　　　C. 300 　　　　　　D. 45

10. 安定性不良的水泥，(　　　)。

A. 严禁在工程中使用 　　　　　　B. 可以降质量等级使用

C. 视安定性不良程度而定 　　　　　　D. 视结构重要程度而定

三、多项选择题

1. 水泥品种选择的依据主要是(　　　)。

A. 工程所处环境 　　B. 骨料的种类 　　C. 工程特点 　　D. 工程要求的和易性

2. 水泥强度等级是由规定龄期的水泥胶砂(　　　)等指标确定的。

A. 抗弯强度 　　　　　　B. 抗压强度 　　　　　　C. 抗剪强度 　　　　　　D. 抗折强度

3. 掺大量活性混合材料的硅酸盐水泥的共性有(　　　)。

A. 水化热较大 　　　　B. 耐腐蚀性较好 　　C. 抗冻性较好 　　　　D. 湿热敏感性强

4. 硅酸盐水泥适宜用于(　　　)。

A. 高强混凝土 　　　　B. 大体积混凝土 　　C. 受腐蚀的混凝土 　　D. 预应力混凝土

5. 下列关于现场水泥保管的说法，合理的是(　　　)。

A. 水泥仓库地坪四周墙地面要有防潮措施

B. 袋装水泥库内码垛时最高不得超过 18 袋

C. 袋装水泥库内码垛时一般码放 10 袋

D. 水泥入库存储时间不能太长

四、判断题

1. 国标规定：普通硅酸盐水泥的初凝时间应不早于 45 min，终凝时间不迟于 600 min。

(　　　)

2. 安定性不良的水泥可以在不重要的工程中使用。　　　　　　　　　　(　　　)

3. 水泥属于水硬性胶凝材料，所以在运输和储存中不怕受潮。　　　　　(　　　)

4. 硅酸盐水泥碱度较高，更适宜配制钢筋混凝土。　　　　　　　　　　(　　　)

5. 硅酸盐水泥湿热敏感性强，适宜采用高温养护。　　　　　　　　　　(　　　)

6. 水泥安定性检测时应采用标准稠度的水泥净浆，以保证检测结果的可比性。(　　　)

7. 硅酸盐水泥因为碱度较高，其抗碳化的能力也较高。　　　　　　　　(　　　)

8. 初凝时间不合格的水泥不能在工程中使用。 （　　）

五、名词解释

1. 水泥的初凝时间
2. 水泥的终凝时间
3. 水泥净浆标准稠度需水量
4. 活性混合材
5. 水泥的水化热
6. 水泥安定性不良

六、案例分析

1. 某工地一批 P·O 42.5 水泥进场，根据标准实验方法测试其 28 d 龄期胶砂强度，抗折强度分别为 7.2 MPa、7.5 MPa、7.6 MPa，抗压破坏载荷分别为 78.9 kN、78.8 kN、79.2 kN、79.1 kN、79.5 kN、79.4 kN，求该组试件 28 天龄期的抗折强度和抗压强度。该批水泥 28 天龄期强度合格吗？

2. 某工地从水泥厂新购一批袋装水泥，双方商定以抽取实物试样的检验结果为验收依据。水泥到场后，双方人员从 10 袋水泥中取样 20 kg，缩分为二等份。一份由水泥厂保存，另一份则送到某市级工程质量检测站进行检验。等到第 30 天，工地人员取报告时发现水泥安定性和 28 天强度不合格。于是工地一方将检测结果通知水泥厂，并要求水泥厂进行赔偿。水泥厂不服，双方经协商后同意进行仲裁检验。于是双方将水泥厂保存的另一份样品送到同一检测站重新对不合格项进行检测。问：在这批水泥的验收过程中，哪些过程是错误的？

模块四　普通混凝土

【课程思政目标】

1. 具有坚定正确的政治方向、良好的职业道德和诚信品质;

2. 爱岗敬业,具有工匠精神、劳动精神、劳模精神;

3. 具有良好的质量意识、规范意识、环保意识、安全意识;

4. 培养家国情怀,具有较强的集体荣誉感和团队协作精神。

【能力目标】

1. 能根据工程性质、特点及使用环境,正确选用混凝土的各种组成材料和外加剂。

2. 能根据实际工程要求设计混凝土配合比,并能完成混凝土的试配和调整。

3. 能根据相关标准检测和评定粗细骨料的性能。

4. 能根据相关标准检测和评定混凝土拌合物的和易性及硬化混凝土的性能。

5. 在施工现场能采取相应措施改善调整混凝土拌合物的和易性。

6. 在施工现场能采取相应措施改善硬化混凝土的性能。

7. 能对施工现场的进场砂石进行质量验收和管理。

【知识目标】

1. 了解混凝土的分类和特点。

2. 掌握普通混凝土的组成及其对原材料的质量的要求。

3. 掌握普通混凝土的主要技术性质及影响因素。

4. 掌握普通混凝土配合比的设计。

5. 了解混凝土的强度评定。

6. 熟悉常用混凝土外加剂的作用和应用。

7. 掌握砂石的进场验收、试验取样、必检项目的检测操作。

8. 掌握普通混凝土必试项目的检测操作。

9. 了解其他混凝土的主要用途。

【本模块推荐学习的标准和规范】

《建筑用砂》(GB/T 14684—2022)

《建筑用卵石、碎石》(GB/T 14685—2022)

《混凝土结构工程施工及验收规范》(GB 50204—2015)

《混凝土拌和用水标准》(JGJ 63—2006)

《普通混凝土拌合物性能试验方法》(GB/T 50080—2016)

《混凝土物理力学性能试验方法标准》(GB/T 50081—2019)

《普通混凝土配合比设计规程》(JGJ 55—2011)

4.1 概　述

混凝土发展简史

4.1.1　混凝土的定义与分类

1.混凝土的定义

混凝土是指由水泥、骨料和水为主要原材料，根据需要加入外加剂和掺和料等材料，按一定配合比，经拌和、成型、养护等工艺制作的，硬化后具有强度的工程材料。

普通混凝土是指以水泥为胶结材料，以砂、石为骨料，加水并掺入适量外加剂和掺合料拌制的混凝土(简称普通混凝土或水泥混凝土)。这种混凝土普遍用于建设工程中。

2.混凝土的分类

1)按表观密度分类

混凝土种类

重混凝土：表观密度大于 2800 kg/m³，是采用密度很大的重骨料和重水泥配制而成的。重混凝土具有防射线的性能，又称防辐射混凝土。主要用作防辐射的屏蔽材料。

普通混凝土：表观密度 2000~2800 kg/m³，是用普通的天然砂、石为骨料配制而成的，为建设工程中常用的混凝土。

轻混凝土：表观密度小于 1950 kg/m³，是采用轻质多孔的骨料，或者不采用骨料而掺入加气剂或泡沫剂，形成多孔结构的混凝土。主要用作轻质结构材料和绝热材料。

2)按强度等级分类

普通混凝土：其强度等级一般在 C60 以下。抗压强度小于 30 MPa 的混凝土为低强度混凝土，抗压强度为 30~60 MPa(C30~C60)为中强度混凝土。

高强混凝土：其抗压强度等于或大于 60 MPa。

超高强混凝土：其抗压强度在 100 MPa 以上。

3)按所用胶结材料分类

可分为水泥混凝土、沥青混凝土、石膏混凝土、水玻璃混凝土、聚合物混凝土等。

4)按用途分类

可分为结构混凝土、防水混凝土、道路混凝土、防辐射混凝土、耐热混凝土、耐酸混凝土、装饰混凝土等。

5)按生产和施工方法分类

可分为泵送混凝土、喷射混凝土、碾压混凝土、真空脱水混凝土、离心混凝土、压力灌浆混凝土、预拌混凝土(商品混凝土)等。

4.1.2　混凝土的特点

普通混凝土在建设工程中能得到广泛的应用，是因为与其他材料相比有许多优点。

(1)普通混凝土新拌制的拌合物具有良好的可塑性，可浇筑成各种形状和尺寸的构件及结构物。

(2)可根据不同的要求，配制不同性质的混凝土，满足工程需要。

(3)普通混凝土除水泥以外，骨料及水约占80%以上，可就地取材，方便经济。

(4)普通混凝土凝结硬化后抗压强度高，具有良好的耐久性和耐火性。

（5）普通混凝土与钢筋有良好的粘结性，且二者的线膨胀系数基本相同，两者复合成钢筋混凝土后，能互补优劣，扩大了其应用范围。

（6）可充分利用工业废料做骨料或掺合料，如矿渣、粉煤灰、硅灰等，有利于环保。

混凝土也存在一些缺点，如自重大、比强度低、抗拉强度低、呈脆性、易开裂、养护周期长等，但随着混凝土技术的不断发展，混凝土的不足正在不断被克服。

美国混凝土展

4.1.3 混凝土的应用与发展

混凝土是当今世界上用量最大的重要的土木工程材料，广泛应用于工业与民用建筑工程、水利工程、地下工程、公路、铁路、桥涵及国防工程中。

随着工程质量要求不断提高和施工技术水平不断发展，混凝土开始采用集中化、工厂化生产和管理，建立了预拌混凝土站，为用户按工程要求直接供应各种规格的商品混凝土。

高性能混凝土（HPC：High Properties Concrete）是今后混凝土发展方向之一。高性能混凝土要求高强度等级，良好的工作性，体积稳定性和耐久性。我国发展高性能混凝土的主要途径有两方面：一是采用高性能的原料以及与之相适应的工艺，一是采用多元复合途径提高混凝土的综合性能，在基本材料之外加入其他有效材料，综合提高混凝土的性能和质量。

绿色高性能混凝土（GHPC：Green High Properties Concrete）也将成为发展方向，以节约资源、能源，减少污染，保护环境。

4.2 普通混凝土的组成材料

普通混凝土是由水泥、砂子、石子和水按适当的比例配合，另外还常掺入适量的掺合料和外加剂制成的拌合物。砂、石在混凝土中起骨架作用，故也称为骨料（或称集料）。水泥和水形成水泥浆，包裹在砂粒表面并填充砂粒间的空隙而形成水泥砂浆，水泥砂浆又包裹石子并填充石子间的空隙而形成混凝土。而适量的掺合料和外加剂是为改善混凝土某些性能而掺入的。

微课12：混凝土定义与组成

在混凝土硬化前，水泥浆起润滑作用，赋予混凝土拌合物一定的流动性，便于浇捣成型。水泥浆硬化后，起胶结作用，把砂石骨料等胶结为一整体，成为具有一定强度的混凝土，如图4-1所示。

混凝土的技术性能很大程度上决定于原材料的性质及其相对含量，同时也与施工工艺（搅拌、成型、养护等）有关。为保证混凝土的质量，需要全面了解混凝土组成材料的性质、作用及质量要求。

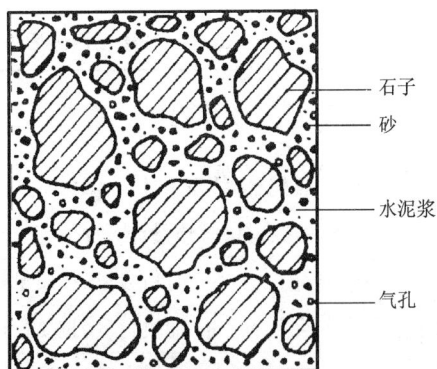

石子
砂
水泥浆
气孔

图4-1 普通混凝土的结构

4.2.1 水泥

水泥是影响混凝土强度、耐久性及经济性的重要因素，是混凝土中最重要的材料。所以，在配制混凝土时要选择合适的水泥品种和强度等级。

首先，水泥品种应根据工程性质、特点、所处环境及施工条件等，对照水泥的性能进行合理选择。

其次，水泥强度等级的选择应与混凝土的设计强度等级相适应。原则上是配制高强度等级的混凝土选用高强度等级的水泥，低强度等级的混凝土选用低强度等级的水泥。用高强度等级的水泥配低强度等级的混凝土时，水泥用量偏少，会影响和易性及强度；反之，用低强度等级的水泥配高强度等级的混凝土时，水泥用量过多，非但不经济，还会影响混凝土的性质。一般情况下，水泥强度等级为混凝土等级的 1.5~2.0 倍为宜，高强度的混凝土可取 1 倍左右。

混凝土的组成结构

4.2.2 细骨料(砂)

混凝土用骨料按其粒径大小不同分为细骨料和粗骨料。粒径小于 4.75 mm 的骨料称为细骨料(砂)，细骨料按产源分为天然砂和机制砂。

天然砂是自然生成的，经人工开采和筛分的岩石颗粒，包括河砂、湖砂、山砂和淡化海砂。河砂、湖砂和海砂颗粒表面比较圆滑，比较洁净，但海砂中常含有贝壳碎片及可溶性盐等有害杂质。山砂颗粒多棱角，表面粗糙，砂中含泥量及有机质等有害杂质较多。建设工程一般采用河砂作细骨料。

细骨料

机制砂俗称人工砂，它是将岩石、矿山尾矿或工业废渣颗粒等经除土处理后由机械破碎、筛分而成。国家标准《建设用砂》(GB/T 14684—2022)确定了机制砂的技术要求、检验方法。机制砂作为建筑用砂之一，随着生产和应用技术的成熟、经济的合适、环境保护的需要，将得到发展。

1.细骨料的质量要求

砂按技术要求分为 I 类、II 类、III 类，各项指标应符合国家标准《建设用砂》(GB/T 14684—2022)的规定。

I 类宜用于强度等级大于 C60 的混凝土；II 类宜用于强度等级等于 C30~C60 及抗冻、抗渗或其他要求的混凝土；III 类宜用于强度等级小于 C30 的混凝土(或建筑砂浆)。

表 4-1 建设用砂质量控制指标(GB/T 14684—2022)

项　　目			指　　标		
			I 类	II 类	III 类
含泥量(按质量计)/%			≤1.0	≤3.0	≤5.0
泥块含量(按质量计)/%			0	≤1.0	≤2.0
亚甲蓝试验	MB 值≤1.40 或合格	石粉含量(按质量计)/%	≤10.0		
		泥块含量(按质量计)/%	0	≤1.0	≤2.0
	MB 值>1.40 或不合格	石粉含量(按质量计)/%	≤1.0	≤3.0	≤5.0
		泥块含量(按质量计)/%	0	≤1.0	≤2.0
云母(按质量计)/%，≤			1.0	2.0	2.0
轻物质(按质量计)/%，≤			1.0	1.0	1.0
有机物(比色法)/%，≤			合格	合格	合格

续表4-1

项　目	指　标		
	Ⅰ类	Ⅱ类	Ⅲ类
硫化物及硫酸盐(按SO_3质量计)/%，≤	0.5	0.5	0.5
氯化物(按氯离子质量计)/%，≤	0.01	0.02	0.06
硫酸钠溶液干湿5次循环后的质量损失/%，≤	8	8	10
单级最大压碎性指标/%，≤	20	25	30
级配区	2区	1、2、3区	

1)密度和空隙率要求

砂的表观密度≥2500 kg/m³，松散堆积密度≥1400 kg/m³，空隙率≤44%。

2)含泥量、泥块含量和石粉含量

含泥量是指天然砂中粒径小于75 μm的颗粒含量百分数。泥块含量是指砂中粒径大于1.18 mm，经水浸洗、手捏后小于600 μm的颗粒含量百分数。石粉含量是指机制砂中粒径小于75 μm的颗粒含量百分数。

泥附在砂粒表面会妨碍水泥与砂黏结，增大混凝土用水量，降低混凝土的强度和耐久性，增大干缩，它对混凝土是有害的，应严格控制其含量。

3)有害杂质含量

用于混凝土中的砂不能混有杂质，并且砂中云母、硫化物、硫酸盐、氯盐和有机质等有害杂质的含量限值，应符合标准要求。

云母与水泥的黏结性差，影响混凝土的强度和耐久性；硫化物及硫酸盐杂质对水泥有侵蚀作用；有机质影响水泥的水化硬化；黏土、淤泥黏附在砂粒表面妨碍水泥与砂的黏结，增大用水量，降低混凝土的强度和耐久性，并增大混凝土的干缩。

4)砂子的坚固性

砂的坚固性，是指在自然风化和其他外界物理化学因素作用下抵抗破裂的能力。天然砂用硫酸钠溶液法进行试验，砂样经5次干湿循环后的质量损失应符合标准要求。机制砂还应采用压碎指标法进行试验，压碎性指标值应符合标准要求。

碱-集料反应

5)碱-集料反应

碱-集料反应是指水泥、外加剂等混凝土组成物及环境中的碱(主要指K_2O+Na_2O)与集料中碱活性矿物在潮湿环境下缓慢发生并导致混凝土开裂破坏的膨胀反应。经碱集料反应试验后，试件应无裂缝、酥裂、胶体外溢等现象，在规定的试验龄期膨胀率应小于0.10%。

2.砂的粗细程度和颗粒级配

1)砂的粗细程度

微课13：细骨料的粗细程度与颗粒级配

砂的粗细程度是指不同粒径的砂粒混合后砂的粗细程度。砂按细度模数分为粗、中、细三种规格。在相同砂用量条件下，细砂的总表面积较大，粗砂的总表面积较小。在混凝土中砂子表面需用水泥浆包裹，赋予流动性和黏结强度。砂子的总表面积愈大，则需要包裹砂粒表面的水泥浆就愈多。一般用粗砂配制混凝土比用细砂要节约水泥用量，但砂过粗，易使混凝土拌合物产生离析、泌水等现象，影响混凝土的和易性。因此，配制混凝土的砂不宜过细，也不宜过粗。

2）砂的颗粒级配

砂的颗粒级配是指不同大小颗粒和数量比例的砂子的搭配情况。在混凝土中砂粒之间的空隙由水泥浆所填充，为达到节约水泥和提高强度的目的，就应尽量减小砂粒之间的空隙。从图 4-2 可以看出：如果用同样粒径的砂，空隙率最大，如图 4-2（a）所示；两种粒径的砂搭

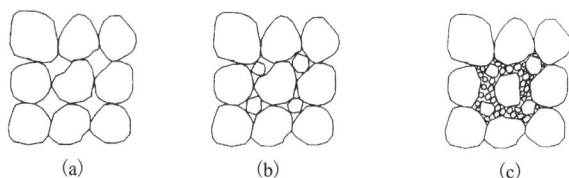

（a）一种粒径；（b）两种粒径；（c）三种粒径。

图 4-2　骨料的颗粒级配

配起来，空隙率就减小，如图 4-2（b）所示；三种粒径的砂搭配，空隙就更小，如图 4-2（c）所示。因此，要减小砂粒间的空隙，就必须有大小不同的颗粒搭配。

3）粗细程度和颗粒级配的评定

在配制混凝土时，砂的粗细程度和颗粒级配应同时考虑。

砂的颗粒级配和粗细程度，常用筛分析的方法进行测定。用级配区表示砂的级配，用细度模数表示砂的粗细。筛分析的方法是用一套孔径（方孔筛）为 4.75 mm、2.36 mm、1.18 mm、0.6 mm、0.3 mm、0.15 mm 的 6 个标准筛，将 500 g 干砂试样由粗到细依次过筛，然后称取余留在各筛上的砂质量，并计算出各筛上的分计筛余百分率（各筛上的筛余量占砂样总质量的百分率 a_i）及累计筛余百分率（各筛和比该筛粗的所有分计筛余百分率之和 A_i）。累计筛余百分率与分计筛余百分率的关系见表 4-2。

表 4-2　累计筛余百分率与分计筛余百分率的关系

筛孔尺寸/mm	筛余量/g	分计筛余百分率/%	累计筛余百分率/%
4.75	m_1	a_1	$A_1 = a_1$
2.36	m_2	a_2	$A_2 = a_1 + a_2$
1.18	m_3	a_3	$A_3 = a_1 + a_2 + a_3$
0.600	m_4	a_4	$A_4 = a_1 + a_2 + a_3 + a_4$
0.300	m_5	a_5	$A_5 = a_1 + a_2 + a_3 + a_4 + a_5$
0.150	m_6	a_6	$A_6 = a_1 + a_2 + a_3 + a_4 + a_5 + a_6$

注：$a_i = m_i / 500$。

砂的粗细程度用细度模数（M_x）表示，其计算公式为：

$$M_x = \frac{A_2 + A_3 + A_4 + A_5 + A_6 - 5A_1}{100 - A_1} \tag{4-1}$$

细度模数 M_x 愈大，表示砂愈粗。M_x 在 3.1~3.7 为粗砂，M_x 在 2.3~3.0 为中砂，M_x 在 1.6~2.2 为细砂。

砂的颗粒级配用级配区表示，以级配区或筛分曲线判定砂级配的合格性。对细度模数为 1.6~3.7 的普通混凝土用砂，根据 0.6 mm 孔径筛的累计筛余百分率，划分成为三个级配区，普通混凝土用砂的颗粒级配，应处于表 4-3 中的任何一个级配区中，才符合级配要求。

以累计筛余百分率为纵坐标，以筛孔尺寸为横坐标，根据表 4-3 的数值可以画出砂子 3

个级配区的筛分曲线，如图4-3。通过观察所计算的砂的筛分曲线是否完全落在3个级配区的任一区内，即可判定该砂级配的合格性。同时也可根据筛分曲线偏向情况大致判断砂的粗细程度，当筛分曲线偏向右下方时，表示砂较粗，筛分曲线偏向左上方时，表示砂较细。

配制混凝土时宜优先选用2区砂。当采用1区砂时，应适当提高砂率，并保证足够的水泥用量，以满足混凝土的和易性；当采用3区砂时，宜适当降低砂率，以保证混凝土强度。

混凝土中砂的级配如果不合适，可采

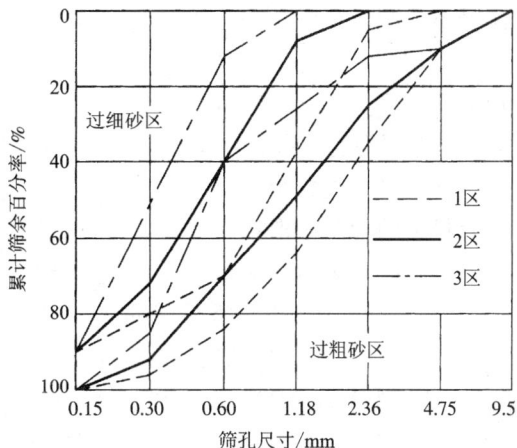

图4-3　天然砂的级配曲线

用人工掺配的方法来改善，即将粗、细砂按适当比例进行掺合使用。

表4-3　颗粒级配（GB/T 14684—2022）

筛孔尺寸/mm ＼ 累计筛余/%	天　然　砂			机　制　砂		
	1 区	2 区	3 区	1 区	2 区	3 区
4.75	0~10	0~10	0~10	0~10	0~10	0~10
2.36	5~35	0~25	0~15	5~35	0~25	0~15
1.18	35~65	10~50	0~25	35~65	10~50	0~25
0.6	71~85	41~70	16~40	71~85	41~70	16~40
0.3	80~95	70~92	55~85	80~95	70~92	55~85
0.15	90~100	90~100	90~100	85~97	80~94	75~94

注：1. 对于砂浆用砂，4.75 m 筛孔的累计筛余量应为0；

2. 砂的实际颗粒级配除 4.75 mm 和 0.6 mm 筛档外，可以略有超出，但各级累计筛余超出总量应小于5%。

4.2.3　粗骨料

普通混凝土常用的粗骨料是粒径大于 4.75 mm 的卵石(砾石)和碎石。卵石是由天然岩石经自然风化、水流搬运和分选、堆积而成，按其产源可分为河卵石、海卵石、山卵石等几种，其中河卵石应用较多。碎石由天然岩石、卵石或矿山废石经机械破碎、筛分而成。卵石表面光滑且少棱角，与水泥石的粘结能力较差，但混凝土拌合物的和易性较好；碎石表面粗糙而且具有吸收水泥浆的孔隙特征，与水泥的粘结能力强，所配的混凝土强度较高，但流动性较小。

粗骨料

微课14：粗骨料的技术性质

1. 粗骨料的质量要求

国家标准《建设用卵石、碎石》(GB/T 14685—2022)将碎石分为三类。Ⅰ类宜用于强度等级大于 C60 的混凝土；Ⅱ类宜用于强度等级 C30~C60 及抗冻、抗渗或其他要

求的混凝土；Ⅲ类宜用于强度等级小于C30的混凝土。并对粗骨料各项指标做出了具体规定。

1）表观密度

卵石、碎石的表观密度≥2600 kg/m³。

2）含泥量和泥块含量

粗骨料中的含泥量指粒径小于75 μm的颗粒含量百分数，泥块含量指粒径大于4.75 mm经水洗手捏后小于2.36 mm的颗粒含量百分数。其含量应符合标准要求。

3）针、片状颗粒含量

针状颗粒是指长度大于该颗粒平均粒径的2.4倍，片状颗粒是指厚度小于该颗粒平均粒径0.4倍。针、片状颗粒受力时易折断，影响混凝土的强度，增大骨料间的空隙率，使混凝土拌合物的和易性变差。其含量应符合标准要求。

针、片状颗粒

表4-4 卵石、碎石质量控制指标

项　　目	指　　　　标		
	Ⅰ类	Ⅱ类	Ⅲ类
含泥量(按质量计)/%，≤	0.5	1.0	1.5
泥块含量(按质量计)/%，≤	0	0.2	0.5
有机物	合格	合格	合格
硫化物及硫酸盐(按SO_3质量计)/%，≤	0.5	1.0	1.0
针片状颗粒含量(按质量计)/%，≤	5	10	15
硫酸钠溶液干湿5次循环后的质量损失/%，≤	5	8	12
碎石压碎性指标/%，≤	10	20	30
卵石压碎性指标/%，≤	12	14	16
连续级配松散堆积空隙率/%，≤	43	45	47
吸水率，≤	1.0	2.0	2.0

4）有害杂质含量

粗骨料中常含有泥土、硫化物、硫酸盐、氯化物和有机质等一些有害杂质，这些杂质的危害作用与细骨料中相同。它们的含量应符合标准要求的规定。

骨料中的有害杂质

5）卵石、碎石的坚固性

卵石、碎石的坚固性，是指在自然风化和其他外界物理化学因素作用下抵抗破裂的能力，采用用硫酸钠溶液法进行试验，试样经5次干湿循环后的质量损失应符合标准要求。

6）碱-骨料反应

与建设用砂相同。

7）强度

骨料的强度

为保证混凝土的强度要求，粗骨料必须具有足够的强度。碎石和卵石的强度，采用岩石立方体强度和压碎指标两种方法检验。

岩石立方体强度检验，是将母岩制成边长为 50 mm 的立方体(或直径与高均为 50 mm 的圆柱体)试件，在水中浸泡 48 h，待吸水饱和状态下，测定其极限抗压强度值。火成岩其强度不宜低于 80 MPa，变质岩不宜低于 60 MPa，水成岩不宜低于 30 MPa。仲裁检验时，以直径与高均为 50 mm 的圆柱体试件的抗压强度为准。

压碎指标检验，是将 3000 g 气干状态下粒径 9.5~19.0 mm 的石子装入一定规格的圆筒内，在压力机上以 1 kN/s 的速度均匀加荷达 200 kN 并稳荷 5 s，卸荷后称取试样质量(G_1)，然后用孔径为 2.36 mm 的筛筛除被压碎的细粒，再称出剩余在筛上的试样质量(G_2)。压碎指标 Q_c 按下式计算：

$$Q_c = \frac{G_1 - G_2}{G_1} \times 100\% \qquad (4-2)$$

压碎指标值愈小，表示粗骨料抵抗受压破坏的能力越强。压碎指标检验实用方便，用于经常性的质量控制。

2. 最大粒径及颗粒级配

1) 最大粒径

粗骨料公称粒级的上限称为该粒级的最大粒径。例如，当采用 5~31.5 mm 的粗骨料时，此粗骨料的最大粒径为 31.5 mm。骨料的粒径越大，其表面积相应减小，包裹其表面所需的水泥浆量减少，可节约水泥；在和易性和水泥用量一定条件下，能减少用水量而提高强度。但对于用普通混凝土配合比设计方法配制结构混凝土，尤其是高强混凝土时，当粗骨料的最大粒径超过 40 mm 后，由于减少用水量获得的强度提高，被较少的黏结面积及大粒径骨料造成强度降低所抵消，因而粗骨料的最大粒径宜控制在 40 mm 以下。

《混凝土结构工程施工及验收规范》(GB 50204—2015 版)和《混凝土质量控制标准》(GB 50164—2011)对粗骨料最大粒径规定，混凝土用粗骨料的最大粒径不得大于结构截面最小尺寸的 1/4，同时不得大于钢筋最小净距的 3/4；对于混凝土实心板，可允许采用最大粒径达 1/3 板厚的骨料，但最大粒径不得超过 40 mm；对泵送混凝土，粗骨料最大粒径与输送管内径之比应符合表 4-5 的规定。粒径过大，对运输和搅拌都不方便，容易造成混凝土离析、分层等质量问题。

表 4-5 粗骨料的最大公称粒径与输送管径之比

粗骨料品种	泵送高度/mm	粗骨料的最大公称粒径与输送管径之比
碎石	<50	≤1:3.0
	50~100	≤1:4.0
	>100	≤1:5.0
卵石	<50	≤1:2.5
	50~100	≤1:3.0
	>100	≤1:4.0

2）颗粒级配

粗骨料与细骨料一样，也要求有良好的颗粒级配。

粗骨料的级配也是通过筛分试验来确定，用孔径 2.36 mm、4.75 mm、9.5 mm、16.0 mm、19.0 mm、26.5 mm、31.5 mm、37.5 mm、53.0 mm、63.0 mm、75.0 mm 和 90.0 mm 的筛进行筛分，分计筛余百分率及累计筛余百分率的计算与砂相同。混凝土用碎石及卵石的颗粒级配应符合表 4-6 的规定。

骨料的级配分为连续级配和间断级配两种。连续级配是按颗粒尺寸由小到大，每级骨料都占有一定比例，连续级配颗粒级差小，配制的混凝土拌合物和易性好，不易发生离析，应用较广泛。间断级配是人为剔除某些粒级颗粒，大颗粒的空隙直接由比它小得多的颗粒去填充，可最大限度地发挥骨料的骨架作用，减少水泥用量，但混凝土拌合物易产生离析现象，增加施工困难，一般工程中应用较少。

表 4-6　碎石、卵石的颗粒级配范围

公称粒径/mm		筛孔尺寸/mm										
	累计筛余/%	2.36	4.75	9.5	16.0	19.0	26.5	31.5	37.5	53.0	63.0	75.0	90.0
连续级配	5~16	95~100	85~100	30~60	0~10	0							
	5~20	95~100	90~100	40~80	—	0~10	0						
	5~25	95~100	90~100	—	30~70	—	0~5	0					
	5~31.5	95~100	90~100	70~90	—	15~45	—	0~5	0				
	5~40	—	95~100	70~90	—	30~65	—	—	0~5	0			
单粒粒级	5~10	95~100	80~100	0~15	0								
	10~16		95~100	80~100	0~15	0							
	10~20		95~100	85~100	—	0~15	0						
	16~25			95~100	55~70	25~40	0~10	0					
	16~31.5		95~100		85~100			0~10	0				
	20~40			95~100		80~100			0~10	0			
	40~80					95~100			70~100		30~60	0~10	0

4.2.4　混凝土拌和及养护用水

　　对混凝土拌和及养护用水的质量要求是：不影响混凝土的凝结和硬化，无损于混凝土强度发展及耐久性，不加快钢筋锈蚀，不引起预应力钢筋脆断，不污染混凝土表面。混凝土用水按水源可分为饮用水、地表水、地下水、海水以及经适当处理后的工业废水。《混凝土结构工程施工及验收规范》（GB 50204—2015）规定，拌制及养护混凝土宜采用符合国家标准的饮用水。若采用其他水时，水质应符合《混凝土拌和用水标准》（JGJ 63—2006）对混凝土用水提出的质量要求。混凝土用水中各种物质含量限值见表 4-7。

表 4-7　水中物质含量限值

项　目	预应力混凝土	钢筋混凝土	素混凝土
pH，$\geqslant$	5.0	4.5	4.5
不溶物/$(mg \cdot L^{-1})$，$\leqslant$	2000	2000	5000
可溶物/$(mg \cdot L^{-1})$，$\leqslant$	2000	5000	10000
氯化物(按 Cl^- 计)/$(mg \cdot L^{-1})$，$\leqslant$	500	1000	3500
硫酸盐(按 SO_4^{2-} 计)/$(mg \cdot L^{-1})$，$\leqslant$	600	2000	2700
碱含量/$(mg \cdot L^{-1})$，$\leqslant$	1500	1500	1500

4.2.5　掺和料

混凝土掺和料包括粉煤灰、粒化高炉矿渣、火山灰质材料、钢渣粉等。粉煤灰按煤种分为 F 类(由无烟煤或烟煤煅烧收集而成)和 C 类(由褐煤或次烟煤煅烧收集而成，其氧化钙含量一般大于 10%)，分为 Ⅰ 级、Ⅱ 级和 Ⅲ 级三个等级，其技术要求应符合《用于水泥和混凝土中的粉煤灰》(GB/T 1596—2017)的有关规定。粒化高炉矿渣粉按活性指数分为 S105、S95 和 S75 三个级别，其技术要求应符合《用于水泥和混凝土中的粒化高炉矿渣粉》(GB/T 18046—2017)的有关规定。火山灰质材料的技术要求应符合《水泥砂浆和混凝土用天然火山灰质材料》(JGT 315—2011)的有关规定。钢渣粉按活性指数分为一级和二级两个级别，其技术要求应符合《用于水泥和混凝土中的钢渣粉》(GB/T 20491—2017)的有关规定。

掺合料

4.3　混凝土拌合物的技术性质

混凝土的各种组成材料按一定的比例配合、搅拌而成的尚未凝固的材料，称为混凝土拌合物。混凝土拌合物的主要技术性质是和易性(工作性)，具备良好和易性的混凝土拌合物，有利于施工和获得均匀而密实的混凝土，从而保证混凝土的强度和耐久性。

4.3.1　混凝土拌合物的和易性

1. 和易性的概念

和易性是指混凝土拌合物在各工序(搅拌、运输、浇注、捣实)施工中易于操作，并能获得质量均匀、成型密实的混凝土的性能。和易性是一项综合性的技术指标，包括流动性、黏聚性和保水性等方面的性能。

微课15：混凝土拌合物的和易性

1)流动性

流动性是指混凝土拌合物在自重或机械振捣作用下，能流动并均匀密实地填满模板的性能。流动性的大小，反映混凝土拌合物的稀稠，直接影响着浇捣施工的难易和混凝土的质量。

和易性

2)黏聚性

黏聚性是指混凝土拌合物的各种组成材料具有一定的内聚力，能保持成分的均匀性，在

运输、浇注、振捣、养护过程中不致发生分层离析现象，它反映混凝土拌合物的均匀性。黏聚性差的混凝土拌合物，易发生分层离析，硬化后产生"蜂窝"、"空洞"等缺陷，影响混凝土强度和耐久性。

3）保水性

保水性是指混凝土拌合物具有一定的保持内部水分的能力，在施工过程中不致产生严重的泌水现象。保水性差的混凝土拌合物，在施工过程中，一部分水从内部析出至表面，在混凝土内部形成泌水通道，使混凝土的密实性变差，降低混凝土的强度和耐久性，其内部固体颗粒下沉，影响水泥的水化。

混凝土的工作性是一项由流动性、黏聚性、保水性构成的综合性能，各性能之间互相关联又互相矛盾。如黏聚性好则保水性往往也好，但当流动性增大时，黏聚性和保水性往往变差。因此，所谓拌合物的和易性良好，就是要使这三方面的性能在某种具体条件下得到统一，达到均为良好的状况。

2. 流动性的选择

根据我国现行标准《普通混凝土拌合物性能试验方法》（GB/T 50080—2016）规定，用坍落度与坍落扩展度法和维勃稠度法来测定混凝土拌合物的流动性，并辅以直观经验来评定黏聚性和保水性，以评定和易性。其中坍落度与坍落扩展度法适用于骨料粒径不大于 40 mm、坍落度不小于 10 mm 的塑性和流动性混凝土拌合物；维勃稠度法适用于骨料粒径不大于 40 mm、维勃稠度在 5~30 s 之间的干硬性混凝土拌合物。

混凝土拌合物根据其坍落度和维勃稠度分级见表 4-8。

表 4-8　混凝土拌合物的流动性分级（JGJ 55—2011）

坍落度级别			维勃稠度级别		
级别	名称	坍落度/mm	级别	名称	维勃稠度/s
S_1	低塑性混凝土	10~40	V_0	超干硬性混凝土	≥31
S_2	塑性混凝土	50~90	V_1	特干硬性混凝土	30~21
S_3	流动性混凝土	100~150	V_2	干硬性混凝土	20~11
S_4	大流动性混凝土	160~210	V_3	半干硬性混凝土	10~6
S_5	大流动性混凝土	≥220	V_4	半干硬性混凝土	5~3

混凝土拌合物流动性的选择原则是：在满足施工操作及混凝土成型密实的条件下，尽可能选用较小的坍落度，以节约水泥并获得较高质量的混凝土。工程中具体选用时，要根据结构类型、构件截面大小、配筋疏密、输送方式和施工方法等因素来确定。当构件截面较小或钢筋较密，或采用人工插捣时混凝土拌合物流动性要求大，坍落度可选大些。反之，如构件截面尺寸较大，或钢筋较疏，或采用机械振捣时，坍落度选择可小些。

根据《混凝土结构工程施工及验收规范》（GB 50204—2015）规定，混凝土浇注的坍落度宜按表 4-9 选用。

表4-9 混凝土浇注的坍落度

结构种类	坍落度/mm
基础或地面等的垫层、无配筋的大体积结构(挡土墙、基础等)或配筋稀疏的结构	10~30
板、梁和大型及中型截面的柱子	30~50
配筋密列的结构(薄壁、斗仓、筒仓、细柱等)	50~70
配筋特密的结构	70~90

表4-9系指采用机械振捣的坍落度,当采用人工捣实时可适当增大。当施工工艺采用混凝土泵输送混凝土拌合物时,则要求混凝土拌合物具有较高的流动性。

泵送混凝土选择坍落度除考虑振捣方式,还要考虑其可泵性。拌合物坍落度过小,混凝土泵吸入的混凝土数量少,泵送效率低。同时,拌合物泵送的摩擦阻力大,产生堵管。如果拌合物坍落度过大,拌合物在管道中滞留时间长,则泌水就多,容易产生离析而形成阻塞。泵送混凝土的坍落度,可参照《混凝土泵送施工技术规程》(JGJ/T 10—2011)的规定选用,见表4-10。

表4-10 泵送混凝土浇筑时入泵坍落度的选用(JGJ/T 10—2011)

最大泵送高度/m	50	100	200	400	>400
入泵坍落度/mm	100~140	150~180	190~220	230~260	—
入泵扩展度/mm	—	—	—	450~590	600~740

4.3.2 影响混凝土拌合物和易性的因素

1. 水泥浆的数量

混凝土拌合物中水泥浆的数量,赋予混凝土拌合物以一定的流动性,在水胶比不变的情况下,单位体积拌合物内,如果水泥浆愈多,则拌合物的流动性愈大,但若水泥浆过多,将会出现流浆现象,使拌合物的黏聚性变差,同时对混凝土的强度与耐久性也会产生一定的影响,且水泥用量也大。水泥浆过少,不能填满骨料间空隙或不能很好包裹骨料表面时,就会产生崩塌现象,黏聚性变差。因此,混凝土拌合物中水泥浆的用量应以满足流动性和强度的要求为度,不宜过量。

2. 水胶比及水泥浆的稠度

水胶比是指混凝土拌合物中用水量与胶凝材料(水泥和活性矿物掺合料的总称)用量的质量比,用 W/B 表示。水泥浆的稠度是由水胶比决定的。在水泥用量不变的情况下,水胶比愈小,水泥浆就愈稠,混凝土拌合物的流动性就愈小。当水胶比过小时,水泥浆干稠,混凝土拌合物的流动性过低,会使施工困难,不能保证混凝土的密实性。增大水胶比会使流动性加大,但如果水胶比过大,又会造成混凝土拌合物的黏聚性和保水性不良,而产生流浆、离析现象,并严重影响混凝土的强度。所以水胶比不能过大或过小,一般应根据混凝土强度和耐久性要求合理地选用。

微课16:影响混凝土和易性的因素

水泥浆的影响

无论是水泥浆的多少还是水泥浆的稀稠，实际上对混凝土拌合物流动性起决定作用的是用水量的多少。即在一定条件下，要使混凝土拌合物获得一定的流动性，所需的单位用水量基本上是一个定值。大量试验证明，当水胶比在一定范围(0.4~0.8)而其他条件不变时，混凝土拌合物的流动性只与单位用水量(每立方米混凝土拌合物的拌合用水量)有关，这一现象称为"恒定用水量法则"。利用这一规则，在混凝土配合比设计时，通过固定单位用水量，采用不同的水胶比配制流动性相同但强度不同的混凝土。单纯加大用水量会降低混凝土的强度和耐久性，对混凝土拌合物流动性的调整，应在保证水胶比不变的条件下，用调整水泥浆量的方法来调整。

混凝土拌合物的用水量，一般应根据选定的坍落度，参考表4-11选用。

表 4-11　塑性混凝土的用水量　　　　　　　　　　　　　　　　/(kg·m⁻³)

所需坍落度 /mm	卵石最大粒径/mm				碎石最大粒径/mm			
	10	20	31.5	40	16	20	31.5	40
10~30	190	170	160	150	200	185	175	165
35~50	200	180	170	160	210	195	185	175
55~70	210	190	180	170	220	205	195	185
75~90	215	195	185	175	230	215	205	195

注：1. 本表用水量系采用中砂时的平均取值。采用细砂时，每立方米混凝土用水量可增加5~10 kg；采用粗砂时，则可减少5~10 kg。

2. 掺用各种外加剂或掺合料时，用水量应相应调整。

3.砂率

砂率的影响

砂率是指混凝土中砂的质量占砂石总质量的百分率。

在混凝土骨料中，砂的粒径远小于石子，因此砂的比表面积大。砂的作用是填充石子间空隙，并以砂浆包裹在石子外表面，减少粗骨料颗粒间的摩擦阻力，赋予混凝土拌合物一定的流动性。砂率的变动会使骨料的空隙率和骨料的总表面积有显著改变，因而对混凝土拌合物的和易性产生显著的影响。砂率过大时，骨料的总表面积及空隙率都会增大，在水泥浆含量不变的情况下，相对的水泥浆显得少了，减弱了水泥浆的润滑作用，导致混凝土拌合物流动性降低。如果砂率过小，又不能保证粗骨料之间有足够的砂浆层，也会降低混凝土拌合物的流动性，并严重影响其黏聚性和保水性，容易造成离析、流浆。当砂率适宜时，砂不但填满石子间的空隙，而且还能保证粗骨料间有一定厚度的砂浆层以减小粗骨料间的摩擦阻力，使混凝土拌合物有较好的流动性，这个适宜的砂率称为合理砂率。当采用合理砂率时，在用水量及胶凝材料用量一定的情况下，能使混凝土拌合物获得最大的流动性，且能保持良好的黏聚性和保水性，如图4-4所示。或者当采用合理砂率时，能使混凝土拌合物获得所要求的流动性及良好的黏聚性与保水性，而胶凝材料用量最少，如图4-5所示。

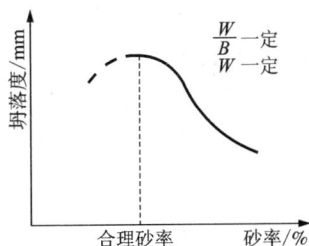

图4-4　砂率与坍落度的关系

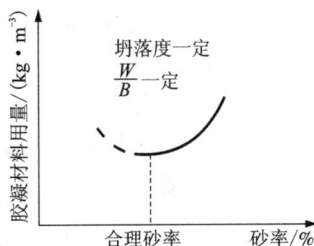

图4-5　砂率与胶凝材料用量的关系

表4-12　混凝土的砂率　　　　　/%

水胶比 W/B	卵石最大粒径/mm			碎石最大粒径/mm		
	10	20	40	16	20	40
0.40	26~32	25~31	24~30	30~35	29~34	27~32
0.50	30~35	29~34	28~33	33~38	32~37	30~35
0.60	33~38	32~37	31~36	36~41	35~40	33~38
0.70	36~41	35~40	34~39	39~44	38~43	36~41

注：1. 本表数值系采用中砂时的选用砂率，若用细(粗)砂，可相应减少(增加)砂率。

2. 只用一个单粒级骨料配制的混凝土，砂率应适当增加。

3. 对薄壁构件，砂率取偏大值。

4. 本表适用于坍落度为10~60 mm的混凝土。坍落度若大于60 mm，应在上表的基础上，按坍落度每增大20 mm 砂率增大1%的幅度予以调整；对坍落度小于10 mm的混凝土及掺外加剂的混凝土，其砂率应根据试验确定。

4. 组成材料性质的影响

1) 水泥的特性

水泥对和易性的影响主要表现在水泥的需水性上。不同品种的水泥，其矿物组成、所掺混合材料种类的不同都会影响需水量。即使拌合水量相同，所得的水泥浆的性质也会直接影响混凝土拌合物的和易性。需水量大的水泥品种，达到相同的坍落度，需要较多的用水量。常用水泥中，以普通硅酸盐水泥所配制的混凝土拌合物的流动性和保水性较好。矿渣、火山灰质混合材料对需水性都有影响，矿渣水泥所配制的混凝土拌合物的流动性较大，但黏聚性差，易泌水。火山灰水泥需水量大，在相同加水量条件下，流动性显著降低，但黏聚性和保水性较好。

2) 骨料的性质

骨料的性质对混凝土拌合物的和易性影响较大。级配良好的骨料，空隙率小，在水泥浆量相同的情况下，包裹骨料表面的水泥浆较厚，和易性好。碎石比卵石表面粗糙，所配制的混凝土拌合物流动性较卵石配制的差。细砂的比表面积大，用细砂配制的混凝土比用中、粗砂配制的混凝土拌合物流动性小。

3) 外加剂与掺和料

在拌制混凝土时，加入少量的外加剂能使混凝土拌合物在不增加水泥用量的条件下，获得好的和易性，不仅流动性显著增加，而且还有效地改善混凝土拌合物的黏聚性和保水性。掺入粉煤灰、硅灰、沸石粉等掺和料，也可改善混凝土拌合物的和易性。

5. 环境条件及时间

混凝土拌合物的和易性在不同的施工环境条件下往往会发生变化。尤其是当前推广使用集中搅拌的商品混凝土，要经过长距离的运输，才能达到施工地点，如果空气湿度小，气温较高，风速较大，混凝土拌合物的水分蒸发及水化反应加快，坍落度损失也变快。

搅拌后的混凝土拌合物，随着时间的延长而逐渐变得干稠，和易性变差。其原因是一部分水供水泥水化，一部分水被骨料吸收，一部分水蒸发以及混凝土凝聚结构的逐渐形成，致使混凝土拌合物的流动性变差。

4.3.3 改善混凝土拌合物和易性的措施

根据上述影响混凝土拌合物和易性的因素，在实际工作中可采用如下措施调整混凝土拌合物的和易性：

(1)通过试验，采用合理砂率，并尽可能采用较低的砂率。

(2)改善砂、石(特别是石子)的级配，尽可能采用连续级配。

(3)在可能条件下，尽量采用较粗的砂、石。

(4)当混凝土拌合物坍落度太小时，保持水胶比不变，增加适量的水泥浆；当坍落度太大时，保持砂率不变，增加适量的砂石。

(5)有条件时尽量掺用外加剂(减水剂、引气剂等)。

(6)根据具体环境条件，尽可能缩小混凝土拌合物的运输时间。

4.4 硬化混凝土的技术性质

4.4.1 混凝土的强度

混凝土的强度包括抗压强度、抗拉强度、抗弯强度等。混凝土的抗压强度最大、抗拉强度最小。建筑工程中主要利用混凝土来承受压力作用，在混凝土结构设计中混凝土抗压强度是主要参数。工程中提到的混凝土强度一般指混凝土的抗压强度。

1.混凝土的抗压强度及强度等级

1)立方体抗压强度

混凝土立方体抗压强度是根据国家标准《普通混凝土力学性能试验方法标准》(GB/T 50081—2002)规定方法制作的 150 mm×150 mm×150 mm 的立方体试件，在标准条件(温度 20±2℃，相对湿度 95% 以上)下，养护到 28 d 龄期，所测得的抗压强度值为混凝土立方体抗压强度，以 f_{cu} 表示。

混凝土立方体抗压强度也可采用不同的试件尺寸进行测定，再将测得结果换算成相当于标准试件的强度值。边长为 100 mm 的立方体试件，换算系数为 0.95；边长为 200 mm 的立方体试件，换算系数为 1.05。

2)立方体抗压强度标准值和强度等级

混凝土立方体抗压强度标准值指按标准规定方法制作的 150 mm 立方体试件，在标准条件下养护到 28 d 龄期，所测得的具有 95% 保证率的抗压强度，用 $f_{cu,k}$ 表示。

混凝土强度等级根据混凝土立方体抗压强度标准值划分不同的强度等级。《混凝土结构设计规范》(GB 50010—2010)将混凝土划分为 14 个强度等级，即 C15、C20、C25、C30、C35、C40、C45、C50、C55、C60、C65、C70、C75、C80 等 14 个强度等级。其中 C 表示混凝土，数字表示混凝土立方体抗压强度标准值。如 C40 表示 $f_{cu,k}=40$ MPa。

3) 轴心抗压强度

确定混凝土强度等级采用立方体试件，但实际工程中钢筋混凝土结构形式极少是立方体，大部分是棱柱体或圆柱体。为了使测得的混凝土强度接近于混凝土结构的实际情况，在钢筋混凝土结构计算中，计算轴心受压构件（例如柱子、桁架的腹杆等）时，都采用混凝土的轴心抗压强度作为设计依据。

根据国家标准《混凝土物理力学性能试验方法标准》(GB/T 50081—2019)的规定，混凝土的轴心抗压强度采用 150 mm×150 mm×300 mm 的棱柱体作为标准试件，在标准条件（温度 20±3℃，相对湿度 90%以上）下，养护到 28 d 龄期，所测得的抗压强度为混凝土的轴心抗压强度，用 f_{cp} 表示。混凝土轴心抗压强度 f_{cp} 为立方体抗压强度 f_{cu} 的 70%~80%，即 $f_{cp}=(0.7\sim0.8)f_{cu}$。

4) 混凝土的抗拉强度

混凝土的抗拉强度只有抗压强度的 5%~10%，而且随着混凝土强度等级的提高这个比值逐渐降低。混凝土抗拉强度对于混凝土抗裂性具有重要作用，它是结构设计中确定混凝土抗裂度的主要指标。但是，在钢筋混凝土结构设计中，不考虑混凝土承受拉力，因为混凝土受拉时呈脆性断裂，破坏时无明显残余变形。所以在混凝土中配以钢筋，由钢筋来承受结构中的拉力。

混凝土的抗拉强度的检测方法有轴向拉伸试件和劈裂抗拉强度试验法。用轴向拉伸试件测定混凝土的抗拉强度，荷载不易对准轴线，夹具处常发生局部破坏，致使测值不准确。采用由劈裂抗拉强度试验法间接得出混凝土的抗拉强度，称为劈裂抗拉强度。这个检测方法不但大大简化了抗拉试件的制作，并且能较正确地反映试件的抗拉强度。

2. 影响混凝土强度的因素

混凝土的强度主要取决于水泥石强度及其与骨料的黏结强度。主要受水泥强度等级、水胶比、骨料的性质、施工质量、养护条件及龄期的影响。

1) 水泥强度等级与水胶比

水泥强度等级和水胶比是影响混凝土强度最主要的因素。

水泥是混凝土中的胶结组分，在水胶比不变时，水泥强度等级愈高，则硬化水泥石强度愈大，对骨料的胶结力就愈强，配制成的混凝土强度也就愈高。在水泥强度等级相同的条件下，混凝土的强度主要取决于水胶比。从理论上讲，水泥水化时所需的结合水，一般只占水泥质量的 23% 左右，但在拌制混凝土拌

微课18：影响混凝土
强度的因素

合物时，为了获得施工所要求的流动性，常需多加一些水，当混凝土硬化后，多余的水分就残留在混凝土中形成水泡或蒸发后形成气孔，大大减小了混凝土抵抗荷载的有效断面，而且可能在孔隙周围引起应力集中。因此，在水泥强度等级相同的情况下，水胶比愈小，水泥石的强度愈高，与骨料黏结力愈大，混凝土强度愈高。如果水胶比过小，拌合物过于干稠，在一定的施工振捣条件下，混凝土不能被振捣密实，出现较多的蜂窝、孔洞，反将导致混凝土强度严重下降。

水胶比的大小对混凝土抗压强度的影响如图 4-6 和图 4-7 所示。

根据大量试验和工程实践，建立起了混凝土强度与水泥强度等级及水胶比之间的关系式，即混凝土强度公式：

$$f_{cu}=\alpha_a\cdot f_b\left(\frac{B}{W}-\alpha_b\right) \qquad (4-3)$$

式中：f_{cu}——混凝土 28 d 龄期的抗压强度，MPa；

$\dfrac{B}{W}$——胶水比(水胶比的倒数);

f_b——胶凝材料 28 d 胶砂抗压强度,MPa。

α_a、α_b——回归系数。

以上的经验公式,一般只适用于混凝土强度等级小于 C60 的流动性混凝土及塑性混凝土。

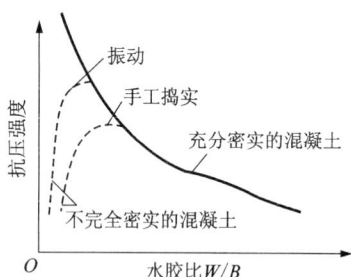

图 4-6　混凝土强度与水胶比的关系　　　　图 4-7　混凝土强度与胶水比的关系

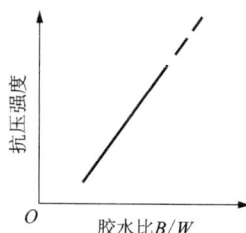

2)骨料性能

骨料强度的影响:一般骨料强度越高,所配制的混凝土强度越高,这在低水胶比和配制高强度混凝土时,特别明显。

骨料级配的影响:当级配良好、砂率适当时,由于组成了坚强密实的骨架,有利于混凝土强度的提高。

骨料形状的影响:碎石表面粗糙有棱角,提高了骨料与水泥砂浆之间的机械啮合力和黏结力,所以在原材料及坍落度相同的条件下,用碎石拌制的混凝土比用卵石的强度要高。

另外,骨料中有害杂质较多、品质低也会降低混凝土的强度。

3)养护温度与湿度

混凝土浇捣成型后,要在一定时间内保持适当的温度和足够的湿度满足水泥充分水化,这就是混凝土的养护。

养护温度的影响:当养护温度高,水泥水化速度加快,混凝土强度的发展也快,但温度过高,导致水泥快凝,不利施工和混凝土强度;反之,在低温下混凝土强度发展迟缓。当温度降至冰点以下时,则由于混凝土中的水分大部分结冰,不但水泥停止水化,混凝土强度停止发展,而且由于混凝土孔隙中的水结冰产生体积膨胀(约9%),从而使硬化中的混凝土结构遭到破坏,导致混凝土已获得的强度受到损失。养护温度对混凝土强度的影响如图 4-8 所示。

混凝土的养护

养护湿度的影响:周围环境的湿度对水泥的水化作用能否正常进行有显著影响。湿度适当,水泥水化反应顺利进行,使混凝土强度得到充分发展。因为水是水泥水化反应的必要成分,如果湿度不够,水泥水化反应不能正常进行,甚至停止水化,严重降低混凝土强度,而且使混凝土结构疏松,形成干缩裂缝,增大了渗水性,从而影响混凝土的耐久性。养护湿度对混凝土强度的影响如图 4-9 所示。

根据国家标准《混凝土结构工程施工质量验收规范》(GB 50204—2015 版)的规定,浇筑完毕的混凝土应采取以下保水措施:①浇筑完毕 12 h 以内对混凝土加以覆盖并保温养护。②混凝土浇水养护的时间,对采用硅酸盐水泥、普通硅酸盐水泥或矿渣水泥拌制的混凝土,

不得少于 7 d，对掺用缓凝型外加剂或有抗渗要求的混凝土，不得少于 14 d。③浇水次数应能保持混凝土处于湿润状态，混凝土养护用水应与拌制用水相同。④采用塑料布覆盖养护的混凝土，其敞露的全部表面应覆盖严密，并应保持塑料布内有凝结水。⑤混凝土强度达到 1.2 N/mm² 前，不得在其上踩踏或安装模板及支架。⑥日平均气温低于 5℃ 时，不得浇水。⑦混凝土表面不便浇水或使用塑料布时，宜涂刷养护剂。

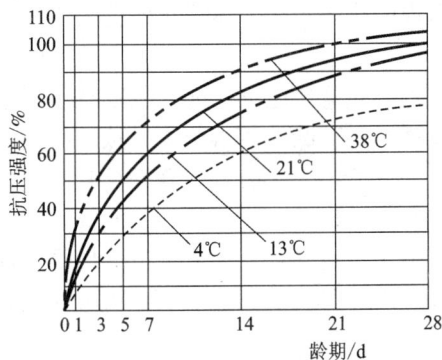

图 4-8　养护温度对混凝土强度的影响

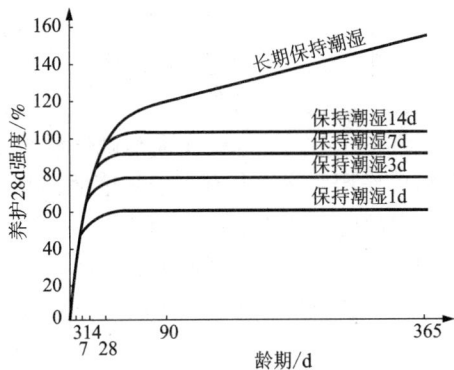

图 4-9　养护湿度对混凝土强度的影响

4) 养护时间(龄期)

龄期是指混凝土在正常养护条件下所经历的时间。在正常养护的条件下，混凝土的强度将随龄期的增长而不断发展，最初 7~14 d 内强度发展较快，以后逐渐缓慢，28 d 达到设计强度。28 d 后强度仍在发展，可延续几年，甚至几十年。如图 4-10 所示。

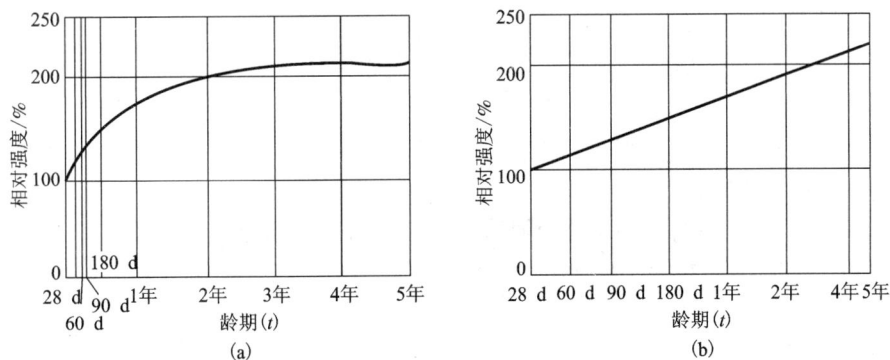

图 4-10　混凝土强度与龄期的关系变化

在标准养护条件下，混凝土强度的发展，大致与其龄期的常用对数成正比关系(龄期不小于 3 d)，工程中常利用这一关系，根据混凝土的早期强度，估算其后期强度。

$$\frac{f_{cu,n}}{\lg n}=\frac{f_{cu,28}}{\lg 28} \tag{4-4}$$

式中：$f_{cu,n}$——n 天龄期混凝土的抗压强度，MPa；

　　　$f_{cu,28}$——28 天龄期混凝土的抗压强度，MPa；

　　　n——养护龄期(d)，$n \geq 3$。

根据上式，可以由所测混凝土早期强度，估算其 28 d 龄期的强度。或者可由混凝土的 28 d 强度，推算 28 d 前混凝土达到某一强度需要养护的天数，这样可以估计确定混凝土拆模、构件起吊、放松预应力钢筋、制品养护、出厂等日期。由于影响强度的因素很多，故计算的结果只能作为参考。

5）试验条件

试件尺寸：相同配合比的混凝土，试件的尺寸越小，测得的强度越高。试件尺寸影响强度的主要原因是试件尺寸大时，内部孔隙、缺陷等出现的概率也大，导致有效受力面积的减小及应力集中，从而引起强度的降低。

试件的形状：当试件受压面积相同，而高度不同时，高宽比越大，抗压强度越小。这是由于试件受压时，试件受压面与试件承压板之间的摩擦力，对试件相对于承压板的横向膨胀起着约束作用，该约束有利于强度的提高。试件破坏后，其上下部分各呈现一个较完整的棱柱体，这就是这种约束作用的结果，通常称这种作用为环箍效应。

表面状态：混凝土试件承压面的状态也是影响混凝土强度的重要因素。当试件受压面上有油脂类润滑剂时，试件受压时的环箍效应大大减小，试件将出现直裂破坏，测出的强度值也较低。

加荷速度：加荷速度越快，测得的混凝土强度值越大。混凝土抗压强度的加荷速度应连续均匀。

6）施工质量

混凝土的施工

混凝土的施工过程包括搅拌、运输、浇筑、振捣、现场养护等多个环节，受到各种不确定性随机因素的影响。配料的准确、振捣密实程度、拌合物的离析、现场养护条件的控制，以致施工单位的技术和管理水平等，都会造成混凝土强度的变化。因此，必须采取严格有效的控制措施和手段，以保证混凝土的施工质量。

3. 提高混凝土强度的措施

1）选用性能适宜、高强度等级水泥

在混凝土配合比相同的情况下，性能适宜、强度等级越高的水泥，混凝土的强度越高。

2）降低混凝土的水胶比

低水胶比的混凝土拌合物游离水分减少，硬化后留下的孔隙少，混凝土密实度高，强度可显著提高，因此，降低水胶比是提高混凝土强度的最有效途径。但水胶比过小，将影响拌合物的流动性，造成施工困难。

3）强化混凝土养护

（1）蒸汽养护：将混凝土放在温度低于 100℃ 的常压蒸汽中进行养护。一般混凝土经过 16~20 h 蒸汽养护，其强度可达正常条件下养护 28 d 强度的 70%~80%。蒸汽养护对掺活性混合材料的水泥混凝土不仅提高早期强度，而且后期强度也有所提高，但对普通硅酸盐水泥和硅酸盐水泥制备的混凝土进行蒸汽养护，其早期强度也能得到提高，但使后期强度增长速度反而减缓。

（2）蒸压养护：将静停 8~10 h 后的混凝土构件放在温度 175℃、0.8 MPa 的蒸压釜中进行的养护，能有效提高混凝土的强度，并加速水泥的水化和硬化。这种方法对掺有活性混合材料的混凝土更为有效。

4）掺入混凝土外加剂、掺合料

在混凝土中掺入早强剂可提高混凝土早期强度;掺入减水剂可减少用水量,降低水胶比,提高混凝土强度。此外,在混凝土中掺入高效减水剂的同时,掺入磨细的矿物掺合料(如硅灰、优质粉煤灰、矿渣粉等),可显著提高混凝土的强度。

5)采用机械搅拌和振捣

机械搅拌能使混凝土拌合物均匀。机械振捣可使混凝土拌合物的颗粒产生振动,暂时破坏水泥的凝聚结构,提高混凝土拌合物的流动性,使混凝土拌合物能很好地充满模具,内部孔隙减小,从而提高混凝土的密实度和强度。若采用先进的高频振动、变频振动及多向振动设备,可获得更好的效果。

4.4.2 混凝土的耐久性

混凝土作为各类工程的主要结构材料,不但要有设计的强度,以保证其能安全地承受设计的载荷外,还应有在所处环境及使用条件下经久耐用的性能。混凝土抵抗环境介质作用并长期保持其良好的使用性能和外观完整性并维持混凝土结构的安全、正常使用的能力称为耐久性。混凝土的耐久性是一项综合性技术指标,主要包括抗渗、抗冻、抗侵蚀、抗碳化等性能。

微课19:硬化混凝土的耐久性

混凝土的耐久性

1. 抗渗性

混凝土的抗渗性是指混凝土抵抗有压介质(水、油、溶液等)渗透作用的能力。它直接影响混凝土的抗冻性和抗腐蚀性,是决定混凝土耐久性最主要的因素。当混凝土的抗渗性较差时,不仅周围水等液体物质易浸入内部,而且当遇有负温或环境水中含有腐蚀性介质时,混凝土就易遭受冰冻或侵蚀作用而被破坏,对钢筋混凝土还将引起其内部钢筋锈蚀并导致表面混凝土保护层开裂与剥落。地下建筑、水池、水坝等必须要求混凝土具有一定的抗渗性。

混凝土渗水是由于内部的孔隙形成连通的渗水通道。这些孔道除产生于施工振捣不密实外,还来源于水泥浆中多余水分的蒸发而留下的气孔、水泥浆泌水所形成的毛细孔以及粗骨料下部界面水富集所形成的孔穴。而这些渗水通道的多少与水胶比大小有关,一般随着水胶比的增大,混凝土抗渗性逐渐变差。

混凝土的抗渗性用抗渗等级表示。抗渗等级是以 28 d 龄期的标准混凝土抗渗试件,在规定试验方法下,用不渗水时所能承受的最大水压来确定的。抗渗等级有 P6、P8、P10、P12 等抗渗等级,表示能抵抗 0.6 MPa、0.8 MPa、1.0 MPa、1.2 MPa 的静水压力而不渗透。

提高混凝土抗渗性的主要措施是降低混凝土的水胶比、选择适宜的骨料级配、充分振捣和养护、掺入引气剂等,达到提高混凝土的密实度和改善混凝土中的孔隙结构,减少连通孔隙。

2. 抗冻性

混凝土的抗冻性是指混凝土在饱水状态下,能经受多次冻融循环而不被破坏,同时也不严重降低所具有的性能的能力。在寒冷地区,特别是接触水又受冻的环境下的混凝土要求具有较高的抗冻性。

混凝土受冻融破坏,是由于混凝土内部孔隙中的水在负温下结冰后体积膨胀形成的压力,当这种压力产生的内应力超过混凝土的抗拉强度,混凝土就会产生裂缝,多次冻融循环使裂缝不断扩展直至破坏。

混凝土的抗冻性用抗冻等级来表示。抗冻等级是以 28 d 龄期的混凝土标准试件,在浸水

饱和状态下承受反复冻融，以强度损失不超过 25%，质量损失不超过 5% 时所能承受的最大循环次数来确定。混凝土的抗冻等级有 F25、F50、F100、F150、F200、F250 和 F300 七个等级，分别表示混凝土能承受冻融循环的最大次数不小于 25、50、100、150、200、250 和 300 次。

混凝土的抗冻性与混凝土的密实程度、水胶比、孔隙率和孔隙构造、孔隙的充水程度等有关。掺入引气剂、减水剂和防冻剂可有效提高混凝土的抗冻性。

3. 抗腐蚀性

混凝土抗腐蚀性是指混凝土抵抗外界腐蚀性介质破坏作用的能力。当混凝土所处环境中含有腐蚀性介质时，混凝土便会遭受侵蚀，通常有软水腐蚀、硫酸盐腐蚀、镁盐腐蚀、碳酸腐蚀、一般酸腐蚀与强碱腐蚀等。

混凝土的抗腐蚀性与所用水泥品种、混凝土的密实程度和孔隙特征等有关。密实和孔隙封闭的混凝土，环境水不易侵入，抗侵蚀性较强。提高混凝土抗腐蚀性的主要措施是合理选择水泥品种、提高混凝土密实度和改善孔结构。

4. 抗碳化

混凝土的碳化是指混凝土内水泥石中的氢氧化钙与空气中的二氧化碳，在湿度适宜时发生化学反应，生成碳酸钙和水，从而使混凝土的碱度降低的过程。

混凝土的碳化是二氧化碳由表及里逐渐向混凝土内部扩散的过程，碳化引起水泥石化学组成及组织结构的变化，对混凝土的碱度、强度和收缩产生影响。混凝土碳化可使混凝土表面的强度适度提高，但对混凝土的有害作用却更大，碳化造成的碱度降低使混凝土中的钢筋丧失碱性保护作用而发生锈蚀，锈蚀的生成物体积膨胀进一步造成混凝土的微裂。碳化还能引起混凝土的收缩，使碳化层处于受拉状态而开裂，降低混凝土的抗拉强度。

混凝土碳化速度受二氧化碳浓度、水泥品种、水胶比、环境湿度等因素的影响。建筑工程中，为减少碳化作用对钢筋混凝土结构的不利影响，采用的措施有合理选择水泥品种、使用减水剂改善混凝土的和易性、加强施工质量控制提高混凝土的密实度、在混凝土表面涂刷保护层等。

5. 碱-集料反应

碱-集料反应是指水泥、外加剂等混凝土组成物及环境中的碱（主要指 K_2O+Na_2O）与集料中碱活性矿物在潮湿环境下缓慢发生并导致混凝土开裂破坏的膨胀反应。

产生碱-集料反应必须具备三个条件：一是水泥石中的碱（Na_2O、K_2O）含量较高，二是骨料中含有活性氧化硅成分，三是存在水分的作用。

解决碱-集料反应的技术措施主要有选用低碱度的水泥（含碱量<0.6%）；选用非活性骨料；在水泥中掺活性混合材料以吸收水泥中的钠、钾离子；掺加引气剂，释放碱-硅酸凝胶的膨胀压力等。

6. 提高混凝土耐久性的主要措施

混凝土的抗渗性、抗冻性、抗腐蚀性、抗碳化性等决定着混凝土的耐久性，而影响这些性质的主要因素是混凝土的密实程度，其次是原材料的性质、施工质量等。对此，提高混凝土耐久性的主要措施有：

（1）根据混凝土工程的特点和所处环境条件，选择合适的水泥品种。

（2）选用质量良好、级配合格的砂石骨料。

（3）控制混凝土的最大水胶比和最小水泥用量。水胶比的大小直接影响混凝土的密实度，而保证水泥的用量也是提高混凝土密实度的关键。《混凝土结构设计规范》(GB 50010—2010)和《普通混凝土配合比设计规程》(JGJ 55—2011)规定了设计使用年限为50年的混凝土结构，其混凝土材料最大水胶比和最小胶凝材料用量的限值，见表4-13。

(4)掺入减水剂或引气剂等外加剂、适量的混合材料，以提高混凝土的密实度，改善孔隙结构。

(5)严格控制混凝土施工质量，保证混凝土均匀、密实。

表 4-13　混凝土最大水胶比和最小胶凝材料用量限值

环境类别	环境条件	最大水胶比	最低强度等级	最大氯离子含量/%	最小胶凝材料用量/$(kg \cdot m^{-3})$		
					素混凝土	钢筋混凝土	预应力混凝土
一	室内干燥环境； 无侵蚀性静水浸没环境	0.60	C20	0.30	250	280	300
二 a	室内潮湿环境； 非严寒和非寒冷地区的露天环境； 非严寒和非寒冷地区与无侵蚀性的水或土壤直接接触的环境； 严寒和寒冷地区的冰冻线以下与无侵蚀的水或土壤直接接触的环境	0.55	C25	0.20	280	300	300
二 b	干湿交替环境； 水位频繁变动环境； 严寒和寒冷地区的露天环境； 严寒和寒冷地区冰冻线以上与无侵蚀的水或土壤直接接触的环境	0.50 (0.50)	C30 (C25)	0.15	320		
三 a	严寒和寒冷地区冬季水位变动区环境； 寒风环境	0.45 (0.50)	C35 (C30)	0.15	330		
三 b	盐渍土环境； 受除冰盐作用环境； 海岸环境	0.40	C40	0.10	330		

注：1. 氯离子含量系指其占胶凝材料总量的百分比；

2. 预应力构件混凝土中的最大氯离子含量为0.06%，其最低混凝土强度等级宜按表中的规定提高两个等级；

3. 素混凝土构件的水胶比及最低强度等级的要求可适当放松；

4. 有可靠工程经验时，二类环境中的最低混凝土强度等级可降低一个等级；

5. 处于严寒和寒冷地区二b、三a环境中的混凝土应使用引气剂，并可采用括号中的有关参数。

4.5 混凝土外加剂

混凝土外加剂是指混凝土在搅拌之前或拌制过程中加入的，用以改善混凝土性能和（或）硬化混凝土性能的材料。其掺量一般不大于水泥质量的5%。

随着科学技术的发展，人们对土木工程技术、工程质量和建筑物使用寿命的要求越来越高，使用混凝土外加剂是提高和改善混凝土各项性能、满足工程耐久性要求的最佳、最有效、最易行的途径之一。外加剂的使用推动了混凝土技术的发展，它在工程中应用的比例越来越大，已成为混凝土中一种重要组分。

4.5.1 外加剂的分类

混凝土外加剂种类多，每一种外加剂常常具有一种或多种功能。根据国家标准《混凝土外加剂术语》（GB/T 8075—2017）的规定，混凝土外加剂按其主要功能分为四类：

（1）改善混凝土拌合物流变性能的外加剂。如减水剂、泵送剂等。

（2）调节混凝土凝结时间、硬化性能的外加剂。如缓凝剂、早强剂、速凝剂等。

（3）改善混凝土耐久性的外加剂。如引气剂、防水剂、阻锈剂等。

（4）改善混凝土其他性能的外加剂。如加气剂、膨胀剂、防冻剂、着色剂等。

工程中常用的外加剂主要有减水剂、早强剂、缓凝剂、引气剂、防冻剂等。

4.5.2 减水剂

减水剂是混凝土外加剂中最重要的品种，按其减水率大小可分为普通减水剂（以木质素磺酸盐类为代表）、高效减水剂（包括萘系、密胺系、氨基磺酸盐系、脂肪族系等）和高性能减水剂（包括聚羧酸系、氨基羧酸系等）。普通减水剂是指在混凝土坍落度基本相同的条件下，能减少混凝土拌和水量的外加剂。高效减水剂是指在混凝土坍落度基本相同的条件下，能大幅度减少混凝土拌和水量的外加剂。高性能减水剂是指比高效减水剂具有更高减水率、更好坍落度保持性能、较小干燥收缩，且具有一定引气性能的减水剂，与其他减水剂相比，它在配制高强度混凝土和高耐久性混凝土时，具有明显的技术优势和较高的性价比。

1. 减水剂的作用原理

减水剂属于表面活性物质，其分子分为亲水端和憎水端两部分。水泥加水拌和后，由于水泥颗粒间分子凝聚力的作用，使水泥浆形成絮凝结构（图4-11）。在这絮凝结构中，包裹了一定的拌和水（游离水），从而降低了混凝土拌合物的和易性。如在水泥浆中加入适量的减水剂，由于减水剂的表面活性作用，致使憎水基团定向吸附于水泥颗粒表面，亲水基团指向水溶液，使水泥颗粒表面带有相同的电荷，在电性斥力作用下，使水泥颗粒互相分开，絮凝结构解体，包裹的游离水被释放出来，从而有效地增加了混凝土拌合物的流动性。当水泥颗粒表面吸附足够的减水剂后，使水泥颗粒表面形成一层稳定的溶剂化膜层，它阻止了水泥颗粒间的直接接触，并在颗粒间起润滑作用，改善了混凝土拌合物的和易性。

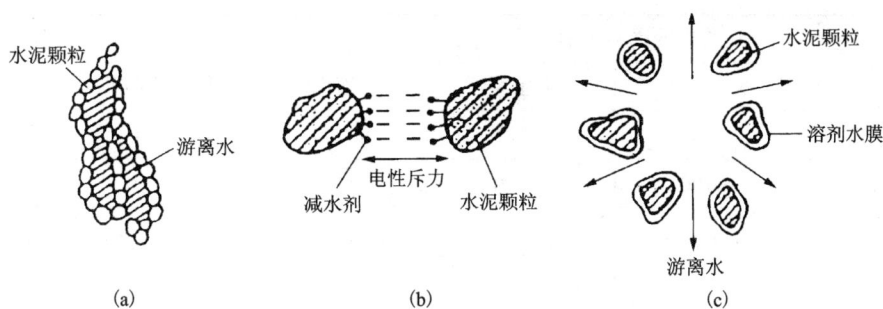

图 4-11　水泥浆的絮凝结构和减水剂作用

2. 减水剂的技术经济效果

(1)在混凝土用水量、水胶比不变的情况下,提高混凝土拌合物的流动性,混凝土拌合物坍落度可增大 100~200 mm。

(2)在保持混凝土拌合物流动性及水泥用量不变的情况下,可减少拌和水 10%~25%,使混凝土强度提高 15%~30%,特别是有利早期强度提高。

(3)在保持混凝土流动性及强度不变的情况下,可节约水泥用量 10%~15%,达到保持强度而节约水泥的目的。

(4)提高混凝土抗渗、抗冻、抗化学侵蚀及防锈蚀等能力,改善混凝土的耐久性。

(5)改善混凝土拌合物的泌水、离析现象,延缓混凝土拌合物的凝结时间,减慢水泥水化放热速度等。

3. 常用减水剂品种

减水剂是使用最广泛,效果最显著的外加剂。其种类很多,目前有木质素系、糖蜜系、萘系、氨基磺酸系和聚羧酸系减水剂等几类。

表 4-14　常用减水剂品种及性能

类　别	普通减水剂		高效减水剂		高性能减水剂
	木质素系	糖蜜系	萘系	氨基磺酸系	聚羧酸系
主要品种	木质素磺酸钙(木钙)、木质素磺酸钠(木钠)等	3FG、TF、ST 等	NNO、NF、FDN、UNF、MF 等	ASPF	PC
适宜掺量(占水泥质量)/%	0.2~0.3	0.2~0.3	0.2~1.0	0.5~2.0	0.15~0.25

类别		普通减水剂		高效减水剂		高性能减水剂
		木质素系	糖蜜系	萘系	氨基磺酸系	聚羧酸系
效果	减水率/%	≥8	≥8	≥14	≥14	≥25
	泌水率比/%	≤100	≤100	≤90	≤90	≤60
	凝结时间之差 min	−90~+120	−90~+120	−90~+120	−90~+120	−90~+120
	1小时经时坍落度变化量/mm	—	—	—	—	≤80
	抗压强度比/% 3 d	≥115	≥115	≥130	≥130	≥160
	抗压强度比/% 28 d	≥110	≥110	≥120	≥120	≥140
	28 d收缩率比%	≤135	≤135	≤135	≤135	≤110
适用范围		一般混凝土工程及大模板、滑模、泵送、大体积及夏季施工的混凝土工程	大体积混凝土、大坝混凝土及滑模、夏季施工的混凝土工程	适用于所有混凝土工程，特别适用于配制高强度及大流动性混凝土	配制高强混凝土、早强混凝土、流态混凝土、蒸养混凝土等	所有混凝土，更适合于高强混凝土、高性能混凝土

注：凝结时间之差性能指标中"−"表示提前，"+"表示延缓。

4.5.3 早强剂

早强剂是加速混凝土早期强度发展的外加剂。早强剂可以在常温、低温和负温(不低于−5℃)条件下加速混凝土的硬化过程，多用于冬季施工和抢修工程。早强剂主要有氯盐类、硫酸盐类、有机胺类及以它们为基础组成的复合类早强剂。

表 4-15 常用早强剂品种及性能

类别	氯盐类	硫酸盐类	有机胺类	复合类
常用品	氯化钙	硫酸钠（元明粉）	三乙醇胺	①三乙醇胺(A)+氯化钠(B) ②三乙醇胺(A)+亚硝酸钠(B)+氯化钠(C) ③三乙醇胺(A)+亚硝酸钠(B)+二水石膏(C) ④硫酸盐复合早强剂(NC)

表 4-15　常用早强剂品种及性能

类　别	氯盐类	硫酸盐类	有机胺类	复合类
适宜掺量(占水泥质量)/%	0.5~1.0	0.5~2.0	0.02~0.05 一般不单独用,常与其他早强剂复合用	①(A)0.05+(B)0.5 ②(A)0.05+(B)0.5+(C)0.5 ③(A)0.05+(B)1.0+(C)2.0 ④(NC)2.0~4.0
早强效果	显著 3 d 强度可提高 50%~100%,7 d 强度可提高 20%~40%	显著 掺 1.5% 时达到混凝土设计强度 70% 的时间可缩短一半	显著 早期强度可提高 50% 左右,28 d 强度不变或稍有提高	显著 2 d 强度可提高 70%,28 d 强度可提高 20%

4.5.4　引气剂

引气剂是一种能使混凝土在搅拌过程中引入大量均匀分布、稳定而封闭的微小气泡且能保留在硬化混凝土中的外加剂。目前国内外最常用的、制备简便且性能可靠的引气剂为松香类引气剂。

引气剂属憎水性表面活性剂,由于能显著降低水的表面张力和界面能,使水溶液在搅拌过程中极易产生许多微小的封闭气泡,同时,因引气剂定向吸附在气泡表面,形成较为牢固的液膜,使气泡稳定而不破裂。由于大量微小、封闭并均匀分布的气泡的存在,使混凝土的某些性能得到明显改善或改变。

1. 混凝土拌合物的和易性

由于大量微小封闭球状气泡在混凝土拌合物内如同滚珠一样,使混凝土拌合物流动性增加。同时,由于水分均匀分布在大量气泡的表面,使能自由移动的水量减少,混凝土拌合物的保水性、黏聚性也随之提高。

2. 提高混凝土的抗渗性、抗冻性

大量均匀分布的封闭气泡切断了混凝土中毛细管渗水通道,改变了混凝土的孔结构,使混凝土抗渗性显著提高。同时,封闭气泡有较大的弹性变形能力,对由水结冰所产生的膨胀应力有一定的缓冲作用,因而混凝土的抗冻性得到提高。

3. 混凝土强度

由于大量气泡的存在,减少了混凝土的有效受力面积,使混凝土强度有所降低。

引气剂可用于抗渗混凝土、抗冻混凝土、抗硫酸盐侵蚀混凝土、泌水严重的混凝土、轻混凝土以及对饰面有要求的混凝土等,但引气剂不宜用于蒸养混凝土及预应力混凝土。

4.5.5　缓凝剂

缓凝剂是指能延缓混凝土凝结时间,并对混凝土后期强度发展无不利影响的外加剂。缓凝剂主要有四类——糖类、木质素磺酸盐类、羟基羧酸类及盐类,常用的缓凝剂是木钙和糖蜜,其中糖蜜的缓凝效果最好。

表 4-16　常用缓凝剂品种及性能

类　　别	品　　种	掺量(占水泥质量)/%	延缓凝结时间/h
糖类	糖、蜜等	0.2~0.5(水剂) 0.1~0.3(粉剂)	2~4
木质素磺酸盐类	木质素磺酸钙(钠)等	0.2~0.3	2~3
羟基羧酸盐类	柠檬酸、酒石酸钾(钠)等	0.03~0.1	4~10
无机盐类	锌盐、硼酸盐、磷酸盐等	0.1~0.2	—

缓凝剂有延缓混凝土的凝结、保持和易性、延长放热设计、消除或减少裂缝以及减水增强等多种功能,对钢筋也无锈蚀作用,适于高温季节施工和泵送混凝土、滑模混凝土以及大体积混凝土的施工或远距离输送的商品混凝土。但缓凝剂不宜用于日最低温度在5℃以下施工的混凝土,也不宜单独用于有早强要求的混凝土和蒸养混凝土。

4.5.6　其他品种的外加剂

1.速凝剂

速凝剂是指能使混凝土迅速凝结硬化的外加剂。速凝剂主要有无机盐类和有机物类两类。常用的速凝剂主要有红星Ⅰ型、711型、782型等品种。

速凝剂主要用于矿山井、铁路隧道、引水涵洞、地下工程以及喷锚支护时的喷射混凝土或喷射砂浆工程中。

2.防冻剂

防冻剂是指能使混凝土在负温下硬化,并在规定养护条件下达到预期性能的外加剂。

防冻剂常由防冻组分、早强组分、减水组分和引气组分组成,形成复合防冻剂。其中防冻组分有以下几种:亚硝酸钠和亚硝酸钙(兼有早强、阻锈功能)、氯化钙和氯化钠、尿素、碳酸钾等。

表 4-17　常用速凝剂品种及性能

种类	红星Ⅰ型	711型	782型
主要成分	铝酸钠+碳酸钠+生石灰	铝氧熟料+无水石膏	矾泥+铝氧熟料+生石灰
适宜掺量(占水泥质量)/%	2.5~4.0	3.0~5.0	5.0~7.0
初凝时间/min	≥5		
终凝时间/min	≤10		
强度	1 d产生强度,1 d强度可提高2~3倍,28 d强度为不掺的80%~90%		

4.5.7　外加剂使用的注意事项

在混凝土中掺入外加剂,可明显改善混凝土的技术性能,取得显著的技术经济效果。若选择和使用不当,会造成事故。因此,在选择和使用外加剂时,应注意以下几点。

1.外加剂品种的选择

外加剂品种、品牌很多,效果各异,特别是对不同品种水泥,其效果不同。在选择外加剂时,应根据工程设计和施工要求,使用工程原材料,通过试验及技术经济比较后确定。

2.外加剂掺量的确定

混凝土外加剂均有适宜掺量,掺量过小,往往达不到预期效果;掺量过大,则会影响混凝土的质量,甚至造成质量事故。因此,在大批量使用前要根据使用要求、施工条件、气温、原材料等因素,通过基准混凝土(不掺外加剂的混凝土)与试验混凝土对比,取得实际性能指标的对比后,再确定最佳掺量。聚羧酸系高性能减水剂的掺加量对其性能影响较大,使用时更应注意计量的准确。

3.外加剂的掺加方法

外加剂的掺加方法按照外加剂的形态可分为粉剂掺入法与水剂掺入法。按照与拌和水掺加时间,可分为先掺法(在拌和水前掺入)、同掺法(与拌和水同时掺入)、后掺法(在拌和水之后掺入)。外加剂的掺量很少,必须保证其均匀分散,一般不能直接加入混凝土搅拌机内。对于可溶于水的外加剂,应先配成一定浓度的溶液,随水加入搅拌机。对于不溶于水的外加剂,应与适量水泥或砂混合均匀后再加入搅拌机内。另外,外加剂的掺入时间对其效果的发挥有很大影响,为保证外加剂的效果,要采用相适用的掺入方法。

4.外加剂应用技术要点

为了科学、合理选择外加剂,达到较好的外加剂使用经济效果,防止因使用不当造成工程质量事故,根据应用技术规范及有关科研、应用实践特提出以下应用技术要点:

(1)几种外加剂复合使用时,应注意不同品种外加剂之间的相容性及对混凝土性能的影响,使用前应进行试验,满足要求后方可使用。如:聚羧酸高性能减水剂与萘系减水剂不宜复合使用。

(2)对钢筋混凝土和有耐久性要求的混凝土,应按照有关标准规定严格控制混凝土中氯离子含量和碱的数量。

(3)选用的外加剂必须有质量检验部门鉴定的产品合格证。凡无质量检验合格证、技术文件不全、包装不符、分量不足、产品受潮变质以及超过有效期限的不得使用。严禁使用对人体产生危害、对环境产生污染的外加剂,使用时应注意混凝土外加剂生产厂家提供的产品安全防护措施的有关资料,并遵照执行。

(4)普通减水剂宜用于日最低气温5℃以上的混凝土施工,不宜单独使用于蒸养混凝土。高效减水剂和高性能减水剂宜用于日最低气温0℃以上的混凝土施工,凡普通减水剂适用的范围,高效减水剂亦适用,更适用于制备流动性混凝土、高强混凝土、蒸养混凝土。

(5)引气剂、引气减水剂适用于抗冻混凝土、防渗混凝土、泵送混凝土、流动性混凝土及普通混凝土。引气剂不得采用干掺法及后掺法。引气减水剂也以溶液掺加为宜。

(6)缓凝剂、缓凝减水剂适用于炎热气温条件下施工的混凝土、大体积混凝土、滑模施工用混凝土、泵送混凝土、长时间停放或长距离运输的混凝土等。缓凝剂、缓凝减水剂不宜用于日最低气温5℃以下施工的混凝土,不宜单独用于有早强要求的混凝土及蒸养混凝土。

(7)用石膏或工业废料石膏作调凝剂的水泥,在掺用糖类缓凝剂、普通减水剂木质素磺酸钙时,宜先做适应性试验,合格后方可使用。

4.6 普通混凝土的配合比设计

普通混凝土配合比是指确定混凝土中各组成材料之间的质量比例关系。确定比例关系的过程叫配合比设计。配合比设计的任务就是根据原材料的技术性能及施工条件，确定出能满足工程所要求的技术经济指标的各项组成材料的用量。

配合比常用的表示方法有两种：一种是以 1 m³ 混凝土中各项材料的质量表示，如水泥315 kg、水 160 kg、砂 730 kg、石子 1300 kg；另一种表示方法是以各项材料相互间的质量比来表示，以水泥质量为 1，将上例换算成质量比为：水泥∶砂∶石子∶水 = 1∶2.20∶4.00∶0.60。

4.6.1 混凝土配合比设计的基本要求

混凝土配合比设计的基本要求是：
(1)达到混凝土结构设计要求的强度等级；
(2)满足混凝土施工所要求的和易性；
(3)满足工程所处环境和使用条件对混凝土耐久性的要求；
(4)满足经济原则，节约水泥，降低成本。

4.6.2 混凝土配合比设计的基本资料

在混凝土配合比设计之前，需确定和了解的基本资料主要有以下几个方面：
(1)工程设计要求的混凝土强度等级和强度的标准差，以便确定混凝土的配制强度。
(2)工程所处环境对混凝土的耐久性要求，以便确定混凝土的最大水胶比和最小水泥用量。
(3)结构构件的断面尺寸及钢筋配筋情况，以便确定粗骨料的最大粒径。
(4)混凝土的施工方法，以便选择混凝土拌合物的坍落度。
(5)材料的基本情况，如水泥的品种、强度等级、密度，砂的种类、表观密度、细度模数、级配、含水率，石的种类、表观密度、级配、含水率，拌合水的情况，外加剂的品种、掺量等。

4.6.3 混凝土配合比设计三个重要参数的确定

混凝土配合比设计，实质上就是确定水泥、水、砂与石子这四项基本组成材料用量之间的三个比例关系。即：水与水泥等胶凝材料之间的比例关系，常用水胶比表示；砂与石子之间的比例关系，常用砂率表示；水泥浆与骨料之间的比例关系，常用单位用水量来反映。水胶比、砂率、单位用水量是混凝土配合比的三个重要参数，在配合比设计中正确地确定这三个参数，就能使混凝土满足配合比设计的基本要求。

确定三个参数的基本原则是：在满足混凝土强度和耐久性的基础上，确定混凝土的水胶比；在满足混凝土施工要求的和易性基础上，根据粗骨料的种类和规格，确定混凝土的单位用水量；砂的数量应以填充石子空隙后略有富余的原则来确定砂率。

4.6.4 混凝土配合比设计的步骤

混凝土配合比设计是一个计算、试配、调整的复杂过程，大致可分为初步计算配合比、基准配合比、实验室配合比、施工配合比四个设计阶段。第一步，按照已选择的原材料性能及对混凝土的技术要求进行初步计算,得出"初步配合比"。第二步,在初步配合比的基础上经实验室试拌调整,进行和易性调整,对配合比进行修正,得出"基准配合比"。第三步,通过对水胶比的微量调整,在满足设计强度的前提下,进一步调整配合比以确定水泥用量最少的方案,得出比较经济的"实验室配合比"。第四步,根据施工现场砂、石的实际含水率对实验室配合比进行调整,求出"施工配合比"。

1. 初步配合比的计算

1) 确定配制强度 $f_{cu,0}$

在工程中配制混凝土时,如果所配制的混凝土的强度 $f_{cu,0}$ 等于设计强度 $f_{cu,k}$,这时混凝土强度保证率只有 50%。因此,为了保证工程混凝土具有设计所要求的 95% 的强度保证率,在混凝土配合比设计时,必须使混凝土的配制强度大于设计强度。根据《普通混凝土配合比设计规程》(JGJ 55—2011)规定,当混凝土的设计强度等级小于 C60 时,配制强度可按下式计算:

$$f_{cu,0} \geq f_{cu,k} + 1.645\sigma \qquad (4-5)$$

当混凝土的设计强度等级不小于 C60 时,配制强度应按下式计算:

$$f_{cu,0} \geq 1.15 f_{cu,k}$$

式中: $f_{cu,0}$——混凝土配制强度,MPa;

　　　$f_{cu,k}$——混凝土立方体抗压强度标准值,即混凝土的设计强度,MPa;

　　　σ——混凝土强度标准,MPa。

表 4-18　混凝土标准差取值要求

混凝土强度等级	≤ C20	C25 ~ C45	C50 ~ C55
σ/MPa	4.0	5.0	6.0

2) 初步确定水胶比 $(\dfrac{W}{B})$

当混凝土的设计强度等级小于 C60 时,根据已知的混凝土配制强度($f_{cu,0}$)、胶凝材料强度(f_b)和粗骨料种类. 按混凝土强度公式计算出所要求的水胶比值:

$$\frac{W}{B} = \frac{\alpha_a \cdot f_b}{f_{cu,0} + \alpha_a \cdot \alpha_b \cdot f_b} \qquad (4-6)$$

式中: $f_{cu,0}$——混凝土配制强度,MPa。

　　　B——每立方米混凝土中胶凝材料的用量,kg。

　　　W——每立方米混凝土中水的用量,kg。

　　　f_b——实测胶凝材料 28 d 胶砂抗压强度,MPa。按水泥胶砂强度检验方法进行测定;
　　　　　当无实测值时,可按式 $f_b = \gamma_f \cdot \gamma_s \cdot f_{ce}$ 计算确定;

　　　γ_f、γ_s——粉煤灰和矿渣粉的影响系数。可按表 4-19 确定;

　　　f_{ce}——实测水泥 28 d 胶砂抗压强度,MPa。无实测结果时,可按式 $f_{ce} = \gamma_c \cdot f_{ce,g}$ 计算
　　　　　确定;

　　　γ_c——水泥强度富余系数。可参照表 4-20 取用;

　　　$f_{ce,g}$——水泥强度等级值,MPa;

α_a、α_b——回归系数。按表4-21取用,也可通过试验确定。

表4-19　粉煤灰影响系数和粒化高炉矿渣粉影响系数(JGJ 55—2011)

掺量/%	粉煤灰影响系数(γ_f)	粒化高炉矿渣粉影响系数(γ_s)
0	1.00	1.00
10	0.85~0.95	1.00
20	0.75~0.85	0.95~1.00
30	0.65~0.75	0.90~1.00
40	0.55~0.65	0.80~0.90
50	–	0.70~0.85

表4-20　水泥强度等级值的富余系数(JGJ 55—2011)

水泥强度等级	32.5	42.5	52.5
γ_c 富余系数	1.12	1.16	1.10

表4-21　回归系数 α_a、α_b 取值(JGJ 55—2011)

回归系数	粗骨料品种	
	碎石	卵石
α_a	0.53	0.49
α_b	0.20	0.13

为了保证混凝土的耐久性,水胶比还不得大于表4-13中规定的最大水胶比值,如计算所得的水胶比大于规定的最大水胶比值时,应取规定的最大水胶比值。

3)选取 1 m³ 混凝土的用水量(m_{w0})

根据所用骨料的种类、最大粒径及施工所要求的坍落度值,查表4-11,选取 1 m³ 混凝土的用水量。

4)计算 1 m³ 混凝土的胶凝材料用量(m_{b0})

根据已初步确定的水胶比($\frac{W}{B}$)和选用的单位用水量(m_{W0}),可计算出胶凝材料用量(m_{b0}):

$$m_{b0} = \frac{m_{w0}}{W/B} \qquad (4-7)$$

为保证混凝土的耐久性,由上式计算得出的胶凝材料用量还应满足表4-13规定的最小胶凝材料用量的要求,如计算得出的胶凝材料用量少于规定的最小胶凝材料用量,则应取规定的最小胶凝材料用量值。

每立方米混凝土中矿物掺合料的用量(m_{f0})按式(4-10)计算,精确至 1 kg:

$$m_{f0} = m_{b0} \cdot \beta_f \qquad (4-8)$$

式中:β_f——矿物掺合料的掺量(占胶凝材料用量的百分率),%。

每立方米混凝土中水泥的用量(m_{c0})按式(4-9)计算：

$$m_{c0} = m_{bo} - m_{f0}$$ (4-9)

5）选取合理的砂率值(β_s)

应当根据混凝土拌合物的和易性，通过试验求出合理砂率。如无试验资料，可根据骨料品种、规格和水胶比，按表4-12选用。

6）计算粗、细骨料的用量(m_{g0}、m_{s0})

粗、细骨料的用量可用质量法或体积法求得。

（1）质量法

如果原材料情况比较稳定，所配制的混凝土拌合物的表观密度将接近一个固定值，这样可以先假设一个1 m³混凝土拌合物的质量值(m_{c0})。因此可列出以下两式：

$$\begin{cases} m_{c0} + m_{f0} + m_{w0} + m_{s0} + m_{g0} = m_{cp} \\ \beta_s = \dfrac{m_{s0}}{m_{s0} + m_{g0}} \end{cases}$$ (4-10)

式中：m_{c0}——1 m³混凝土的水泥用量，kg；

m_{f0}——1 m³混凝土的矿物掺合料用量，kg；

m_{g0}——1 m³混凝土的粗骨料用量，kg；

m_{s0}——1 m³混凝土的细骨料用量，kg；

β_s——砂率，%；

m_{cp}——1 m³混凝土拌合物的假定质量，kg，其值可取2350~2450 kg。

解联立两式，即可求出m_{s0}、m_{g0}。

（2）体积法

假定混凝土拌合物的体积等于各组成材料绝对体积和混凝土拌合物中所含空气体积之总和。因此，在计算1 m³混凝土拌合物的各材料用量时，可列出以下两式：

$$\begin{cases} \dfrac{m_{c0}}{\rho_c} + \dfrac{m_{f0}}{\rho_f} + \dfrac{m_{s0}}{\rho_s} + \dfrac{m_{g0}}{\rho_g} + \dfrac{m_{w0}}{\rho_w} + 0.01 \times \alpha = 1 \\ \beta_s = \dfrac{m_{s0}}{m_{s0} + m_{g0}} \end{cases}$$ (4-11)

式中：ρ_c、ρ_f、ρ_s、ρ_g、ρ_w——水泥、矿物掺合料、细骨料、粗骨料及水的表观密度实测值，kg/m³。水的表观密度可取1000 kg/m³。

α——混凝土拌和物中的含气量，%。在不使用引气剂或引气型外加剂时，可取1。

解联立两式，即可求出m_{s0}、m_{g0}。

通过以上六个步骤，便可将水、水泥、矿物掺合料、砂和石子的用量全部求出，得出初步计算配合比，供试配用。

以上混凝土配合比计算公式和表格，均以干燥状态骨料（系指含水率小于0.5%的细骨料或含水率小于0.2%的粗骨料）为基准。当以饱和面干骨料为基准进行计算时，则应做相应的修正。

2.基准配合比的计算

以上求出的各材料用量，是借助于一些经验公式和数据计算出来的，或是利用经验资料查得的，因而不一定能够完全符合具体的工程实际情况，必须通过试拌调整，直到混凝土拌合物的和易性符合要求为止，然后提出供检验强度用的基准配合比。

按初步计算配合比称取实际工程中使用的材料进行试拌，混凝土的搅拌方法，应与生产时使用的方法相同。试配时，每盘混凝土的最小搅拌量应符合表 4-22 的规定，当采用机械搅拌时，拌和量不小于机械搅拌量的 1/4。

表 4-22　混凝土试配时的最小搅拌量

粗骨料最大粒径/mm	≤31.5	40
拌合物数量/L	20	25

混凝土搅拌均匀后，检查拌合物的性能。当混凝土拌合物坍落度太小时，保持水胶比不变，增加适量的水泥浆；当坍落度太大时，且黏聚性和保水性好时，可适量减少水泥浆的数量，或者保持砂率不变，增加砂石用量，若黏聚性、保水性差，可增大砂率，即保持砂、石总量不变，适当增加砂的用量。直到符合要求为止，然后对调整后的各材料质量进行整理，提出供检验强度用的基准配合比。

3. 实验室配合比

经过和易性调整后得到的基准配合比，其水胶比选择不一定恰当，即混凝土的强度有可能不符合要求，所以应检验混凝土的强度。混凝土强度检验时应至少采用三个不同的配合比，其一为基准配合比，另外两个配合比的水胶比，宜较基准配合比分别增加或减少 0.05，其用水量与基准配合比相同，砂率可分别增加或减小 1%。每种配合比制作一组（三块）试件，并经标准养护到 28 d 时试压。在制作混凝土试件时，尚需检验混凝土拌合物的和易性及测定表观密度，并以此结果作为代表这一配合比的混凝土拌合物的性能值。

由试验得出的各水胶比与对应的混凝土强度关系，用作图法或计算法求出与混凝土配制强度相对应的胶水比。并按下列原则确定 1 m³ 混凝土的材料用量：

用水量 (m_W)：取基准配合比中的用水量，并根据制作强度试件时测得的坍落度或维勃稠度，进行适当的调整；

胶凝材料用量 (m_b)：以用水量乘以选定的胶水比计算确定；

粗、细骨料用量 (m_g、m_s)：取基准配合比中的粗、细骨料用量，并按选定的灰水比进行适当的调整。

配合比经试配、调整和确定后，还需根据实测的混凝土表观密度 ($\rho_{c.t}$) 做必要的校正，其步骤是：

计算混凝土的表观密度计算值 ($\rho_{c.c}$)：

$$\rho_{c.c} = m_b + m_g + m_s + m_W \qquad (4-12)$$

校正系数 δ：

$$\delta = \frac{\rho_{c.t}}{\rho_{c.c}} \qquad (4-13)$$

当混凝土表观密度实测值与计算值之差的绝对值不超过计算值的 2% 时，无须校正，否则，应将配合比中每项材料用量乘以校正系数，即为确定的实验室配合比。

4. 施工配合比

实验室配合比中砂石是以干燥状态为基准，而施工现场存放的砂石都含有一定的水分，且随天气的变化经常变化。所以,现场材料的实际称重应按施工现场砂石的具体含水情况进行修正,修正后的配合比称为施工配合比。

假定施工现场砂的含水率为 $a\%$,石子的含水率 $b\%$,则将实验室配合比换算为施工配合比,各材料的称量为:

$$m_{b}' = m_{b} \quad (\text{kg}) \tag{4-14}$$

$$m_{s}' = m_{s}(1+0.01a) \quad (\text{kg}) \tag{4-15}$$

$$m_{g}' = m_{g}(1+0.01b) \quad (\text{kg}) \tag{4-16}$$

$$m_{W}' = m_{W} - 0.01a \cdot m_{s} - 0.01b \cdot m_{g} \quad (\text{kg}) \tag{4-17}$$

4.6.5 普通混凝土配合比设计实例

某框架结构工程现浇钢筋混凝土梁,处于干燥环境中,混凝土的设计强度等级为 C30,施工要求坍落度为 35~50 mm(混凝土由机械搅拌、机械振捣),该施工单位无历史统计资料。采用的原材料为:

水泥:42.5 级普通水泥,密度 $\rho_c = 3100$ kg/m³;

粉煤灰:Ⅱ级,表观密度 $\rho_f = 2600$ kg/m³,掺量为 10%;

砂子:河砂,中砂,$M_x = 2.7$,表观密度 $\rho_s = 2650$ kg/m³;

石子:河卵石,$\phi 5 \sim 31.5$ mm,表观密度 $\rho_g = 2650$ kg/m³;

水:饮用水。

施工现场砂子含水率为 3%;石子含水率为 1%。

构件截面的最小尺寸为 400 mm,构件净距为 60 mm。

试根据以上条件,设计混凝土配合比。

1. 初步配合比的计算

1) 确定配制强度 $f_{cu,0}$

由于施工单位无混凝土强度标准差的统计资料,查表 4-16,得 $\sigma = 5.0$ MPa,将 σ 代入式(4-5)得配制强度为:

$$f_{cu,0} = 30 + 1.645 \times 5.0 = 38.2 (\text{MPa})$$

2) 确定水胶比 $\left(\dfrac{W}{B}\right)$

水泥的实际强度 $f_{ce} = \gamma_a f_{ce.g}$,即 $f_{ce} = 1.16 \times 42.5 = 49.3$ MPa;$f_b = \gamma_f \cdot \gamma_s \cdot f_{ce} = 0.95 \times 1.0 \times 49.3 = 46.8$ MPa;采用卵石,$\alpha_a = 0.49$,$\alpha_b = 0.13$;将以上数据代入式(4-6)得

$$\frac{W}{B} = \frac{\alpha_a \cdot f_b}{f_{cu,0} + \alpha_a \cdot \alpha_b \cdot f_b} = \frac{0.49 \times 46.8}{38.2 + 0.49 \times 0.13 \times 46.8} = 0.56$$

查表 4-13 得,满足耐久性要求的最大水胶比为 0.60。

由于 0.60>0.56,故取混凝土的水胶比 $\dfrac{W}{B} = 0.56$

3) 确定 1 m³ 混凝土的用水量(m_{w0})

粗骨料的最大粒径应予以核实。根据规范,粗骨料最大粒径不超过构件截面最小尺寸的 1/4,且不得大于钢筋最小净距的 3/4,如果是泵送混凝土,应根据管径大小确定。施工所需的坍落度为 35~50 mm,粗骨料的粒径为 $\phi 5 \sim 31.5$ mm,查表 4-9,知 $m_{w0} = 170$ kg。

4) 确定 1 m³ 混凝土的胶凝材料用量(m_{b0})

$$m_{b0} = \frac{m_{w0}}{\dfrac{W}{B}} = \frac{170}{0.56} = 304 \text{（kg）}$$

查表4-13，本工程要求的最小胶凝材料用量为280 kg，符合耐久性要求，故取 $m_{b0} = 304$ kg。

粉煤灰掺量为：$m_{f0} = m_{b0} \cdot \beta_f = 304 \times 10\% = 30.4$ kg

水泥掺量为：$m_{c0} = m_{b0} - m_{f0} = 304 - 30.4 = 273.6$ kg

5）选取合理的砂率(β_s)

查表4-10，合理砂率范围为 $\beta_s = 28\% \sim 34\%$，选取 $\beta_s = 30\%$。

6）计算 1 m^3 混凝土砂子(m_{s0})、石子(m_{g0})的用量

（1）采用质量法。

$$\begin{cases} m_{b0} + m_{g0} + m_{s0} + m_{w0} = m_{cp} \\ \dfrac{m_{s0}}{m_{s0} + m_{g0}} = \beta_s \end{cases}$$

$$\begin{cases} 340 + m_{g0} + m_{s0} + 170 = 2400 \\ \dfrac{m_{s0}}{m_{s0} + m_{g0}} = 0.30 \end{cases}$$

解方程组得：

$$m_{s0} = 578 \text{ kg}, \quad m_{g0} = 1348 \text{ kg}$$

（2）采用绝对体积法（取 $a = 1.0$）计算，可列出以下两个方程。

$$\begin{cases} \dfrac{m_{c0}}{\rho_c} + \dfrac{m_{f0}}{\rho_f} + \dfrac{m_{g0}}{\rho_g} + \dfrac{m_{s0}}{\rho_s} + \dfrac{m_{w0}}{\rho_w} + 0.01\alpha = 1 \\ \dfrac{m_{s0}}{m_{s0} + m_{g0}} = \beta_s \end{cases}$$

$$\begin{cases} \dfrac{273.6}{3100} + \dfrac{30.4}{2600} + \dfrac{m_{g0}}{2650} + \dfrac{m_{s0}}{2650} + \dfrac{170}{1000} + 0.01 \times 1 = 1 \\ \dfrac{m_{s0}}{m_{s0} + m_{g0}} = 0.30 \end{cases}$$

解方程组得

$$m_{s0} = 573 \text{ kg}; \quad m_{g0} = 1336 \text{ kg}$$

取混凝土的初步配合比为：1 m^3 混凝土中各材料用量为：水泥 273.6 kg，粉煤灰 30.4 kg，水 170 kg，砂子 573 kg，石子 1336 kg。

2. 确定基准配合比

按初步配合比配制 20 L 混凝土进行试拌，各种材料用量为：水泥 $= 273.6 \times 20/1000 = 5.47$ kg，粉煤灰 $= 30.4 \times 20/1000 = 0.61$ kg，水 $= 170 \times 20/1000 = 3.40$ kg，砂子 $= 573 \times 20/1000 = 11.46$ kg，石子 $= 1336 \times 20/1000 = 26.72$ kg。按规定方法拌和后，测得坍落度为 60 mm，且黏聚性、保水性较差，大于设计要求的坍落度 35~50 mm，故需进行坍落度调整。由于黏聚性、保水性差，故增大砂率，降低坍落度。保持砂、石总量不变，将砂率从30%调至32%。砂用量为：(11.46+26.72)×32% = 12.22 kg；石子用量为：11.46+26.72-12.22 = 25.96 kg。重新称量拌和后测得坍落度为 35 mm，且粘聚性和保水性良好，和易性满足要求。调整后各项

材料的用量为：水泥 5.47 kg，粉煤灰 0.61 kg，水 3.40 kg，砂子 12.22 kg，石子 25.96 kg，实测混凝土拌和物的表现密度为 2420 kg/m³。

3.确定实验室配合比

按和易性调整后的混凝土基准配合比，保持用水量和砂率不变，采用水胶比为 0.51、0.56、0.61 配制三组混凝土试件，标准养护 28 d 测定抗压强度，画出混凝土强度与胶水比的关系图，经检验水胶比为 0.55 的配合比满足配制强度与和易性要求，故配合比调整为：

$$m'_w = m_{w0} = 3.40 \text{ kg}$$

$$m_b = \frac{m_{wo}}{\dfrac{W}{B}} = \frac{3.40}{0.55} = 6.18 \text{ kg}$$

$$m_{f0} = 6.18 \times 10\% = 0.62 \text{ kg}$$

$$m_{c0} = 6.18 - 0.62 = 5.56 \text{ kg}$$

$$m'_s = 12.22 \text{ kg}$$

$$m'_g = 25.96 \text{ kg}$$

$$m_c = \frac{5.56}{3.40 + 6.18 + 12.22 + 25.96} \times 2420 = 282 \text{ kg}$$

$$m_f = \frac{0.62}{3.40 + 6.18 + 12.22 + 25.96} \times 2420 = 31 \text{ kg}$$

$$m_w = \frac{3.40}{3.40 + 6.18 + 12.22 + 25.96} \times 2420 = 172 \text{ kg}$$

$$m_s = \frac{12.22}{3.40 + 6.18 + 12.22 + 25.96} \times 2420 = 619 \text{ kg}$$

$$m_g = \frac{25.96}{3.40 + 6.18 + 12.22 + 25.96} \times 2420 = 1315 \text{ kg}$$

4.计算施工配合比

根据现场砂的含水率为 3%，石子的含水率为 1%，可得到 1 m³ 混凝土各项材料的实际称量如下：

水泥：$m'_c = 282$ kg

粉煤灰：$m'_f = 31$ kg

砂子：$m'_s = 619 \times (1 + 3\%) = 638$ kg

石子：$m'_g = 1315 \times (1 + 1\%) = 1328$ kg

水：$m'_w = 172 - 619 \times 3\% - 1315 \times 1\% = 145.7$ kg

4.7　混凝土质量控制

加强混凝土质量控制，是为了保证生产的混凝土的技术性能能满足设计要求，混凝土的质量是影响钢筋混凝土结构可靠性的一个重要因素，为保证结构安全可靠，必须对混凝土的生产和合格性进行控制。生产控制是对混凝土生产过程的各个环节进行有效的质量控制，以保证产品质量的可靠。

4.7.1　混凝土生产的质量控制

混凝土施工过程中，各种材料的性质、配合比、施工工艺等都有可能影响混凝土的质量，因此，应通过以下几个方面进行混凝土的质量控制。

1.原材料的质量控制

混凝土由多种材料混合制作而成，任何一种组成材料的质量偏差或不稳定都会造成混凝土整体质量的波动。水泥要严格按其技术质量标准进行检验，并按有关条件进行合理选用，特别要注意水泥的有效期；粗、细骨料应检测其杂质和有害物质的含量，不符合国家标准规定的，应经处理并检验合格后方可使用；矿物掺合料应符合相关现行国家标准的规定并满足混凝土性能的要求，其放射性应符合现行国家标准《建筑材料放射性核素限量》(GB 6566—2010)的有关规定；外加剂质量主要控制项目应包括掺外加剂混凝土性能和外加剂匀质性等方面，外加剂的应用应符合国家标准《混凝土外加剂应用技术规范》(GB 50119—2013)的有关规定；采用天然水现场进行拌和的混凝土，对拌和用水的质量应按标准进行检验。水泥、砂、石、外加剂等主要材料应检查产品合格证、出厂检验报告或进行复验。

2.配合比设计的质量控制

混凝土应按行业标准《普通混凝土配合比设计规程》(JGJ 55—2011)的有关规定，根据混凝土的强度等级、耐久性要求、工作性要求等进行配合比设计。混凝土拌制前，应测定砂、石含水率，根据测试结果及时调整材料用量，提出施工配合比。生产时应检验配合比设计资料、试件强度试验报告、骨料含水率测试结果和施工配合比通知单。首次使用、使用间隔超过三个月的混凝土配合比应进行开盘鉴定，其生产使用的原材料应与配合比设计一致，混凝土拌合物性能应满足施工要求，混凝土强度评定和耐久性能应符合设计要求。开始生产时应至少留一组标准养护试件，作为检验配合比的依据。

3.混凝土生产施工工艺的质量控制

混凝土的原材料必须称量准确，根据《混凝土质量控制标准》(GB 50164—2011)的规定，每盘称量的允许偏差应控制在水泥、掺和料±2%，粗、细骨料±3%，拌和用水、外加剂±1%。每工作班抽查不少于一次，各种衡器应定期检验。

混凝土的运输、浇筑及间歇的全部时间不应超过混凝土的初凝时间。要及时观察、检查混凝土的施工记录。在运输、浇筑过程中要防止离析、泌水、流浆等不良现象发生，并分层按顺序振捣，严防漏振。

混凝土浇筑完毕后，应按施工技术方案及时采取有效的养护措施，应随时观察并检查混凝土施工记录。

4.7.2　普通混凝土强度的评定方法

混凝土强度评定可分统计方法及非统计方法两种。

1.统计方法评定

由于混凝土生产条件不同，混凝土强度的稳定性也不同，因而统计方法评定又分为以下两种情况。

1)标准差已知方案

当混凝土的生产条件较长时间内能保持一致，且同一品种混凝土的强度变异性能保持稳定,标准差(σ)可根据前一时期生产积累的同类混凝土强度数据而确定时,则每批的强度标准差 σ 可按常数考虑。例如,常年生产的预拌混凝土及预制构件厂常年生产的定型产品,其标准差可按常数考虑。

强度评定应由连续三组试件组成一个验收批,其强度应同时满足下列要求:

$$\bar{f}_{cu} \geq f_{cu,k} + 0.7\sigma_0 \tag{4-18}$$

$$f_{cu,min} \geq f_{cu,k} - 0.7\sigma_0 \tag{4-19}$$

当混凝土强度等级不高于 C20 时,其强度的最小值尚应满足下式要求:

$$f_{cu,min} \geq 0.85 f_{cu,k} \tag{4-20}$$

当混凝土强度等级高于 C20 时,其强度的最小值尚应满足下式要求:

$$f_{cu,min} \geq 0.90 f_{cu,k} \tag{4-21}$$

式中:$\bar{f}_{cu}$——同一验收批混凝土立方体抗压强度的平均值,MPa;

$f_{cu,k}$——混凝土立方体抗压强度标准值,MPa;

$f_{cu,min}$——同一验收批混凝土立方体抗压强度的最小值,MPa;

σ_0——验收批混凝土立方体抗压强度的标准差,MPa。

验收批混凝土立方体抗压强度的标准差 σ_0,应根据前一个检验期内同一品种混凝土试件的强度数据,按下列公式计算:

$$\sigma = \frac{0.59}{m} \sum_{i=1}^{m} \Delta f_{cu,i} \tag{4-22}$$

式中:$\Delta f_{cu,i}$——第 i 批试件立方体抗压强度最大值与最小值之差,MPa;

m——用以确定验收批混凝土立方体抗压强度标准差的数据总组数。

2)标准差未知方案

当混凝土的生产条件在较长时间内不能保持一致,混凝土强度变异性不能保持稳定,或前一个检验内的同一品种混凝土,无足够多的强度数据可用于确定统计计算的标准差时,检验评定只能直接根据每一验收批抽样的强度数据来确定。

强度评定时,应由不少于 10 组的试件组成一个验收批,其强度应同时满足下列要求:

$$\bar{f}_{cu} - \lambda_1 sf_{cu} \geq 0.9 f_{cu,k} \tag{4-23}$$

$$f_{cu,min} \geq \lambda_2 f_{cu,k} \tag{4-24}$$

式中:sf_{cu}——同一验收批混凝土立方体抗压强度标准差,MPa。当计算值小于 $0.06 f_{cu,k}$ 时,取 $sf_{cu} = 0.06 f_{cu,k}$;

λ_1、λ_2——合格判定系数。

验收批混凝土强度的标准差 sf_{cu} 按下式计算:

$$sf_{cu} = \sqrt{\sum_{i=1}^{n} \frac{f_{cu,i}^2 - n\bar{f}_{cu}^2}{n-1}} \tag{4-25}$$

式中:$f_{cu,i}$——第 i 组混凝土试件的立方体抗压强度值,MPa;

n——一个试验批混凝土试件的组数。

表 4-23　合格判定系数取值

试件组数	10~14	15~24	≥25
λ_1	1.70	1.65	1.60
λ_2	0.90	0.85	

2. 非统计方法评定

对某些小批量零星混凝土的生产，因其试件数量有限，不具备按统计方法评定混凝土强度的条件，可采用非统计方法。

按非统计方法评定混凝土强度时，其强度应同时满足下列要求：

$$\overline{f}_{cu} \geqslant 1.15 f_{cu,k} \tag{4-26}$$

$$f_{cu,min} \geqslant 0.95 f_{cu,k} \tag{4-27}$$

4.7.3　混凝土强度的合格性评定

混凝土强度应分批进行检验评定，当检验结果能满足以上评定公式的规定时，则该混凝土判为合格。否则，为不合格。

不合格批混凝土制成的结构或构件，应进行鉴定。对不合格的结构或构件，必须及时处理。

当对混凝土试件强度的代表性有怀疑时，可采用从结构或构件中钻取试件的方法或采用非破损检验方法，按有关标准的规定对结构或构件中混凝土的强度进行推定。

4.8　其他品种混凝土

大多数新品种的混凝土都是在传统普通混凝土的基础上发展起来的，但性能又各具特色，不同于普通混凝土，它们共同组成了混凝土家族，扩大了混凝土的应用范围，从长远看是很有发展潜力的。以下介绍几种典型的特殊性能混凝土。

4.8.1　轻混凝土

表观密度小于 1950 kg/m³ 的混凝土称为轻混凝土，轻混凝土又分为轻骨料混凝土、多孔混凝土及无砂混凝土三类。

1. 轻骨料混凝土

根据《轻骨料混凝土技术规程》规定，用轻粗骨料、轻砂（或普通砂）、水泥和水配制而成的混凝土，其干表观密度不大于 1950 kg/m³ 的混凝土，称为轻骨料混凝土。

轻骨料混凝土按细骨料不同，又分为全轻混凝土（粗、细骨料均为轻骨料）和砂轻混凝土（细骨料全部或部分为普通砂）。

轻混凝土

1)轻骨料

轻骨料可分为轻粗骨料和轻细骨料。凡粒径大于 5 mm,堆积密度小于 1000 kg/m³ 的轻质骨料,称为轻粗骨料;凡粒径不大于 5 mm,堆积密度小于 1000 kg/m³ 的轻质骨料,称为轻细骨料(或轻砂)。

轻骨料按其来源可分为工业废料轻骨料,如粉煤灰陶粒、自燃煤矸石、膨胀矿渣珠、煤渣及其轻砂;天然轻骨料,如浮石、火山渣及其轻砂;人造轻骨料,如页岩陶粒、黏土陶粒、膨胀珍珠岩及其轻砂。

轻粗骨料按其粒形可分为圆球型、普通型和碎石型三种。

轻骨料的制造方法基本上可分为烧胀法和烧结法两种。

烧胀法是将原料破碎、筛分后经高温烧胀(如膨胀珍珠岩),或将原料加工成粒再经高温烧胀(如黏土陶粒、圆球形页岩陶粒)。由于原料内部所含水分或气体在高温下发生膨胀,因而形成了内部具有微细气孔结构和表面由一层硬壳包裹的陶粒。烧结法是将原料加入一定量胶结材料和水,经加工成粒,在高温下烧至部分熔融而成的呈多孔结构的陶粒,如粉煤灰陶粒。

轻骨料的技术要求,主要包括堆积密度、强度、颗粒级配和吸水率等四项,此外对耐久性、安定性、有害杂质含量也提出了要求。

(1)堆积密度

轻骨料堆积密度的大小将影响轻骨料混凝土的表观密度和性能。轻粗骨料按其堆积密度(kg/m³)分为 300、400、500、600、700、800、900、1000 等八个密度等级;轻细骨料分为 500、600、700、800、900、1000、1100、1200 等八个密度等级。

表 4-24 轻骨料密度等级

密度等级		干表观密度/(kg·m⁻³)
轻粗骨料	轻细骨料	干表观密度/$(kg \cdot m^{-3})$
200	—	110~200
300	—	210~300
400	—	310~400
500	500	410~500
600	600	510~600
700	700	610~700
800	800	710~800
900	900	810~900
1000	1000	910~1000
1100	1100	1100~1200

(2)粗细程度与颗粒级配

保温及结构保温轻骨料混凝土用的轻粗骨料,其最大粒径不宜大于 40 mm。结构轻骨料混凝土用的轻粗骨料,其最大粒径不宜大于 20 mm。

轻粗骨料的级配应符合表 4-25 的要求，其自然级配的空隙率不应大于 50%。

表 4-25　轻粗骨料的级配

筛 孔 尺 寸		d_{min}	$0.5d_{max}$	d_{max}	$2d_{max}$
圆球型的单一粒级	累计筛余 （按质量计）/%	≥90	不规定	≤10	0
普通型的混合级配		≥90	30~70	≤10	0
碎石型的混合级配		≥90	40~60	≤10	0

轻砂的细度模数不宜大于 4.0；它大于 5 mm 的累计筛余量不宜大于 10%。

（3）强度

轻粗骨料的强度对轻骨料混凝土强度有很大影响。《轻骨料混凝土技术规程》规定，采用筒压法测定轻粗骨料的强度，称筒压强度。

它是将轻骨料装入直径为 115 mm 的带底圆筒内，装填高度为 100 mm，上面加一直径为 113 mm 冲压模，取冲压模压入深度为 20 mm 时的压力值，除以承压面积，即为轻粗骨料的筒压强度值。对不同密度等级的轻粗骨料，其筒压强度应符合表 4-26 规定。

表 4-26　轻粗骨料的筒压强度及强度等级

密度等级	筒压强度 f_a/MPa		强度等级 f_{ak}/MPa	
	碎石型	普通和圆球型	普通型	圆球型
300	0.2/0.3	0.3	3.5	3.5
400	0.4/0.5	0.5	5	5
500	0.6/1.0	1	7.5	7.5
600	0.8/1.5	2	10	15
700	1.0/2.0	3	15	20
800	1.2/2.5	1	20	25
900	1.5/3.0	5	25	30
1000	1.8/4.0	6.5	30	40

注：碎石型天然骨料取斜线以左值，其他碎石型轻骨料取斜线以右值。

筒压强度不能直接反映轻骨料在混凝土中的真实强度，它是一项间接反映粗骨料颗粒强度的指标。因此，规程还规定了采用强度等级来评定粗骨料的强度，用轻粗骨料配制的混凝土的合理强度值不宜超过粗骨料强度等级。

（4）吸水率

轻骨料的吸水率一般比普通砂石大，因此将导致施工中混凝土拌合物的坍落度损失较大，并且影响到混凝土的水胶比和强度发展。在设计轻骨料混凝土配合比时，如果采用干燥骨料，则必须根据骨料吸水率大小，再多加一部分被骨料吸收的附加水量。规程规定，轻砂和天然轻粗骨料的吸水率不做规定；其他轻粗骨料的吸水率不应大于22%。

(5)有害物质含量及其他性能

轻骨料中严禁混入煅烧过的石灰石、白云石及硫化铁等不稳定的物质。轻骨料的有害物质含量和其他性能指标应不大于表4-27所列的规定值。

2)轻骨料混凝土的技术性质

(1)和易性

轻骨料具有表观密度小、表面多孔粗糙、吸水性强等特点，因此，其拌合物的和易性与普通混凝土有明显的不同。轻骨料混凝土拌合物的黏聚性和保水性好，但流动性差。若加大流动性则骨料上浮、易离析。同时因骨料吸水率大，使得加在混凝土中的水一部分将被轻骨料吸收，余下部分供水泥水化和赋予拌合物流动性。因而拌合物的用水量应由两部分组成，一部分为使拌合物获得要求流动性的用水量，称为净用水量；另一部分为轻骨料1 h的吸水量，称为附加水量。

表4-27　轻骨料性能指标

项　目　名　称	指　标
抗冻性(F15质量损失)/%	5
安定性(沸煮法,质量损失)/%	5
烧失量①轻粗骨料(质量损失)/%	4
轻砂(质量损失)/%	5
硫酸盐含量(按SO_3计)/%	1
氯盐含量(Cl^-计)/%	0.02
含泥量②(质量百分数)	3
有机杂质(比色法检验)	不深于标准色

注：①煤渣烧失量可放宽至15%；②不宜含有黏土块。

(2)表观密度

轻骨料混凝土按其干表观密度分为14个等级，即由600～1900，每增加100 kg/m³为一个等级，而每一密度等级有一定的变化范围，如800密度等级的变化范围为760～850 kg/m³，900密度等级的为860～950 kg/m³，其余依次类推。某一密度等级的轻骨料混凝土的密度标准值(原称计算值)则取该密度等级变化范围的上限，即取其密度等级值加50 kg/m³。如1900的密度等级，其密度标准值取1950 kg/m³。

(3)抗压强度

轻骨料混凝土按其立方体抗压强度标准值划分为13个强度等级：LC5.0、LC7.5、LC10、LC15、LC20、LC25、LC30、LC35、LC40、LC45、LC50、LC55、LC60。

轻骨料混凝土按其用途可分为三大类，见表4-28。

轻骨料强度虽低于普通骨料，但轻骨料混凝土仍可达到较高强度。原因在于轻骨料表面粗糙而多孔，轻骨料的吸水作用使其表面呈低水胶比，提高了轻骨料与水泥石的界面黏结强度，使弱结合面变成了强结合面，混凝土受力时不是沿界面破坏，而是轻骨料本身先遭到破坏。对低强度的轻骨料混凝土，也可能是水泥石先开裂，然后裂缝向骨料延伸。因此，轻骨料混凝土的强度主要取决于轻骨料的强度和水泥石的强度。

(4)弹性模量与变形

轻骨料混凝土的弹性模量小，一般为同强度等级普通混凝土的50%~70%。这有利于改善建筑物的抗震性能和抵抗动荷载的作用。增加混凝土组分中普通砂的含量，可以提高轻骨料混凝土的弹性模量。

轻骨料混凝土的收缩和徐变约比普通混凝土相应大20%~50%和30%~60%，热膨胀系数比普通混凝土小20%左右。

表4-28 轻骨料混凝土分类

类别名称	混凝土强度等级的合理范围	混凝土密度等级的合理范围	用途
保温轻骨料混凝土	LC5.0	800	主要用于保温的围护结构或热工构筑物
结构保温轻骨料混凝土	LC5.0 LC7.5 LC10 LC15	800~1400	主要用丁既承重又保温的围护结构
结构轻骨料混凝土	LC15 LC20 LC25 LC30 LC35 LC40 LC45 LC50 LC55 LC60	1400~1900	主要用于承重构件或构筑物

(5)热工性

轻骨料混凝土具有良好的保温性能。当其表观密度为1000 kg/m³ 时，导热系数为0.28 W/(m·K)，当表观密度为1400 kg/m³ 和1800 kg/m³ 时，导热系数相应为0.49 W/(m·K)和0.87 W/(m·K)。当含水率增大时，导热系数也将随之增大。

3)轻骨料混凝土的配合比设计及施工要点

(1)轻骨料混凝土的配合比设计除应满足强度、和易性、耐久性、经济等方面的要求外，还应满足表观密度的要求。

(2)轻骨料混凝土的水胶比以净水胶比表示，净水胶比是指不包括轻骨料1 h吸水量在内的净用水量与水泥用量之比。配制全轻混凝土时，允许以总水胶比表示，总水胶比是指包括轻骨料1 h吸水量在内的总用水量与胶凝材料用量之比。

（3）轻骨料易上浮，不易搅拌均匀。因此，应采用强制式搅拌机，且搅拌时间要比普通混凝土略长一些。

（4）为减少混凝土拌合物坍落度损失和离析，应尽量缩短运距。拌合物从搅拌机卸料起到浇筑入模的延续时间不宜超过 45 min。

（5）为减少轻骨料上浮，施工中最好采用加压振捣，且振捣时间以捣实为准，不宜过长。

（6）浇筑成型后应及时覆盖并洒水养护，以防止表面失水太快而产生网状裂缝。养护时间视水泥品种而不同，应不少于 7~14 d。

（7）轻骨料混凝土在气温 5℃ 以上的季节施工时，可根据工程需要，对轻粗骨料进行预湿处理，这样拌制的拌合物和易性和水胶比比较稳定。预湿时间可根据外界气温和骨料的自然含水状态确定，一般应提前半天或一天对骨料进行淋水预湿，然后滤干水分进行投料。

4）轻骨料混凝土的应用

虽然人工轻骨料的成本高于就地取材的天然骨料，但轻骨料混凝土的表观密度比普通混凝土减少 1/4~1/3，隔热性能改善，可使结构尺寸减小，增加使用面积，降低基础工程费用和材料运输费用，其综合效益良好。因此，轻骨料混凝土主要适用于高层和多层建筑、软土地基、大跨度结构、抗震结构、要求节能的建筑和旧建筑的加层等。如南京长江大桥采用轻骨料混凝土桥面板，天津、北京采用轻骨料混凝土房屋墙体及屋面板，都取得了良好的技术经济效益。

2. 多孔混凝土

多孔混凝土是一种不用骨料，且内部均匀分布着大量微小气泡的轻质混凝土。多孔混凝土孔隙率可达 85%，表观密度在 $300~1200$ kg/m^3，导热系数为 $0.081~0.29$ W/(m·K)，兼有结构及保温隔热功能。容易切割，易于施工，可制成砌块、墙板、屋面板及保温制品等，广泛用于工业与民用建筑及保温工程中。

根据气孔产生的方法不同，多孔混凝土可分为加气混凝土和泡沫混凝土。

1）加气混凝土

用含钙材料（水泥、石灰）、含硅材料（石英砂、粉煤灰、粒化高炉矿渣等）和发气剂作为原料，经过磨细、配料、搅拌、浇注、成型、切割和蒸压养护（$0.8~1.5$ MPa 下养护 $6~8$ h）等工序生产而成。

一般是采用铝粉作为发气剂，把它加在加气混凝土料浆中，与含钙材料中的氢氧化钙发生化学反应放出氢气，形成气泡，使料浆体积膨胀形成多孔结构，料浆在高压蒸汽养护下，含钙材料和含硅材料发生反应，产生水化硅酸钙，使坯体具有强度。

加气混凝土的性能随其表观密度及含水率不同而变化，在干燥状态下，其物理力学性能见表 4-29。

表 4-29　蒸压加气混凝土物理力学性能

表观密度 /(kg·m^{-3})	抗压强度 /MPa	抗拉强度 /MPa	弹性模量 /MPa	导热系数 λ /[W·(m·K)$^{-1}$]
500	3.0~4.0	0.3~0.4	$1.4×10^3$	0.12
600	4.0~5.0	0.4~0.5	$2.0×10^3$	0.13
700	5.0~6.0	0.5~0.6	$2.2×10^3$	0.16

加气混凝土制品主要有砌块和条板两种。砌块可作为三层或三层以下房屋的承重墙，也可以作为工业厂房、多层、高层框架结构的非承重填充墙。配有钢筋的加气混凝土条板可作为承重和保温合一的屋面板。加气混凝土还可以与普通混凝土预制成复合板，用于外墙兼有承重和保温作用。

由于加气混凝土能利用工业废料，产品成本较低，能大幅度降低建筑物自重，保温效果好，因此具有较好的技术经济效果。

2）泡沫混凝土

泡沫混凝土是将水泥浆与泡沫剂拌和后成型、硬化而成的一种多孔混凝土。泡沫混凝土在机械搅拌作用下，能产生大量均匀而稳定的气泡。常用的泡沫剂有松香泡沫剂及水解性血泡沫剂。使用时先掺入适量水，然后用机械搅拌成泡沫，再与水泥浆搅拌均匀，然后进行蒸汽养护或自然养护，硬化后即为成品。

泡沫混凝土的技术性能和应用，与相同表观密度的加气混凝土大体相同。泡沫混凝土还可在现场直接浇筑，用作屋面保温层。

3. 无砂混凝土

无砂混凝土是以粗骨料、水泥和水配制而成的一种轻质混凝土，又称大孔混凝土。在这种混凝土中，水泥浆包裹粗骨料颗粒的表面，将粗骨料黏结在一起，但水泥浆并不填满粗骨料颗粒之间的空隙，因而形成大孔结构的混凝土。为了提高大孔混凝土的强度，有时也加入少量细骨料（砂），这种混凝土又称少砂混凝土。大孔混凝土按其所用骨料品种可分为普通大孔混凝土和轻骨料大孔混凝土。前者用天然碎石、卵石或重矿渣配制而成，表观密度为 1500~1950 kg/m³，抗压强度为 3.5~10 MPa，主要用于承重及保温外墙体。后者用陶粒、浮石、碎砖等轻骨料配制而成，表观密度在 800~1500 kg/m³，抗压强度为 1.5~7.5 MPa，主要用于自承重的保温外墙体。大孔混凝土的导热系数小，保温性能好，吸湿性较小。收缩一般比普通混凝土小 30%~50%。抗冻性可达 15~25 次冻融循环。由于大孔混凝土不用砂或少用砂，故水泥用量较低，1 m³ 混凝土的水泥用量仅 150~200 kg，成本较低。

无砂混凝土可用于制作墙体用的小型空心砌块和各种板材，也可用于现浇墙体。普通大孔混凝土还可制成滤水管、滤水板等，广泛用于市政工程。

4.8.2 抗渗混凝土

抗渗混凝土是指抗渗等级等于或大于 P6 级的混凝土。它主要用于水工工程、地下基础工程、屋面防水工程等。

抗渗混凝土一般是通过混凝土组成材料的质量改善，合理选择混凝土配合比和骨料级配，以及掺加适量外加剂，达到混凝土内部密实或是堵塞混凝土内部毛细管通路，使混凝土具有较高的抗渗性。目前常用的防水混凝土有普通防水混凝土、外加剂防水混凝土和膨胀水泥防水混凝土。

根据《普通混凝土配合比设计规程》（JGJ 55—2011），抗渗混凝土的配合比设计应符合以下技术要求：

（1）水泥宜采用普通硅酸盐水泥；

（2）粗骨料宜采用连续级配，其最大公称粒径不宜大于 40 mm，宜用 Ⅰ 类和 Ⅱ 类骨料；

（3）细骨料宜采用中砂，宜用 Ⅰ 类和 Ⅱ 类骨料；

（4）抗渗混凝土宜掺用外加剂，采用引气剂或引气型外加剂时，其含气量宜控制在 3%~5%；

（5）1 m³ 混凝土的胶凝材料用量不宜小于 320 kg，宜掺用矿物掺合料，粉煤灰等级应为Ⅰ级和Ⅱ级；

（6）砂率宜为 35%~45%；

（7）水胶比除应满足强度要求外，还应符合表 4-30 的规定。

表 4-30　抗渗混凝土最大水胶比

抗渗等级	最大水胶比	
	C20~C30 混凝土	C30 以上混凝土
P6	0.60	0.55
P8~P12	0.55	0.50
P12 以上	0.50	0.45

1. 普通防水混凝土

普通防水混凝土是以调整配合比的方法，提高混凝土自身密实性以满足抗渗要求的混凝土。其原理是在保证和易性前提下减小水胶比，以减小毛细孔的数量和孔径，同时适当提高水泥用量和砂率，在粗骨料周围形成质量良好和数量足够的砂浆包裹层，使粗骨料彼此隔离，以阻隔沿粗骨料相互连通的渗水孔网。

2. 外加剂防水混凝土

外加剂防水混凝土是在混凝土中掺入适宜品种和数量的外加剂，改善混凝土内部结构，隔断或堵塞混凝土中的各种孔隙、裂缝及渗水通道，以达到改善抗渗性的一种混凝土。常用的外加剂有引气剂和密实剂。

1）引气剂防水混凝土

在混凝土内掺入引气剂，可使混凝土减少用水量，并产生大量均匀封闭和稳定的小气泡，由于气泡的阻隔作用，隔断了渗水通道，提高了混凝土的抗渗性。引气剂防水混凝土还具有良好的和易性与抗冻性和耐久性，技术经济效果较好，应用普遍。

2）密实剂防水混凝土

密实剂一般是指氯化铁或铝盐等的溶液。这些溶液与氢氧化钙反应产生不溶于水的胶体，能堵塞混凝土内部的毛细管及孔隙，从而提高混凝土的密实度和抗渗性。密实剂防水混凝土具有很高的抗渗性能，不仅可抵抗水的渗透，还可抵抗油、气的渗透，常用于对抗渗性要求较高的设施，如高水压容器和储油罐等。

3. 膨胀水泥防水混凝土

膨胀水泥防水混凝土是采用膨胀水泥配制而成。由于这种水泥在水化过程中能形成大量的钙矾石，会产生一定的体积膨胀，在有约束的条件下，能改善混凝土的孔结构，使毛细孔径减小，总孔隙率降低，从而使混凝土密实度、抗渗性提高。

4.8.3　抗冻混凝土

抗冻混凝土是指抗冻等级等于或大于 F50 级的混凝土。

混凝土的冻害主要是孔隙内部水结冰，造成体积膨胀，对混凝土孔壁形成的冰胀应力以及构件受冻后不同部位间存在温差引起的温度压力。从材料本身可克服的技术措施看，主要应从提高混凝土的密实度、减少水的渗入或在孔隙中留有释放冰胀体积的空间等方面来解决。

行业标准《普通混凝土配合比设计规程》(JGJ 55—2011)中对抗冻混凝土提出了以下技术措施和规定：

(1)水泥应采用硅酸盐水泥或普通硅酸盐水泥，不宜用火山灰质硅酸盐水泥。

(2)粗骨料宜选用连续级配，粗、细骨料宜用Ⅰ类和Ⅱ类骨料并应进行坚固性试验；

(3)抗冻等级不小于F100的抗冻混凝土宜掺用引气剂；

(4)在钢筋混凝土和预应力混凝土中不得掺用含氯盐的防冻剂，在预应力混凝土中不得掺用含亚硝酸盐或碳酸盐的防冻剂；

(5)抗冻混凝土最大水胶比和最小胶凝材料用量应符合表4-31的要求；

(6)复合矿物掺合料的掺量应符合表4-32的要求；

(7)掺用引气剂的混凝土最小含气量应符合表4-33的要求。

表4-31　抗冻混凝土的最大水胶比和最小胶凝材料用量

抗冻等级	最大水胶比		最小胶凝材料用量 /(kg·m⁻³)
	无引气剂时	掺引气剂时	
F50	0.55	0.60	300
F100	0.50	0.55	320
不低于F150	—	0.50	350

表4-32　复合矿物掺合料最大掺量

水胶比	最大掺量/%	
	采用硅酸盐水泥时	采用普通硅酸盐水泥时
≤0.40	60	50
>0.40	50	40

表4-33　长期处于潮湿和严寒环境中混凝土的最小含气量

粗骨料最大公称粒径/mm	混凝土最小含气量/%	
	潮湿或水位变动的寒冷和严寒环境	盐冻环境
40	4.5	5.0
25	5.0	5.5
20	5.5	6.0

4.8.4 耐酸混凝土

耐酸混凝土是指能防止酸性介质腐蚀作用的混凝土。

普通混凝土呈碱性，极不耐酸，所以不能用于有酸性介质腐蚀作用的环境中。耐酸混凝土的种类有很多，按耐酸胶凝材料可分为水玻璃耐酸混凝土、硫黄混凝土、沥青混凝土和树脂混凝土等。在化工、冶金等工业的大型设备(储酸槽、反应塔等)和构筑物的外壳及内衬或厂房的地面等，常采用的是水玻璃耐酸混凝土。

水玻璃耐酸混凝土主要组成材料为水玻璃、耐酸粉料、耐酸粗细骨料和氟硅酸钠。水玻璃混凝土能抵抗绝大多数酸类(除氢氟酸外)的腐蚀作用，特别是对强氧化性的酸，如硫酸、硝酸等有足够的耐酸稳定性，在高温(1000℃以下)仍有良好的耐酸性能，并具有较高的机械强度。这种耐酸混凝土材料来源广泛，成本低廉，是一种良好的耐酸材料，但抗渗及耐水性差，施工较复杂。

4.8.5 高强混凝土

高强混凝土是指强度等级为 C60 及其以上强度等级的混凝土，C100 强度等级以上的混凝土称为超高强混凝土。高强混凝土的特点是强度高、耐久性好、变形小，能适应现代工程结构向大跨度、重载、高耸发展和承受恶劣环境条件的需要。使用高强混凝土可获得明显的工程效益和经济效益。高效减水剂、高性能减水剂的使用，使在普通施工条件下制得高强混凝土成为可能。目前，我国高强混凝土主要用于混凝土桩基、预应力轨枕、电杆、大跨度薄壳结构、桥梁等。提高混凝土强度的途径很多，通常是同时采取几种技术措施，增强效果显著。目前常用的配制原理及其措施有以下几种：

(1)水泥应采用硅酸盐水泥或普通硅酸盐水泥。

(2)粗骨料宜选用连续级配，细骨料的细度模数宜为 2.6~3.0，宜用Ⅰ类骨料。

(3)宜采用减水率不小于 25% 的高性能减水剂。

(4)宜复合掺用粒化高炉矿渣、粉煤灰和硅灰等矿物掺合料，粉煤灰等级不应低于Ⅱ级，对强度等级不低于 C80 的高强混凝土宜掺用硅灰。

(5)高强混凝土的配合比应经试验确定，在缺乏试验依据的情况下，水胶比和胶凝材料用量和砂率可按表 4-34 选取，并应经试配确定；外加剂和矿物掺合料的品种、掺量应通过试配确定；矿物掺合料掺量宜为 25%~40%；硅灰掺量不宜大于 10%；水泥用量不宜大于 500 kg/m³。

表 4-34 高强混凝土的水胶比、胶凝材料用量和砂率

强度等级	水胶比	胶凝材料用量 kg/m³	砂率/%
≥C60，<C80	0.28~0.34	480~560	
≥C80，<C100	0.26~0.28	520~580	35~42
C100	0.24~0.26	550~600	

4.8.6 泵送混凝土

泵送混凝土是指可在施工现场通过压力泵及输送管道进行浇筑的混凝土。

泵送混凝土包括流动性混凝土和大流动性混凝土，泵送时坍落度不小于100 mm，主要适用于浇筑钢筋特别密、形状复杂、截面窄小的料仓壁，高层建筑的剪力墙，安装机械设备的预留孔，隧洞衬砌的封顶部位或水下混凝土等。

根据《普通混凝土配合比设计规程》(JGJ 55—2011)，泵送混凝土的配合比设计应符合以下技术要求：

（1）水泥宜选用硅酸盐水泥、普通硅酸盐水泥、矿渣硅酸盐水泥和粉煤灰硅酸盐水泥；

（2）粗骨料宜采用连续级配，其针片状颗粒含量不宜大于10%，粗骨料的最大公称粒径与输送管径之比宜符合表4-5的规定；

（3）细骨料宜采用中砂，其通过公称直径为315 μm筛孔的颗粒含量不宜少于15%；

（4）应掺用泵送剂或减水剂，并宜掺用矿物掺合料；

（5）胶凝材料用量不宜小于300 kg/m³；砂率宜为35%~45%；试配时应考虑坍落度经时损失，坍落度经时损失控制在30 mm/h以内比较好。

4.8.7 大体积混凝土

大体积混凝土是指混凝土结构物实体最小几何尺寸不小于1 m的大体量混凝土，或预计会因胶凝材料水化引起的温度变化和收缩而导致有害裂缝产生的混凝土。

大体积混凝土主要用于大型基础，大型桥墩，水利、海工工程的坝体等工程。

根据《普通混凝土配合比设计规程》(JGJ 55—2011)，大体积混凝土的配合比设计应符合以下技术要求：

（1）水泥宜采用中、低热硅酸盐水泥或低热矿渣硅酸盐水泥，当采用硅酸盐水泥或普通硅酸盐水泥时，应掺加矿物掺合料，胶凝材料的3 d和7 d水化热分别不宜大于240 kJ/kg和270 kJ/kg；

（2）粗骨料宜为连续级配，最大公称粒径不宜小于31.5 mm，含泥量不应大于1.0%；

（3）细骨料宜采用中砂，含泥量不应大于3%；

（4）宜掺用矿物掺合料和缓凝型减水剂；

（5）水胶比不宜大于0.55，用水量不宜大于175 kg/m³；

（6）在保证混凝土性能要求的前提下，宜提高每立方米混凝土中粗骨料用量，砂率宜为38%~42%，应减少胶凝材料中的水泥用量，提高矿物掺合料掺量；

（7）试配和调整时，控制混凝土绝热温升不宜大于50℃；

（8）配合比应满足施工对混凝土凝结时间的要求。

4.8.8 纤维混凝土

纤维混凝土是以普通混凝土为基体，外掺各种纤维材料而组成的复合材料。纤维材料有钢纤维、碳纤维、玻璃纤维、石棉及合成纤维等。纤维混凝土中，纤维的含量、纤维的几何形状及其在混凝土中的分布状况，对纤维混凝土的性能有重要影响。通常纤维的长径比为70~120，掺加的体积率为0.3%~8%。纤维在混凝土中起增强作用，可提高混凝土的抗压、抗拉、抗弯、冲击韧性,也能有效地改善混凝土的脆性。冲击韧性为普通混凝土的 5~10 倍,初裂抗弯强度提高 2.5 倍,劈裂抗拉强度提高 1.4 倍。混凝土掺入钢纤维后,抗压强度提高不大,但从受压破坏形式来看,破坏时无碎块、不崩裂,基本保持原来的外形,有较大的吸收变形的能力,也改善韧性,是一种良好的抗冲击材料。目前,纤维混凝土主要用于飞机跑道、高速公路、桥面、水坝覆面、桩头、军事工程等要求高耐磨性、高抗冲击性和抗裂的部位及构件。

4.8.9　防辐射混凝土

能屏蔽 X 射线、γ 射线或中子辐射的混凝土叫防辐射混凝土。材料对射线的吸收能力与其表观密度成正比,因此防辐射混凝土采用重骨料配制,常用的重骨料有重晶石(表观密度 4000~4500 kg/m³)、赤铁矿、钢铁碎块等。为提高防御中子辐射性能,掺加硼和硼化物及锂盐等。胶凝材料采用硅酸盐水泥或高铝水泥,最好采用硅酸钡、硅酸锶等重水泥。

防辐射混凝土用于原子能工业及国民经济各部门应用放射性同位素的装置,如反应堆、加速器、放射化学装置等的防护结构。

4.9　混凝土性能的检测

4.9.1　混凝土用骨料性能的检测

1. 混凝土用骨料的取样方法与验收

1)粗、细骨料的取样规定和组批原则

(1)从料堆上取料时,取料部位应均匀分布。取样前先将取样部位表面铲除,然后从不同部位抽取大致等量的砂 8 份、石 15 份,各自组成一组样品。

(2)从皮带运输机上取样时,应用接料器在皮带输送机机尾的出料处定时抽取大致等量的砂 4 份、石 8 份,各自组成一组样品。

(3)从火车、汽车、货船上取样时,从不同部位和深度抽取大致等量的砂 8 份、石 16 份,各自组成一组样品。

进行各项试验的每组试样应不小于表 4-35 规定的最少取样量。当需要做多项检验时,可在确保试样经一项试验后不致影响另一项试验的结果的前提下,用同一试样进行几项不同的试验。

每组试样应妥善包装,避免细料散失,防止污染,并附样品卡片,标明样品的编号、取样时间、代表数量、产地、样品量、要求检验项目及取样方式等。

2)粗、细骨料的缩分方法

试验时需要将所取试样缩分,取各项试验所需的数量。

细骨料可用分料器法和人工四分法缩分。分料器法的步骤是:将样品在潮湿状态下拌和均匀,然后通过分料器(如图 4-12 所示),取接料斗中的一份再次通过分料器,重复上述过程,直至把样品缩分到试验所需量为止。人工四分法是将每组试样在自然状态下于平板上拌匀,并堆成厚度约为 20 mm 的圆饼,然后沿相互垂直的两条直径把圆饼分成大致相等的四份,取其中对角线的两份重复上述过程,直至把样品缩分到试验所需的量为止。

表 4-35　每项试验所需试样的最少取样量

集料种类 试验项目	细集料 /kg	粗集料/kg							
		集料最大粒径/mm							
		9.5	16.0	19.0	26.5	31.5	37.5	63.0	75.0
颗粒级配	4.4	9.5	16.0	19.0	25.0	31.5	37.5	63.0	80.0
表观密度	2.6	8.0	8.0	8.0	8.0	12.0	16.0	24.0	24.0
堆积密度	5.0	40.0	40.0	40.0	40.0	80.0	80.0	120.0	120.0
吸水率	4.4	2.0	4.0	8.0	12.0	20.0	40.0	40.0	40.0
含水率	按试验要求的粒级和数量取样								
含泥量	4.4	8.0	8.0	24.0	24.0	40.0	40.0	80.0	80.0
泥块含量	20.0	8.0	8.0	24.0	24.0	40.0	40.0	80.0	80.0
针片状颗粒含量	—	1.2	4.0	8.0	12.0	20.0	40.0	40.0	40.0
碱集料反应	20.0	20.0	20.0	20.0	20.0	20.0	20.0	20.0	20.0

粗骨料缩分是将所取样品置于平板上，在自然状态下拌匀，并堆成堆体，然后沿相互垂直的两条直径把堆体分成大致相等的四份，取其中对角线的两份重复上述过程，直至把样品缩分到试验所需的量为止。

粗、细骨料的堆积密度、机制砂的坚固性试验所用的试样可不经缩分，拌匀后直接进行试验。

3）粗、细骨料的验收

粗、细骨料应按同分类、类别、规格（公称粒径）及日产量分批验收。日产量每 600 t 为一验收批，不足 600 t 亦为一批；日产量超过 2000 t，按 1000 t 为一验收批，不足 1000 t 亦为一批；粗骨料日产量超过 5000 t，按 2000 t 为一验收批，不足 2000 t 亦为一批。

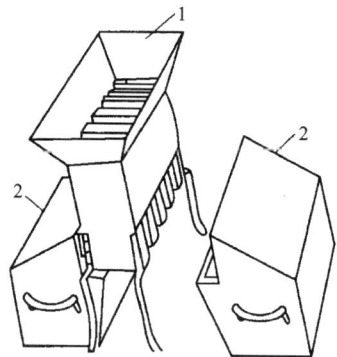

1—进料斗；2—接料斗。

图 4-12　分料器

每验收批的粗、细骨料必须进行颗粒级配、含泥量、泥块含量、松散堆积密度的检验，粗骨料还应检验针片状颗粒含量，连续粒级的粗骨料应进行空隙率检验，机制砂还应检验石粉含量和压碎性指标。对于重要工程或特殊工程，应根据工程要求，增加检测项目。对其他指标的合格性有怀疑时，应予以检验。

试验结果符合国家标准《建筑用砂》（GB/T 14684—2022）或《建筑用卵石、碎石》（GB/T 14685—2022）的相应类别规定时，可判该批产品合格。

对于细骨料，若颗粒级配、含泥量、石粉含量和泥块含量，有害物质，坚固性，表观密度、松散堆积密度、空隙率等指标中有一项指标不符合标准规定时，应从同一批产品中加倍取样，对该项进行复验。复验后，若试验结果符合标准规定，可判该批产品合格；若仍然不符合标准规定，判该批产品不合格。若有两项及以上试验结果不符合标准规定时，则判该批产品不合格。

对于粗骨料，若颗粒级配，含泥量和泥块含量，针片状颗粒含量，有害物质，坚固性，强度，表观密度、松散堆积密度、空隙率等指标中有一项指标不符合标准规定时，应从同一批产品中加倍取样，对该项进行复验。复验后，若试验结果符合标准规定，可判该批产品合格；若仍然不符合标准规定，判该批产品不合格。若有两项及以上试验结果不符合标准规定时，则判该批产品不合格。

2. 细骨料的筛分析检测

1）检测目的

微课21：细骨料筛分析
检测步骤

评定混凝土用细骨料的颗粒级配，计算细骨料的细度模数，评定细骨料的粗细程度，为混凝土配合比设计提供依据。

2）主要仪器设备

(1)试验套筛：包括孔径为 9.5 mm、4.75 mm、2.36 mm、1.18 mm、600 μm、300 μm、150 μm 的方孔筛各一只，并附有筛底和筛；

(2)天平：称量 1000 g，感量 1 g；

(3)电热鼓风干燥箱：使温度控制在 105±5℃；

(4)其他仪器：摇筛机、浅盘、毛刷等。

图 4-13　方孔筛

图 4-14　摇筛机

3）试样制备

按照规定的取样方法取样，筛除大于 9.50 mm 颗粒(并算出筛余百分率)，并缩分至 1100 g，置于烘箱中在 105±5℃下烘干至恒重，冷却至室温后，分为大致相等的两份备用。恒量指试样在烘干 3 h 以上的情况下，其前后质量之差不大于该项试验所要求的称量精度。

4）检测步骤

(1)准确称取烘干试样 500 g，精确至 1 g，置于按筛孔大小顺序排列的套筛最上一只筛上。

(2)将套筛装入摇筛机摇筛约 10 min(无摇筛机可采用手摇)。然后取下套筛，按孔径大小顺序逐个在清洁的浅盘上进行手筛，直至每分钟的筛出量不超过试样总量的 0.1% 为止。通过的颗粒并入下一号筛中一起过筛。按此顺序进行，至各号筛全部筛完为止。

(3)称取各号筛的筛余量，精确至 1 g，试样在各号筛上的筛余量均不得超过按下式计算出的质量。

$$G = \frac{A\sqrt{d}}{200}$$

式中　G——筛余量，g；

d——筛孔尺寸，mm；

A——筛的面积，mm^2。

筛上的筛余量超过时应按下列方法之一处理：

①将该粒级试样分成少于按上式计算出的量，分别筛分，并以其筛余量之和作为该号筛的筛余量。

②将该粒级及以下各粒级试样的筛余混合均匀，称出其质量，精确至1 g。再用四分法缩分为大致相等的两份，取其中一份，称出其质量，精确至1 g，继续筛分。计算该粒级及以下各粒级的分计筛余量时应根据缩分比例进行修正。

（4）称量各筛筛余试样的质量，精确至1 g。所有各筛的筛余试样质量和底盘中剩余试样质量的总和与筛余前的试样总质量相比，其差值不得超过1%。否则须重新进行试验。

5）结果计算与结论评定

（1）计算分计筛余百分率：各筛上的筛余量与试样总质量之比，计算精确至0.1%。

（2）计算累计百分率：该筛上的分计筛余百分率与大于该筛的各筛上的分计筛余百分率之总和，计算精确至0.1%。筛分后，如每号筛的筛余量与筛底的剩余量之和与原试样质量之差超过1%时，应重新试验。

（3）根据各筛两次检测的累计筛余百分率平均值，精确至0.1%，绘制筛分曲线，评定颗粒级配。

（4）计算细度模数 M_x，计算精确至0.01：

$$M_x = \frac{A_2 + A_3 + A_4 + A_5 + A_6 - 5A_1}{100 - A_1}$$

式中：$A_1 \sim A_6$ 依次为筛孔直径4.75 mm、2.36 mm、1.18 mm、600 μm、300 μm、150 μm 筛上累计筛余百分率。

（5）筛分析试验应采用两个试样进行平行试验，并以其试验结果的算术平均值作为测定值，精确至1%。细度模数取两次试验结果的算术平均值，精确至0.1。如两次试验所得细度模数之差大于0.20，应重新进行试验。

3. 细骨料的表观密度检测

1）检测目的

测定细骨料的表观密度，为计算细骨料的空隙率和混凝土配合比设计提供依据。

2）主要仪器设备

（1）容量瓶，500 mL；

（2）天平：称量1000 g，感量0.1 g；

（3）电热鼓风干燥箱：使温度控制在(105±5)℃；

（4）其他仪器：干燥器、浅盘、毛刷、滴管、温度计等。

3）试样制备

按照规定的取样方法取样并缩分至660 g，置于烘箱中在(105±5)℃下烘干至恒重，在干燥器内冷却至室温，分为大致相等的两份备用。

4）检测步骤

（1）称取烘干试样 300 g（G_0），精确至 0.1 g，装入盛有半瓶冷开水的容量瓶中，摇动容量瓶，使试样充分搅动以排除气泡，塞紧瓶塞。

（2）静置 24 h 后打开瓶塞，用滴管添水使水面与瓶颈刻度线平齐。塞紧瓶塞，擦干瓶外水分，称其重量（G_1）。

（3）倒出容量瓶中的水和试样，清洗瓶内外，再注入与上面水温相差不超过 2℃ 的冷开水至瓶颈刻度线。塞紧瓶塞，擦干瓶外水分，称其质量（G_2），精确至 1 g。

（4）试验过程中应测量并控制水温。各项称量可以在 15～25℃ 的温度范围内进行。从试样加水静置的最后 2 h 起直至试验结束，其温差不超过 2℃。

5）结果计算与结论评定

砂的表观密度 ρ_0 应按下式计算（精确至 10 kg/m³）：

$$\rho_0 = \left(\frac{G_0}{G_0 + G_2 - G_1} - \alpha_t \right) \times \rho_{水}$$

式中：G_1——瓶+试样+水，g；

$\qquad G_2$——瓶+水，g；

$\qquad G_0$——烘干试样质量，g；

$\qquad \rho_{水}$——1000 kg/m³；

$\qquad \alpha_t$——水温对表现密度影响的修正系数，见表 4-36。

表 4-36　不同水温下对表观密度影响的修正系数

水温/℃	15	16	17	18	19	20	21	22	23	24	25
α_t	0.002	0.003	0.003	0.004	0.004	0.005	0.005	0.006	0.006	0.007	0.008

表观密度以两次测定结果的算术平均值为测定值，精确至 10 kg/m³。如两次结果之差大于 20 kg/m³ 时，应重新取样进行试验。

4. 细骨料的堆积密度与空隙率检测

1）检测目的

测定细骨料的堆积密度，为混凝土配合比设计、估计运输工具的数量、存放堆场的面积等提供依据。

2）主要仪器设备

（1）台秤：称量 10 kg，感量 1 g；

（2）容量筒：金属制圆柱形，内径 108 mm，净高 109 mm，筒壁厚 2 mm，容积约为 1 L，筒底厚为 5 mm。容量筒应先校正容积，以（20±2）℃ 的饮用水装满容量筒，用玻璃板沿筒口滑移，使其紧贴水面并擦干筒外壁水分，然后称量。用下式计算容量筒容积（V）：

$$V = G_2 - G_1$$

式中：V——容量筒容积，mL；

$\qquad G_1$——筒和玻璃板总质量，g；

$\qquad G_2$——筒、玻璃板和水总质量，g。

（3）电热鼓风干燥箱：使温度控制在（105±5）℃；

（4）垫棒：直径 10 mm，长 500 mm 的圆钢；

（5）其他仪器：4.75 mm 的方孔筛、直尺、浅盘、毛刷、料勺、漏斗等。

3）试样制备

按照规定的取样方法取样并缩分约 3 L，在 105±5℃烘箱中烘至恒重，取出冷却至室温后过 4.75 mm 筛，分成大致相等两份备用。烘干试样中如有结块，应先捏碎。

4）检测步骤

（1）松散堆积密度：取试样一份，用料勺或漏斗将试样从容量筒中心上方 50 mm 处徐徐倒入，让试样以自由落体落下，当容量筒上部试样呈堆体，且容量筒四周溢满时，即停止加料。用直尺将多余的试样沿筒口中心向两边刮平（试验过程应防止触动容量筒），称出容量筒连试样总质量 G_1，精确至 1 g。

（2）紧密堆积密度：取试样一份，分两次装入容量筒。装完第一层后，在筒底垫放一根直径为 10 mm 的圆钢，将筒按住，左右交替颠击地面各 25 次。然后装入第二层，装满后用同样的方法颠实（但筒底所垫钢筋的方向与第一层的方向垂直）后，再加入试样直至超过筒口。然后用直尺沿筒口中心线向两边刮平，称出检测试样和容量筒的总质量 G_2，精确至 1 g。

5）结果计算与结论评定

砂的堆积密度 ρ_1 按下式计算（精确至 10 kg/m³）：

$$\rho_1 = \frac{G_2 - G_1}{V} \times 1000$$

式中：G_1——容量筒质量，kg；

G_2——容量筒+试样总质量，kg；

V——容量筒容积，L。

砂的空隙率 V_0 按下式计算，精确至 1%：

$$V_0 = \left(1 - \frac{\rho_1}{\rho_2}\right) \times 100\%$$

式中：V_0——空隙率；

ρ_1——砂的堆积密度，kg/m³；

ρ_2——砂的表观密度，kg/m³。

堆积密度取两次试验结果的算术平均值，精确至 10 kg/m³。空隙率取两次试验结果的算术平均值，精确至 1%。

5. 细骨料的含泥量检测

1）检测目的

测定细骨料的含泥量，为评定细骨料的质量等级提供依据。

2）主要仪器设备

（1）天平：称量 1000 g，感量 0.1 g；

（2）电热鼓风干燥箱：使温度控制在（105±5）℃；

（3）方孔筛：孔径为 1.18 mm 和 75 μm 的方孔筛各一只，并附有筛盖和筛底。

（4）容器：要求淘洗试样时，保持试样不溅出（深度大于 250 mm）；

（5）其他仪器：浅盘、毛刷等。

3）试样制备

按照规定的取样方法取样并缩分至 1100 g，放入电热鼓风干燥箱（温度 105±5℃）下烘干至恒量，冷却至室温后，筛除大于 9.5 mm 的颗粒，并计算出筛余百分率，分为大致两份备用。

4）检测步骤

（1）称取试样 500 g，精确至 0.1 g。将试样倒入淘洗容器中，注入清水，使水面高于试样面大约 150 mm，充分搅拌均匀后，浸泡 2 h，然后用手在水中淘洗试样，使尘屑、淤泥、黏土与砂粒分离，将浑水缓缓倒入 1.18 mm 和 75 μm 的方孔套筛上，滤去小于 75 μm 的颗粒。检测前筛子的两面应先用水润湿，在整个过程中应小心防止砂粒流失。

（2）再向容器中注入清水，重复上述操作，直到容器内的水清澈为止。

（3）用水淋洗剩余在筛上的细粒，并将 75 μm 的筛放在水中来回摇动，以充分洗掉小于 75 μm 的颗粒，然后将两只筛的筛余颗粒和清洗容器中已经洗净的试样一并倒入浅盘，放入电热鼓风干燥箱［温度(105±5)℃］下烘干至恒量，冷却至室温后，称出其质量，精确至 0.1 g。

5）结果计算与结论评定

含泥量的计算按下式计算（精确至 0.1%）：

$$Q_a = \frac{G_0 - G_1}{G_0} \times 100\%$$

式中：Q_a——含泥量，%；

　　G_0——检测前烘干试样的质量，g；

　　G_1——检测后烘干试样的质量，g。

含泥量取两个检测试样的检测结果的算术平均值为测定值，精确至 0.1%。两次结果之差大于 0.5% 时，应重新取样进行检测。

6. 细骨料的泥块含量检测

1）检测目的

测定细骨料的泥块含量，为评定细骨料的质量等级提供依据。

2）主要仪器设备

（1）天平：称量 1000 g，感量 1 g；

（2）电热鼓风干燥箱：使温度控制在 (105±5)℃；

（3）方孔筛：孔径为 1.18 mm 和 600 μm 的方孔筛各一只，并附有筛盖和筛底。

（4）容器：要求淘洗试样时，保持试样不溅出（深度大于 250 mm）；

（5）其他仪器：浅盘、毛刷等。

3）试样制备

按照规定的取样方法取样并缩分至 5000 g，放入电热鼓风干燥箱（温度 105±5℃）下烘干至恒量，冷却至室温后，筛除大于 1.18 mm 的颗粒，并计算出筛余百分率，分为大致两份备用。

4）检测步骤

（1）称取试样 200 g，精确至 0.1 g。将试样倒入淘洗容器中，注入清水，使水面高于试样面大约 150 mm，充分搅拌均匀后，浸泡 24 h，然后用手在水中碾碎泥块，再将试样放在 600 μm 的方孔筛上，用水淘洗，直到容器内的水清澈为止。

（2）保留下来的试样小心从筛中取出，装入浅盘，放入电热鼓风干燥箱（温度 105±5℃）下烘干至恒量，冷却至室温后，称出其质量，精确至 0.1 g。

5)结果计算与结论评定

泥块含量的计算按下式计算(精确至0.1%):

$$Q_b = \frac{G_1 - G_2}{G_1} \times 100\%$$

式中:Q_b——泥块含量,%

G_0——1.18 mm 筛检测筛余试样的质量,g;

G_1——检测后烘干试样的质量,g。

泥块含量取两个检测试样的检测结果的算术平均值为测定值,精确至0.1%。

7. 粗骨料的筛分析检测

1)检测目的

评定混凝土用粗骨料的颗粒级配,以便选择优质粗骨料,为混凝土配合比设计提供依据,达到节约水泥和改善混凝土性能的目的。

2)主要仪器设备

(1)试验套筛:包括孔径为 2.36 mm、4.75 mm、9.5 mm、16.0 mm、19.0 mm、26.5 mm、31.5 mm、37.5 mm、53.0 mm、63.0 mm、75.0 mm、90.0 mm 的方孔筛各一只,并附有筛底和筛;

(2)天平:天平的称量 10 kg,感量 1 g;

(3)电热鼓风干燥箱:使温度控制在105±5℃;

(4)其他仪器:摇筛机、浅盘等。

3)试样制备

按照规定的取样方法取样,并将试样缩分至略大于表4-37中规定的数量,烘干或风干后备用。

微课22:粗骨料的检测

表4-37　粗集料筛分析试验所需试样最少量

最大公称粒径/mm	9.5	16.0	19.0	26.5	31.5	37.5	63.0	75.0
筛分析试样质量/kg	1.9	3.2	3.8	5.0	6.3	7.5	12.6	16.0

4)检测步骤

(1)按表4-37中规定称取试样,精确到1 g,将试样倒入按孔径大小从上到下组合的套筛上。

(2)将套筛置于摇筛机上,摇10 min,取下套筛,按筛孔大小顺序再逐个用手筛,直至每分钟的通过量不超过试样总量的0.1%。通过的颗粒并入下一号筛中,并和下一号筛中的试样一起过筛,直到各号筛全部筛完为止。当试样粒径大于19.0 mm时,在筛分过程中允许用手拨动试样颗粒。

(3)称量各筛筛余试样的质量,精确至1 g。分计筛余量和筛底剩余的总和与筛分前试样总量相比,其相差不得超过1%。否则,须重新试验。

5)结果计算与结论评定

计算分计筛余百分率精确至0.1%,累计百分率精确至1%。计算方法同细集料的筛分析试验。筛分后,如每号筛的筛余量与筛底的筛余量之和同原试样量之差超过1%,应重新试

验。根据各筛的累计百分率，评定试样的颗粒级配。

8.粗骨料的表观密度检测

1）检测目的

测定粗骨料的表观密度，为计算粗骨料的空隙率、评定粗骨料的质量和混凝土配合比设计提供依据。

2）主要仪器设备

（1）天平或浸水天平（如图4-15所示）：可悬挂吊篮测定骨料的水中质量，称量5 kg，感量5 g；

（2）吊篮：耐锈蚀材料制成，直径和高度为150 mm左右，四周及底部用1~2 mm的筛网编制或具有密集的孔眼；

（3）溢流水槽：在称量水中质量时能保持水面高度一定；

（4）方孔筛：孔径4.75 mm；

（5）电热鼓风干燥箱：使温度控制在105±5℃；

（6）其他仪器：温度计、浅盘、毛巾等。

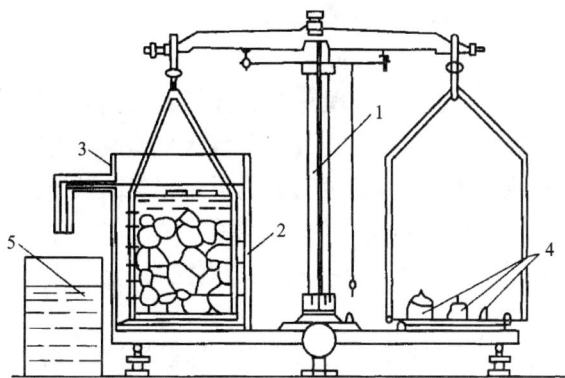

图4-15 浸水天平

3）试样制备

按照规定的取样方法取样，并缩分至略大于表4-37规定的数量，风干后筛除小于4.75 mm的颗粒，然后洗刷干净，分为大致相等的两份备用。

表4-37 表观密度试样所需试样数量

最大粒径/mm	<26.5	31.5	37.5	63.0	75.0
最少试样质量/kg	2.0	3.0	4.0	6.0	6.0

4）检测步骤

（1）取试样一份装入吊篮，并浸入盛有水的容器中，液面至少高出试样表面50 mm；

（2）浸水24 h后，移放到称量用的溢流水槽中，然后上下升降吊篮以排除气泡，试样不得露出水面，吊篮每升降一次约1 s，升降高度为30~50 mm；

（3）调节水温在15~20℃范围内（吊篮应全浸在水中），准确称出吊篮及试样在水中的质量，精确至5 g，溢流水槽中水面的高度由水槽的溢流孔控制；

（4）提起吊篮，将试样倒入浅盘，放入电热鼓风干燥箱（温度105±5℃）下烘干至恒量，冷却至室温后，称出其质量，精确至5 g。

（5）称出吊篮在同样温度的水中的质量，精确至5 g，称量时溢流水槽内水面的高度由水槽的溢流孔控制。

5）结果计算与结论评定

粗骨料的表观密度 ρ_0 应按下式计算（精确至10 kg/m³）：

$$\rho_0 = (\frac{G_0}{G_0 + G_2 - G_1} - \alpha_t) \times \rho_{水}$$

式中：ρ_0——粗骨料的表观密度，kg/m³；

G_1——吊篮在水中的质量，g；

G_2——吊篮及试样在水中的质量，g；

G_0——烘干试样质量，g；

$\rho_{水}$——1000 kg/m³；

α_t——水温对表现密度影响的修正系数，见表4-36。

表观密度以两次测定结果的算术平均值作为测定值。如两次结果之差大于 20 kg/m³ 时，应重新取样进行试验。对颗粒材质不均匀的试样，如两次结果之差值超过 20 kg/m³ 时，可取四次测定结果的算术平均值作为测定值。

9. 粗骨料的堆积密度与空隙率检测

1）检测目的

测定粗骨料的堆积密度，为计算粗骨料的空隙率、评定粗骨料的质量、混凝土配合比设计、估计运输工具的数量、存放堆场的面积等提供依据。

2）主要仪器设备

（1）天平：称量 10 kg，感量 10；称量 50 kg 或 100 kg，感量 50 g 各一台。

（2）电热鼓风干燥箱：使温度控制在 105±5℃。

（3）容量筒：适用于粗骨料堆积密度测定的容量筒应符合表4-38的要求，试验前应校正容积，方法同细集料的堆积密度试验。

（4）垫棒：直径 16 mm，长 600 mm 的圆钢。

（5）其他仪器：平头铁锹、捣棒（直径 16 mm，长 600 mm，一端为圆头）、直尺等。

表 4-38　容量筒的规格要求

粗集料最大公称粒径 /mm	容量筒容积 /L	容量筒规格/mm		筒壁厚度 /mm
		内径	净高	
9.5, 16.0, 19.0, 26.5	10	208	294	2
31.5, 37.5	20	294	294	3
53.0, 63.0, 75.0	30	360	294	4

3）试样制备

按照规定的取样方法取样，在 105±5℃ 烘箱中烘干或摊于洁净地面上风干、拌匀后，分成大致相等两份备用。

4）检测步骤

（1）松散堆积密度：取试样一份，置于平整、干净的地板（或铁板）上，用铁铲将试样自距筒口 50 mm 左右处自由落入容量筒，装满容量筒。注意取去凸出筒表面的颗粒，并以较合适的颗粒填充凹陷空隙，使表面凸起部分和凹陷部分的体积基本相同。称出容量筒连同试样的总质量。

（2）紧密堆积密度：按堆积密度的试验步骤，将试样分三层装入容量筒；装完一层后，在筒底垫放一根直径为 16 mm 的圆钢，将筒按住，左右交替颠击地面各 25 次；然后再装入第二层，用同样的方法（筒底所垫钢筋方向应与第一次方向垂直）颠实；然后再装入第三层，如法颠实；待三层试样装填完毕后，加料至试样超出容量筒筒口，用钢筋沿筒口边缘滚转，刮下高出筒口的颗粒，以较合适的颗粒填充凹陷空隙，使表面凸起部分和凹陷部分的体积基本相等。称出容量筒连同试样的总质量，精确至 10 g。

5）结果计算与结论评定

粗骨料的堆积密度 ρ_1 按下式计算（精确至 10 kg/m³）：

$$\rho_1 = \frac{G_2 - G_1}{V} \quad （kg/m^3）$$

式中：ρ_1——粗骨料的堆积密度，kg/m³；

　　　G_1——容量筒质量，g；

　　　G_2——容量筒+试样总质量，g；

　　　V——容量筒容积，L。

石子的空隙率 V_0 按下式计算，精确至 1%：

$$V_0 = \left(1 - \frac{\rho_1}{\rho_2}\right) \times 100\%$$

式中：V_0——空隙率；

　　　ρ_1——粗骨料的堆积密度，kg/m³；

　　　ρ_2——粗骨料的表观密度，kg/m³。

堆积密度取两次试验结果的算术平均值，精确至 10 kg/m³。空隙率取两次试验结果的算术平均值，精确至 1%。

10. 骨料含水率的检测

1）检测目的

检测粗、细骨料的含水率，为混凝土配合比设计提供依据。

2）主要仪器设备

（1）天平或台秤：称量 1 kg，感量 0.1 g（用于砂），称量 10 kg，感量 1 g（用于石子）；

（2）电热鼓风干燥箱：使温度控制在 105±5℃；

（3）其他仪器：浅盘、小铲、毛巾、刷子等。

3）试样制备

按照规定的取样方法取样并缩分，砂缩分至 1100 g，石子缩分至 4.0 kg，分成大致相等两份备用。若为细集料，由样品中取质量约 500 g 的试样两份备用；若为粗集料，按表 4-35 所要求的数量抽取试样，分为两份备用。

4）检测步骤

（1）称取一份试样 G_1，细骨料称量 1000 g，感量 0.1 g；粗骨料 2000 g，精确至 1 g；

（2）将试样放在 105±5℃烘箱中烘干至恒量，待冷却至室温后，称取其质量 G_2，精确至 1 g。

5）结果计算与结论评定

骨料的含水率 Z 按下式计算（精确至 0.1%）：

$$Z = \frac{G_1 - G_2}{G_2} \times 100\%$$

式中：Z——骨料的含水率；

　　G_1——烘干前试样的质量，g；

　　G_2——烘干后试样的质量，g。

含水率取两次试样结果的算术平均值，精确至0.1%。两次试样结果之差大于0.2%时，应重新试验。

11. 细骨料氯离子含量检测

1）检测目的

检测细骨料氯化物含量(以氯离子质量计)，判定细骨料的有害物质氯化物的含量是否符合国家标准。

2）主要仪器设备

(1)烘箱：温度控制在(105±5)℃；

(2)天平：量程不小于1000 g，分度值不大于0.1 g；

(3)三角瓶：300 mL；

(4)移液管：50 mL；

(5)滴定管：10 mL或25 mL，分度值0.1 mL；

(6)容量瓶：500 mL；

(7)其他：1000 mL烧杯、浅盘、毛刷等。

3）试剂和材料

0.01 mol/L硝酸银标准溶液：按《化学试剂标准滴定溶液的制备》(GB/T 601)配制0.1 mol/L硝酸银并标定，储藏于棕色试剂瓶。临用前取10 mL置于100 mL的容量瓶中，用煮沸并冷却的蒸馏水稀释至刻度线；

铬酸钾指示剂溶液：称取5 g铬酸钾溶于50 mL蒸馏水中，滴加0.01 mol/L硝酸银至有红色沉淀生成，摇匀，静置12 h，然后过滤并用蒸馏水将滤液稀释至100 mL。

4）检测步骤

细骨料氯离子含量检测最少取样量为4.4 kg，将所取试样缩分至约1100 g，放在烘箱中于(105±5)℃下烘干至恒重，待冷却至室温后，平均分为2份备用。

称取试样500 g，精确至0.1 g，记为m_f。将试样倒入烧杯中，用容量瓶量取500 mL蒸馏水，注入烧杯，用玻璃棒搅拌砂水混合物后，用表面皿覆盖烧杯并将其置于水浴锅中加热，待其从室温加热至80℃并且持续1 h后停止加热。然后每隔5 min搅拌一次，共搅拌3次，使氯盐充分溶解。从水浴锅中将烧杯取出，静置溶液待其冷却至室温。将烧杯上部已澄清的溶液过滤，然后用移液管吸取50 mL滤液，注入三角瓶中。再加入铬酸钾指示剂1 mL，用0.01 mol/L硝酸银标准溶液滴定至呈现砖红色为终点。记录消耗的硝酸银标准溶液的毫升数(V_{f1})，精确至0.1 mL。

空白试验：用移液管移取50 mL蒸馏水注入三角瓶内，加入铬酸指示剂1 mL，并用0.01 mol/L硝酸银标准溶液滴定至溶液呈现砖红色。记录此点消耗的硝酸银标准溶液的毫升数(V_{f2})，精确至0.1 mL。

5）结果计算与结论评定

氯化物含量应按下式计算，并精确至0.001%：

$$Q_f = \frac{\rho_{AgNO_3}(V_{f1}-V_{f2}) \times 0.0355 \times 10}{m_f} \times 100\%$$

式中：Q_f——氯化物含量；

　　　ρ_{AgNO_3}——硝酸银标准溶液的浓度，取 0.01，单位为摩尔每升(mol/L)；

　　　V_{f1}——样品滴定时消耗的硝酸银标准溶液的体积，单位为毫升(mL)；

　　　V_{f2}——空白试验时消耗的硝酸银标准溶液的体积，单位为毫升(mL)；

　　　0.0355——换算系数；

　　　10——全部试样溶液与所分取试样溶液的体积比；

　　　m_f——试样质量，单位为克(g)。

氯化物含量取 2 次试验结果的算术平均值，精确至 0.01%。

4.9.2　混凝土拌合物性能的检测

1. 混凝土拌合物试验拌和方法

1)一般规定

(1)拌制混凝土的原材料应符合技术要求，并与施工实际用料相同，在拌和前，材料的温度应与实验室温度(应保持在 20±5℃)一致。需要模拟施工条件下所用的混凝土时，所用材料的温度宜与施工现场温度保持一致。

(2)拌制混凝土的材料用量以质量计。称量的精确度：骨料为±0.5%，水、水泥及混合材料、外加剂为±0.2%。

(3)取样方法：同一组混凝土拌合物的取样应从同一盘混凝土或同一车混凝土中取样。取样量应多于试验所需量的 1.5 倍，且不小于 20 L。混凝土拌合物的取样应具有代表性，宜采用多次多样的方法。一般在同一盘混凝土或同一车混凝土中的约 1/4 处、1/2 处和 3/4 处之间分别取样，从第一次取样到最后一次取样不宜超过 15 min，然后人工搅拌均匀。从取样完毕到开始做各项性能试验不宜超过 5 min。

2)主要仪器设备

(1)混凝土搅拌机：容量 75~100 L，转速 18~22 r/min；

(2)磅秤：称量 50 kg，感量 50 g；

(3)天平：称量 5 kg，感量 1 g；

(4)其他用具：量筒(200 cm³，1000 cm³)、拌铲、拌板(1.5 m×2 m 左右)、盛器等。

3)拌和方法

混凝土拌合物应采用搅拌机搅拌，搅拌量不应小于搅拌机公称容量的 1/4，不应大于搅拌机公称容量，且不应少于 20 L；

按所定配合比计算每盘混凝土各材料用量后备料；

预拌一次，即用少量同种混凝土拌合物或水胶比相同的砂浆，在搅拌机中进行涮膛，然后倒出并刮去余料，其目的是使水泥砂浆先粘附满搅拌机的筒壁，避免正式拌和时影响拌合物的实际配合比；

开动搅拌机，向搅拌机内依次加入粗骨料、胶凝材料、细骨料和水，难溶的和不溶的粉状外加剂宜与胶凝材料同时加入搅拌机，液体和可溶外加剂宜与拌合水同时加入搅拌机。混凝土拌合物宜搅拌 2 min 以上，直至搅拌均匀。

将拌和物自搅拌机卸出，倾倒在拌板上，再经人工拌和 1~2 min，即可进行测试或成型试件，从开始加水时算起，全部操作必须在 30 min 内完成。

2.混凝土拌合物和易性检测

检测目的：测定混凝土拌合物的流动性，同时评定混凝土拌合物的黏聚性和保水性，为混凝土配合比设计提供依据。

1）坍落度法与坍落度扩展度法

本方法适用于骨料最大粒径不大于 40 mm、坍落度值不小于 10 mm 的混凝土拌合物稠度测定。

（1）主要仪器设备

坍落度筒：截头圆锥形，由薄钢板或其他金属制成，形状和尺寸如图 4-16 所示。

捣棒：直径 16 mm，长 650 mm，一端为圆头。

其他仪器：小铲、直尺、拌板、镘刀等。

（2）检测步骤

用湿布将坍落度筒内外及底板擦净、润湿，

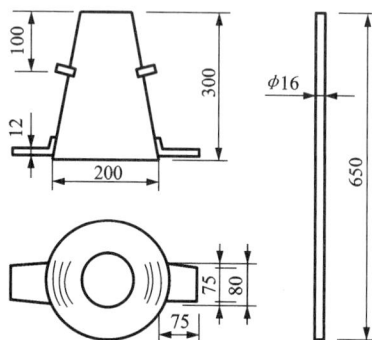

图 4-16　坍落度筒与捣棒（单位：mm）

在坍落度筒内壁和底板上应无明水。底板应放在坚实水平面上，并把筒放在底板中心，然后用脚踩住二边的脚踏板，使坍落度筒在装料时保持位置固定。

把按要求取得的混凝土试样用小铲分三层均匀地装在筒内，使捣实后每层高度为筒高的 1/3 左右。每层用捣棒插捣 25 次。插捣应沿螺旋方向由外向中心进行，各次插捣应在截面上均匀分布。插捣筒边混凝土时，捣棒可以稍稍倾斜。插捣底层时，捣棒应贯穿整个深度，插捣第二层和顶层时，捣棒应插透本层至下一层的表面。浇灌顶层时，混凝土应灌至高出筒口。插捣过程中，如混凝土沉落到低于筒口，则应随时添加。顶层插捣完后，刮去多余的混凝土并用镘刀抹平。

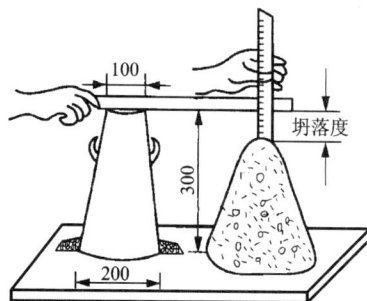

图 4-17　坍落度的测定（单位：mm）

清除筒边底板的混凝土后，平稳垂直地提起坍落度筒。坍落度筒的提离过程应在 3~7 s 内完成。从开始装料到提起坍落度筒的整个过程中应不间断进行，并应在 150 s 内完成。

当试样不再继续坍落或坍落时间达 30 s 时，测量筒高与坍落后混凝土试体最高点之间的高度差，即为该混凝土拌合物的坍落度值（以 mm 为单位，测量值精确至 1 mm，结果精确至 5 mm），如图 4-17 所示。

（3）结果评定

流动性：用坍落度值表示，单位 mm。

黏聚性：用捣棒在已坍落的拌合物锥体侧面轻轻敲打，如果锥体逐渐下沉，表示黏聚性良好，如果锥体倒塌，部分崩裂或出现离析现象，即为黏聚性不好。

保水性：提起坍落度筒后如有较多的稀浆从底部析出，锥体部分的拌合物也因失浆而骨料外露，则表明此拌合物保水性不好。如无这种现象，则表明保水性良好。

坍落度筒提离后，如发生试体崩坍或一边剪坏现象，则应重新取样进行测定。如第二次仍出现这种现象,则表示该拌合物和易性不好,应予记录备查。当混凝土拌合物的坍落度不小于 160 mm 时,用钢尺测量混凝土扩展后最终的最大直径以及与最大直径呈垂直方向的直径,在这两个直径之差小于 50 mm 的条件下,用其算术平均值作为坍落度扩展度试验结果;否则,应重新取样另行测定。

(4)和易性的调整

在按初步配合比计算好试拌材料的同时,另外还需备好两份为坍落度调整用的水泥和水,备用的水泥和水的比例应符合原定的水胶比,其数量可为原来用量的 5% 与 10%。

当测得混凝土拌合物坍落度小于规定要求时,可掺入备用的水泥和水,掺量可根据坍落度相差的大小确定;当坍落度大于规定要求,黏聚性和保水性较差时,可保持砂率不变,适当增加砂和石子的用量,或减少减水剂用量。一般每增减 2~5% 的水泥浆量,坍落度可增减 10 mm 左右。如保水性较差,可适当增大砂率,即其他材料不变,适当增加砂的用量。

2)维勃稠度法

本方法适用于骨料最大粒径不大于 40 mm,维勃稠度在 5~30 s 之间的混凝土拌合物维勃稠度测定。

(1)主要仪器设备

维勃稠度仪:如图 4-18 所示。

其他仪器:秒表、小铲、拌板、镘刀等。

(2)试验步骤

将维勃稠度仪放置在坚实水平面上,用

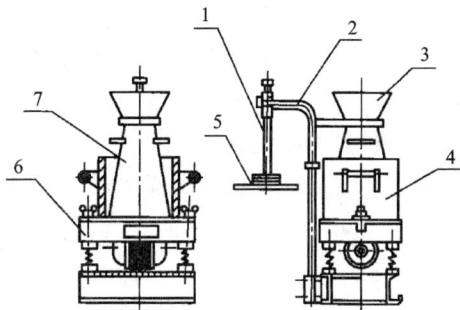

图 4-18　维勃稠度仪

湿布将容器、坍落度筒、喂料斗内壁及其他用具润湿。将喂料斗提到坍落度筒上方扣紧,校正容器位置,使其中心与喂料中心重合,然后拧紧固定螺丝。

将混凝土拌合物经喂料斗分三层均匀装入坍落度筒。装料及插捣的方法同坍落度试验。

将喂料斗转离,沿坍落度筒口刮平顶面,垂直提起坍落度筒,此时应注意不使混凝土试体产生横向的扭动。

将透明圆盘转到混凝土圆台体顶面,放松测杆螺丝,降下圆盘,使它轻轻地接触到混凝土顶面。拧紧定位螺丝,并检查测杆螺丝是否完全松开。

同时开启振动台和秒表,当透明圆盘的底面被水泥浆布满的瞬间立即停秒表计时并关闭振动台。

由秒表读得的时间(s)即为该混凝土拌合物的维勃稠度值(读数精确至 1 s)。

3.混凝土拌合物的表观密度检测

1)检测目的

测得混凝土拌合物捣实后的单位体积重量(表观密度),为调整混凝土配合比提供依据。

2)主要仪器设备

容量筒:金属制成的圆筒,两旁装有提手。对骨料最大粒径不大于 40 mm 的拌合物采用容积不小于 5 L 的容量筒,5 L 容量筒内径与内高均为 186±2 mm,筒壁厚 3 mm;骨料最大粒径大于 40 mm 时,容量筒内径与内高均应大于骨料最大粒径的 4 倍。容量筒上缘及内壁不应光滑平整,顶面与底面应平行并与圆柱体的轴垂直。

台秤:称量 50 kg,感量 50 g。

其他仪器:振动台、捣棒等。

3）检测步骤

用湿布把容量筒内外擦干净，称出其质量 W_1，精确至 50 g。

混凝土的装料及捣实方法应视拌合物的稠度而定。一般来说，坍落度不大于 90 mm 的混凝土，用振动台振实为宜；坍落度大于 90 mm，用捣棒捣实为宜。采用捣棒捣实时，应根据容量筒的大小决定分层与插捣次数：用 5 L 的容量筒，混凝土拌合物应分两层装入，每层插捣次数应为 25 次；用大于 5 L 的容量筒，每层混凝土的高度不应大于 100 mm，每层插捣次数应按每 100 cm² 截面不小于 12 次计算。各次插捣应由边缘向中心均匀地插捣，插捣底层时捣棒应插透本层至下一层的表面；每一层捣完后用橡皮锤轻轻沿容器外壁敲打 5~10 次，进行振实，直至拌合物表面插捣孔消失并不见大气泡为止。采用振实台振实时，应一次将混凝土拌合物灌到高出容量筒口。装料时可用捣棒稍加插捣，振动过程中如果混凝土低于筒口，应随时添加混凝土，振动直至表面出浆为止。自密实混凝土应一次性填满，且不应进行振动和插捣。

用刮尺将筒口多余的混凝土拌合物刮去，表面如有凹陷应填平；将容量筒外壁擦干净，称出混凝土试样与容量筒总质量 W_2，精确至 50 g。

4）结果计算与结论评定

混凝土拌合物的表观密度按下式计算（精确到 10 kg/m³）：

$$\nu_h = \frac{W_2 - W_1}{V} \times 1000 \ (kg/m^3)$$

式中：ν_h——混凝土的表观密度，kg/m³；

W_1——容量筒质量，kg；

W_2——容量筒+试样总质量，kg；

V——容量筒容积，L。

4. 混凝土拌合物凝结时间的检测

1）检测目的

测定混凝土拌合物的凝结时间，对混凝土工程中混凝土的搅拌、运输以及施工提供重要的参考依据。

2）主要仪器设备

贯入阻力仪：由加荷装置、测针、砂浆试样筒和标准筛组成；

其他仪器：振动台、捣棒、秒表等。

3）检测步骤

(1)将按标准要求制备或从现场取样的混凝土拌合物试样中，用筛孔公称直径为 5 mm 的标准筛筛出砂浆，每次应筛净，然后将其拌和均匀。将砂浆一次分别装入三个试样筒中，做三个试验。取样混凝土坍落度不大于 90 mm 的混凝土宜用振动台振实砂浆，取样混凝土坍落度大于 90 mm 的宜用捣棒人工捣实。用振动台振实砂浆时，振动应持续到表面出浆为止，不得过振；用捣棒人工捣实时，应沿螺旋方向由外向中心均匀插捣 25 次，然后用橡皮锤轻轻敲打筒壁，直至插捣孔消失为止。振实或插捣后，砂浆表面应低于砂浆试样筒口约 10 mm；砂浆试样筒应立即加盖。

(2)砂浆制样完毕，编号后应置于温度为 20±2℃的环境中或现场同条件下待试，并在以后的整个测试过程中，环境温度应始终保持 20±2℃。现场同条件测试时，应与现场条件保持一致。在整个测试过程中，除在吸取泌水或进行贯入试验外，试样筒应始终加盖。

（3）凝结时间测定从水泥与水接触瞬间开始计时。根据混凝土拌合物的性能，确定测针试验时间，以后每隔 0.5 h 测试一次，在临近初、终凝时可增加测定次数。

（4）在每次测试前 2 min，将一片 20±5 mm 厚的垫块垫入筒底一侧使其倾斜，用吸管吸去表面的泌水，吸水后平稳地复原。

（5）测试时将砂浆试样筒置于贯入阻力仪上，测针端部与砂浆表面接触，然后在 10±2 s 内均匀地使测针贯入砂浆 25±2 mm 深度，记录贯入压力，精确至 10 N；记录测试时间，精确至 1 min；记录环境温度，精确至 0.5℃。

（6）每个砂浆筒每次测 1~2 个点，各测点的间距应大于测针直径的两倍且不小于 15 mm，测点与试样筒壁的距离应不小于 25 mm。

（7）每个试样的贯入阻力测试在 0.2~28 MPa 之间应至少进行 6 次，直至贯入阻力大于 28 MPa 为止。

（8）在测试过程中应根据砂浆凝结状况，适时更换测针，更换测针宜按表 4-39 选用。

表 4-39　测针选用规定表

贯入阻力/MPa	0.2~3.5	3.5~20	20~28
测针面积/mm²	100	50	20

4）结果计算与结论评定

（1）贯入阻力按下式计算：

$$f_{PR} = \frac{P}{A}$$

式中：f_{PR}——贯入阻力，MPa；

　　P——贯入压力，N；

　　A——测针面积，mm²。

计算应精确至 0.1 MPa。

（2）凝结时间宜通过线性回归法确定，是将贯入阻力 f_{PR} 和时间 t 分别取自然对数 $\ln f_{PR}$ 和 $\ln t$，然后把 $\ln f_{PR}$ 当作自变量，$\ln t$ 当作因变量作线性回归得到回归方程式：

$$\ln t = A + B\ln f_{PR}$$

式中：t——时间，min；

　　f_{PR}——贯入阻力，MPa；

　　A、B——线性回归系数。

由上式求得当贯入阻力为 3.5 MPa 时为初凝时间 t_s，贯入阻力为 28 MPa 时为终凝时间 t_e：

$$t_s = e^{A+B\ln3.5}$$
$$t_e = e^{A+B\ln28}$$

式中：t_s——初凝时间，min；

　　t_e——终凝时间，min；

　　A、B——线性回归系数。

凝结时间也可用绘图拟合方法确定，是以贯入阻力为纵坐标，经过的时间为横坐标（精确至 1 min），绘制出贯入阻力与时间之间的关系曲线，以 3.5 MPa 和 28 MPa 画两条平行于横坐标的直线，分别与曲线相交的两个交点的横坐标即为混凝土拌合物的初凝时间和终凝时间。

（3）用三个试验结果的初凝和终凝时间的算术平均值作为此次试验的初凝时间和终凝时间。如果三个测值的最大值、最小值中有一个与中间值的差值超过中间值的 10% 时，则把最大值及最小值一并舍去，取中间值作为混凝土的凝结时间。如最大值和最小值与中间值之差值均超过中间值的 10% 时，则此次试验无效。

凝结时间用 h:min 表示，并精确至 5 min。

4.9.3 混凝土力学性能的检测

1. 混凝土的取样方法

混凝土试样应在混凝土浇筑地点随机抽取，取样频率和数量应符合下列规定：

（1）每 100 盘，但不超过 100 m³ 的同配合比的混凝土，取样次数不得少于一次。

（2）每一工作班拌制的同配合比的混凝土不足 100 盘和 100 m³ 时，其取样次数不得少于一次。

（3）当一次连续浇筑的同配合比的混凝土超过 1000 m³ 时，每 200 m³ 取样次数不应少于一次。

（4）对房屋建筑，每一层楼、同一配合比的混凝土，取样次数不应少于一次。

每批混凝土应制作的试件总组数，除应满足评定混凝土强度的需要，还应留置为检验结构或构件施工阶段混凝土强度所必需的试件。

2. 混凝土立方体抗压强度的检测

1）检测目的

检测混凝土立方体抗压强度，用以检验材料的质量，确定、校核混凝土配合比，并为控制施工质量提供依据。

2）主要仪器设备

（1）压力试验机：测量精度为±1%，试件破坏载荷应大于压力机全量程的 20% 且小于压力机于全量程的 80%。应具有加荷速度指示装置或加荷速度控制装置，并能均匀、连续加荷。应具有有效期内的计量检定证书。

（2）振动台：试验所用振动台的振动频率为（50±3）Hz，空载振幅约为 0.5 mm。

（3）试模：试模由铸铁或钢制成，应具有足够的刚度并拆装方便。试模内表面应机械加工，其不平度应为每 100 mm 不超过 0.04 mm，组装后各相邻面夹角应为直角，直角误差不应大于±0.3°。其中边长为 150 mm 的立方体试模为标准试模，边长为 100 mm 和 200 mm 的立方体试模为非标准试模。

（4）其他仪器：捣棒、小铁铲、金属直尺、镘刀等。

3）试件制作

（1）成型前，应检查试模是否符合要求；试模内表面应涂一薄层矿物油或其它不与混凝土发生反应的脱模剂。

（2）在试验室拌制混凝土时，其材料用量以质量计。称量的精度：骨料为±0.5%，水、水泥、掺合料、外加剂均为±0.2%。

（3）取样或试验室拌制的混凝土应在拌制后尽短时间内成型，一般不宜超过 15 min。混

凝土拌合物在入模前应保证其均匀性。

(4)根据混凝土拌合物的稠度或试验目的确定混凝土强度试件成型方法,混凝土应充分密实避免分层离析。

用振动台振实时,将混凝土拌合物一次装满试模,装料时应用抹刀沿各试模内壁插捣,并使混凝土拌和物高出试模口;试模应附着或固定在振动台上,振动时应防止试模在振动台上自由跳动,振动应持续到表面出浆且无明显大气泡溢出为止,不得过振。

用人工捣实时,混凝土拌和物应分两层装入模内,每层的装料厚度大致相等;插捣应按螺旋方向从边缘向中心均匀进行。在插捣底层混凝土时,捣棒应达到试模底部;插捣上层时,捣棒应贯穿上层后插入下层20~30 mm;插捣时捣棒应保持垂直,不得倾斜,然后用抹刀沿试模内壁插拔数次;每层插捣次数按在每100 cm^{2}截面积不少于12次;插捣后应用橡皮锤轻轻敲击试模四周,直至捣棒留下的空洞消失为止。

(5)刮除试模上口多余的混凝土,待混凝土临近初凝时,用抹刀抹平。

表 4-40　插捣次数及尺寸换算系数

试件尺寸/mm×mm×mm	骨料最大粒径/mm	每层插捣次数/次	抗压强度换算系数
100×100×100	31.5	12	0.95
150×150×150	37.5	25	1
200×200×200	63.0	50	1.05

4)试件养护

(1)试件成型后应立即用不透水的薄膜覆盖表面,以防止水分蒸发,保持试件表面湿度并应在温度为20±5℃、相对湿度大于50%的室内静置一至两昼夜。试件静置期间应避免受到振动和冲击,静置后编号标记拆模,当试件有严重缺陷时,应按废弃处理。

拆模后的试件应立即放在温度为20±2℃,相对湿度为95%以上的标准养护室中养护。在标准养护室内试件应放在架上,彼此间隔为10~20 mm,并应避免用水直接冲淋试件。

(2)无标准养护室时,混凝土试件可在温度为20±2℃的不流动的Ca(OH)$_2$饱和溶液中养护。

(3)与构件同条件养护的试件成型后,应覆盖表面。试件的拆模时间可与实际构件的拆模时间相同。拆模后,试件仍需保持同条件养护。

(4)标准养护龄期为28 d(从搅拌加水开始计时)。

5)检测步骤

(1)试件自养护地点取出后应及时进行试验,将试件表面和试验机上下承压板面擦干净。

(2)将试件安放在下承压板上,试件的承压面应与成型时的顶面垂直。试件的中心应与试验机下睿板对准。开动试验机,当上压板与试件接近时,调整球座,使接触均衡。

(3)加压时,应连续而均匀地加荷,加荷速度应为:当混凝土强度等级<C30时,取0.3~0.5 MPa/s;混凝土强度等级≥C30且<C60时,取0.5~0.8 MPa/s;混凝土强度等级≥C60时,取0.8~1.0 MPa/s。当试件接近破坏而开始急剧变形时,应停止调整试验机油门,直至试件破坏,然后记录破坏荷载 P(N)。

6)结果计算与结论评定

(1)混凝土立方体试件的抗压强度按下式计算(精确至0.1 MPa):

$$f_{cu} = \frac{P}{A}$$

式中：f_{cu}——混凝土立方体试件抗压强度，MPa；

    P——破坏荷载，N；

    A——试件承压面积，mm²。

(2)以三个试件测定值的算术平均值作为该组试件的抗压强度值(精确至0.1 MPa)。如果三个测定值中的最小值或最大值中有一个与中间值的差值超过中间值的15%时，则把最大及最小值一并舍除，取中间值作为该组试件的抗压强度值。如最大值和最小值与中间值相差均超过15%，则该组试件试验结果无效。

(3)混凝土强度等级<C60时，用非标准试件测得的强度值应乘以尺寸换算系数，见表4-40。当混凝土强度等级≥C60时，宜采用标准试件；使用非标准试件时，尺寸换算系数应由试验确定。

3. 混凝土的劈裂抗拉强度的检测

1)检测目的

测定混凝土的劈裂抗拉强度，评定其抗裂性能，为确定混凝土的力学性能提供依据。

混凝土的劈裂抗拉强度试验是在立方体试件的两个相对的表面中心线上作用均匀分布的压力，使在荷载所作用的竖向平面内产生均匀分布的拉伸应力；当拉伸应力达到混凝土极限抗拉强度时，试件将被劈裂破坏，从而可以测出混凝土的劈裂抗拉强度。

2)主要仪器设备

(1)垫块：钢制弧形垫块半径为75 mm，其截面尺寸如图4-19(a)所示，垫块的长度与试件相同。

(2)垫条：为三层胶合板制成，宽度为20 mm，厚度为3~4 mm，长度不小于试件长度，垫条不得重复使用。

(3)支架：为钢支架，如图4-19(b)所示。

(4)其他仪器：压力机、试模等，与混凝土抗压强度试验中的规定相同。

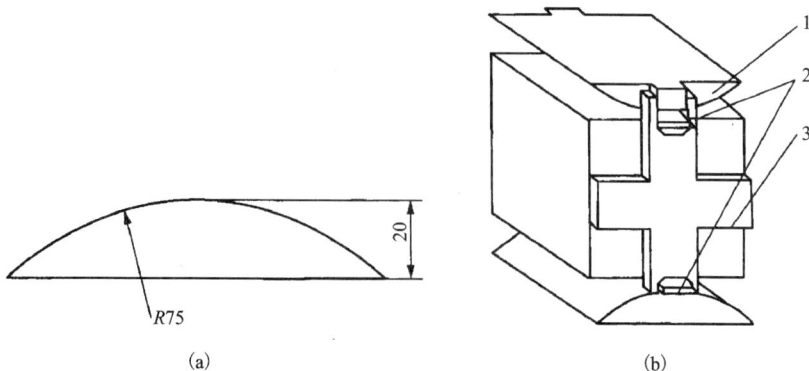

1—垫块；2—垫条；3—支架

图4-19 混凝土劈裂抗拉试验装置图(单位：mm)

(a)垫块；(b)支架

3）试件准备

采用混凝土立方体试块，边长为 150 mm 的立方体试件是标准试件，边长为 100 mm 和 200 mm 的立方体试件是非标准试件，每组试件应为 3 块。其制作及养护要求与混凝土立方体抗压强度检测试验相同。

4）检测步骤

（1）试件从养护地点取出后应及时进行试验，将试件表面和试验机上下承压板面擦干净。

（2）将试件放在试验机的下压板的中心位置，劈裂承压面和劈裂面应与试件成型时的顶面垂直；在上、下压板与试件之间垫以圆弧形垫块及垫条各一条，垫块及垫条应与试件上、下面的中心线对准并与试件成型时的顶面垂直。宜把垫条及试件安装在定位架上使用。

（3）开动试验机，当上压板与圆弧形垫块接近时，调整球座，使接触均衡。加荷应连续均匀，加荷速度为：当混凝土强度等级<C30 时，取 0.02~0.05 MPa/s；混凝土强度等级≥C30 且<C60 时，取 0.05~0.08 MPa/s；混凝土强度等级≥C60 时，取 0.08~0.10 MPa/s。

（4）在试件临近破坏开始急剧变形时，停止调整试验机油门，直至试件破坏，然后记录破坏荷载 $P(\mathrm{N})$。

5）结果计算与结论评定

（1）混凝土劈裂抗拉强度按下式计算（精确至 0.01 MPa）：

$$f_{\mathrm{ts}} = \frac{2P}{\pi A} = 0.637 \times \frac{P}{A}$$

式中：f_{ts}——混凝土劈裂抗拉强度，MPa；

　　　P——破坏荷载，N；

　　　A——试件劈裂面积，mm^2。

（2）以三个试件测定值的算术平均值作为该组试件的劈裂抗拉强度值（精确至 0.01 MPa）。如果三个测定值中的最小值或最大值中有一个与中间值的差值超过中间值的 15%时，则把最大及最小值一并舍除，取中间值作为该组试件的抗拉强度值。如最大值和最小值与中间值相差均超过 15%，则该组试件试验结果无效。

（3）采用边长为 150 mm 的立方体试件作为标准试件，如采用边长为 100 mm 的立方体非标准试件时，测得的强度应乘以尺寸换算系数 0.85；当混凝土强度等级≥C60 时，应采用标准试件。

4. 混凝土的抗折强度的检测

1）检测目的

测定混凝土的抗折强度，检验其是否符合结构设计要求。

2）主要仪器设备

（1）试验机：与混凝土抗压强度试验中的规定相同。

（2）抗折试验装置：能使两个相等载荷同时作用在试件跨度 3 分点处，如图 4-20 所示。

3）试件准备

混凝土的抗折强度标准试件的尺寸

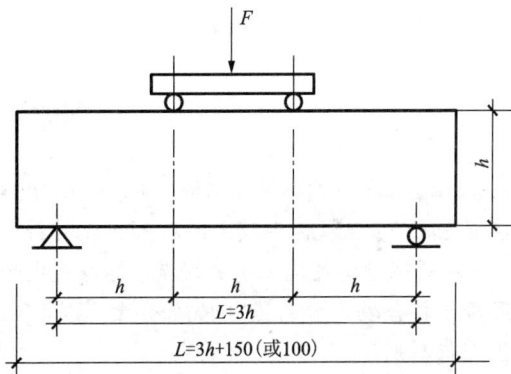

图 4-20　混凝土抗折试验装置图

为 150 mm×150 mm×600(或 550)mm，非标准试件的尺寸为 100 mm×100 mm×400 mm。试件在长度方向中部 1/3 区段内不得有表面直径超过 5 mm、深度超过 2 mm 的孔洞，每组试件应为 3 块。

4）检测步骤

（1）试件从养护地取出后应及时进行试验，试验前将试件表面擦干净。

（2）按图 4-20 安装试件，安装尺寸偏差不得大于 1 mm。试件的承压面应为试件成型时的侧面。支座及承压面与圆柱的接触面应平稳、均匀，否则应垫平。

（3）施加荷载应保持均匀、连续，加荷速率为：当混凝土强度等级<C30 时，取 0.02～0.05 MPa/s；强度等级≥C30 且<C60 时，取 0.05～0.08 MPa/s；混凝土强度等级≥C60 时，取 0.08～0.10 MPa/s，至试件接近破坏时，应停止调整试验机油门，直至试件破坏，然后记录破坏荷载及试件下边缘断裂位置。

5）结果计算与结论评定

（1）当断面发生在两加工荷点之间时，抗折强度 f_f（以 MPa 计）按下式计算：

$$f_f = \frac{FL}{bh^2}$$

式中：F——极限荷载，N；

L——支座间距，$L = 450$ mm；

b——试件宽度，mm；

h——试件高度，mm。

（2）以三个试件测定值的算术平均值作为该组试件的抗折强度值。如果三个测定值中的最小值或最大值中有一个与中间值的差值超过中间值的 15% 时，则把最大及最小值一并舍除，取中间值作为该组试件的抗折强度。如最大值和最小值与中间值相差均超过 15%，则该组试件试验结果无效。

（3）三个试件中有一个折断面位于两个集中荷载之外时，则混凝土抗折强度值按另两个试件的试验结果计算。若这两个测值的差值不大于这两个测值中较小值的 15% 时，则该组试件的抗折强度值按这两个测值的平均值计算，否则该组试件的试验无效。若有两个试件的下边缘断裂位置位于两个集中载荷作用线之外，则该组试件试验无效。

（4）采用 100 mm×100 mm×400 mm 非标准试件时，三分点加荷的试验方法同前，但所取得的抗折强度应乘以尺寸换算系数 0.85；当混凝土强度等级≥C60 时，宜采用标准试件；使用非标准试件时，尺寸换算系数应由试验确定。

模块小结

混凝土的基本组成材料为水泥、水、粗骨料、细骨料，另外外加剂已成为改善混凝土性能的极有效措施之一，被视为混凝土的第五组成材料。它们在混凝土中各自起着不同的作用。混凝土所用原材料必须满足国家有关规范、标准规定的质量要求，才能确保混凝土的质量。

混凝土拌合物的和易性包括流动性、黏聚性、保水性三个方面，常采用坍落度或维勃稠度试验进行判别。

混凝土的强度有抗压强度、抗拉强度、抗折强度等。混凝土的强度等级采用立方体抗压强度标准值确定。

混凝土的耐久性包括抗渗性、抗冻性、抗腐蚀性、抗碳化能力、碱–骨料反应等。混凝土的耐久性与混凝土的密实度关系密切，也与水泥用量、水胶比密切相关。

混凝土配合比设计主要围绕四个基本要求进行，即满足设计强度要求、适应于工程施工条件下的和易性要求、满足使用条件下的耐久性要求、最大限度地降低工程造价。配合比设计时应正确确定三个参数，先计算出初步配合比，再通过实验室拌和调整，确定基准配合比和实验室配合比，最后根据施工现场骨料的含水率确定施工配合比。强度评定是检验配合比设计的最终成果。

为了保证混凝土结构的可靠性，必须对混凝土进行质量控制，要对混凝土各个施工环节进行质量控制和检查，另外还要用数理统计方法对混凝土的强度进行检验评定。

除开常用的普通混凝土外，其他品种的混凝土也日益得到广泛使用。各种混凝土的性能、特点各具特色，分别适用于不同的环境，扩大了混凝土的应用范围，从长远看是很有发展潜力的。

技能考核题

一、填空题

1. 测定塑性混凝土和易性时，常用_____表示流动性，同时还观察_____和_____。

2. 普通混凝土用粗骨料有_____和_____两种，其中_____拌制的混凝土强度更高。

3. 普通混凝土的主要组成材料有_____、_____、_____、水、外加剂、掺合料等。

4. 粗骨料的最大粒径不得超过结构截面最小尺寸的_____和钢筋最小最小净距的_____，混凝土实心板的粗骨料一般不宜超过_____mm。

5. 混凝土拌合物的和易性包括_____、_____和_____三个方面的含义。

6. 建筑用砂的颗粒级配按_____mm筛的累计筛余率分为_____个级配区；按_____的大小分为细砂、中砂和粗砂。

7. 混凝土的三大技术性质指_____、_____、_____。

8. 当混凝土拌合物坍落度太小时，保持_____不变，增加适量的_____；当坍落度太大时，可增加适量的_____。

9. 常用的外加剂的品种有_____、_____、_____、早强剂、阻锈剂等。

10. 砂的颗粒越细，其总表面积越_____，需要包裹砂粒表面的水泥浆越_____，一般用粗砂配制混凝土比细砂要_____。

11. 测定混凝土坍落度时，将混凝土分_____层加入筒中，每层用捣棒插捣_____次，测量筒高与坍落后混凝土试体_____之间的高度差。

12. 为了保证水泥水化所需的_____和_____，对浇筑完毕____h以内的混凝土应加以覆盖并保温养护。

13. 当构件截面尺寸_____，构件配筋_____，采用_____振捣时，坍落度可选大些。

14. 砂子的筛分曲线表示砂子的_____，细度模数表示砂子的_____，配制混凝土用砂，应同时考虑_____和_____的要求。

15.为保证混凝土耐久性，必须满足_____水灰比和_____水泥用量要求。

二、单项选择题

1.提高混凝土拌合物的流动性，可采取的措施是(　　)。

A.增加单位用水量　　　　B.提高砂率

C.增大水胶比　　　　　　D.在保持水胶比一定的条件下，同时增加水泥用量和用水量

2.以下不属于混凝土配合比设计中三个重要参数的是(　　)。

A.单位用水量　　　　B.最小水泥用量　　　　C.砂率　　　　D.水胶比

3.夏季混凝土施工时，因为温度较高，应考虑加入的外加剂是(　　)。

A.减水剂　　　　　　B.引气剂　　　　　　C.缓凝剂　　　　D.早强剂

4.坍落度不小于(　　)mm的混凝土拌合物的流动性，采用坍落度法测定。

A.5　　　　　　　　B.10　　　　　　　　C.15　　　　　　　　D.20

5.配制混凝土用砂的要求是尽量采用(　　)的砂

A.空隙率和总表面积均较小　　　　　　B.空隙率大且总表面积小

C.空隙率小且总表面积大　　　　　　　D.空隙率和总表面积均较大

6.混凝土立方体抗压强度标准值是指具有(　　)%强度保证率的立方体抗压强度。

A.100　　　　　　　B.95　　　　　　　　C.90　　　　　　　　D.85

7.混凝土长距离发运时，应首先考虑加入的外加剂是(　　)。

A.引气剂　　　　　　B.缓凝剂　　　　　　C.减水剂　　　　D.速凝剂

8.混凝土强度等级是按照(　　)来划分的 。

A.立方体抗压强度值　　　　　　　　　B.立方体抗压强度标准值；

C.立方体抗压强度平均值　　　　　　　D.棱柱体抗压强度值

9.混凝土用粗骨料的最大粒径不得超过钢筋最小净距的(　　)。

A.1/4　　　　　　　B.2/4　　　　　　　　C.3/4　　　　　　　　D.4/4

10.混凝土要求泵送施工时常用的外加剂是(　　)

A.引气剂　　　　　　B.缓凝剂　　　　　　C.高效减水剂　　　　D.速凝剂

11.配制混凝土用砂的要求是尽量采用(　　)的砂。

A.1 级配区　　　　　B.2 级配区　　　　　C.3 级配区　　　　D.4 级配区

12.配制高强混凝土应当常用(　　)类骨料。

A.Ⅰ　　　　　　　　B.Ⅱ　　　　　　　　C.Ⅲ　　　　　　　　D.Ⅳ

13.混凝土立方体抗压强度检测中用的标准试模是(　　)mm。

A.70.7×70.7×70.7　B.100×100×100　　C.150×150×150　　D.200×200×200

14.以下对混凝土强度影响最大的参数是(　　)。

A.单位用水量　　　　B.水泥用量　　　　　C.砂率　　　　　　　D.水胶比

15.混凝土在冬季施工时，应考虑加入的外加剂是(　　)。

A.减水剂　　　　　　B.引气剂　　　　　　C.缓凝剂　　　　D.早强剂

16.日均气温低于(　　)℃时，混凝土不得浇水养护。

A.3　　　　　　　　B.4　　　　　　　　　C.5　　　　　　　　D.6

17.坍落度低于施工要求时，应加(　　)进行调整。

A.水　　　　　　　　B.水泥　　　　　　　C.水泥浆　　　　　　D.砂石

18.配制有抗渗、抗冻要求的混凝土应采用(　　　)类及以上骨料。

A. Ⅰ　　　　　　　　B. Ⅱ　　　　　　　　C. Ⅲ　　　　　　　　D. Ⅳ

19.混凝土用粗骨料的最大粒径一般不应超过(　　　)mm。

A. 30　　　　　　　　B. 40　　　　　　　　C. 50　　　　　　　　D. 60

20.混凝土试块拆模后的标准养护条件为(　　　)。

A. 20±2℃，相对湿度90%　　　　　　　　B. 20±2℃，相对湿度95%

C. 20±1℃，相对湿度90%　　　　　　　　D. 20±1℃，相对湿度95%

21.塑性混凝土的流动性指标用(　　　)表示。

A.坍落度　　　　　　B.维勃稠度　　　　　C.沉入度　　　　　　D.分层度

22.有抗渗要求的混凝土，应考虑加入的外加剂是(　　　)。

A.速凝剂　　　　　　B.引气剂　　　　　　C.缓凝剂　　　　　　D.早强剂

三、多项选择题

1.影响混凝土拌合物和易性的因素有(　　　　　　　)。

A.水泥浆的数量　　　　　　　　　　　　B.单位用水量

C.施工时搅拌和振捣的方法　　　　　　　D.砂率

2.通过砂的筛分析试验可以检测的指标有(　　　　　　　)。

A.级配　　　　　　　B.细度模数　　　　　C.压碎指标值　　　D.比表面积

3.检测混凝土立方体抗压强度时可采用的试模有(　　　　　　)mm。

A.70.7×70.7×70.7　　B.100×100×100　　C.150×150×150　　D.200×200×200

4.选用粗骨料时应考虑(　　　　　　)。

A.颗粒级配　　　　　B.最大粒径　　　　　C.表面特征　　　　D.细度模数

5.混凝土拌合物的水胶比过大时,会造成(　　　)

A.坍落度降低　　　　　　　　　　　　　B.粘结性和保水性不良

C.混凝土强度降低　　　　　　　　　　　D.流浆

四、判断题

1.采用细砂拌制混凝土时,砂率的选择应偏大。　　　　　　　　　　　　(　　)

2.选择坍落度的原则应当是在满足施工要求的条件下,尽可能采用较小的坍落度。(　　)

3.为了满足混凝土耐久性要求,应控制其最小水胶比和最大水泥用量。　　(　　)

4.普通混凝土用砂的细度模数愈小,砂颗粒越细,消耗的水泥浆越多。　　(　　)

5.水胶比在0.4~0.8范围内,且当混凝土中用水量一定时,水胶比变化对混凝土
拌合物的流动性影响不大。　　　　　　　　　　　　　　　　　　　　　(　　)

6.用卵石拌混凝土由于和易性会更好,因此强度也会较高。　　　　　　(　　)

7.Ⅲ类骨料可用于有抗渗、抗冻要求的混凝土中。　　　　　　　　　　(　　)

8.构件截面尺寸较大,配筋较稀疏时,坍落度应选择大些。　　　　　　(　　)

9.拌合物的流动性随温度的升高而降低,故夏季施工时,为保持一定的和易性,
应适当提高拌合物的用水量。　　　　　　　　　　　　　　　　　　　　(　　)

10.增大混凝土的流动性时,往往粘聚性和保水性会变差。　　　　　　(　　)

五、名词解释

1.颗粒级配

2.和易性

3. 流动性

4. 黏聚性

5. 保水性

6. 砂率

7. 水胶比

8. 单位用水量

9. 混凝土立方体抗压强度标准值

10. 混凝土配合比

六、案例分析

1. 某工地进场一批砂，取砂样做筛分析试验，各筛筛余量如下表：问：(1)是否符合中砂级配要求？(2)细度模数是多少？

筛孔尺寸/mm	9.50	4.75	2.36	1.18	0.6	0.3	0.15	0
试样1筛余量/g	0	25	70	78	98	124	103	2
试样1筛余量/g	0	23	71	81	99	122	101	3

2. 混凝土拌合物的和易性不好对施工操作影响很大，也会影响硬化混凝土的强度和耐久性。在工程中可采用什么措施来改善混凝土拌合物的和易性？

3. 混凝土工程中往往会因为混凝土强度不够而造成混凝土构件产生裂缝，请分析我们可以采用哪些措施来提高混凝土的强度。

4. 建设部80号令《房屋建筑工程质量保修办法》中规定：主体结构工程的最低保修期限为设计文件规定的该工程的合理使用年限。在混凝土工程中可以采取什么措施来提高混凝土的耐久性？

5. 工程中设计混凝土配合比时要求采用合理的砂率，什么是合理砂率？合理砂率有何技术及经济意义？

6. 某施工工地向商品混凝土搅拌站购买了C20的混凝土，在施工现场留置了一组边长为150 mm的立方体试块，标准养护28天，测得的抗压破坏载荷分别为510 kN、520 kN、650 kN。确定该批混凝土的抗压强度是否合格。

7. 混凝土的设计配合比为 $m_c : m_s : m_g = 1 : 2.34 : 4.32$，W/B = 0.6，施工现场搅拌混凝土，现场砂石的情况：砂的含水率为4%，石子的含水率为2%，请问每搅拌一盘混凝土(混凝土搅拌机每搅拌一盘混凝土用水泥两包)，各组成材料的用量是多少？

8. 某框剪结构工程现浇钢筋混凝土柱，处于室内潮湿环境中，混凝土的设计强度等级为C40，施工要求坍落度为35~50 mm(混凝土由机械搅拌、机械振捣)，该施工单位无历史统计资料。采用的原材料为：

水泥：52.5级普通水泥，$\rho_c = 3100$ kg/m^3；

粉煤灰：Ⅰ级，$\rho_f = 2600$ kg/m^3；

砂子：河砂，中砂，$M_x = 2.8$，$\rho_s = 2650$ kg/m^3；

石子：碎石，$\phi 5 \sim 25$ mm 连续级配，$\rho_g = 2650$ kg/m^3；

水：饮用水。

施工现场砂子含水率为5%，石子含水率为1%。试根据以上条件，设计混凝土配合比。

模块五　建筑砂浆

【课程思政目标】

1. 具有坚定正确的政治方向、良好的职业道德和诚信品质；

2. 爱岗敬业，具有工匠精神、劳动精神、劳模精神；

3. 具有良好的质量意识、规范意识、环保意识、安全意识；

4. 培养家国情怀，具有较强的集体荣誉感和团队协作精神。

【能力目标】

1. 能根据工程特点及使用环境进行砌筑砂浆配合比设计。

2. 能根据相关标准检测砂浆拌合物的和易性及砂浆抗压强度。

3. 能分析并解决施工中因砂浆的质量等原因导致的工程技术问题。

【知识目标】

1. 掌握砌筑砂浆的技术性质、配合比设计和应用。

2. 熟悉建筑砂浆的组成以及建筑砂浆对原材料的质量要求。

3. 了解其他品种砂浆的应用。

【本模块推荐学习的标准和规范】

《砌筑砂浆配合比设计规程》(JGJ/T 98—2010)

《建筑砂浆基本性能试验方法标准》(JGJ/T 70—2009)

　　建筑砂浆是由胶凝材料、细骨料和水，有时也加入适量掺和料及外加剂，配制而成的建筑工程材料。在建筑施工过程中，主要用于砌筑、抹灰、灌缝和粘贴饰面。

　　建筑砂浆按其用途不同可分为砌筑砂浆、抹面砂浆和特种砂浆，抹面砂浆包括普通抹面砂浆、装饰砂浆，特种砂浆具有特殊的功能，如防水、绝热、吸声等；按其所用胶凝材料的不同可分为石灰砂浆、水泥砂浆、水泥混合砂浆等；按其堆积密度不同可分为重质砂浆与轻质砂浆等。随着施工工艺不断的发展，除了现场搅拌外，也出现了工厂预拌的干拌砂浆。

5.1　砌筑砂浆

　　能将砖、石块、砌块等黏结成为砌体的砂浆称为砌筑砂浆。砌筑砂浆在建筑工程中的用量很大，起到黏结、衬垫及传递应力的作用，并经受环境介质的作用。因此，砌筑砂浆新拌制后应具有良好的和易性，硬化后应具有足够的强度、黏结力和耐久性等。

微课23：建筑砂浆的标识

5.1.1 砌筑砂浆的组成材料

1. 水泥

常用的水泥品种有普通水泥、矿渣水泥、粉煤灰水泥、火山灰水泥、复合水泥等。水泥品种应该根据使用部位对耐久性的要求来选择。不同品种的水泥不应混用。水泥的强度等级要求：M15 及以下强度等级的砌筑砂浆宜选用 32.5 级的通用硅酸盐水泥或砌筑水泥；M15 以上强度等级的砌筑砂浆宜选用 42.5 级通用硅酸盐水泥。水泥砂浆中水泥的用量不应小于 200 kg/m³，水泥混合砂浆中水泥与掺和料的总量宜为 350 kg/m³。对于特殊用途的砂浆可采用特种水泥，如修补裂缝、结构加固等可采用膨胀水泥；用于蒸压加气混凝土的砂浆，应采用 32.5 级的普通硅酸盐水泥或矿渣硅酸盐水泥。

2. 砂

砌筑砂浆用砂的质量要求应符合《普通混凝土用砂石质量及检验方法标准》(JGJ 52—2006)的规定，且应全部通过 4.75 mm 的筛孔。一般选用洁净的河砂或符合要求的山砂、人工砂，并且应过筛。砂中不得含有草根、树叶、泥土等杂质。一般砌筑砂浆用砂宜采用中砂拌制，其最大粒径不大于砂浆层厚度的 1/4(2.5 mm)；毛石砌体宜选用粗砂，最大粒径应小于砂浆层厚度的 1/4~1/5。砂中含泥量不应大于 5%。砂的含泥量过大，不但会增加砂浆的水泥用量，还可能使砂浆的收缩值增人、耐久性降低，影响砌筑质量。

3. 掺和料

常用的掺和料有石灰膏、磨细的生石灰粉、电石膏、粉煤灰、黏土膏、沸石膏等无机材料。在砂浆中加入掺和料以改善砂浆的和易性，节约水泥，利用工业废渣，有利于保护环境。

生石灰熟化成石灰膏时，应用孔径不大于 3 mm×3 mm 的丝网过滤，熟化时间不得少于 7 d；磨细生石灰粉的熟化时间不得少于 2 d。沉淀池中储存的石灰膏应采取防止干燥、冻结和污染的措施，严禁使用脱水硬化的石灰膏。消石灰粉因没有充分熟化，颗粒太粗，起不到改善和易性的作用，所以不得直接用于砌筑砂浆中。石灰膏、电石膏试配时稠度应为 120±5 mm。

粉煤灰的技术指标应符合《用于水泥和混凝土中的粉煤灰》(GB 1596—2017)的规定和要求。

4. 外加剂

外加剂是指在拌制砂浆过程中掺入，用来改善砂浆性能的物质，如松香皂、微沫剂等有机塑化剂。外加剂应经砂浆性能试验合格后方可使用，有机塑化剂应具有法定检测机构出具的砌体强度形式检验报告。

5. 水

拌制砂浆的用水，水质应符合《混凝土用水标准》(JGJ 63—2006)的规定，选用不含有害杂质的洁净水。

5.1.2 砌筑砂浆的性质

砌筑砂浆的技术性质，包括新拌砂浆的和易性，硬化后砂浆的强度、黏结力及抗冻性、收缩值等指标。

1. 新拌砂浆的和易性

和易性是指新拌制的砂浆的工作性，即在施工中易于操作且能够保证工程质量的性质，包括流动性和保水性两个方面。和易性良好的砂浆，不仅在运输和操作过程中不易出现分层、泌水等现象，而且容易在粗糙的砖、石、砌块的表面铺成均匀的薄层，保证灰缝既饱满又密实，能够将砖、砌块、石块很好地黏结成整体。而且可操作时间长，有利于施工操作，提高生产效率，保证工程质量。

1）流动性

流动性又称稠度，是指砂浆在自重或外力作用下流动的性能，以"沉入度"表示。沉入度是以标准试锥在砂浆内自由沉入 10 s 所沉入的深度，用砂浆稠度仪测定，详见试验部分。

砂浆的稠度

流动性的大小与许多因素有关，如水泥的品种与用量、用水量、砂子的粗细程度及级配状态、塑化剂和外加剂的掺加量以及搅拌时间等，其影响机理与混凝土流动性基本相同。流动性过大，不能保证砂浆层的厚度和黏结强度，同时砂浆层的收缩过大，出现收缩裂缝；流动性过小，砂浆不易铺抹开，同样不能保证砂浆层的厚度和强度。流动性选择合适，有利于提高施工效率，减轻劳动强度。砂浆的流动性应根据砌体的种类、施工条件及气候条件，从表 5-1 中选择。

表 5-1　砌筑砂浆的稠度选择

砌体的种类	砂浆稠度/mm
烧结普通砖砌体、粉煤灰砖砌体	70～90
烧结多孔砖、空心砖砌体、轻集料混凝土小型空心砌块、蒸压加气混凝土砌块砌体	60～80
普通混凝土小型空心砌块砌体、混凝土砌块砌体、灰砂砖砌体	50～70
石砌体	30～50

2）保水性

砂浆的保水性是指砂浆能够保持其内部水分不易析出的能力，以"分层度"和"保水率"表示。

砂浆的保水性

保水性好的砂浆，在停放、运输和使用过程中，能很好地保持其中的水分不致很快流失或发生分层、离析，在砌筑过程中容易铺成均匀密实的砂浆层，能使胶凝材料正常水化，保证砌体有良好的质量。砂浆的保水性差，砂浆在运输、存放时易分层而不均匀，上层变稀，下层变干稠，可操作性变差，且砂浆的保水性太差，会造成砂浆中的水分容易被砖、石等吸收，不能够保证水泥水化所需的水分，影响水泥的正常水化，降低砂浆本身的强度和黏结强度。为提高砂浆的保水性，可以加入掺和料（石灰膏等）配成混合砂浆，或者加入塑化剂。

保水率是反映砂浆泌水情况的指标，保水率高表示砂浆泌水就少，保水性能就好。砂浆保水率要求见表 5-2。

表 5-2　砌筑砂浆的保水率(JGJ/T 98—2010)

砂浆种类	保水率/%
水泥砂浆	≥80
水泥混合砂浆	≥84
预拌砂浆	≥88

砂浆的分层度不得大于 30 mm,水泥混合砂浆的分层度一般不大于 20 mm,用于蒸压加气混凝土的水泥砂浆分层度不得大于 20 mm。

3)表观密度

水泥砂浆拌合物的表面密度不应小于 1900 kg/m³,水泥混合砂浆和预拌砌筑砂浆拌合物的表面密度不应小于 1800 kg/m³。

2.硬化砂浆的技术性质

1)砂浆的强度

砂浆的强度等级是以 70.7 mm×70.7 mm×70.7 mm 的立方体标准试块,在标准条件(温度为 20℃±2℃,相对湿度为 90% 以上的标准养护室养护 28 天测得的抗压强度平均值确定的。水泥砂浆及预拌砂浆的强度等级可分为 M30、M25、M20、M15、M10、M7.5、M5 七个等级,水泥混合砂浆的强度等级可分为 M15、M10、M7.5、M5 四个强度等级。

硬化砂浆的技术性质

影响砂浆抗压强度的因素有很多,主要是水泥的强度等级和用量(或 W/C)。砂的质量、掺和料的品种及用量、养护条件(温度和湿度)等对砂浆的强度也有一定的影响。

(1)用于不吸水底面材料(如石材)的砂浆,砂浆强度取决于水泥强度和水胶比,与混凝土相似,计算公式如下:

$$f_{m,0} = 0.29f_{ce}\left(\frac{B}{W} - 0.4\right) \tag{5-1}$$

式中:$f_{m,0}$——砂浆 28 d 抗压强度平均值,MPa;

f_{ce}——水泥的实测强度,MPa;

$\dfrac{B}{W}$——胶水比。

(2)用于吸水性较大的底面材料(如砖、砌块)的砂浆,由于砂浆具有保水性,即使原先砂浆中的水分不同,经底面材料吸收去部分水后,留在砂浆中的水分几乎相同,可视为常量。在这种情况下,砂浆的强度取决于水泥强度及水泥用量,可用下面经验公式计算:

$$f_{m,0} = \frac{\alpha f_{ce} Q_C}{1000} + \beta \tag{5-2}$$

式中:Q_C——每立方米砂浆的水泥用量,kg;

f_{ce}——水泥 28 d 时的实测强度值,MPa;

α,β——砂浆的特征系数,其中 $\alpha = 3.03$,$\beta = -15.09$,也可由当地的统计资料计算($n \geq 30$)获得。

2）黏结力

砌筑砂浆必须具有一定的黏结力，才可以将砌筑材料黏结成一个整体。黏结力的大小，会影响整个砌体的强度、耐久性、稳定性及抗震性能。影响砂浆的黏结力的因素有很多，主要是砂浆的抗压强度，一般来说，砂浆的抗压强度越大，其黏结力也越大。此外，砂浆的黏结力也和基面的清洁程度、粗糙程度、含水状态、养护条件等有关。

3）砂浆的变形

砂浆在承受荷载、温度变化或湿度变化时均会产生变形，如果变形过大，会引起开裂从而降低砌体的质量。若砂浆中掺有太多轻骨料或混合材料（如粉煤灰、轻砂等），其收缩变形较大。

4）砂浆的耐久性

砂浆应具备经久耐用的性能。潮湿部位、地下或水下砌体要考虑砂浆的抗渗和抗冻要求。影响砂浆耐久性的主要因素有水泥的品种和用量，砂浆内部的孔隙率和孔隙特征等。

5.1.3　砌筑砂浆的配合比设计

砂浆的配合比用每立方米砂浆中各种材料的用量来表示。可以从砂浆配合比速查手册中查找，也可以根据《砌筑砂浆配合比设计规程》（JGJ 98—2010）中的设计方法进行计算。但必须经试配调整，以确保砂浆达到设计要求。

1. 初步配合比的确定

水泥砂浆和水泥混合砂浆的初步配合比，按照不同的方法来确定。

1）水泥混合砂浆的初步配合比设计

（1）计算砂浆的试配强度。

$$f_{m,0} = kf_2 \qquad (5-3)$$

式中：$f_{m,0}$——砂浆的试配强度，MPa，精确至 0.1 MPa；

　　f_2——砂浆的设计抗压强度平均值，MPa，即砂浆的强度等级；

　　k——系数，施工水平优良取 1.15，施工水平一般取 1.20，施工水平较差取 1.25。

当有统计资料时（统计周期内，同一品种的砂浆试件的总组数，$n \geq 25$），可计算砂浆现场强度标准差 σ。

当不具有近期统计资料时，砂浆现场强度标准差可从表 5-3 中选用。

表 5-3　砂浆强度标准差 σ 选用值　　　　　　　　　　　　/MPa

施工水平＼砂浆强度等级	M5	M7.5	M10	M15	M20	M25	M30
优良	1.00	1.5	2.00	3.00	4.00	5.00	6.00
一般	1.25	1.88	2.50	3.75	5.00	6.25	7.50
较差	1.50	2.25	3.00	4.50	6.00	7.50	9.00

（2）计算 1 m³ 砂浆中的水泥用量。

$$Q_C = \frac{1000(f_{m,0} - \beta)}{\alpha f_{ce}} \qquad (5-4)$$

（3）计算 1 m³ 砂浆中的掺加料用量。

$$Q_D = Q_A - Q_C \qquad (5-5)$$

式中：Q_A 为经验数据，指每立方米砂浆中的掺加料与水泥总量，单位为 kg，可为 350 kg。若掺加料为石灰膏，其稠度以 120 mm 为宜。若石灰膏的稠度偏小，则要相应减少其用量。

（4）确定 1 m³ 砂浆中的砂用量。

$$Q_s = \rho'_{0,s} V'_0 \qquad (5-6)$$

式中：$\rho'_{0,s}$——砂子干燥状态时（含水量小于 0.5%）的堆积密度值，kg/m³；

V'_0——每立方砂浆所用砂的堆积体积，m³，取 1 m³。

（5）选定 1 m³ 砂浆中的用水量。

根据砂浆稠度及施工现场的气候条件，用水量 Q_w 可在 210~310 kg 之间选用。

2）水泥砂浆的初步配合比设计

对于水泥砂浆，如果按强度要求计算，得到的水泥用量往往不能够满足和易性要求，因此，JGJ 98—2010 中规定各种材料的用量从表 5-4 中参考选用，试配强度按式（5-3）计算。

表 5-4　每立方米水泥砂浆材料用量

强度等级	每立方米水泥砂浆 水泥用量/kg	每立方米水泥砂浆 砂子用量/kg	每立方米水泥砂浆 用水量/kg
M5	200~230		
M7.5	230~260		
M10	260~290		
M15	290~330	1 m³ 砂子的堆积密度值	270~330
M20	340~400		
M25	360~410		
M30	430~480		

注：1. M15 及 M15 以下强度等级水泥砂浆，水泥强度等级为 32.5 级；M15 以上强度等级水泥砂浆，水泥强度等级为 42.5 级；

2. 根据施工水平合理选择水泥用量；

3. 当采用细砂或粗砂时，用水量分别取上限或下限；

4. 稠度小于 70 mm 时，用水量可小于下限；

5. 施工现场气候炎热或干燥季节，可酌量增加用水量；

6. 试配强度应按 $f_{m,0} = k f_2$ 计算。

2. 配合比试配、调整和确定

（1）采用与工程实际相同的材料和搅拌方法试拌砂浆，测定砂浆的稠度和保水率。当不能满足和易性要求时应调整材料用量，使其符合要求。此配合比即为基准配合比。

（2）采用三个不同水泥用量的配合比进行强度校核。其中一个为上述基准配合比，另外两个水泥用量在基准配合比的水泥用量基础上分别增减 10%，分别试拌，在保证稠度和保水率合格的条件下（如不符可调整用水量和掺和料用量），根据砂浆强度检测方法分别制作强度试件（每组三个试件），标准养护到 28 d，测定砂浆的抗压强度，选符合设计强度要求且水泥用量最少的砂浆配合比作为砂浆配合比。

3.配合比设计实例

要求设计强度等级为 M10 的水泥石灰砂浆，流动性为 70~100 mm。采用 32.5 级的矿渣水泥，28 d 实测强度值为 38.0 MPa，中砂，含水率 2%，堆积密度为 1360 kg/m³；施工水平一般。试计算砂浆的配合比。

设计步骤：

1)计算砂浆的试配强度 $f_{m,0}$

根据该施工水平一般，查表 5-3 得 $\sigma = 2.50$ MPa，k 取 1.20，代入公式(5-3)得：

$$f_{m,0} = 1.20 \times 10 = 12 \text{ MPa}$$

2)计算水泥用量 Q_C

把 $\alpha = 3.03$、$\beta = -15.09$、$f_{ce} = 38$ MPa 代入公式(5-4)，

$$Q_C = \frac{1000(f_{m,0} - \beta)}{\alpha f_{ce}} = \frac{1000 \times (12 + 15.09)}{3.03 \times 38} \text{kg} = 235 \text{ kg}$$

3)计算石灰膏的用量 Q_D

$$Q_D = Q_A - Q_C = (350 - 235) \text{ kg} = 115 \text{ kg}$$

4)计算用砂量 $Q_{s,0}$

$$Q_{s,0} = \rho'_{0,s} V'_0 = 1360 \text{ kg/m}^3 \times 1 \text{ m}^3 = 1360 \text{ kg}$$

考虑砂的含水率，实际用砂量

$$Q_s = 1360 \times (1 + 2\%) \text{ kg} = 1387 \text{ kg}$$

5)确定用水量 Q_W

用水量根据流动性要求掺加。本例可取 280 kg，扣除砂中所含的水量，拌和用水量为

$$Q_W = 280 - 1360 \times 2\% = 253 \text{ kg}$$

6)得到初步配合比

水泥：石灰膏：砂：水 = 235：115：1387：253 = 1：0.49：5.90：1.08

5.1.4　砌筑砂浆的工程应用

砌筑砂浆在工程中主要用于砌体的砌筑，还用于大型墙板的勾缝，石材、面砖、陶瓷砖的粘贴等。其中水泥砂浆一般用于砌筑潮湿环境的砌体，如砖石基础、地下室墙体等；混合砂浆一般用于砌筑自然地面以上的承重和非承重的砖石砌体；石灰砂浆一般用于自然地面以上且强度要求不高的临时或简易房屋的墙体砌筑。

微课24：建筑砂浆的选用

5.2　抹面砂浆

5.2.1　普通抹面砂浆

1.定义、作用、种类

1)定义及作用

普通抹面砂浆是以薄层抹在建筑物内外表面，保持建筑物不受风、雨、雪、大气等自然环境的侵蚀，提高建筑物的耐久性，并使建筑物表面平整美观。

抹面砂浆

2）普通抹面砂浆的种类

按所用材料不同分为石灰砂浆、水泥砂浆、水泥混合砂浆、麻刀石灰砂浆和纸筋石灰砂浆。按功能不同分为底层抹面砂浆、中层抹面砂浆和面层抹面砂浆。

底层砂浆起黏结基层的作用，要求砂浆应具有良好的和易性和较高的黏结力，因此底面砂浆的保水性要好，否则水分易被基层材料吸收而影响砂浆的黏结力，施工稠度为 110~120 mm，基层表面粗糙也有利于与砂浆的黏结。中层抹灰主要是为了找平，施工稠度为 70~90 mm。面层抹灰主要为了平整美观，因此选用细沙，施工稠度为 70~80 mm。

2. 配合比及选用

1）普通抹面砂浆的配合比

确定抹面砂浆的组成材料及其配合比的主要依据是工程使用部位及基层材料。常用抹面砂浆的参考配合比及应用范围见表 5-5。

2）抹面砂浆的选用

用于砖墙的底层抹灰，一般选用石灰砂浆；有防水、防潮要求时选用水泥砂浆；混凝土基层的底层抹灰，一般选用水泥混合砂浆；中层抹灰一般选用石灰砂浆或水泥混合砂浆；面层抹灰一般选用水泥混合砂浆、麻刀灰和纸筋灰。水泥砂浆不得涂在石灰砂浆层上。在易碰撞或潮湿部位应采用水泥砂浆。

表 5-5　常用抹面砂浆的参考配合比及应用范围

组成材料	配合比（体积比）	应用范围	备注
石灰：砂	1:3	干燥砖石墙面打底找平	
	1:1	墙面石灰面层	
水泥：石灰：砂	1:1:6	内外墙面混合砂浆找平	
	1:0.3:3	墙面混合砂浆面层	
水泥：石膏：砂：锯末	1:1:3:5	墙面及顶棚的吸声粉刷	
水泥：砂	1:2	地面顶棚墙面水泥砂浆面	
石灰膏：麻刀	100:2.5（质量比）	木板条顶棚面层	
	100:1.3（质量比）	木板条顶棚面层	
石灰膏：纸筋	100:3.8（质量比）	木板条顶棚面层	
	1 m³ 石灰膏 3.6 kg 纸筋	墙面及顶棚	

5.2.2　装饰砂浆

装饰砂浆

装饰砂浆是一种具有美观装饰效果的抹面砂浆。装饰砂浆底层和中层的做法和普通抹面砂浆基本相同，但面层通常采用不同的施工工艺，选用特殊的材料，使其符合要求且具有不同的质感、颜色、花纹和图案效果。常用的胶凝材料有石膏、普通水泥、白水泥或彩色水泥，骨料有大理石、花岗岩等带颜色的碎石渣或玻璃、陶瓷碎粒等。

162

装饰砂浆饰面可分为两类：一类是通过水泥砂浆的着色或水泥砂浆表面形态的艺术加工，获得一定色彩、线条、纹理、质感，达到装饰目的，称为灰砂类饰面；另一类是在水泥浆中掺入各种彩色石碴作骨料，制得水泥石碴浆抹于墙体基层表面，然后用水洗、斧剁、水磨等手段除去表面水泥浆皮，露出石碴的颜色、质感的饰面做法，称为石碴类饰面。灰浆类饰面与石碴类饰面的主要区别在于：灰浆类饰面主要靠掺入颜料，以及砂浆本身所能形成的质感来达到装饰目的，其材料来源广，施工方便，造价低廉；而石碴类饰面主要靠石碴的颜色、颗粒形状来达到装饰目的，与灰浆类相比，石碴类饰面的色泽比较明亮，质感相对地更为丰富，并且不易褪色，但其工效较低，造价较高。

1. 灰浆类砂浆饰面

拉毛灰：用铁抹子或木蟹将罩面灰轻压后顺势轻轻拉起，形成一种凹凸质感较强的面层。这种工艺所用的灰浆通常是水泥石灰砂浆或水泥纸筋灰浆。拉毛兼具装饰和吸声作用，多用于外墙面及影剧院等。

拉条抹灰：采用专用模具把面层砂浆做出竖向线条的装饰做法。拉条抹灰有细条形、粗条形、半圆形、波形、梯形、方形等多种形式。一般细条形抹灰可采用同一种砂浆级配，多次加浆抹灰拉模而成；粗条形抹灰则采用底、面层两种不同配合比的砂浆，多次加浆抹灰拉模而成。适用于公共建筑门厅、会议室、观众厅等。

弹涂：在墙体表面涂刷一道聚合物水泥色浆后，用弹涂器将不同色彩的聚合物水泥砂浆分几道震弹在已涂刷的基层上，形成直径 1~3mm、大小近似、颜色不同、互相交错的圆粒状色点，深浅色点互相衬托，构成一种彩色的装饰面层。这种饰面粘结力好，可直接弹涂在底层灰上和底基较平整的混凝土墙板、石膏板等墙面上。

喷涂：用挤压式砂浆泵或喷斗将聚合物水泥砂浆喷涂在外墙面基层或底灰上，形成饰面层，在涂层表面再喷一层甲基硅醇钠或甲基硅树脂疏水剂，以提高涂层耐久性和减少墙面污染。根据涂层质感可分为波面喷涂、颗粒喷涂和花点喷涂，获得不同的饰面效果。

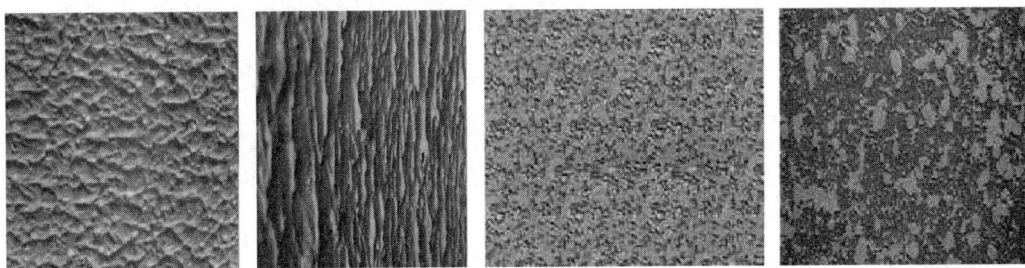

图 5-1　灰浆类砂浆饰面

2. 石碴类砂浆饰面

水刷石：用颗粒细小（约 5 mm）的石碴所拌成的砂浆做面层，待水泥浆初凝后立即喷水冲刷表面水泥浆，使其石碴半露而不脱落，达到装饰效果。水刷石多用于建筑物的外墙装饰，具有天然石材的质感，经久耐用，但费工费料，湿作业量大，劳动条件较差。

干粘石：在素水泥浆或聚合物水泥砂浆粘结层上，把石碴、彩色石子等骨料粘在砂浆层上，再拍平压实即为干粘石。其操作方法有手工甩粘和机械甩喷两种。与水刷石相比，既节约水泥、石粒等原材料，又减少湿作业，且提高施工效率，应用广泛。

水磨石：按设计要求，在彩色水泥或普通水泥中加入一定规格、比例、色泽的彩砂或彩色石碴，加水拌匀作为面层材料，铺敷在普通水泥砂浆或混凝土基层上，经成型、养护、硬化后，再经洒水粗磨、细磨、切边（预制板）、酸洗、面层打蜡等工序制成。

斩假石：又称剁斧石，它是以水泥石碴浆或水泥石屑浆作面层抹灰，待其硬化具有一定强度时，用钝斧及各种凿子等工具在面层上剁斩出类似石材经雕琢的纹理效果的一种人造石材装饰方法。斩假石具有貌似真石的质感，又有精工细作的特点，但其费工费力，劳动强度大，施工效率低，一般多用于局部小面积装饰，如室外柱面、勒脚、栏杆、踏步等部位。

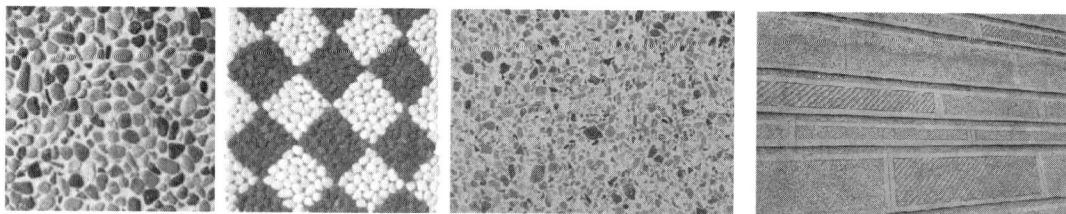

图5-2 石碴类砂浆饰面

5.3 特种砂浆

5.3.1 防水砂浆

防水砂浆是有显著的防水、防潮性能的砂浆，是一种刚性防水材料和堵漏密封材料。一般适用于不受振动或埋置深度不大、具有一定刚度的防水工程；不宜用于易受振动或可能发生不均匀沉降的部位。防水砂浆通常是依靠特定的施工工艺或在普通水泥砂浆中加入防水剂、膨胀剂、聚合物等材料，用人工压抹而成。一般采用多层施工，涂抹前在湿润的基层表面刮一层树脂水泥浆；同时要加强养护防止干裂，以保证防水层的完整，达到良好的防水效果。防水砂浆组成材料的要求为：

（1）水泥应选用32.5级以上的微膨胀水泥或普通水泥，适当增加水泥的用量。

（2）采用级配良好、较纯净的中砂，砂浆的配合比一般采用水泥：砂＝1:（1.5~3.0），水胶比控制在0.5~0.55。

（3）选用适用的防水剂，常用的防水剂有氯化物金属盐类、无机铝盐类、金属皂化物类及聚合物等。

5.3.2 绝热砂浆

采用水泥、石灰、石膏等胶凝材料与膨胀珍珠岩、膨胀蛭石、人造陶粒砂等轻质多孔材料，或采用聚苯乙烯泡沫颗粒，按一定比例配制的砂浆，称为绝热砂浆。绝热砂浆具有质轻和良好的热保温性能，其导热系数为0.07~0.10 W/（m·K），可用于屋面绝热层、冷库绝热墙壁以及工业窑炉管道的绝热层等处。

5.3.3 吸声砂浆

一般绝热砂浆是由轻质多孔骨料制成的，具有吸声性能，还可以配制用水泥、石膏、砂、锯末(体积比为 1∶1∶3∶5)拌成的吸声砂浆，或在石灰、石膏砂浆中掺入玻璃纤维、矿物棉等松软纤维材料。吸声砂浆可用于室内前面及顶棚的吸声处理。

5.3.4　膨胀砂浆

在水泥砂浆中掺入膨胀剂或使用膨胀水泥配制膨胀砂浆。膨胀砂浆具有良好的膨胀性或无收缩性，减少收缩，可用于嵌缝、修补、堵漏等工程。

5.3.5　防辐射砂浆

在水泥砂浆中掺入重晶石粉、重晶石砂，可配制成具有防射线穿透能力的防辐射砂浆。防辐射砂浆多用于医院的放射室、化疗室等。

5.4　砂浆性能的检测

5.4.1　砂浆的组批原则及取样规定

1. 组批原则

同一强度等级、同一配合比、同种原材料、同一台搅拌机的砂浆，每 250 m^3 砌体或每一楼层为一检验批，每 1000 m^3 地面工程或每一层建筑为一检验批。每一检验批次至少抽检一次。

2. 样品数量

每批砂浆至少取样一组。进行砂浆立方体抗压强度检测时，一组试件为 3 块，试块尺寸为 70.7 mm×70.7 mm×70.7 mm。进行砂浆稠度、密度、分层度、凝结时间等检测时，取样量应不少于试样所需量的 4 倍。

砂浆性能检测

3. 取样方法

建筑砂浆检测用料应从同一盘砂浆或同一车砂浆中取样。施工中取样一般在使用地点的砂浆槽、砂浆运送车或搅拌机出料口处，至少从 3 个不同部位取样。现场取来的试样，检测前应人工搅拌均匀。从取样完毕到开始进行各项性能检测不宜超过 15 min。

4. 试样制备

在实验室制备砂浆拌合物时，所用材料应提前 24 h 运入室内。拌和时实验室的温度应保持在 20±5℃。需要模拟施工条件下所用的砂浆时，所用原材料的温度宜于施工现场保持一致。

试验所用原材料应与现场使用材料一致。砂应通过公称粒径 4.75 mm 筛。

实验室拌制砂浆时，材料用量应以质量计。称量精度：水泥、外加剂、掺合料等为 ±0.5%；砂为±1%。

在实验室搅拌砂浆时应采用机械搅拌，搅拌的用量宜为搅拌机容量的 30%～70%，搅拌时间不应少于 120 s。掺有掺合料和外加剂的砂浆，其搅拌时间不应少于 180 s。

5.4.2　砂浆拌和

1. 试验目的

学会建筑砂浆拌合物的拌制方法，为测试和调整建筑砂浆的性能，进行砂浆配合比设计

打下基础。掌握行业标准《建筑砂浆基本性能试验方法标准》(JGJ/T 70—2009)，正确使用仪器设备并熟悉其性能。

2. 主要仪器设备

(1)砂浆搅拌机；

(2)磅秤；

(3)天平；

(4)拌和钢板、镘刀等。

3. 拌和方法

按所选建筑砂浆配合比备料，称量要准确。

1)人工拌和法

(1)将拌和铁板与拌铲等用湿布润湿后，将称好的砂子平摊在拌和板上，再倒入水泥，用拌铲自拌和板一端翻拌至另一端，如此反复，直至拌匀。

(2)将拌匀的混合料集中成锥形，在堆上做一凹槽，将称好的石灰膏或黏土膏倒入凹槽中，再倒入适量的水将石灰膏或黏土膏稀释(如为水泥砂浆，将称好的水倒一部分到凹槽里)，然后与水泥及砂一起拌和，逐次加水，仔细拌和均匀。

(3)拌和时间一般需 5 min，和易性满足要求即可。

2)机械拌和法

(1)拌前先对砂浆搅拌机挂浆，即用符合配合比要求的水泥、砂、水在搅拌机中搅拌(涮膛)，然后倒出多余砂浆。其目的是防止正式拌和时水泥浆挂失影响到砂浆的配合比。

(2)将称好的砂、水泥倒入搅拌机内。

(3)开动搅拌机，将水徐徐加入(如是混合砂浆，应将石灰膏或黏土膏用水稀释成浆状)，搅拌时间从加水完毕算起为 3 min。

(4)将砂浆从搅拌机倒在铁板上，再用铁铲翻拌两次，使之均匀。

5.4.3 砂浆的稠度检测

1. 试验目的

通过稠度试验，可以测得达到设计稠度时的加水量，或在现场对要求的稠度进行控制，以保证施工质量。掌握行业标准《建筑砂浆基本性能试验方法》(JGJ/T 70—2009)，正确使用仪器设备并熟悉其性能。

2. 主要仪器设备

1)砂浆稠度仪

由试锥、容器和支座三部分组成(见图 5-3)。试锥由钢材或铜材制成，试锥高度为 145 mm，锥底直径为 75 mm，试锥连同滑杆的重量应为 300±2 g；盛载砂浆容器由钢板制成，筒高为 180 mm，锥底内径为 150 mm；支座分底座、支架及刻度显示三个部分，由铸铁、钢及其他金属制成。

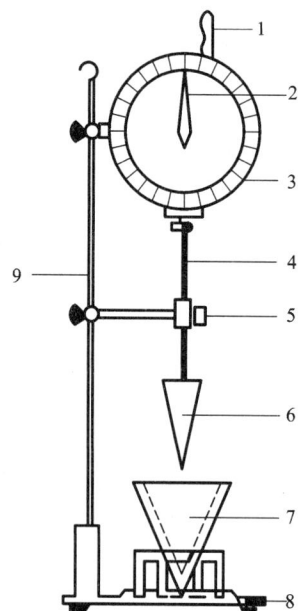

图 5-3　砂浆稠度测定仪

1—齿条测杆；2—摆针；3—测度盘；
4—滑杆；5—制动螺丝；6—试锥；
7—盛装容器；8—底座；9—支架

166

2) 钢制捣棒

3) 台秤、量筒、秒表等

3. 试验步骤

(1) 盛浆容器和试锥表面用湿布擦干净，并用少量润滑油轻擦滑杆，后将滑杆上多余的油用吸油纸擦净，使滑杆能自由滑动。

(2) 将拌好的砂浆物一次装入容器，使砂浆表面低于容器口约 10 mm 左右，用捣棒自容器中心向边缘插捣 25 次，然后轻轻地将容器摇动或敲击 5~6 下，使砂浆表面平整，随后将容器置于稠度测定仪的底座上。

(3) 拧开试锥滑杆的制动螺丝，向下移动滑杆，当试锥尖端与砂浆表面刚接触时，拧紧制动螺丝，使齿条侧杆下端刚接触滑杆上端，并将指针对准零点上。

(4) 拧开制动螺丝，同时计时，待 10 s 立刻固定螺丝，将齿条测杆下端接触滑杆上端，从刻度盘上读出下沉深度(精确到 1 mm)，即为砂浆的稠度值。

(5) 圆锥形容器内的砂浆，只允许测定一次稠度，重复测定时，应重新取样测定之。

4. 试验结果评定

(1) 取两次试验结果的算术平均值作为砂浆稠度的测定结果，计算值精确至 1 mm。

(2) 两次试验值之差如大于 10 mm，则应另取砂浆搅拌后重新测定。

5.4.4　砂浆的分层度检测

1. 试验目的

测定砂浆拌合物在运输及停放时的保水能力及砂浆内部各组分之间的相对稳定性，以评定其和易性。掌握行业标准《建筑砂浆基本性能试验方法》(JGJ/T 70—2009)，正确使用仪器设备并熟悉其性能。

2. 主要仪器设备

1) 砂浆分层度测定仪

砂浆分层度测定仪(见图 5-4)内径为 150 mm，上节高度为 200 mm，下节带底净高为 100 mm，用金属板制成，上、下层连接处需加宽到 3~5 mm，并设有橡胶热圈。

2) 砂浆稠度测定仪

3) 水泥胶砂振实台

振幅 0.5±0.05 mm，频率 50±3 Hz。

4) 秒表等

3. 试验步骤

(1) 首先将砂浆拌合物按稠度试验方法测定稠度。

(2) 将砂浆拌合物一次装入分层度筒内，待装满后，用木锤在容器周围距离大致相等的四个不同地方轻轻敲击 1~2 下，如砂浆沉落到低于筒口，则应随时添加，然后刮去多余的砂浆并用镘刀抹平。

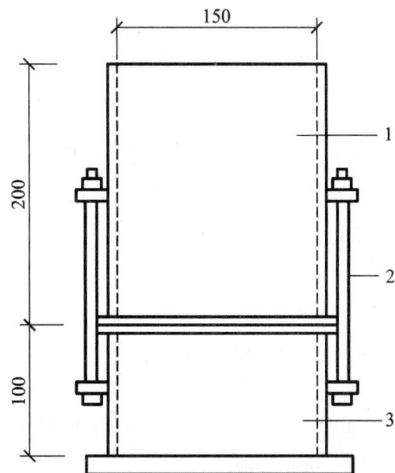

图 5-4　砂浆分层度测定仪(单位：mm)

1—无底圆筒；2—连接螺栓；3—有底圆筒

167

（3）静置 30 min 后，去掉上节 200 mm 砂浆，剩余的 100 mm 砂浆倒出放在拌和锅内拌 2 min，再按稠度试验方法测其稠度。前后测得的稠度之差即为该砂浆的分层度值(mm)。

4.试验结果评定

（1）取两次试验结果的算术平均值作为砂浆的分层度值；

（2）两次分层度试验值之差如大于 10 mm，应重新取样测定；

（3）砂浆的分层度宜在 10~30 mm 之间，如大于 30 mm 易产生分层、离析和泌水等现象，如小于 10 mm 则砂浆过干，不宜铺设且容易产生干缩裂缝。

5.4.5 砂浆保水性试验

1.试验目的

测定砂浆保水性，以判断砂浆拌合物在运输及停放时内部组分的稳定性。

2.主要仪器设备

（1）金属或硬塑料圆环试模，内径 100 mm，内部高度 25 mm。

（2）可密封的取样容器，应清洁、干燥。

（3）2 kg 的重物。

（4）金属滤网：网格尺寸为 45 μm，圆形，直径为 110±1 mm。

（5）超白滤纸，符合《化学分析滤纸》（BG/T1914）中速定性滤纸，直径 110 mm，200 g/m^2。

（6）两片金属或玻璃的方形或圆形不透水片，边长或直径大于 110 mm。

（7）天平：量程 200 g，感量 0.1 g；量程 2000 g，感量 1 g。

（8）烘箱。

3.试验步骤

（1）称量底板不透水片与干燥试模质量 m_1 和 15 片中速定性滤纸质量 m_2；

（2）将砂浆拌合物一次装入试模，并用抹刀插捣数次，当装入的砂浆略高于试模边缘时，用抹刀一次性将试模表面多余的砂浆刮去，将砂浆表面刮平；

（3）将试模边的砂浆擦净，称量试模、底部不透水片和砂浆的质量 m_3；

（4）用金属滤网覆盖在砂浆表面，再在滤网表面放上 15 片滤纸，将上部不透水片盖在滤纸表面，然后用 2 kg 的重物压着上部不透水片；

（5）静置 2 min 后移走重物及上部不透水片，取出滤纸（不包括滤网），迅速称量滤纸质量 m_4。

4.试验结果评定

砂浆保水率按下式计算：

$$W = \left[1 - \frac{m_4 - m_2}{\alpha \times (m_3 - m_1)}\right] \times 100$$

式中：W——砂浆保水率，%；

m_1——底部不透水片与干燥试模质量，g，精确至 1 g；

m_2——15 片滤纸吸水前的质量，g，精确至 0.1 g；

m_3——试模底部不透水片与砂浆总质量，g，精确至 0.1 g；

m_4——15 片滤纸吸水后的质量，g，精确至 0.1 g；

α——砂浆含水率，%。

取两次试验结果的算术平均值作为砂浆的保水率，精确至 0.1%，且第二次试验应重新取样测定。当两个测定值之差超过 2% 时，此组试验结果无效。

砂浆的含水率可根据砂浆配合比及加水量计算;若无法计算，可按下式计算:

$$\alpha = \frac{m_6 - m_5}{m_6} \times 100$$

式中: α——砂浆含水率，%;

m_5——烘干后砂浆样本的质量，g，精确至 1 g;

m_6——砂浆样本的总质量，g，精确至 1 g。

取两次试验结果的算术平均值作为砂浆的含水率，精确至 0.1%。当两个测定值之差超过 2% 时，此组试验结果无效。

5.4.6　砂浆抗压强度的检测

1.试验目的

测定建筑砂浆立方体的抗压强度，以便确定砂浆的强度等级并可判断是否达到设计要求。掌握行业标准《建筑砂浆基本性能试验方法》(JGJ/T 70—2009)，正确使用仪器设备并熟悉其性能。

2.主要仪器设备

1)压力试验机

精度为 1%，试件破坏荷载应不小于压力机量程的 20%，且不大于全量程的 80%。

2)试模

尺寸为 70.7 mm×70.7 mm×70.7 mm 的带底试模，应符合现行行业标准《混凝土试模》(JG237)的规定选择，应具有足够的刚度并拆装方便。试模的内表面应机械加工，其不平度应为每 100 mm 不超过 0.05 mm，组装后各相邻面的不垂直度不应超过 ±0.5°。

3)捣棒

直径为 10 mm，长为 350 mm，端部应磨圆。

4)垫板

试验机上、下压板及试件之间可垫以钢垫板，垫板的尺寸应大于试件的承压面，其不平度应为每 100 mm 不超过 0.02 mm。

5)振动台

空载中台面的垂直振幅应为 0.5±0.05 mm，空载频率应为 50±3 Hz，空载台面振幅均匀度不大于 10%，一次试验至少能固定(或用磁力吸盘)三个试模。

3.试件制备

(1)采用立方体试件，每组试件 3 个。

(2)应用黄油等密封材料涂抹试模的外接缝，试模内涂刷薄层机油或脱模剂，将拌制好的砂浆一次性装满砂浆试模，成型方法根据稠度而定。当稠度 ≥50 mm 时采用人工振捣成型，当稠度 <50 mm 时采用振动台振实成型。

①人工振捣:用捣棒均匀地由边缘向中心按螺旋方式插捣 25 次，插捣过程中如砂浆沉落低于试模口，应随时添加砂浆，可用油灰刀插捣数次，并用手将试模一边抬高 5~10 mm 各振

动 5 次，使砂浆高出试模顶面 6~8 mm。

②机械振动：将砂浆一次性装满试模，放置到振动台上，振动时试模不得跳动，振动 5~10 秒或持续到表面出浆为止；不得过振。

（3）应待表面水分稍干后，再将高出试模部分的砂浆沿试模顶面削去抹平。

4. 试件养护

（1）试件制作后应在 20±5℃温度环境下停置一昼夜 24±2 h，当气温较低时，可适当延长时间，但不应超过两昼夜，然后对试件进行编号并拆模。试件拆模后，应在 20±2℃，相对湿度为 90% 以上的标准养护条件下，继续养护至 28 d，养护期间，试件彼此间隔不小于 10 mm，混合砂浆、湿拌砂浆试件上面应覆盖以防有水滴在试件上。

（2）当无标准养护条件时，可采用自然养护。

①水泥混合砂浆应在正常温度，相对湿度为 60%~80% 的条件下（如养护箱中或不通风的室内）养护；

②水泥砂浆和微沫砂浆应在正常温度并保持试块表面湿润的状态下（如湿砂堆中）养护；

③养护期间必须做好温度记录。

（3）在有争议时，以标准养护为准。

5. 立方体抗压强度试验

（1）试件从养护地点取出后，应尽快进行试验，以免试件内部的温度发生显著变化。试验前先将试件擦试干净，测量尺寸，并检查其外观。试件尺寸测量精确至 1 mm，并据此计算试件的承压面积。如实测尺寸与公称尺寸之差不超过 1 mm，可按公称尺寸进行计算。

（2）将试件安放在试验机的下压板上（或下垫板上），试件的承压面应与成型时的顶面垂直，试件中心应与试验机下压板中心对准。开动试验机，当上压板与试件（或上垫板）接近时，调整球座，使接触面均衡承压。试验时应连续而均匀地加荷，加荷速度应为 0.25~1.5 kN/s（砂浆强度 2.5 MPa 以下时，宜取下限）。当试件接近破坏而开始迅速变形时，停止调整试验油门，直至试件破坏，然后记录破坏荷载。

6. 试验结果评定

（1）砂浆立方体抗压强度应按下式计算（精确至 0.1 MPa）：

$$f_{m,cu} = k \frac{N_u}{A}$$

式中：$f_{m,cu}$——砂浆立方体试件的抗压强度值，MPa；

N_u——试件破坏荷载，N；

A——试件承压面积，mm^2；

k——换算系数，取 1.35

（2）以 3 个试件测定值的算术平均值作为该组试件的抗压强度值，平均值计算精确至 0.1 MPa。

当 3 个试件的最大值或最小值有一个与中间值的差值超过中间值的 15% 时，应把最大值及最小值一并舍去，取中间值作为该组试件的抗压强度值。

当两个测值与中间值的差值均超过中间值的 15% 时，该组试验结果应为无效。

模块小结

砂浆是一种细集料混凝土，在建筑中起黏结、传递应力、衬垫、防护和装饰等作用。建筑砂浆按其用途可分为砌筑砂浆、抹面砂浆和特种砂浆。

砂浆的和易性包括流动性和保水性两个方面的含义，其中流动性用稠度表示，用砂浆稠度仪检测，保水性用分层度和保水率表示，用砂浆分层度仪检测。

砂浆的强度是砂浆立方体标准试块在标准条件下养护28天测得的抗压强度，分为多个强度等级。影响砂浆抗压强度的主要因素是水泥的强度等级和用量(或 W/C)，砂的质量、掺和料的品种及用量、养护条件(温度和湿度)等对砂浆的强度也有一定的影响。

砂浆的配合比设计主要是要确定每立方米砂浆中各种材料的用量。首先根据用户要求确定初步配合比，再在实验室进行试配、调整，确定最终的配合比。

技能考核题

一、填空题

1. 砂浆流动性的选择，应根据_____和_____等条件来决定，夏天砌筑施工时，砂浆的稠度应选得_____些，砌筑烧结多孔砖时，砂浆的稠度应选得_____些，砌筑毛石砌体时，砂浆的稠度要选得_____些。

2. 砂浆的和易性包括_____和_____两方面的含义，其中_____用保水率表示。

3. 在水泥砂浆掺入石灰膏制成的水泥混合砂浆，其和易性变_____，强度变_____，耐水性变_____。

4. 砌筑砂浆在工程主要起到_____、_____、_____的作用。

5. 用于吸水底面的砂浆强度主要取决于_____和_____，而与_____没有关系。

6. 建筑砂浆按照其功能可分为_____、_____和_____等几类。

二、单项选择题

1. 砌筑砂浆的流动性指标用( )表示。

A. 坍落度　　　　B. 维勃稠度　　　　C. 沉入度　　　　D. 分层度

2. 在试验室制备砂浆拌合物时，试验所用原材料应与现场使用材料一致，砂应通过公称粒径( )mm筛。

A. 4.75　　　　B. 3.5　　　　C. 7　　　　D. 2.36

3. M30的水泥砂浆是指其抗压强度( )为30 MPa。

A. 平均值　　　　B. 标准值　　　　C. 最大值　　　　D. 最小值

4. 砂浆立方体强度检测时用的试模尺寸为( )mm。

A. 70.7×70.7×70.7　　　　B. 100×100×100

C. 150×150×150　　　　D. 200×200×200

5. 在试验室搅拌砂浆时应采用机械搅拌，掺有掺合料和外加剂的砂浆，其搅拌时间不应少于( )s。

    A. 90　　　　　　　B. 120　　　　　　　C. 150　　　　　　　D. 180

三、多项选择题

1. 用于砌筑毛石的砂浆，其强度主要取决于( )。

    A. 水泥的强度　　　　B. 水泥用量　　　　C. 水胶比　　　　　D. 砂的品种

2. 砂浆和易性包括( )。

    A. 流动性　　　　　　B. 保水性　　　　　C. 黏聚性　　　　　D. 渗透性

3. 要求砌筑砂浆的流动性大的情况是( )

    A. 多孔吸水的基层　　　　　　　　　　B. 密实不吸水的基层

    C. 手工操作的砂浆　　　　　　　　　　D. 干热的天气

四、判断题

1. 砂浆的和易性包括流动性、黏聚性和保水性。　　　　　　　　　　　　　　( )

2. 一般来说，砂浆的抗压强度越大，其粘结强度也越大。　　　　　　　　　　( )

3. 采用石灰混合砂浆是为了改善砂浆的流动性。　　　　　　　　　　　　　　( )

4. 砂浆的流动性用沉入度表示，沉入度愈小，表示流动性愈小。　　　　　　　( )

五、名词解释

1. 砌筑砂浆

2. 砂浆的和易性

3. 砂浆的流动性

4. 砂浆的保水性

六、案例分析

某工程砌砖墙，需要制 M5.0 的水泥石灰混合砂浆。现材料供应如下：水泥为 32.5 级复合硅酸盐水泥；砂的粒径小于 2.5 mm，中砂，含水率 3%，堆积密度 1400 kg/m³；石灰膏的表观密度 1300 kg/m³。试设计该砂浆的配合比。

模块六　墙体材料

【课程思政目标】

1. 具有坚定正确的政治方向、良好的职业道德和诚信品质;

2. 爱岗敬业,具有工匠精神、劳动精神、劳模精神;

3. 具有良好的质量意识、规范意识、环保意识、安全意识;

4. 培养家国情怀,具有较强的集体荣誉感和团队协作精神。

【能力目标】

1. 具有合理选用墙体材料的能力。

2. 具有检测墙体材料外观质量和强度的能力。

3. 能评定墙体材料的等级。

4. 能对施工现场进场的墙体材料进行质量验收和管理。

【知识目标】

1. 掌握墙体材料的分类、性能特点、技术要求和应用。

2. 掌握墙体材料的的质量检测。

3. 了解墙体材料的发展趋势。

【本模块推荐学习的标准和规范】

《烧结多孔砖和多孔砌块》(GB 13544—2011)

《烧结空心砖和空心砌块》(GB/T 13545—2014)

《砌墙砖试验方法》(GB/T 2542—2012)

墙体材料

墙体材料在建筑中主要起承重、围护和隔断等作用。墙体材料的品种很多,总体可归为以下三大类:砖、砌块和板材。我国传统的墙体材料(如烧结普通砖)存在很多问题,例如:尺寸小、能耗高、自重大、施工效率低、抗震性能差、大量毁坏良田等。基于传统的墙体材料在使用中的劣势越来越明显,同时,为了保护耕地,降低能耗,更好地提高建筑物的抗震性能,国家已经明令禁止在大中型城市使用普通烧结砖。

改革开放以来,特别是我国基础建设迅速发展的今天,为保护耕地、节约能源、改善环境、摆脱人海式施工等需求,同时为了提高工程质量和改善建筑结构的性能,墙体材料正朝着大型化、集约化、利废化、轻质化等方向发展。

6.1　砌墙砖

砌墙砖是指砌筑用的人造的小型块材,外形多为直角六面体,其长度不超过 365 mm,宽度不超过 240 mm,高度不超过 115 mm。砖的种类很多,按所用材料分,有黏土砖、页岩砖、煤矸石砖、粉煤灰砖等;按生产工艺不同分为烧结砖和非烧结砖,其中非烧结砖又可分为蒸养砖、蒸压砖和压制砖等；按有无孔洞可分为实心砖、多孔砖和空心砖。

6.1.1 烧结砖

凡是以黏土、页岩、煤矸石、粉煤灰为主要原料，经成型、干燥及高温焙烧而制得的砖统称为烧结砖。

1. 烧结普通砖

烧结普通砖是以黏土、页岩、煤矸石、粉煤灰为主要原料，经焙烧制成的孔洞率小于25%的烧结实心砖。按主要原材料分为黏土砖（N）、页岩砖（Y）、煤矸石砖（M）、粉煤灰砖（F）、建筑渣土砖（Z）、淤泥砖（U）、污泥砖（W）、固体废弃物砖（G）。

1）烧结普通砖的分类

（1）烧结普通黏土砖

烧结普通黏土砖的空隙率约为30%，吸水率18%~20%，表观密度为1800 kg/m³左右。烧结普通黏土砖的生产和使用，在我国已经有3000多年的历史。但黏土砖的缺点是自重大、能耗高、大量毁坏良田、尺寸小、施工效率低、抗震性能差，已经不适应我国建筑行业节能、低碳、环保的要求，虽然已经形成相对成熟的生产条件和施工技术，但是目前在农村和一些偏远地区仍然是主要的墙体材料之一。

烧结普通黏土砖时，砖坯在氧化环境中焙烧并出窑时，生产出红砖。如果砖坯先在氧化环境中焙烧，然后再浇水闷窑，使窑内形成还原气氛，会使砖内的红色高价的三氧化二铁还原为低价的氧化亚铁，从而制得青砖。一般来说，青砖的强度比红砖高，耐久性比红砖强，但价格相对比较昂贵。

（2）烧结页岩砖

页岩是固结的黏土，经挤压、脱水、重结晶和胶结作用而成的一种黏土沉积岩。烧结页岩砖是以页岩为主要原料，经破碎、粉磨、成型、制坯、干燥和焙烧等工艺制成的，其焙烧温度一般在1000℃。生产这种砖可完全不用黏土，配料时所需水分较少，有利于砖坯的干燥，且制品收缩小，这种砖颜色与普通黏土砖相似，但表观密度较大，为1500~2750 kg/m³，抗压强度为7.5~15 MPa，吸水率为20%左右，可代替普通黏土砖应用于建筑工程。为减轻自重，可制成空心烧结页岩砖。页岩砖的质量标准与检验方法及应用范围均与普通砖相同。

（3）烧结煤矸石砖

煤矸石是开采煤炭时剔除出来的废料。烧结煤矸石是以煤矸石为原料，经配料、粉碎、磨细、成型、焙烧而制得。焙烧时基本不需要外投煤，因此生产煤矸石砖不仅省大量的黏土原料和减少废渣的占地，也节省了大量燃料。烧结煤矸石砖的表观密度一般为1500 kg/m³左右，比普通砖轻，抗压强度一般为10~20 MPa，吸水率为15%左右，抗风化性能优良。

（4）烧结粉煤灰砖

烧结粉煤灰砖是以粉煤灰为主要原料，掺入适量黏土[两者体积比约为1:(1~1.25)]或膨润土等无机复合掺和料。由于粉煤灰中存在部分未燃烧的碳，焙烧时可降低能耗，也称之为半内燃砖。烧结粉煤灰砖的表观密度为1400 kg/m³左右，抗压强度为10~15 MPa，吸水率为20%左右，能经受15次冻融循环而不破坏，颜色从淡红至深红。这种砖可代替普通黏土砖用于一般的工业与民用建筑中。

2) 烧结普通砖的技术要求

烧结普通砖的各项技术指标应该符合《烧结普通砖》(GB/T 5101—2017)的规定。烧结普通砖的技术要求包括尺寸偏差、外观质量、强度和抗风化性能等方面。产品中不允许有欠火砖、酥砖和螺旋纹砖。

(1)尺寸偏差

烧结普通砖为直角六面体,其标准尺寸为 240 mm×115 mm×53 mm,为保证工程质量,要求砖的尺寸偏差必须符合《烧结普通砖》(GB/T 5101—2017)的规定。具体要求见表 6-1。

(2)外观要求

砖的外观质量包括高度差、弯曲、杂质凸出高度、缺棱掉角、裂纹长度、完整面和颜色等项内容,应符合表 6-2 的规定。

表 6-1 烧结普通砖尺寸允许偏差(GB/T 5101—2017)

公称尺寸/mm	平均偏差/mm	极差/mm,≤
240	±2.0	6.0
115	±1.5	5.0
53	±1.5	4.0

表 6-2 烧结普通砖外观质量(GB/T 5101—2017)

项目	指标
两条面高度差/mm,≤	2
弯曲/mm,≤	2
杂质凸出高度/mm,≤	2
缺棱掉角的三个破坏面尺寸(mm)不得同时大于	5
裂纹长度 A/mm,≤	30
裂纹长度 B/mm,≤	50
完整面不少于	二条面、二顶面
颜色	基本一致

注:A 为大面上宽度方向及其延伸至条面上的裂纹长度;B 为大面上长度方向延伸至顶面上的裂纹长度或条、顶面上的水平裂纹长度。

(3)泛霜

泛霜是指黏土原料中的可溶性盐类(如硫酸钠等),随着砖内水分蒸发而在砖表面产生的盐析现象,一般在砖的表面会形成絮团状斑点的白色粉末。轻微泛霜就能对清水墙建筑外观产生较大的影响。中等程度泛霜的砖用于建筑中的潮湿部位时,7~8 年后因盐析结晶膨胀将使砖体的表面产生粉化剥落,在干燥的环境中使用约 10 年后也将脱落。严重泛霜对建筑结构的破坏性更大。所以标准规定,每块砖不允许出现严重泛霜。

泛霜

图 6-1　烧结砖泛霜

（4）石灰爆裂

当黏土原料中夹带石灰石时，则焙烧砖时石灰石会煅烧成生石灰留在砖内，这时的生石灰为过烧生石灰，这些生石灰在砖内会吸收外界的水分，消化并产生体积膨胀，导致砖发生膨胀性破坏，这种现象就是石灰爆裂。

石灰爆裂对砖砌体影响较大，轻者影响外观，重者导致强度降低直至破坏。标准规定：最大破坏尺寸大于 2 mm，且小于等于 15 mm 的爆裂区域，每组砖样不得多于 15 处；其中大于 10 mm 的不得多于 7 处；不允许出现最大破坏尺寸大于 15 mm 的爆裂区域；试验后抗压强度损失不得大于 5 MPa。

（5）强度

烧结普通砖的强度等级根据抗压强度划分为 MU30、MU25、MU20、MU15、MU10 等 5 个强度等级。烧结普通砖的强度等级根据 10 块砖的抗压强度平均值，标准值或最小值划分。其具体要求如表 6-3 所示。

表 6-3　烧结普通砖强度等级（GB/T 5101—2017）

强度等级	抗压强度平均值 $\bar{f}$/MPa，$\geqslant$	强度标准值 f_k/MPa，$\geqslant$
MU30	30.0	22.0
MU25	25.0	18.0
MU20	20.0	14.0
MU15	15.0	10.0
MU10	10.0	6.5

（6）抗风化性能

抗风化性能是烧结普通砖的重要耐久性之一，按划分的风化区不同，做出是否经抗冻性检验的规定。风化区的划分如下表 6-5 所示。严重风化区中的 1、2、3、4、5 地区必须进行冻融试验，其他地区砖的抗风化性能符合表6-4规定时可不做冻融试验，否则，必须进行冻融试验。

表6-4 抗风化性能（GB/T 5101—2017）

砖种类	严重风化区				非严重风化区			
	5 h沸煮吸水率/%		饱和系数		5 h沸煮吸水率/%		饱和系数	
	平均值	单块最大值	平均值	单块最大值	平均值	单块最大值	平均值	单块最大值
黏土砖	18	20	0.85	0.87	19	20	0.88	0.90
粉煤灰砖*	21	23			23	25		
页岩砖	16	18	0.74	0.77	18	20	0.78	0.80
煤矸石砖								

*注：粉煤灰掺入量（体积比）小于30%时，按黏土砖规定判定。

表6-5 风化区划分（GB/T 5101—2017）

严重风化区	非严重风化区
1.黑龙江，2.吉林，3.辽宁，4内蒙古，5.新疆，6.宁夏，7.甘肃，8.青海，9.陕西，10.山西，11.河北，12.北京，13.天津，14.西藏自治区	1.山东，2.河南，3.安徽，4.江苏，5.湖北，6.江西，7.浙江，8.四川，9.贵州，10.湖南，11.福建，12.台湾，13.广东，14.广西，15.海南，16.云南，17.上海，18.重庆

3）烧结普通砖的应用

烧结普通砖具有良好的绝热性、耐久性、透气性和热稳定性等特点，且原料来源广泛，生产和施工工艺简单，因而可用作墙体材料、基础、拱、烟囱、沟道和铺砌地面等。由于烧结黏土砖能耗高、烧砖毁田、污染环境，因此我国大力推广墙体材料改革，很多地方政府已下令逐步禁止黏土砖的生产，要求因地制宜地发展新型墙体材料，以粉煤灰、煤矸石等工业废料蒸压砖及各种砌块、板材来代替黏土砖，以减少农田的损失和对生态环境的破坏。

2. 烧结多孔砖

烧结多孔砖是指以煤矸石、页岩、粉煤灰或黏土为主要原料，经过焙烧而成、孔洞率等于或大于25%且不大于35%，孔的尺寸小而数量多的砖，主要用于承重部位，砌筑时孔的方向垂直于承压面。烧结多孔砖按主要原料分为黏土砖（N）、页岩砖（Y）、煤矸石砖（M）、粉煤灰砖（F）。烧结多孔砖主要应用于六层以下承重墙体的砖。图6-2为烧结多孔砖的示意图。

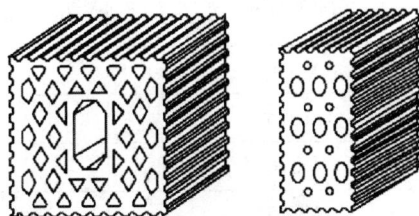

图6-2 烧结多孔砖

烧结多孔砖

烧结多孔砖的技术要求：

多孔砖的长度、宽度、高度的规格尺寸如下：290 mm、240 mm、190 mm、180 mm、140 mm、115 mm、90 mm，其他规格尺寸由供需双方协商确定。烧结多孔砖的尺寸偏差应符合表 6-6 的要求，外观质量应符合表 6-7 的要求，烧结多孔砖的强度等级满足表 6-8 的要求，烧结多孔砖的孔型应符合表 6-9 的要求。

表 6-6　烧结多孔砖尺寸允许偏差（GB 13544—2011）

尺寸/mm	样本平均偏差/mm	样本极差/mm，≤
>400	±3.0	10.0
300~400	±2.5	9.0
200~300	±2.5	8.0
100~200	±2.0	7.0
<100	±1.5	6.0

表 6-7　烧结多孔砖的外观质量（GB 13544—2011）

项　目	指标
1. 完整面，不得少于	一条面和一顶面
2. 缺棱掉角的三个破坏尺寸，不得同时大于	30 mm
3. 裂纹长度	
a）大面（有孔面）上深入孔壁 15 mm 以上宽度方向及其延伸到条面的长度，≤	80 mm
b）大面（有孔面）上深入孔壁 15 mm 以上长度方向及其延伸到顶面的长度，≤	100 mm
c）条顶面上的水平裂纹，≤	100 mm
4. 杂质在砖或砌块面上造成的凸出高度，≤	5 mm

注：凡有下列缺陷之一者，不能称为完整面：①缺损在条面或顶面上造成的破坏面尺寸同时大于 20 mm×30 mm；②条面或顶面上裂纹宽度大于 1 mm，其长度超过 70 mm；③压陷、焦花、粘底在条面或顶面上的凹陷或凸出超过 2 mm，区域最大投影尺寸同时大于 20 mm×30 mm。

表 6-8　烧结多孔砖的强度等级（GB 13544—2011）

强度等级	抗压强度平均值 $\bar{f}$/MPa，≥	抗压强度标准值 f_k/MPa，≥
MU30	30.0	22.0
MU25	25.0	18.0
MU20	20.0	14.0
MU15	15.0	10.0
MU10	10.0	6.5

表 6-9 烧结多孔砖的孔型（GB 13544—2011）

孔型	孔洞尺寸/mm		最小外壁厚/mm	最小肋厚/mm	孔洞率/%		孔洞排列
	孔宽度尺寸 b	孔长度尺寸 l			砖	砌块	
矩形条孔或矩形孔	≤13	≤40	≥12	≥5	≥28	≥33	1. 所有孔宽应相等，孔采用单向或双向交错排列； 2. 孔洞排列上下、左右应对称，分布均匀，手抓孔的长度方向尺寸必须平行于砖的条面

注：1. 矩形孔的孔长 l、孔宽 b 满足式 $l \geqslant 3b$ 时，为矩形条孔。

2. 孔四个角应做成过渡圆角，不得做成直尖角。

3. 如没有砌筑砂浆槽，则砌筑砂浆槽不计算在孔洞率内。

4. 规格大的砖和砌块应设置手抓孔，手抓孔尺寸为（30~40）mm×（75~85）mm。

3. 烧结空心砖

烧结空心砖是以黏土、页岩、煤矸石等为主要原料，经焙烧而成。烧结空心砖的特点有：孔洞率等于或大于 40%，孔洞个数较少但洞腔大，多用矩形孔或其他孔型。孔洞垂直于顶面平行于大面，使用时大面受压，所以这种砖的孔洞方向与承压面平行。烧结空心砖自重较轻，可减轻墙体自重，改善其热工性能等，但强度不高，因而常用于非承重墙和填充墙体，如多层建筑内隔墙或框架结构的填充墙等。烧结空心砖示意图如图 6-3 所示。

烧结空心砖

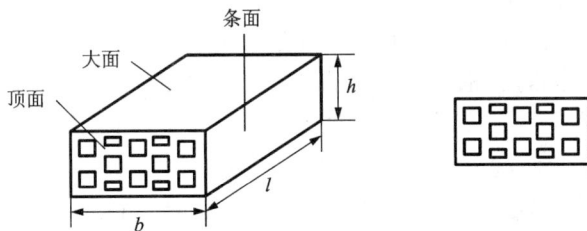

l—长度；b—宽度；h—高度。

图 6-3 烧结空心砖

烧结空心砖的技术性能应满足国家标准《烧结空心砖和空心砌块》（GB 13545—2014）的要求。抗压强度分为 MU10.0、MU7.5、MU5.0、MU3.5 四个强度等级，强度指标符合表 6-10 的要求。烧结空心砖按表观密度分为 800、900、1000、1100 四个密度级别。

与烧结普通砖相比，烧结多孔砖和烧结空心砖可省黏土 20%~30%，节约燃料 10%~20%，减轻自重 30%左右，降低造价，可提高施工效率，并能有效地改善绝热性能和隔声性能。

表 6-10　烧结空心砖的强度等级（GB 13545—2014）

强度等级	抗压强度平均值 $\overline{f}$/MPa，≥	变异系数 $\delta \leqslant 0.21$	变异系数 $\delta > 0.21$	密度等级范围 /(kg·m^{-3})
		抗压强度标准值 f_k/MPa，≥	单块最小值 f_{min}/MPa，≥	
MU10.0	10.0	7.0	8.0	
MU7.5	7.5	5.0	5.8	≤1100
MU5.0	5.0	3.5	4.0	
MU3.5	3.5	2.5	2.8	

6.1.2　非烧结砖

不经焙烧而制成的砖均为非烧结砖。如碳化砖、免烧免蒸砖、蒸养蒸压砖等。目前应用较广的是蒸养（压）砖，这类砖是以含钙材料（石灰、电石渣等）和含硅材料（砂子、粉煤灰、煤矸石灰渣、炉渣等）与水拌和，经压制成型，在自然条件下或人工水热合成条件（蒸养或蒸压）下，反应生产以水化硅酸钙、水化铝酸钙为主要胶结料的硅酸盐建筑制品。主要品种有灰砂砖、粉煤灰砖、煤渣砖等。

1. 蒸压灰砂砖

蒸压灰砂砖是以石灰和砂为主要原料，允许掺入颜料和外加剂，经磨细、混合搅拌、陈化、压制成型和蒸压养护制成的实心砖，简称灰砂砖。一般石灰占10%～20%，砂占80%～90%。

蒸压养护是在 0.8～1.0 MPa 的压力和 175℃ 左右温度的条件下，经过 6 h 左右的湿热养护，使原来在常温常压下几乎不与 Ca(OH)$_2$ 反应的砂（晶态二氧化硅），产生具有胶凝能力的水化硅酸钙胶凝，水化硅酸钙胶凝与 Ca(OH)$_2$ 晶体共同将未反应的砂粒黏结起来，从而使砖具有强度。

蒸压灰砂砖生产

蒸压灰砂砖的尺寸规格与烧结普通砖相同，为 240 mm×115 mm×53 mm，所以工程中蒸压砖可以直接代替实心黏土砖使用，属于国家大力发展、应用的新型墙体材料。蒸压灰砂砖的吸水率应不大于12%，碳化系数应不小于0.85，软化系数应不小于0.85。根据灰砂砖的颜色可分为彩色的（Co）、本色的（N）。

根据国家标准《蒸压灰砂实心砖和实心砌块》（GB/T 11945—2019）的规定，蒸压灰砂砖根据抗压强度分为 MU30、MU25、MU20、MU15、MU10 五个强度等级，具体要求见表 6-11。

蒸压灰砂砖砖体组织致密、强度高、大气稳定性好、干缩性、外形光滑平整、尺寸偏差小、色泽淡灰，可加入矿物颜色制成各种颜色的砖，具有良好的装饰效果。强度等级大于MU15 的砖可用于基础及其他建筑部位，MU10 的砖仅可用于砌筑防潮层以上的建筑。

由于灰砂砖中的一些组分如水化硅酸钙、氢氧化钙、碳酸钙等不耐酸，也不耐热，若长期受热会发生分解、脱水，甚至还会使石英发生晶型转变，因此灰砂砖应避免用于长期受热高于200℃、受急冷急热交替作用或有酸性介质侵蚀的建筑部位。此外，砖中的氢氧化钙等

组分会被流水冲失,所以灰砂砖不能用于有流水冲刷的地方。

表 6-11 蒸压灰砂砖的强度等级(GB/T 11945—2019)

强度等级	抗压强度/MPa,≥	
	平均值	单块最小值
MU30	30.0	25.5
MU25	25.0	21.2
MU20	20.0	17.0
MU15	15.0	12.8
MU10	10.0	8.5

2. 炉渣砖

炉渣砖是以煤燃烧后的残渣为主要原料,配以一定数量的石灰和少量石膏,加水搅拌、陈化、轮辗、成型和蒸养或蒸压养护而制得的实心砌墙砖,其规格与普通黏土砖相同,为 240 mm×115 mm×53 mm,其他尺寸由供需双方确定。炉渣砖的抗压强度为 10~25 MPa,表观密度为 1500~2000 kg/m³,炉渣砖的尺寸允许偏差和外观质量如表6-12、表6-13 所示,其主要强度指标如表 6-14 所示。炉渣砖可以用于建筑物的墙体和基础,但是用于基础或易受冻融和干湿循环的部位必须采用强度等级 15 以上的砖。防潮层以下建筑部位也应采用强度等级 15 以上的炉渣砖。

表 6-12 炉渣砖尺寸允许偏差(JC/T 525—2007)

项目名称	合格品
长度/mm	±2.0
宽度/mm	±2.0
高度/mm	±2.0

表 6-13 炉渣砖的外观质量(JC/T 525—2007)

项目名称		合格品
弯曲/mm		≤2.0
缺棱掉角	个数/个	≤1
	三个方向投影尺寸的最小值/mm	≤10
完整面		不少于一条面和一顶面
弯曲/mm		≤2.0

项目名称	合格品
裂纹长度/mm a. 大面上宽度方向及其延伸到条面的长度 b. 大面上长度方向及其延伸到顶面上的长度或条、顶面水平裂纹的长度	≤30 ≤50
层裂	不允许
颜色	基本一致

表 6-14　炉渣砖强度指标（JC/T 525—2007）

强度等级	抗压强度/MPa，≥		抗冻性能/MPa，≥		碳化性能/MPa，≥
	10块平均值	单块平均值	10块平均值	单块干质量损失/%，≤	碳化后平均值
MU25	25.0	20.0	22.0	2.0	22.0
MU20	20.0	16.0	16.0	2.0	16.0
MU15	15.0	12.0	12.0	2.0	12.0

3. 粉煤灰砖

粉煤灰砖是用粉煤灰和石灰为主要原料，掺加适量的石膏和炉渣，加水混合拌成坯料，经陈化、轮辗、加压成型，再通过常压或高压蒸汽养护而制成的一种墙体材料。其尺寸规格与普通黏土砖相同，呈深灰色，表观密度约为 1500 kg/m^3。

根据《粉煤灰砖》（JC 239—2001）的规定根据外观质量、强度、抗冻性和干燥收缩值，粉煤灰砖分为优等品、一等品和合格品。粉煤灰砖的强度等级分为 MU30、MU25、MU20、MU15 和 MU10 五个等级。其强度和抗冻性指标要求见表 6-15。一般要求优等品和一等品干燥收缩值不大于 0.65 mm/m，合格品干燥收缩值不大于 0.75 mm/m。

表 6-15　粉煤灰砖的强度指标（JC 239—2001）

强度等级	抗压强度/MPa，≥		抗折强度/MPa，≥		抗冻性	
	平均值	单块最小值	平均值	单块最小值	抗压强度平均值/MPa，≥	
MU30	30.0	24.0	6.2	5.0	24.0	质量损失率，单块值 ≤ 2.0%
MU25	25.0	20.0	5.0	4.0	20.0	
MU20	20.0	16.0	4.0	3.2	16.0	
MU15	15.0	12.0	3.3	2.6	12.0	
MU10	10.0	8.0	2.5	2.0	8.0	

注：强度级别以蒸汽养护 1 d 后的强度为准。

粉煤灰砖可用于工业与民用建筑的墙体和基础，但用于基础或易受冻融和干湿交替作用的建筑部位时，必须采用一等品与优等品。用粉煤灰砖砌筑的建筑物，应适当增设圈梁及伸缩缝或采取其他措施，以避免或减少收缩裂缝。标准规定的粉煤灰砖用于基础或用于易受冻融和干湿交替作用的建筑部位必须使用 MU15 及以上强度等级的砖。

粉煤灰砖不得用于长期受热（200℃以上）、受急冷急热和有酸性介质侵蚀的部位。

4. 混凝土多孔砖

混凝土多孔砖是以水泥为胶结材料，与砂、石（轻集料）等经加水搅拌、成型和养护而制成的一种具有多排小孔的混凝土制品，孔洞率在 30% 以上。混凝土多孔砖是继普通与轻集料混凝土小型空心砌块之后又一个墙体材料新品种。

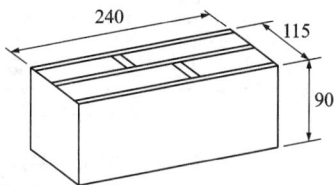

图 6-4　混凝土多孔砖（单位：mm）

混凝土多孔砖具有生产能耗低、节土利废、施工方便和体轻、强度高、保温效果好、耐久、收缩变形小、外观规整等特点，是一种替代烧结黏土砖的理想材料。

根据《混凝土多孔砖》（JC 943—2004），按其尺寸偏差、外观质量分为一等品（B）及合格品（C）。混凝土多孔砖的外形为直角六面体，其长度、宽度、高度应符合表 6-16 的要求。

表 6-16　混凝土多孔砖的规格尺寸

项目	长度/mm	宽度/mm	高度/mm
规格	290, 240, 190, 180	240, 190, 115, 90	115, 90

混凝土多孔砖的主规格尺寸为 240 mm×115 mm×90 mm（如图 6-4），砌筑时可配合使用半砖（120 mm×115 mm×90 mm）、七分砖（180 mm×115 mm×90 mm）或与主规格尺寸相同的实心砖等；其强度等级分为 MU10、MU15、MU20、MU25、MU30 五个强度等级，具体的强度指标见表 6-17 的要求。混凝土多孔砖尺寸允许偏差、外观质量应符合表 6-18 的要求。混凝土多孔砖的最小壁厚不应小于 15 mm，最小肋厚不应小于 10 mm，其干燥收缩率不应大于 0.045%。

表 6-17　混凝土多孔砖强度等级（JC 943—2004）

强度等级	抗压强度/MPa	
	平均值，≥	单块最小值，≥
MU30	30.0	24.0
MU25	25.0	20.0
MU20	20.0	16.0
MU15	15.0	12.0
MU10	10.0	8.0

表 6-18　混凝土多孔砖尺寸允许偏差、外观质量（JC 943—2004）

项目名称		一等品（B）	合格品（C）
长度/mm		±1	±2
宽度/mm		±1	±2
高度/mm		±1.5	±2.5
弯曲/mm，≤		2	2
缺棱掉角	个数/个，≤	0	2
	三个方向投影尺寸的最小值/mm，≤	0	20
裂纹延伸投影尺寸累计/mm，≤		0	20

混凝土多孔砖应按规格、等级分批分别堆放，不得混堆。混凝土多孔砖在堆放、运输时，应采取防雨水措施。混凝土多孔砖装卸时，严禁碰撞、扔摔，应轻码轻放，禁止翻斗倾卸。

混凝土多孔砖兼具黏土砖和混凝土小砌块的特点，外形特征属于烧结多孔砖，材料与混凝土小型空心砌块类同，符合砖砌体施工习惯，各项物理、力学和砌体性能均具备代替烧结黏土砖的条件，可直接替代烧结黏土砖用于各类承重、保温承重和框架填充等不同建筑墙体结构中，具有广泛的推广应用前景。

混凝土多孔砖的应用，将有助于减少和杜绝烧结黏土砖的生产使用，对于改善环境，保护土地资源和推进墙体材料革新与建筑节能，以及"禁实"工作的深入开展具有十分重要的社会和经济意义。

6.2　建筑砌块

砌块是指砌筑用的、形体大于砌墙砖的人造块材，一般为直角六面体，根据需要也可生产各种异型砌块。砌块系列中主规格的长度、宽度和高度有一项或一项以上分别大于365 mm、240 mm、115 mm，但高度一般不大于长度或宽度的 6 倍，长度不超过高度的 3 倍。砌块的造型、尺寸、颜色、纹理和断面可以多样化，能满足砌体建筑的需求，既可以用来做结构承重材料、特种结构材料，也可以作为墙面的装饰材料和功能材料。

砌块是发展迅速的新型墙体材料，生产工艺简单、材料来源广泛、可充分利用地方资源和工业废料、节约耕地资源、造价低廉、制作使用方便，同时由于其尺寸较大，可机械化施工，提高施工效率，改善建筑物功能，减轻建筑物自重。

砌块分类方法有很多，按产品主规格的尺寸可分为大型砌块（高度大于 980 mm）、中型砌块（高度为 380~980 mm）和小型砌块（高度大于 115 mm，小于 380 mm）；按用途可分为承重砌块和非承重砌块；按有无空洞可分为实心砌块（无孔洞或孔洞率<25%）和空心砌块（孔洞率≥25%）；按材质可分混凝土砌块、轻集料混凝土砌块、蒸压加气混凝土砌块、石膏砌块和粉煤灰砌块等。

6.2.1 蒸压加气混凝土砌块

蒸压加气混凝土是以钙质材料(水泥或生石灰)和硅质材料(砂、粉煤灰、矿渣等)为基本原料,加入发气剂(常用铝粉),经搅拌、发气、切割、蒸压养护处理而成的多孔轻质混凝土制品,蒸压加气混凝土砌块是蒸压加气混凝土中用于墙体砌筑的矩形块材。

蒸压加气混凝土砌块

根据《蒸压加气混凝土砌块》(GB/T 11968—2020)规定,其规格尺寸应符合表 6-19 的要求;砌块按尺寸偏差分为Ⅰ型和Ⅱ型,Ⅰ型适用于薄灰砌筑,Ⅱ型适用于厚灰砌筑;按照抗压强度可分为 A1.5、A2.0、A2.5、A3.5、A5.0 五个等级,强度级别 A1.5、A2.0 适用于建筑保温,具体要求如表 6-20 所示;按干密度可分为 B03、B04、B05、B06、B07 五个级别,如表 6-21 所示;其尺寸偏差和外观质量的要求如表 6-22 所示;砌块的干燥收缩、抗冻性、导热系数指标应分别符合表 6-23 的要求。

表 6-19 蒸压加气混凝土砌块的尺寸规格(GB/T 11968—2020)

长度 l/mm	宽度 b/mm	高度 h/mm
600	100 120 125 150 180 200 240 250 300	200 240 250 300

注:其他规格,可由供需双方协商解决。

表 6-20 蒸压加气混凝土砌块的强度等级(GB/T 11968—2020)

强度等级		A1.5	A2.0	A2.5	A3.5	A5.0
立方体抗压强度 /MPa	平均值,≥	1.5	2.0	2.5	3.5	5.0
	单组最小值,≥	1.2	1.7	2.1	3.0	4.2

表 6-21 蒸压加气混凝土砌块的干密度(GB/T 11968—2020)　　　　　/(kg·m^{-3})

干密度级别	B03	B04	B05	B06	B07
平均干密度,≤	350	450	550	650	750
对应强度级别	A1.5	A2.0 A2.5 A3.5	A2.5 A3.5 A5.0	A3.5 A5.0	A5.0

表 6-22 蒸压加气混凝土砌块的尺寸偏差和外观质量(GB/T 11968—2020)

项目		Ⅰ型	Ⅱ型
尺寸允 许偏差 /mm	长度 l	±3	±4
	宽度 b	±1	±2
	高度 h	±1	±2

项目		Ⅰ型	Ⅱ型
缺棱掉角	最小尺寸/mm，≤	10	30
	最大尺寸/mm，≤	20	70
	三个方向尺寸之和不大于 120 mm 的掉角个数，≤	0	2
裂纹长度	裂纹长度/mm，≤	0	70
	任意面不大于 70 mm 的裂纹条数/条，≤	0	1
	每块裂纹总数/条，≤	0	2
损坏深度/mm，≤		0	10
平面弯曲/mm，≤		1	2
表面疏松、层裂		不允许	
直角度/mm，≤		1	2

表 6-23　蒸压加气混凝土砌块干燥收缩、抗冻性、导热系数（GB/T 11968—2020）

密度等级		B03	B04	B05	B06	B07
干燥收缩值/(mm·m⁻¹)，≤		0.5				
抗冻性	冻后质量平均损失/%，≤	5.0				
	冻后强度平均值损失/%，≤	20				
导热系数/[W·(m·K)⁻¹]，≤		0.10	0.12	0.14	0.16	0.18

砌块产品标记方法：按产品名称（蒸压加气混凝土砌块的代号是 AAC-B）、强度级别、干密度级别、规格尺寸和标准编号的顺序进行标记。示例如下：强度级别为 A3.5、干密度级别为 B05、规格尺寸为 600 mm×200 mm×250 mm 的蒸压加气混凝土砌块，其标记为：AAC-B A3.5 B05 600×200×250 GB/T 11968

1.蒸压加气混凝土砌块的特性

1）多孔轻质

一般加气混凝土砌块的空隙率达 70%～80%，平均孔径约在 1 mm。其导热系数为 0.14～0.28 W/(m·K)，只有黏土砖的 1/5，保温隔热性能好。用作墙体可降低建筑物采暖、制冷等使用能耗。加气混凝土砌块的表观密度小，一般为黏土砖的 1/3，作为墙体材料时，可减轻建筑物自重的 2/5～1/2。

2）耐热、耐火性能和保温、隔热性能

加气混凝土属不燃材料，在受热至 80～100℃以上时会出现收缩和裂缝，但是在 700℃以前不会损失强度，具有一定的耐热和良好的耐火性能。

3）有一定的吸声能力，但隔声效果较差

加气混凝土的吸声系数为 0.2~0.3。由于其孔结构大部分并非通孔，吸声效果受到一定的限制。轻质墙体的隔声性能都较差，加气混凝土也不例外。

4）吸水导湿缓慢

由于加气混凝土砌块的气孔大部分是"墨水瓶"结构的气孔，只有少部分是水分蒸发形成的毛细孔。所以，孔肚大口小，毛细管作用较差，导致砌块吸水导湿缓慢。

5）干燥收缩大

与其他混凝土材料一样，加气混凝土砌块干燥收缩、吸湿膨胀，易出现与砂浆层黏结不牢现象。其干燥收缩值规定采用标准法、快速法测定。通常情况下标准法所测的干燥收缩值不大于 0.5 mm/m，快速法不大于 0.8 mm/m。若测定结果发生矛盾不能判定时，则以标准法测定的结果为准。

2. 蒸压加气混凝土砌块的应用

蒸压加气混凝土砌块主要用于框架结构的外墙填充和内墙隔断，也可用于建造三层以下的全加气混凝土建筑，还可用于抗震圈梁构造柱多层建筑的外墙或保温隔热复合墙体。B03、B04、B05 级一般用于非承重结构的围护和填充墙，也可用于屋面保温；B06、B07、B08 级一般用于不高于六层建筑的承重结构。在标高±0.000 以下，长期浸水或经常受干湿循环、受酸碱侵蚀以及表面温度高于 80℃ 的建筑部位一般不允许使用蒸压加气混凝土砌块。

6.2.2　普通混凝土小型砌块

普通混凝土小型砌块是用水泥、砂、石和矿渣等原材料加水搅拌，经振动、加压振动或冲击成型，再经养护而成的直角六面体墙体材料，代号 NHB。其主要规格尺寸为 390 mm×190 mm×190 mm。

小型空心砌块建筑体系表较灵活，其自重轻，造价低，砌筑方便，特别适用于中小城市和农村建筑。混凝土小型空心砌块的主规格尺寸为 390 mm×190 mm×190 mm，其他规格尺寸可根据实际使用情况有供需双方协商。该类砌块的孔洞率应不小于 25%，最小外壁厚应不小于 30 mm，最小肋厚应不小于 25 mm。

其强度等级分为 MU5.0、MU7.5、MU10.0、MU15.0、MU20.0、MU25、MU30、MU35、MU40 九个等级。混凝土硬化后的最重要的力学性能，是指混凝土抵抗压、拉、弯、剪等应力的能力。水胶比、水泥品种和用量、集料的品种和用量以及搅拌、成型、养护，都直接影响混凝土的强度。混凝土按标准抗压强度（以边长为 150 mm 的立方体为标准试件，在标准养护条件下养护 28 天，按照标准试验方法测得的具有 95% 保证率的立方体抗压强度）划分的强度等级。混凝土的抗拉强度仅为其抗压强度的 1/13~1/8。提高混凝土抗拉、抗压强度的比值是混凝土改性的重要方面。

由于砌块的体积稳定性与其含水率有关，故出厂产品均按使用地区的大气温度不同，规定了允许含水率的指标。用于清水墙的砌块还应保证抗渗性。

混凝土中型空心砌块的原材料、制作工艺均与小型空心砌块基本相同，只是制作的成型设备不同。其主要特点是规格大，施工机械化程度高，并具有轻质、高强、造价低廉、砌筑方便、墙面平整度好、施工效率高等优点，适用于民用及一般工业建筑墙体。

6.2.3 粉煤灰砌块

粉煤灰砌块是以粉煤灰、石灰、石膏和骨料，经加水搅拌、振动成型、蒸汽养护而制成的实心砌块。由于其中的石灰与粉煤灰中的活性成分，在水湿条件下反应，生成硅酸盐类产物，故粉煤灰砌块又称之为粉煤灰硅酸盐砌块。

粉煤灰砌块的主规格尺寸有两种：880 mm×380 mm×240 mm 和 880 mm×430 mm×240 mm。粉煤灰砌块端面应加灌浆槽，坐浆面应设抗剪槽。砌块的强度等级按其立方体试件的抗压强度分为 MU10 和 MU13 两个等级。砌块按外观质量、尺寸偏差和干缩性能分为一等品、合格品；粉煤灰砌块的抗压强度、碳化强度、抗冻性和密度应符合表6-24 的要求；粉煤灰砌块的外观质量和尺寸允许偏差如表6-25 所示。

表 6-24 粉煤灰砌块的性能 [JC/T 238—1991(1996)]

项目	指 标	
	MU10	MU13
抗压强度	3 块试件平均值不小于 10.0 MPa，单块最小值不小于 8.0 MPa	3 块试件平均值不小于 13 MPa，单块最小值不小于 10.5 MPa
人工碳化后强度	不小于 6.0 MPa	不小于 7.5 MPa
密度	不超过产品设计密度 10%	
抗冻性	强度损失率不超过 20%，外观无明显疏松、剥落或裂缝	

表 6-25 粉煤灰砌块的外观质量和尺寸偏差 [JC/T 238—1991(1996)]

项 目		指 标	
		一等品	合格品
外观质量	表面疏松	不容许	
	贯穿面棱的裂纹	不容许	
	任一面上的裂纹长度，不得大于砌块尺寸的	1/3	
	石灰团、石膏团	尺寸大于 5 mm 的，不容许	
	粉煤灰团、孔洞和爆裂	直径大于 30 mm 的不容许	直径大于 30 mm 的不容许
	局部凸起高度/mm，≤	10	15
	翘曲/mm，≤	6	8
	缺棱掉角在长、宽、高 3 个方向上投影的最大值/mm，≤	30	50
	高低差/mm 长度方向	6	8
	高低差/mm 宽度方向	4	6
尺寸容许偏差/mm	长度	±4, −6	±5, −10
	宽度	±4, −6	±5, −10
	高度	±3	±6

6.3 建筑墙板

建筑墙板是一类新型墙体材料,它可锯、刨、钉、钻孔,从而改变了墙体施工的传统工艺,采用黏结、组合等方法进行施工,不仅极大地加快了墙体施工的进度,而且结构牢固,抗震、抗冲击,拼接起来墙面整洁,不开裂。建筑墙板还有轻质、保温、隔热、隔声、开间布置灵活等特点,为高层、大跨度建筑及建筑工业实现现代化提供了物质基础,具有很好的发展前景。

建筑墙板

墙板按生产的材料和工艺分为石膏墙板、水泥混凝土墙板、植物纤维类墙板和复合墙板等;按墙体的规格,可分为大型墙体、条拼板和小型的轻型板;按墙板的结构,可分为空心板、实心板。

墙板按功能不同可分为内墙用板材、外墙用板材和隔断墙板。内墙用板材大多为各类石膏板、石棉水泥板、加气混凝土板等,这类板材具有质量轻、保温效果好、隔声、防火、装饰效果好等优点。外墙用板材大多采用加气混凝土板、各类复合板材等。建筑墙板广泛应用于各类高、低层建筑的内外非承重墙、活动用房、旧房改造、装饰装修、厂区、商场、宾馆、写字楼等墙体隔断。下面仅介绍几种常用的墙板。

6.3.1 水泥类建筑墙板

水泥类建筑墙板一般有普通混凝土墙板、预应力混凝土空心墙板、蒸压加气混凝土墙板和水泥刨花板等。水泥类建筑墙板具有较好的力学性能和耐久性,主要用于承重墙、外墙和复合外墙的外层面,但是其表观密度大,抗拉强度较低,体型较大,在施工中容易受损。根据使用功能要求,水泥类建筑墙板生产时可制成空心板材以减轻自重,改善隔热隔声性能,也可加入一些纤维材料,制成增强型板材,还可根据需要制作具有装饰效果的表层。

1. 普通混凝土墙板

普通混凝土墙板是由水泥、砂、石和水按规定的配合比制成的混凝土墙板,一般为实心结构,混凝土强度等级应大于 C15,制成大型墙板时,一般为一间一块,厚 140 mm,主要用于承重内墙板。

2. 预应力混凝土空心墙板

预应力混凝土空心墙板是以高强度的预应力钢绞线用先张法制成的混凝土墙板。该墙板可根据需要增设保温层、防水层、外饰面层等,取消了湿作业。

预应力混凝土空心墙板可用于承重或非承重的内外墙板、楼面板、屋面板、阳台板、雨棚等。

3. 蒸压加气混凝土墙板

蒸压加气混凝土墙板是以水泥、石灰、硅砂等为主要原料,再根据结构要求配置添加不同数量经防腐处理的钢筋网片的一种轻质多孔新型的绿色环保建筑材料。经高温高压、蒸汽养护,反应生成具有多孔状结晶的蒸压加气混凝土墙板,内部含有大量微小非连通的气孔,空隙率达 70%~80%。其表观密度比一般的水泥质材料小,且具有良好的耐火。板和板之间的拼接处设计有榫头和榫槽,使用时直接拼接即可,能有效地提高施工效率。

4.水泥刨花板

以水泥为胶结材料、木质刨花等为增强材料，加入适量的促凝剂和水，经搅拌、成型、加压、养护的水泥和木质材料固结而成的板材。刨花是木材加工时的下脚料，和水泥混合使用时，结合两种材料的优势，具有自重轻、强度高、防水、防火、保温、隔声等性能。水泥刨花板可进行锯、钉、装饰等加工，具有良好的加工性能，其主要用于建筑物内外墙板、顶棚、壁橱板等。

6.3.2　石膏类建筑墙板

石膏类板材具有轻质、保温、吸声、隔热、调节室内空气湿度、防火、可装饰性强等优良的性质，是一种很有发展前途的新型板材。目前市场上常用的石膏类建筑墙板有纸面石膏板、纤维石膏板、石膏空心条板等。

1. 纸面石膏板

纸面石膏板是以建筑石膏为主要原料，加入适量纤维和外加剂(缓凝剂、发泡剂)构成芯板，再与两面特制的护面纸牢固结合在一起的建筑墙板。护面纸主要起提高板材抗弯、抗冲击能力的作用。纸面石膏板根据加入外加剂的不同分为普通型、耐水型、耐火型和防潮型四种，具有轻质、隔热、隔声、防火、调湿、易加工、表面平整、尺寸稳定、抗震、施工方便等优点，主要用于室内隔墙、复合外墙板的内壁板、吊顶和隔断等。

2. 纤维石膏板

纤维石膏板是以建筑石膏粉为主要原料，加入适量的玻璃纤维或纸筋等为增强材料，经过打浆、铺浆脱水、成型、烘干等工序加工而成的板材。其外表省去了护面纸板，抗弯强度和弹性模量都明显高于纸面石膏板，综合性能优于纸面石膏板。纤维石膏板可作干墙板、墙衬、隔墙板、瓦片及砖的背板、预制板外包覆层、天花板块、地板防火门及立柱、护墙板以及特殊应用，如拖车及船的内墙、室外保温装饰系统。

3. 石膏空心条板

石膏空心条板是以建筑石膏为主要原料，掺以无机轻集料、无机纤维增强材料，加入适量添加剂制成的空心条板，条板的长边应设榫头和榫槽或双面凹槽，产品代号为SGK。石膏空心条板具有质量轻、隔热、隔声、防水、防火、调湿、节能环保、可锯、可刨、可钻、施工简便、施工效率高、可有效降低建筑造价等特点，主要用于工业与民用建筑的内隔墙，其墙面可做喷浆、涂料、贴瓷砖、贴壁纸等各种饰面。

6.3.3　植物纤维类建筑墙板

植物纤维复合板主要是利用农作物的废弃物(如稻草、麦秸、玉米秆、甘蔗渣等)经适当处理后与合成树脂或石膏、石灰等胶结材料混合、热压成型。主要品种有稻草板、稻壳板、蔗渣板等，这类板材具有质量轻、保温隔声效果好、节能、废物利用等特点。适用于非承重的内隔墙、天花板以及复合墙体的内壁板。

6.3.4　复合建筑墙板

复合墙板是以两种以上的材料结合在一起的墙板，一般由结构层、保温层和装饰层组成，如图6-5所示，该墙体强度高，绝热性好，施工方便，使承重材料和轻质保温的材料都得到充分利用，克服了单一材料强度高、不保温或保温

好，不承重的局限性。

1. 混凝土夹芯板

混凝土夹芯板的内外表面用 20 ~ 30 mm 厚的钢筋混凝土，中间填以矿渣棉、岩棉、泡沫混凝土等保温材料，内外两层面板用钢筋连接。混凝土夹芯板可用于建筑物的内外墙，其夹层厚度应根据热工计算确定。

2. 金属面夹芯板

金属面夹芯板是指上下两层为金属薄板，芯材为有一定刚度的保温材料，如岩棉、硬质泡沫塑料等，在专用的自动化生产线上复合而成的具有承载力的结构板材，也称为"三明治"板。

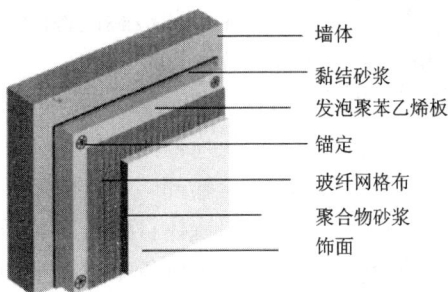

墙体
黏结砂浆
发泡聚苯乙烯板
锚定
玻纤网格布
聚合物砂浆
饰面

图 6-5　复合墙板示意图

按面层材料分有镀锌钢板夹芯板、热镀锌彩钢夹芯板、电镀锌彩钢夹芯板、镀铝锌彩钢夹芯板和各种合金铝夹芯板等；按芯材材质分有金属泡沫塑料夹芯板，如金属聚氨酯夹芯板（PUR）、金属聚苯夹芯板（EPS），金属无机纤维夹芯板，如金属岩棉夹芯板、金属矿棉夹芯板、金属玻璃棉夹芯板等；按建筑物的使用部位分有屋面板、墙板、隔墙板、吊顶板等。

6.4　墙体材料的验收和储运

6.4.1　墙体材料的验收

墙体材料的验收就是在墙体材料收入仓库之前，由保管人员根据购料发票、运输单据和交料单等有关凭证，对墙体材料的品种、规格、质量和数量所进行的检查和核对。

墙体材料验收是墙体材料管理使用的一个重要环节。从制订供应计划到组织采购、安排运输等一系列墙体材料供应工作的成果，要通过验收这一环节来实现。因为墙体材料采购、运输工作的目的是要取得适用的墙体材料以满足生产的需要。墙体材料验收工作对入库以后的保管、领发和使用也有着重要的影响，如果将不合格的墙体材料当作合格的墙体材料收入仓库，在保管过程中就会发生变质、损坏，投入生产就会影响产品质量，甚至造成产品报废。因此，从一定意义上来说，墙体材料的验收在整个墙体材料的管理工作中具有"承上启下"的作用。

1. 墙体材料验收的要求

墙体材料的进场验收一般由仓库负责，验收工作必须在一定期限内完成。要求做到及时验收，及时入库。这一方面是为了保证供应生产的需要；另一方面是由于货款的承付和拒付有一定的期限，过了期限，银行即自动付款，不再办理拒付手续。及时进行验收工作，还可以避免入库前的散失和损坏。

材料进厂验收工作，还要求建立严格的岗位责任制，根据不同墙体材料在检验上的不同要求，按墙体材料类别确定检验部门和检验人员，检验人员一定要掌握墙体材料的性能、检验方法和有关业务知识，做到认真检验质量，准确计点数量，对到场的材料应与随货凭证认真核对。如发现货证不符，应将实际情况通知供应部门，做出处理。

为了提高墙体材料检验工作的效率，要事先掌握墙体材料的到货时间、数量和前后两批墙体材料到达的间隔期，以便充分做好各项准备工作。比如，专职检验人员的工作安排，辅助劳动力的组织，搬运工具和检验设备的准备以及墙体材料的堆放地点和铺垫材料的准备等等。只有这样，才能迅速、及时、保质、保量地做好墙体材料验收入库工作。

2. 墙体材料验收的主要内容

单、证包括本企业供应部门提供的验收通知单、供货单位提供的磅码单、发货票、质量证明书以及装箱单等，运输部门提供的运单和途中情况记录等。

实物检验，主要是对墙体材料数量和质量的检验。

数量检验，通常是根据供货单位附来的单证，按实到墙体材料的品种、规格进行数量检点，数量检点可以按照各种墙体材料不同的特点和计量单位，进行验收。对数量较大，而供应关系稳定、证件齐全、运输良好，包装完整的墙体材料，也可采用抽样检点。抽样检点的比例，可以按以往的经验确定，或用数学方法(如优选法)确定。如抽点时发现数量不符或有其他问题，应扩大抽点范围，甚至全部点收。质量检验，一般由企业的技术部门负责进行，有的物资也可以由仓库人员进行检验。要根据不同情况，采取不同的检验方式。

凡是验看外形就可以了解质量状况的材料，如砖瓦、砌块等，则可由仓库人员自行验收。但这类由仓库人员负责进行质量检验的墙体材料，应事先得到企业供应部门和质量管理部门的同意。

凡是需要技术检验的墙体材料，则由厂部质量管理科的专业人员进行验收，并签署墙体材料验收证明单。

6.4.2 墙体材料的储运

墙体材料在堆放、运输中，应采取防雨水措施。在产品装卸时要轻拿轻放，严禁碰撞、扔摔，禁止翻斗倾卸。在贮存时应按品种、强度等级、质量等级分别整齐堆放，不得混杂。考虑材料堆放时便于搬运，要在料堆之间留有一定宽度的通道以便运输。

6.5 砌墙砖性能的检测

6.5.1 砌墙砖的取样

烧结普通砖、烧结多孔砖、烧结空心砖：以(3.5~15)万块为一批，不足3.5万块亦为一批。蒸压灰砂砖、蒸压灰砂多孔砖、蒸压粉煤灰多孔砖：以10万块为一批，不足10万块亦为一批。炉渣砖：以(1.5~3.5)万块为一批，当天产量不足1.5万块亦为一批。

外观质量检测样品应从每一检验批的堆垛中随机抽取50块作为检测样品。强度检测样品应在每一检测批中随机抽取。抽取数量：蒸压灰砂砖5块，其他砖为10块。非烧结砖也可用抗折强度试验后的试样作为抗压强度试件。

6.5.2 砌墙砖的外观检测

1. 检测目的

通过检测砌墙砖的外观质量，用来评定砌墙砖的质量等级。

2. 主要仪器设备

砖用卡尺（如图 6-6 所示），分度值为 0.5 mm；钢直尺，分度值为 1 mm。

3. 测量方法

1）缺损

缺棱掉角在砖上造成的破损程度，以破损部分对长、宽、高三个棱边的投影尺寸来度量，称为破坏尺寸。缺损造成的破坏面，系指缺损部分对条、顶面（空心砖为条、大面）的投影面积，空心砖内壁残缺及肋残缺尺寸，以长度方向的投影尺寸来度量。

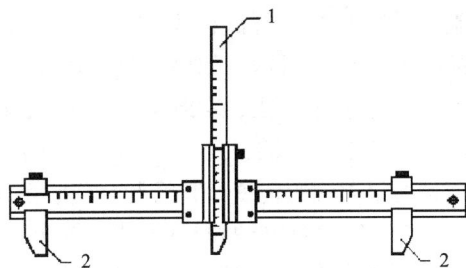

图 6-6 砖用卡尺

1—垂直尺；2—支脚

2）裂纹

裂纹分为长度方向、宽度方向和水平方向三种，以被测方向的投影长度表示。如果裂纹从一个面延伸至其它面上时，则累计其延伸的投影长度。多孔砖的孔洞与裂纹相通时，则将孔洞包括在裂纹内一并测量。裂纹长度以在三个方向上分别测得的最长裂纹作为测量结果。

3）弯曲

弯曲分别在大面和条面上测量，测量时将砖用卡尺的两支脚沿棱边两端放置，择其弯曲最大处将垂直尺推至砖面，但不应将因杂质或碰伤造成的凹处计算在内。以弯曲中测得的较大者作为测量结果。

4）杂质凸出高度

杂质在砖面上造成的凸出高度，以杂质距砖面的最大距离表示。测量将砖用卡尺的两支脚置于凸出两边的砖平面上，以垂直尺测量。

5）色差

装饰面朝上随机分两排并列，在自然光下距离砖样 2 m 处目测。

4. 结果处理

外观测量以毫米为单位，不足 1 mm 者，按 1 mm 计。

6.5.3 砌墙砖的抗压强度检测

1. 检测目的

测定砌墙砖的抗压强度，用来评定砌墙砖的强度等级合格性。

2. 主要仪器设备

材料试验机：试验机的示值相对误差不大于±1%，其上、下加压板至少应为球绞支座，预期最大破坏荷载应在量程 20%~80% 之间。

钢直尺：分度值不应大于 1 mm。

振动台、制样模具、搅拌机、抗压强度试验用净浆材料：应符合 GB/T 25044 的要求。

切割设备。

3. 检测步骤

1）试样制备

抗压强度试验采用的试样数量为 10 块。

（1）一次成型制样。一次成型制样适用于采用样品中间部位切割，交错叠加灌浆制成强度试验试样的方式。将试样锯成两个半截砖，两个半截砖用于叠合部分的长度不得小于100 mm，如图6-7所示。如果不足100 mm，应另取备用试样补足。将已切割开的两个半截砖放入室温的净水中浸10~20 min后取出，在铁丝网架上滴水20~30 min，以断口相反方向装入制样模具中。用插板控制两个半砖间距为5 mm，砖大面与模具间距3 mm，砖断面、顶面与模具间垫以橡胶垫或其他密封材料，模具内表面涂油或脱膜剂。制样模具及插板如图6-8所示。将净浆材料按照配制要求，置于搅拌机中搅拌均匀。将装好试样的模具置于振动台上，加入适量搅拌均匀的净浆材料，振动时间为0.5~1 min，停止振动，静置至净浆材料达到初凝时间(约15~19 min)后拆模。

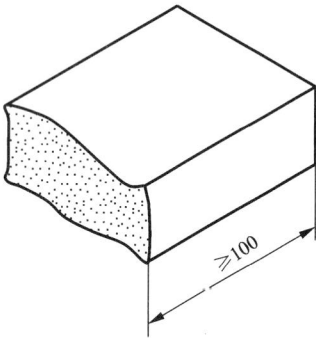

图6-7 半截砖长度示意图(单位：mm)

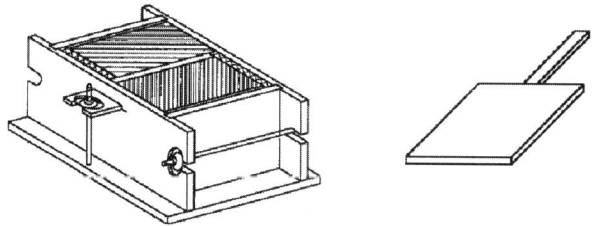

图6-8 一次成型制样模具及插板

（2）二次成型制样。二次成型制样适用于采用整块样品上下表面灌浆制成强度试验试样的方式。将整块试样放入室温的净水中浸20~30 min后取出，在铁丝网架上滴水20~30 min。按照净浆材料配制要求，置于搅拌机中搅匀。模具内表面涂油或脱膜剂，加入适量搅拌均匀的净浆材料，将整块试样一个承压面与净浆接触，装入制样模具中，承压面找平层厚度不应大于3 mm。接通振动台电源，振动0.5~1 mim，停止振动，静置至净浆材料初凝(约15~19 min)后拆模。按同样方法完成整块试样另一承压面的找平。二次成型制样模具如图6-9所示。

（3）非成型制样：非成型制样适用于试样无需进行表面找平处理制样的方式。将试样锯成两个半截砖，两个半截砖用于叠合部分的长度不得小于100 mm。如果不足100 mm应另取备用试样补足。两半截砖切断扣相反叠放，叠合部分不得小于100 mm，如图6-10所示，即为抗压强度试样。

2）试样养护

一次成型制样、二次成型制样在不低于10℃的不通风室内养护4 h。非成型制样不需要养护，试样气干状态直接进行试验。

3）试验步骤

测量每个试样连接面或受压面的长、宽尺寸各两个，分别取其平均值，精确至1 mm。将试样平放在加压板的中央，垂直于受压面加荷，应均匀平稳，不得发生冲击或振动。加荷速度以(2-6)kN/s为宜，直至试样破坏为止，记录最大破坏荷载 P。

194

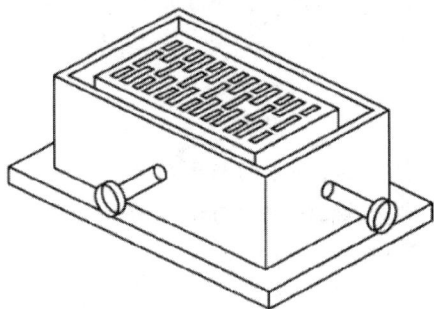

图 6-9　二次成型制样模具

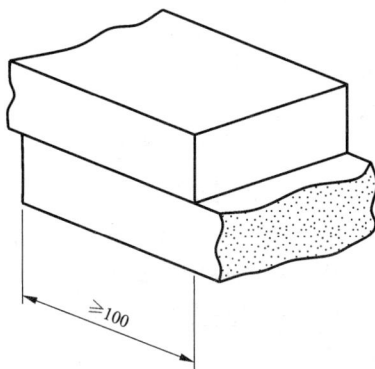

图 6-10　半砖叠合示意图（单位：mm）

4. 结果计算与结论评定

每块试样的抗压强度（R_p）按下式计算。

$$R_P = \frac{P}{L \times B}$$

式中：R_P——抗压强度，单位为兆帕（MPa）；

　　　P——最大破坏荷载，单位为牛顿（N）；

　　　L——受压面（连接面）的长度，单位为毫米（mm）；

　　　B——受压面（连接面）的宽度，单位为毫米（mm）。

试验结果以试样抗压强度的算术平均值和标准值或单块最小值表示。

模块小结

合理选用墙体材料对建筑物的功能、造价及安全等有重要的意义。常用的墙体材料有砌墙砖、建筑砌块和建筑墙板三大类。

砌墙砖分为烧结砖和非烧结砖两大类。其中烧结砖包括烧结普通砖、烧结多孔砖和烧结空心砖，使用烧结多孔砖和烧结空心砖，可降低建筑物自重，节约黏土，改善墙体的保温、隔声性能。烧结多孔砖孔洞多而尺寸小，孔洞分别均匀，具有较高的强度，主要用于六层以下的承重墙体；烧结空心砖孔洞少而尺寸大，孔洞率高，强度较低，但保温隔热性能好，主要用于砌筑框架结构的填充墙或非承重墙。非烧结砖可充分利用工业废料生产。

常用砌块有混凝土砌块、轻集料混凝土砌块、蒸压加气混凝土砌块、石膏砌块和粉煤灰砌块等。砌筑墙体时采用砌块可提高施工速度，改善墙体的使用功能。

常用的建筑墙板有蒸压加气混凝土墙板、水泥刨花板、石膏空心板等。建筑墙板具有轻质高强、耐久性好、施工效率高、保温隔热性能好等优点，因此被广泛应用于仓库、场馆、活动房等的墙体和屋面。

墙体材料质量验收主要对其尺寸、外观及强度进行检测。

技能考核题

一、填空题

1. 目前所用的墙体材料有_____、_____和_____三大类。
2. 墙体材料在建筑中主要起_____、_____和_____作用。
3. 烧结多孔砖的孔洞数量_____，孔洞_____，砌筑时孔洞方向与承压面_____。
4. 烧结空心砖的孔洞数量_____，孔洞_____，砌筑时孔洞方向与承压面_____。
5. 蒸压加气混凝土砌块具有表观密度_____、保温隔热性能_____、干燥收缩_____等特点。

二、单项选择题

1. 烧结砖的质量评价依据不包括(　　)。
   A. 尺寸偏差　　　　B. 砖的外观质量　　C. 泛霜　　　　　D. 自重
2. 下面(　　)不是加气混凝土砌块的特点。
   A. 轻质　　　　　　B. 保温隔热　　　　C. 干燥收缩大　　D. 强度高
3. 烧结多孔砖强度检验时在每一验收批中随机抽取(　　)块试样。
   A. 5　　　　　　　B. 10　　　　　　　C. 15　　　　　　D. 20
4. MU30砌墙砖是指其抗压强度(　　)为30 MPa。
   A. 平均值　　　　　B. 标准值　　　　　C. 最大值　　　　D. 最小值
5. 烧结空心砖的孔洞率应大于(　　)%。
   A. 15　　　　　　　B. 20　　　　　　　C. 35　　　　　　D. 40

三、多项选择题

1. 蒸压加气混凝土砌块的特点有(　　)等。
   A. 轻质　　　　　　B. 高强　　　　　　C. 保温　　　　　D. 干缩小
2. 烧结砖的技术要求中包括(　　)。
   A. 表观密度　　　　B. 外观质量　　　　C. 泛霜和石灰爆裂　D. 尺寸偏差

四、判断题

1. 烧结多孔砖的孔洞率不小于25%且不大于35%。　　　　　　　　　　　　(　　)
2. 烧结普通砖的优等品不允许出现泛霜的现象。　　　　　　　　　　　　(　　)
3. 砌块高度大于980 mm的为大型砌块。　　　　　　　　　　　　　　　(　　)
4. 砌墙砖泛霜是因为可溶性盐随水分蒸发在砖表面产生的盐析现象。　　　(　　)
5. 非烧结砖可用于长期受热高于200℃的建筑部位。　　　　　　　　　　(　　)

五、名词解释

1. 泛霜
2. 石灰爆裂
3. 复合墙板

六、案例分析

某清水墙采用烧结砖，使用一段时间后表面产生白霜，请分析这种现象的原因及其后果。

模块七　建筑钢材

【课程思政目标】

1. 具有坚定正确的政治方向、良好的职业道德和诚信品质；
2. 爱岗敬业，具有工匠精神、劳动精神、劳模精神；
3. 具有良好的质量意识、规范意识、环保意识、安全意识；
4. 培养家国情怀，具有较强的集体荣誉感和团队协作精神。

【能力目标】

1. 能根据工程性质、特点及使用环境，正确选用建筑钢材。
2. 能对施工现场进场的建筑钢材进行质量验收和管理。
3. 能根据相关标准检测和评定建筑钢材的性能。

【知识目标】

1. 了解钢材的冶炼和加工方法、钢材锈蚀的防止方法。
2. 掌握钢材的力学性能、工艺性能等技术性能要求。
3. 掌握钢结构、钢筋混凝土结构采用的主要钢材品种及特点。
4. 掌握常用钢材必试项目的检测操作。

【本模块推荐学习的标准和规范】

《碳素结构钢》（GB/T 700—2006）。

《低合金高强度结构钢》（GB/T 1591—2008）。

《热轧型钢》（GB/T 706—2008）。

《钢筋混凝土用钢　第 1 部分：热轧光圆钢筋》（GB 1499.1—2017）

《钢筋混凝土用钢　第 2 部分：热轧带肋钢筋》（GB 1499.2—2018）

《冷轧带肋钢筋》（GB 13788—2017）

《预应力混凝土用钢丝》（GB/T 5223—2014）

《金属材料拉伸试验室温试验方法》（GB/T 228.1—2021）

《金属材料弯曲试验方法》（GB/T 232—2010）

7.1　概　述

建筑钢材是指用于钢筋混凝土结构的钢筋、钢丝和用于钢结构的各种型钢，以及用于围护结构和装修工程的各种深加工钢板和复合板等。建筑钢材具有一系列优良的性能，它有较高的强度，有良好的塑性和韧性，能承受冲击和振动载荷；可以焊接或铆接，易于加工和装配。但钢材也存在易锈蚀及耐火性差的缺点。由于建筑钢材主要用作结构材料，钢材的性能往往对结构的安全起着决定性作用，因此，我们应对各种钢材的性能有充分的了解，以便在设计和施工中合理地选择和使用。

7.1.1　钢材的冶炼与加工

钢是由生铁冶炼而成。生铁是铁矿石、熔剂(石灰石)、燃料(焦炭)在高炉中经过还原反应和造渣反应而得到的一种碳铁合金,其中碳和磷、硫等杂质的含量较高。生铁硬而脆、无塑性和韧性,不能进行焊接、锻造、轧制等加工,在建筑中很少应用。

炼钢的原理是将熔融的生铁进行氧化,使碳的含量降低到一定的限度,同时把其他杂质的含量也降低到允许范围内。所以,在理论上凡含碳量在2%以下,含有害杂质较少的铁碳合金可称为钢。

目前,我国常用的炼钢方法有转炉法、平炉法、电炉法。在冶炼钢的过程中,由于氧化作用使部分铁被氧化,使钢的质量降低。因而在炼钢后期精炼时,需在炉内或钢包中加入脱氧剂(锰铁、硅铁、铝锭等)进行脱氧,使氧化铁还原为金属铁。钢水经脱氧后才能浇铸成钢锭,轧制各种钢材。

在铸锭冷却过程中,由于钢内某些元素在铁的液相中的溶解度高于固相,使这些元素向凝固较迟的钢锭中心集中,导致化学成分在钢锭截面上分布不均匀,这种现象称为化学偏析,其中尤以硫、磷偏析最为严重,偏析现象对钢的质量影响很大。

根据脱氧程度不同,浇铸的钢锭可分为沸腾钢、镇静钢及特殊镇静钢三种。

沸腾钢是脱氧不完全的钢,钢液中保留相当数量的 FeO,钢水浇铸后,产生大量一氧化碳气体逸出,引起钢水沸腾,故称沸腾钢。沸腾钢的塑性好,有利于冲压。其缺点是组织不够致密,气泡含量较多,化学偏析较大,成分不均匀,强度及抗腐蚀性差,特别是低温冲击韧性显著降低。但由于成本较低,因此被广泛用于一般建筑结构中。

镇静钢是用锰、硅和铝进行充分完全脱氧的钢。在浇铸和凝固过程,钢水呈静止状态,故称镇静钢。此钢结构致密、质量均匀,焊接性能好,抗腐蚀性能强,但成本高,一般用于承受冲击荷载或其他重要结构。

特殊镇静钢脱氧充分完全,铸锭时钢水非常平静,其质量和性能均优于镇静钢,成本也高于镇静钢,用于特别重要的结构工程。

由于在铸锭过程中往往出现偏析、缩孔、气泡、晶粒粗大、组织不致密等缺陷,故钢材在浇铸后,大多都要再经过压力加工才能使用。压力加工可分为热加工和冷加工两种。

热加工是将钢锭加热至呈塑性状态,再施加压力改变其形状,并使钢锭内部气泡焊合,疏松组织密实。通过热加工,不仅使钢锭轧成各种型钢及钢筋,也提高了钢的强度和质量,一般辗轧的次数越多,钢的强度提高也越大。

冷加工是指钢材在常温下进行的压力加工。冷加工的方式很多,如冷拉、冷拔、冷轧等。冷轧可轧制厚度很薄、表面光洁度较高的钢板。建筑上常采用冷拉、冷拔来提高钢材的强度。

7.1.2　钢材的分类

钢的品种繁多,为了便于掌握和选用,常将钢按不同角度进行分类。

1. 按化学成分分

$$\text{碳素钢}\begin{cases} \text{低碳钢(含碳量}<0.25\%) \\ \text{中碳钢(含碳量}\,0.25\%\sim0.60\%) \\ \text{高碳钢(含碳量}>0.60\%) \end{cases}$$

$$合金钢\begin{cases}低合金钢(合金元素含量<5\%) \\ 中合金钢(合金元素含量5\%\sim10\%) \\ 高合金钢(合金元素含量>10\%)\end{cases}$$

2. 按质量分

普通碳素钢(含硫量≤0.050%，含磷量≤0.045%)

优质碳素钢(含硫量≤0.035%，含磷量≤0.035%)

高级优质钢(含硫量≤0.030%，含磷量≤0.030%)

特级优质碳素钢(含硫量≤0.020%，含磷量≤0.025%)

3. 按用途分

结构钢：包括建筑工程用结构钢和机械制造用结构钢。

工具钢：主要用于制作刀具、量具、模具等。

特殊钢：具有特殊的物理、化学或机械性能的钢，如不锈钢、耐酸钢、耐热钢、耐磨钢、磁钢等。

目前，在建筑工程中常用的钢种是普通碳素结构钢和普通低合金结构钢。

7.2　建筑钢材的主要技术性能

钢材的性能主要包括力学性能、工艺性能和化学性能等。只有了解、掌握钢材的各种性能，才能做到正确、经济、合理地选择和使用钢材。

7.2.1　力学性能

1. 拉伸性能

拉伸是建筑钢材的主要受力形式，所以，拉伸性能是表示钢材性能和选用钢材的重要指标。

将低碳钢(软钢)标准拉伸试件，放在材料试验机上进行拉伸试验，可以测出屈服强度、抗拉强度和伸长率三个重要技术指标，可以绘出如图7-1所示的应力–应变关系曲线。从图中可以看出，低碳钢受力拉至拉断，经历了四个阶段：弹性阶段($O{\rightarrow}A$)、屈服阶段($A{\rightarrow}B$)、强化阶段($B{\rightarrow}C$)和颈缩阶段($C{\rightarrow}D$)。

1) 弹性阶段($O{\rightarrow}A$)

曲线中 OA 段是一条直线，应力与应变成正比。如卸去外力，试件能恢复原来的形状，这种性质即为弹性，此阶段的变形为弹性变形。与 A 点对应的应力称为弹性极限，以 R_p 表示。应力与应变的比值为常数，即弹性模量 E，$E=R/e$。弹性模量反映钢材抵抗弹性变形的能力，是钢材在受力条件下计算结构变形的重要指标。

图7-1　低碳钢拉伸的应力–应变图

2) 屈服阶段($A{\rightarrow}B$)

在曲线的 AB 范围内，当应力超过 R_p 以后，如果卸去拉力，变形不能立刻恢复，表明已

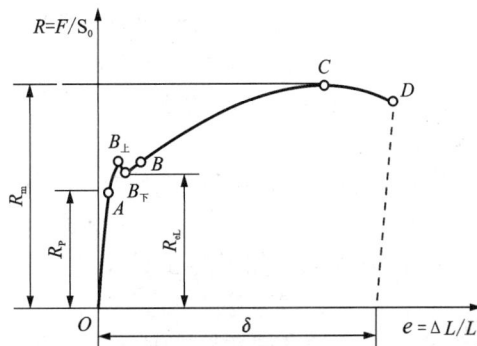

经出现塑性变形。在这一阶段中，应力和应变不再成正比，应力的增长滞后于应变的增长。当应力达 $B_{上}$ 点后(上屈服点 R_{eH})，瞬时下降至 $B_{下}$ 点(下屈服点 R_{eL})，变形迅速增加，而此时外力则大致在恒定的位置上波动，直到 B 点，这就是所谓的"屈服现象"，似乎钢材不能承受外力而屈服，所以 AB 段称为屈服阶段。与 $B_{下}$ 点(此点较稳定，易测定)对应的应力称为屈服点(屈服强度)，以 R_{eL} 表示。

屈服强度在实际工作中有很重要的意义，钢材受力大于屈服点后，会出现较大的塑性变形，已不能满足使用要求，因此屈服强度是设计上钢材强度取值的依据，是工程结构计算中非常重要的一个参数。

3) 强化阶段($B{\to}C$)

当应力超过屈服强度后，在曲线的 BC 段，由于钢材内部组织中的晶格发生了畸变，阻止了晶格进一步滑移，钢材得到强化。所以钢材抵抗塑性变形的能力又重新提高，$B{\to}C$ 呈上升曲线，称为强化阶段。对应于最高点 C 的应力值(R_{m})称为极限抗拉强度，简称抗拉强度。

显然，R_{m} 是钢材受拉时所能承受的最大应力值。屈服强度与抗拉强度之比，称为屈强比(R_{eL}/R_{m})，屈强比能反映钢材的利用率和结构安全可靠程度。屈强比过小，钢材强度的利用率偏低，造成钢材浪费；但屈强比过大，其结构的安全可靠性降低，当使用中发生突然超载时，容易产生破坏。因此，要保证结构安全可靠性的前提下，尽可能提高钢材的屈强比。建筑结构钢合理的屈强比一般在 0.60~0.75 之间。

4) 颈缩阶段($C{\to}D$)

试件受力达到最高点 C 点后，其抵抗变形的能力明显降低，变形迅速发展，应力逐渐下降，试件被拉长，在有杂质或缺陷处，断面急剧缩小，直至断裂。故 CD 段称为颈缩阶段。

将拉断后的试件拼合起来，测定出标距范围内的长度 L_u(mm)，L_u 与试件原标距 L_0(mm)之差为塑性变形值，它与 L_0 之比称为断后伸长率(A)，如图 7-2 所示。断后伸长率的计算式如下：

$$A=\frac{L_u-L_0}{L_0}\times100\%$$

断后伸长率 A 是衡量钢材塑性的一个重要指标，A 越大说明钢材的塑性越好，而强度较低。具有一定的塑性变形能力，可保证应力重新分布，避免应力集中，从而钢材用于结构的安全性越大。

必须指出，由于试件断裂前的颈缩现象，使塑性变形在试件标距内的分布是不均匀的，当原标距与直径之比愈大，则颈缩处的伸长值在整个伸长值中的比重愈小，因而计算的伸长率偏小，通常取标距长度 L_0 等于 5 或 10 倍试件直径 a，其断后伸长率用 A_5 或 A_{10} 表示，对于同一钢材，$A_5>A_{10}$。

中碳钢与高碳钢(硬钢)是拉伸曲线与低碳钢不同，其抗拉强度高，屈服现象不明显，难以测定屈服点，则规定产生残余变形为原标距长度的 0.2% 时所对应的应力值，作为屈服强度，也称条件屈服点。如图 7-3 所示。

2. 冲击韧性

冲击韧性是指钢材抵抗冲击荷载而不被破坏的能力。它是以试件冲断时缺口处单位面积上所消耗的功(J/cm^2)来表示，其符号为 α_k。试验时将试件放置在固定支座上，然后以摆锤冲击试件刻槽的背面，使试件承受冲击弯曲而断裂，如图 7-4 所示。显然，α_k 值越大，钢材的冲击韧性越好。

冲击韧性

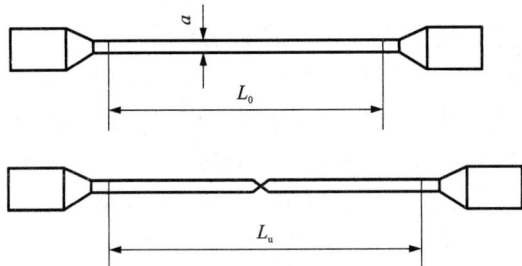

图 7-2　钢材的伸长率

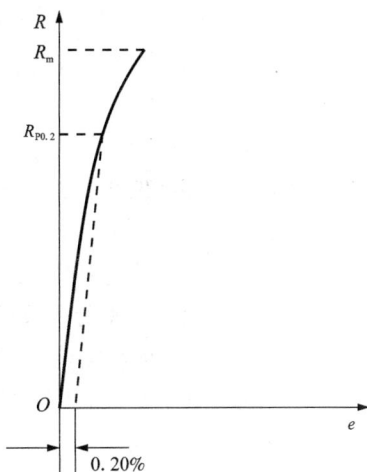

图 7-3　中、高碳钢拉伸的应力-应变图

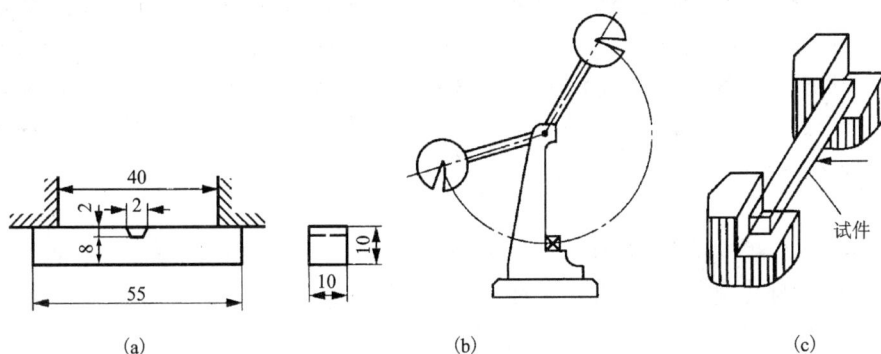

(a)　　　　　　　　　(b)　　　　　　　　　(c)

图 7-4　钢材的冲击韧性试验

(a)试件尺寸(mm)；(b)试验机；(c)试验装置

钢材的冲击韧性对钢的化学成分、内部组织状态，以及冶炼、轧制质量都较敏感。例如，当钢材内硫、磷的含量高，存在化学偏析，含有非金属夹杂物及焊接形成的微裂纹时，都会使冲击韧性显著降低。同时，环境温度对钢材的冲击功影响也很大。试验表明，冲击韧性随温度的降低而下降，开始时下降缓和，当达到一定温度范围时，突然下降很多而呈脆性，这种性质称为钢材的冷脆性，这时的温度称为脆性临界温度。它的数值越低，钢材的低温冲击性能越好。所以，在负温下使用的结构，应当选用脆性临界温度较使用温度低的钢材。由于脆性临界温度的测定较复杂，故规范中通常是根据气温条件规定-20℃或-40℃的负温冲击值指标。

钢材随时间的延长而表现出强度提高，塑性和冲击韧性下降，这种现象称为时效。通常，完成时效的过程可达数十年，但钢材如经冷加工或使用中经受振动和反复荷载的影响，时效可迅速发展。因时效导致钢材性能改变的程度称为时效敏感性。时效敏感性越大的钢材，经过时效后冲击韧性的降低就越显著。为了保证安全，对于承受动荷载的重要结构，如

桥梁等,应当选用时效敏感性小的钢材。

总之,对于直接承受动荷载,而且可能在负温下工作的重要结构,必须按照有关规范要求进行钢材的冲击韧性检验。

3. 疲劳强度

钢材在交变荷载反复多次作用下,往往在应力远低于抗拉强度时发生断裂,这种现象称为钢材的疲劳破坏。钢材的疲劳破坏指标用疲劳强度(或称疲劳极限)来表示,它是指试件在交变应力的作用下,于规定的周期基数内不发生疲劳破坏的最大应力值。对钢材而言,一般将承受交变荷载达 $10^6 \sim 10^7$ 周次时不发生破坏的最大应力,定义为疲劳强度。在设计承受反复荷载且须进行疲劳验算的结构时,应测定所用钢材的疲劳强度。

测定疲劳强度时,应根据结构的使用条件确定所采用的应力循环类型(如拉-拉型、拉-压型等)、应力比值(最小与最大应力之比,又称应力特征值 ρ)和周期基数。应力循环可分为等幅应力循环和变幅应力循环两类。例如,测定钢筋的疲劳强度时,通常采用的是承受大小改变的拉应力循环,应力比值通常是非预应力筋为 0.1~0.8,预应力筋为 0.7~0.85,周期基数为 200 万次或 400 万次以上。

研究表明,钢材的疲劳破坏是拉应力引起的,首先在局部开始形成微细裂纹,其后由于裂纹尖端处产生应力集中而使裂纹迅速扩展直至钢材断裂。疲劳强度不仅与钢材内部组织有关,也和表面质量有关,钢材内部成分的偏析和夹杂物的多少,以及最大应力处的表面光洁程度、加工损伤等,都是影响钢材疲劳强度的因素。例如,钢筋焊接接头的卷边和表面微小的腐蚀缺陷,都可使疲劳强度显著降低。疲劳破坏经常是突然发生的,因而具有很大的危险性,往往造成严重事故。

4. 硬度

硬度是指金属材料抵抗硬物压入表面的能力,亦即材料表面抵抗塑性变形的能力。

测定钢材的硬度常采用压入法。即以一定的静荷载(压力),通过压头压在金属表面,然后测定压痕的面积或深度来确定硬度(如图7-5)。按压头或压力不同,有洛氏法、布氏法等,相应的硬度试验指标称为布氏硬度(HB)和洛氏硬度(HR),较常用的方法是布氏法。

布氏法的测定原理是:用一直径为 D(mm)的淬火钢球以荷载 P 将其压入试件表面,经规定的持续时间后卸除荷载,即得直径为 d(mm)的压痕,以压痕表面积 F 除荷载 P,所得的商即为该试件的布氏硬度值 HB,以数字表示,不带单位。

图7-5 布氏硬度测定

材料的硬度值往往与其他性能有一定的相关性。材料的强度越高,塑性变形抵抗力越强,硬度值也就越大。对于低碳钢,当 HB <175 时,$R_m \approx 0.36HB$;当 HB>175 时,$R_m \approx 0.35HB$。根据这一关系,可以直接在钢结构上测出钢材的 HB 值,并估算该钢材的 R_m,而不破坏钢结构本身。

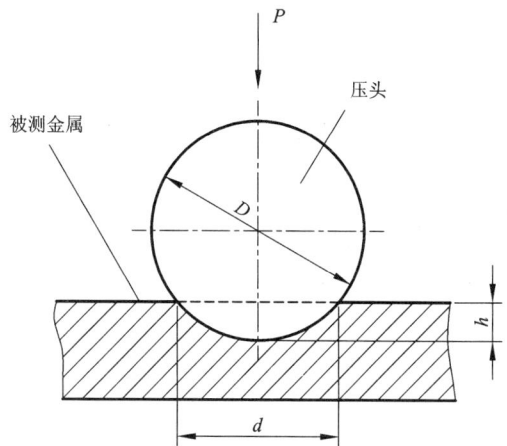

7.2.2　工艺性能

钢材的工艺性能是指钢材在加工过程中表现出的性能。良好的工艺性能，可以保证钢材顺利通过各种加工，而使钢材制品的质量不受影响。冷弯、冷拉、冷拔及焊接性能均是建筑钢材的重要工艺性能。

1. 冷弯性能

冷弯性能是指钢材在常温下承受弯曲变形的能力，是建筑钢材的重要工艺性能。

建筑工程中，常常要把钢板、钢筋等材料弯曲加工成要求的形状，钢材的冷弯性能指标用试件在常温下所能承受的弯曲程度表示。弯曲程度则通过试件被弯曲的角度 α 和弯芯直径 d 对试件厚度（或直径 a）的比值来区分。试验时采用的弯曲角度愈大，弯曲压头直径对试件厚度（或直径）的比值愈小，表示对冷弯性能的要求愈高。冷弯检验是：按规定的弯曲角和弯曲压头直径进行试验，试件弯曲的外表面无肉眼可见裂纹，即认为冷弯性能合格。图7-6为冷弯试验示意图。

冷弯性能

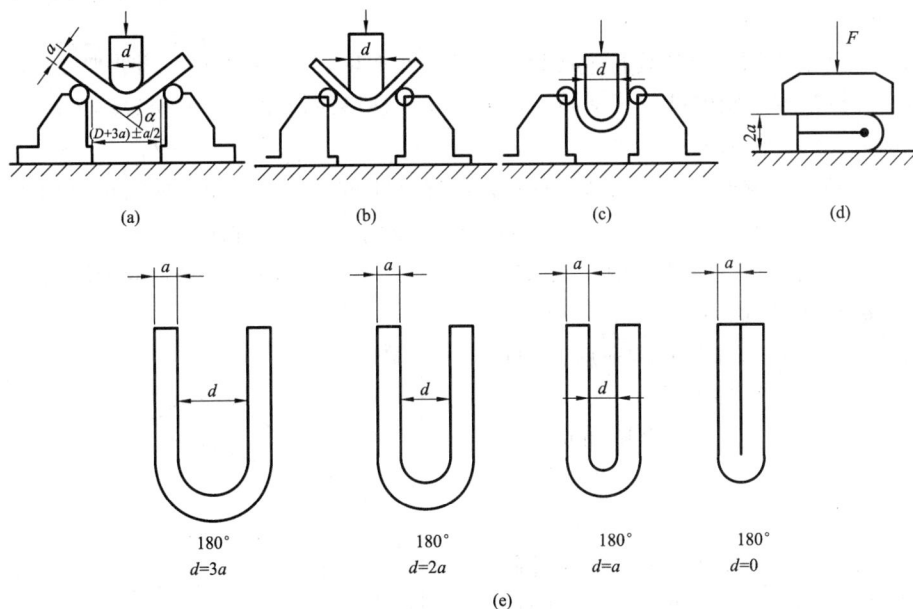

图 7-6　钢筋的冷弯试验

（a）试件安装；（b）弯曲90°；（c）弯曲180°；（d）弯曲至两面重合；（e）弯芯直径 d

冷弯试验是通过试件弯曲处的不均匀塑性变形来实现的，它更有助于暴露钢材的某些内在缺陷。相对于伸长率而言，冷弯是对钢材塑性更严格的检验，它能揭示钢材是否存在内部组织不均匀、内应力、夹杂物、未熔合和微裂纹等缺陷，冷弯试验对焊接质量也是一种严格的检验，能揭示焊接件在受弯表面在未熔合、微裂纹及夹杂物等缺陷。

冷加工强化

2. 钢材的冷加工强化机理与强化方法

1）冷加工强化机理

将钢材在常温下进行冷加工（如冷拉、冷拔或冷轧），使之产生塑性变形，

203

从而提高屈服强度，降低塑性韧性，这个过程称为冷加工强化处理。

在冷加工时，钢材产生塑性变形，位错密度提高，同时在其内部产生内应力，这两方面的相互促进，很快导致钢材强度和硬度提高，但也会导致其塑性降低，弹性模量下降。

2）冷加工强化方法

建筑工地或预制构件厂常利用该原理对钢筋或低碳盘条按一定制度进行冷拉和冷拔加工，以提高屈服强度，节约钢材。

（1）冷拉

是将热轧钢筋用冷拉设备加力进行张拉，使之伸长。钢材经冷拉后，屈服强度可提高 20%~30%，可节约钢材 10%~20%，钢材经冷拉后屈服阶段缩短，伸长率降低，材质变硬。

（2）冷拔

将光面圆钢筋通过硬质合金拔丝模孔强行拉拔。每次拉拔断面缩小应在 10% 以下。钢筋在冷拔过程中，不仅受拉，同时还受到挤压作用，因而冷拔的作用比纯冷拉作用强烈。经过一次或多次冷拔后的钢筋，表面光洁度高，屈服强度提高 40%~60%，但塑性大大降低，具有硬钢的性质。

（3）时效

钢材经过冷加工后，于常温下存放 15~20 天，或加热到 100~200℃，并保持 2 h 左右，其屈服强度、抗拉强度及硬度进一步提高，而塑性及韧性继续降低，这种现象称为时效。前者称为自然时效，后者称为人工时效。

钢材的时效是普遍而长期的过程，有些未经冷加工的钢材，长期存放后也会出现时效现象，冷加工只是加速了时效发展。一般冷加工和时效同时采用，通过试验来确定冷拉控制参数和时效方式。通常强度较低的钢筋宜采用自然时效，强度较高的钢筋则应采用人工时效。

钢材经冷加工及时效处理后，其应力-应变关系变化的规律，可明显地在应力-应变图上得到反映，如图 7-7 所示。

图 7-7 中 OABCD 为未经冷拉和时效试件的应力-应变曲线。当试件冷拉至超过屈服强度的任意一点 K，卸去荷载，此时由于试件已产生塑性变形，则曲线沿 KO' 下降，KO' 大致与 AO 平行。如立即再拉伸，则应力-应变曲线将成为 O'KCD（虚线），屈服强度由 B 点提高到 K 点。但如在 K 点卸荷后进行时效处理，然后再拉伸，则应力-应变曲线将成为 O'KK₁C₁D₁，这表明冷拉时效

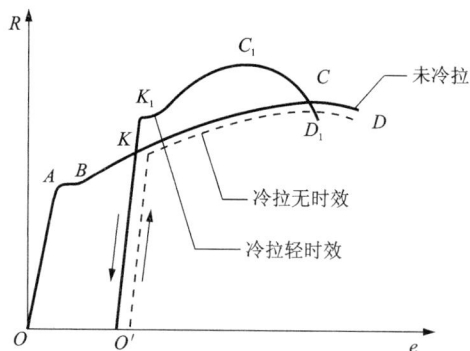

图 7-7　钢材冷拉时效后应力-应变图的变化

后，屈服强度和抗拉强度均得到提高，但塑性和韧性则相应降低。

3.焊接性能

焊接是各种型钢、钢板、钢筋的重要连接方式。在工业与民用建筑的钢结构中，焊接结构占 90% 以上。在钢筋混凝土结构中，焊接大量应用于钢筋接头、钢筋网、钢筋骨架和预埋件之间的连接，以及装配式构件的安装。焊件的质量主要取决于选择正确的焊接工艺和适当的焊接材料，以及钢材本身的可焊性。

焊接性能

钢材的可焊性是指钢材是否适应通常的焊接方法与工艺进行焊接的性能。可焊性好的钢材易于用一般焊接方法和工艺施焊，焊口处不易形成裂纹、气孔、夹渣等缺陷，焊接后钢材的力学性能，特别是强度不低于原有钢材，硬脆倾向小。

钢材可焊性能的好坏，主要取决于钢的化学成分。含碳量高将增加焊接接头的硬脆性，含碳量小于 0.25% 的碳素钢具有良好的可焊性。加入合金元素（如硅、锰、钒、钛等），也将增大焊接处的硬脆性，降低可焊性，特别是硫能使焊接产生热裂纹及硬脆性。

钢筋焊接应注意的问题是：冷拉钢筋的焊接应在冷拉之前进行；钢筋焊接之前，焊接部位应清除铁锈、熔渣、油污等；应尽量避免不同国家的进口钢筋之间或进口钢筋与国产钢筋之间的焊接。

4. 钢的化学成分对钢材性能的影响

钢材中除基本元素铁和碳外，常有硅、锰、硫、磷、氢、氧、氮等元素存在，还有有意加入的合金元素。各种元素对钢的性能都有一定的影响，为了保证钢的质量，在国家标准中对各类钢的化学成分都做了严格的规定。

化学成分的影响

1）碳

它是钢中的重要元素，对钢的机械性能有重要的影响。当含碳量低于 0.8% 时，随着含碳量的增加，钢的抗拉强度（R_m）和硬度（HB）提高，而塑性及韧性降低。同时，还将使钢的冷弯、焊接及抗腐蚀等性能降低，并增加钢的冷脆性和时效敏感性。

2）硅

它是钢中的有益元素，是为了脱氧去硫而加入的。硅是钢的主要合金元素。含量常在 1% 以内，可提高强度，对塑性和韧性没有明显影响。所以，硅是我国低合金钢的主要合金元素，其作用主要是提高钢材的强度。但含硅量超过 1% 时，钢材的冷脆性增加，可焊性变差。

3）锰

能消减硫和氧所引起的热脆性，改善钢材的热加工性能。当含量为 0.8%～1.0% 时，可显著提高钢的强度和硬度，几乎不降低塑性及韧性，所以它也是主要的合金元素之一。当其含量大于 1% 时，在提高强度的同时，塑性及韧性有所下降，可焊性变差。

4）磷

它是钢中的有害元素，由炼钢原料带入。其含量提高，钢材的强度提高，塑性和韧性显著下降，特别是低温下冲击韧性下降更为明显。常把这种现象称为冷脆性。磷还能使钢的冷弯性能降低，可焊性变差。但磷可使钢材的强度、耐磨性和耐蚀性提高，在低合金钢中可配合其他元素作为合金元素使用。

5）硫

它是钢中的有害元素，硫在钢的热加工时易引起钢的脆裂，称为热脆性。硫的存在还使钢的冲击韧性、疲劳强度、可焊性及耐蚀性降低，即使微量存在，也对钢有害，因此，硫的含量要严格控制。

6）氧、氮

氧、氮是钢中的有害杂质，会降低钢的塑性、韧性、冷弯性和可焊性。

7）钒、铌、钛

钒、铌、钛都是炼钢时的脱氧剂，也是常用的合金元素，适量加入钢中可改善钢的组织，提高钢的强度和改善韧性。

7.3　建筑钢材的标准与选用

建筑工程中常用的钢材可分为钢结构用的型钢和钢筋混凝土结构用的钢筋、钢丝两大类。常用的钢筋、钢丝、型钢及预应力锚具等，基本上都是碳素结构钢和低合金高强度结构钢，经热轧或再进行冷加工强化及热处理等工艺加工而成。

7.3.1　钢结构用钢

钢结构用钢主要有碳素结构钢和低合金高强度结构钢两种。

1. 碳素结构钢

碳素结构钢包括一般结构钢和工程用热轧钢板、钢带、型钢等，现行国家标准《碳素结构钢》（GB/T 700—2006）具体规定了它的牌号表示方法、代号和符号、技术要求、试验方法、检验规则等。

1）牌号表示方法

标准中规定：碳素结构钢的牌号由代表屈服强度的字母 Q、屈服强度数值、质量等级符号和脱氧程度符号四个部分按顺序组成。碳素结构钢按屈服强度的数值（MPa）分为 4 个牌号（即 Q195、Q215、Q235 和 Q275）；每个牌号又根据其硫、磷等有害杂质的含量由多到少分为 A、B、C、D 四个质量等级；按照脱氧程度不同分为特殊镇静钢（TZ）、镇静钢（Z）和沸腾钢（F），对于镇静钢和特殊镇静钢，在钢的牌号中予以省略。如 Q235-AF，表示屈服点为 235MPa 的 A 级沸腾钢；Q235-C 表示屈服点为 235MPa 的 C 级镇静钢。

2）技术要求

碳素结构钢的技术要求包括化学成分、力学性能、冶炼方法、交货状态及表面质量五个方面，碳素结构钢的化学成分、力学性能、冷弯试验指标应分别符合表 7-1、表 7-2、表 7-3 的要求。

表 7-1　碳素结构钢的化学成分（GB/T 700—2006）

牌　号	统一数字代号	等级	化学成分/%，≤					脱氧程度
			C	Mn	Si	S	P	
Q195	U11952	—	0.12	0.50	0.30	0.040	0.035	F、Z
Q215	U12152	A	0.15	1.20	0.33	0.050	0.045	F、Z
	U12155	B				0.045		
Q235	U12352	A	0.22	1.40	0.35	0.050	0.045	F、Z
	U12355	B	0.22			0.045		
	U 12358	C	0.17			0.040	0.040	Z
	U 12359	D				0.035	0.035	TZ
Q275	U12752	A	0.24	1.50	0.35	0.050	0.045	Z
	U12755	B	0.21			0.045	0.045	
	U12758	C	0.22			0.040	0.040	Z
	U12759	D	0.20			0.035	0.035	TZ

碳素结构钢

表 7-2　碳素结构钢的力学性能（GB/T 700—2006）

牌号	等级	拉 伸 试 验												冲击试验	
		屈服点 R_{eL}/MPa，≥						抗拉强度 R_m /MPa	伸长率 A_5/%					温度 /℃	冲击吸收功（纵向）/J，≥
		钢材厚度（直径）/mm							钢材厚度（直径）/mm						
		≤16	>16~40	>40~60	>60~100	>100~150	>150~200		≤40	>40~60	>60~100	>100~150	>150~200		
Q195	—	195	185	—	—	—	—	315~430	33					—	—
Q215	A	215	205	195	185	175	165	335~450	31	30	29	27	26	—	—
	B													20	27
Q235	A	235	225	215	215	195	185	370~500	26	25	24	22	21	—	—
	B													20	27
	C													0	27
	D													-20	
Q275	A	275	265	255	245	225	215	410~540	22	21	20	18	17	—	—
	B													20	27
	C													0	
	D													-20	

表 7-3　碳素结构钢的冷弯试验指标（GB/T 700—2006）

牌　号	试样方向	冷 弯 试 验（$b=2a$，180°）	
		钢材厚度（直径）/mm	
		≤60	>60~100
		弯曲压头直径 D	
Q195	纵	0	—
	横	$0.5a$	
Q215	纵	$0.5a$	$1.5a$
	横	a	$2a$
Q235	纵	a	$2a$
	横	$1.5a$	$2.5a$
Q275	纵	$1.5a$	$2.5a$
	横	$2a$	$3a$

注：b 为试样宽度，a 为钢材厚度（直径）

3）各类牌号钢材的性能和用途

钢材随牌号的增大，含碳量增加，强度和硬度相应提高，而塑性和韧性则降低。

建筑工程中应用最广泛的是 Q235 号钢。其含碳量为 0.17%~0.22%，属低碳钢，具有较高的强度，良好的塑性、韧性及可焊性，综合性能好，能满足一般钢结构和钢筋混凝土用钢要求，且成本较低。在钢结构中主要使用 Q235 钢轧制成的各种型钢。

Q195、Q215 号钢，强度低，塑性和韧性较好，易于冷加工，常用作钢钉、铆钉、螺栓及铁丝等。Q215 号钢经冷加工后可代替 Q235 号钢使用。Q275 号钢，强度较高，但塑性、韧性较差，可焊性也差，不易焊接和冷弯加工，可用于轧制带肋钢筋、做螺栓配件等，但更多用于机械零件和工具等。

2. 低合金高强度结构钢

低合金高强度结构钢是在碳素结构钢的基础上，添加少量的一种或几种合金元素(总含量小于 5%)的一种结构钢。其目的是为了提高钢的屈服强度、抗拉强度、耐磨性、耐蚀性及耐低温性能等。因此，它是综合性能较为理想的建筑钢材，尤其在大跨度、承受动荷载和冲击荷载的结构中更适用。另外，与使用碳素钢相比，可节约钢材 20%~30%，而成本并不很高。

低合金高强度结构钢

1)牌号的表示方法

根据国家标准《低合金高强度结构钢》(GB/Tl591—2008)规定，低合金高强度结构钢的牌号表示方法由屈服强度字母 Q、屈服强度数值、质量等级符号三个部分组成。低合金高强度结构钢按屈服强度的数值(MPa)可分为 8 个牌号(即 Q345、Q390、Q42O、Q460、Q500、Q550、Q620、Q690)，每个牌号又根据其所含硫、磷等有害物质的含量由多到少，分为 A、B、C、D、E 五个等级。

2)标准与选用

低合金高强度结构钢的化学成分、力学性能见表 7-4、表 7-5。

在钢结构中常采用低合金高强度结构钢轧制型钢、钢板，来建筑桥梁、高层及大跨度建筑。在重要的钢筋混凝土结构或预应力钢筋混凝土结构中，主要应用低合金钢加工成的热轧带肋钢筋。

3. 型钢

钢结构构件一般应直接选用各种型钢。型钢之间可直接或附加连接钢板进行连接。连接方式有铆接、螺栓连接或焊接。所以钢结构所用钢材主要是型钢和钢板。型钢有热轧及冷成型两种，钢板也有热轧(厚度为 0.35~200 mm)和冷轧(厚度为 0.2~5 mm)两种。

型钢

钢结构用钢的钢种和钢号，主要根据结构与构件的重要性、荷载的性质(静载或动载)、连接方法(焊接、铆接或螺栓连接)、工作条件(环境温度及介质)等因素予以选择。对于承受动荷载的结构，处于低温环境的结构，应选择韧性好、脆性临界温度低、疲劳极限较高的钢材。对于焊接结构，应选择可焊性较好的钢材。

1)热轧型钢

热轧型钢有角钢、工字钢、槽钢、T 型钢、H 型钢、Z 型钢等。

我国建筑用热轧型钢主要采用碳素结构钢和低合金钢。在碳素结构钢中主要采用 Q235—A，其强度适中，塑性及可焊性较好，成本低，适合建筑工程使用。在低合金钢中主要采用 Q345(16Mn)及 Q390(15MnV)，用于大跨度、承受动荷载的钢结构中。热轧型钢的标记方式为一组符号，包括型钢名称、横断面主要尺寸、型钢标准号及钢牌号与钢种标准等。

2)冷弯薄壁型钢

通常是用 2~6 mm 薄钢板冷弯或模压而成，有角钢、槽钢等开口薄壁型钢及方形、矩形等空心薄壁型钢。主要用于轻型钢结构。其标示方法与热轧型钢相同。

表7-4　低合金高强度结构钢的化学成分（GB/T 1591—2008）

牌号	质量等级	化学成分 /%，≤										
		C≤	Mn≤	Si≤	P≤	S≤	V≤	Nb≤	Ti≤	Al≥	Cr≤	Ni≤
Q345	A	0.02	1.70	0.50	0.035	0.035	0.15	0.07	0.20	—	0.30	0.50
	B				0.035	0.035						
	C				0.030	0.030						
	D	0.18			0.030	0.025				0.015		
	E				0.025	0.020						
Q390	A	0.20	1.70	0.50	0.035	0.035	0.20	0.07	0.20	—	0.30	0.50
	B				0.035	0.035						
	C				0.030	0.030						
	D				0.030	0.025				0.015		
	E				0.025	0.020						
Q420	A	0.20	1.70	0.50	0.035	0.035	0.20	0.07	0.20	—	0.30	0.80
	B				0.035	0.035						
	C				0.030	0.030						
	D				0.030	0.025				0.015		
	E				0.025	0.020						
Q460	C	0.20	1.80	0.60	0.030	0.030	0.20	0.11	0.20	0.015	0.30	0.80
	D				0.030	0.025						
	E				0.025	0.020						
Q500	C	0.18	1.80	0.60	0.030	0.030	0.12	0.11	0.20	0.015	0.60	0.80
	D				0.030	0.025						
	E				0.025	0.020						
Q550	C	0.18	2.00	0.60	0.030	0.030	0.12	0.11	0.20	0.015	0.80	0.80
	D				0.030	0.025						
	E				0.025	0.020						
Q620	C	0.18	2.00	0.60	0.030	0.030	0.12	0.11	0.20	0.015	1.00	0.80
	D				0.030	0.025						
	E				0.025	0.020						
Q690	C	0.18	2.00	0.60	0.030	0.030	0.12	0.11	0.20	0.015	1.00	0.80
	D				0.030	0.025						
	E				0.025	0.020						

表 7-5　低合金高强度结构钢的拉伸性能（GB/T 1591—2008）

<table>
<thead>
<tr><th rowspan="3">牌号</th><th rowspan="3">质量等级</th><th colspan="22">拉伸试验</th></tr>
<tr><th colspan="9">以下公称厚度（直径，边长/mm）下屈服强度 R_{eL}/MPa，≥</th><th colspan="7">以下公称厚度（直径，边长/mm）下抗拉强度 R_m/MPa，≥</th><th colspan="6">以下公称厚度（直径，边长/mm）下断后伸长率 A/%，≥</th></tr>
<tr><th>≤16</th><th>>16~40</th><th>>40~63</th><th>>63~80</th><th>>80~100</th><th>>100~150</th><th>>150~200</th><th>>200~250</th><th>>250~400</th><th>≤40</th><th>>40~63</th><th>>63~80</th><th>>80~100</th><th>>100~150</th><th>>150~250</th><th>>250~400</th><th>≤40</th><th>>40~63</th><th>>63~100</th><th>>100~150</th><th>>150~250</th><th>>250~400</th></tr>
</thead>
<tbody>
<tr><td rowspan="5">Q345</td><td>A</td><td rowspan="5">345</td><td rowspan="5">335</td><td rowspan="5">325</td><td rowspan="5">315</td><td rowspan="5">305</td><td rowspan="5">285</td><td rowspan="5">275</td><td rowspan="5">265</td><td rowspan="3">—</td><td rowspan="5">470~630</td><td rowspan="5">470~630</td><td rowspan="5">470~630</td><td rowspan="5">470~630</td><td rowspan="5">450~630</td><td rowspan="5">450~630</td><td rowspan="3">—</td><td rowspan="3">20</td><td rowspan="3">19</td><td rowspan="3">19</td><td rowspan="3">18</td><td rowspan="3">17</td><td rowspan="3">—</td></tr>
<tr><td>B</td></tr>
<tr><td>C</td></tr>
<tr><td>D</td><td rowspan="2">265</td><td rowspan="2">450~600</td><td rowspan="2">21</td><td rowspan="2">20</td><td rowspan="2">20</td><td rowspan="2">19</td><td rowspan="2">18</td><td rowspan="2">17</td></tr>
<tr><td>E</td></tr>
<tr><td rowspan="5">Q390</td><td>A</td><td rowspan="5">390</td><td rowspan="5">370</td><td rowspan="5">350</td><td rowspan="5">330</td><td rowspan="5">330</td><td rowspan="5">310</td><td rowspan="5">—</td><td rowspan="5">—</td><td rowspan="5"></td><td rowspan="5">490~650</td><td rowspan="5">490~650</td><td rowspan="5">490~650</td><td rowspan="5">490~650</td><td rowspan="5">470~620</td><td rowspan="5">—</td><td rowspan="5"></td><td rowspan="5">20</td><td rowspan="5">19</td><td rowspan="5">19</td><td rowspan="5">18</td><td rowspan="5">—</td><td rowspan="5"></td></tr>
<tr><td>B</td></tr>
<tr><td>C</td></tr>
<tr><td>D</td></tr>
<tr><td>E</td></tr>
<tr><td rowspan="5">Q420</td><td>A</td><td rowspan="5">420</td><td rowspan="5">400</td><td rowspan="5">380</td><td rowspan="5">360</td><td rowspan="5">360</td><td rowspan="5">340</td><td rowspan="5">—</td><td rowspan="5">—</td><td rowspan="5"></td><td rowspan="5">520~680</td><td rowspan="5">520~680</td><td rowspan="5">520~680</td><td rowspan="5">520~680</td><td rowspan="5">500~650</td><td rowspan="5">—</td><td rowspan="5"></td><td rowspan="5">19</td><td rowspan="5">18</td><td rowspan="5">18</td><td rowspan="5">18</td><td rowspan="5">—</td><td rowspan="5"></td></tr>
<tr><td>B</td></tr>
<tr><td>C</td></tr>
<tr><td>D</td></tr>
<tr><td>E</td></tr>
<tr><td rowspan="3">Q460</td><td>C</td><td rowspan="3">460</td><td rowspan="3">440</td><td rowspan="3">420</td><td rowspan="3">400</td><td rowspan="3">400</td><td rowspan="3">380</td><td rowspan="3">—</td><td rowspan="3">—</td><td rowspan="3"></td><td rowspan="3">550~720</td><td rowspan="3">550~720</td><td rowspan="3">550~720</td><td rowspan="3">550~720</td><td rowspan="3">530~700</td><td rowspan="3">—</td><td rowspan="3"></td><td rowspan="3">17</td><td rowspan="3">16</td><td rowspan="3">16</td><td rowspan="3">16</td><td rowspan="3">—</td><td rowspan="3"></td></tr>
<tr><td>D</td></tr>
<tr><td>E</td></tr>
<tr><td rowspan="3">Q500</td><td>C</td><td rowspan="3">500</td><td rowspan="3">480</td><td rowspan="3">470</td><td rowspan="3">450</td><td rowspan="3">440</td><td rowspan="3">—</td><td rowspan="3">—</td><td rowspan="3">—</td><td rowspan="3"></td><td rowspan="3">610~770</td><td rowspan="3">600~760</td><td rowspan="3">590~750</td><td rowspan="3">540~730</td><td rowspan="3">—</td><td rowspan="3">—</td><td rowspan="3"></td><td rowspan="3">17</td><td rowspan="3">17</td><td rowspan="3">17</td><td rowspan="3">—</td><td rowspan="3">—</td><td rowspan="3"></td></tr>
<tr><td>D</td></tr>
<tr><td>E</td></tr>
<tr><td rowspan="3">Q550</td><td>C</td><td rowspan="3">550</td><td rowspan="3">530</td><td rowspan="3">520</td><td rowspan="3">500</td><td rowspan="3">490</td><td rowspan="3">—</td><td rowspan="3">—</td><td rowspan="3">—</td><td rowspan="3"></td><td rowspan="3">670~830</td><td rowspan="3">620~810</td><td rowspan="3">600~790</td><td rowspan="3">590~780</td><td rowspan="3">—</td><td rowspan="3">—</td><td rowspan="3"></td><td rowspan="3">16</td><td rowspan="3">16</td><td rowspan="3">16</td><td rowspan="3">—</td><td rowspan="3">—</td><td rowspan="3"></td></tr>
<tr><td>D</td></tr>
<tr><td>E</td></tr>
<tr><td rowspan="3">Q620</td><td>C</td><td rowspan="3">620</td><td rowspan="3">600</td><td rowspan="3">590</td><td rowspan="3">570</td><td rowspan="3"></td><td rowspan="3">—</td><td rowspan="3">—</td><td rowspan="3">—</td><td rowspan="3"></td><td rowspan="3">710~880</td><td rowspan="3">690~880</td><td rowspan="3">670~860</td><td rowspan="3">—</td><td rowspan="3"></td><td rowspan="3">—</td><td rowspan="3"></td><td rowspan="3">15</td><td rowspan="3">15</td><td rowspan="3">15</td><td rowspan="3">—</td><td rowspan="3">—</td><td rowspan="3"></td></tr>
<tr><td>D</td></tr>
<tr><td>E</td></tr>
<tr><td rowspan="3">Q690</td><td>C</td><td rowspan="3">690</td><td rowspan="3">670</td><td rowspan="3">660</td><td rowspan="3">640</td><td rowspan="3"></td><td rowspan="3">—</td><td rowspan="3">—</td><td rowspan="3">—</td><td rowspan="3"></td><td rowspan="3">770~940</td><td rowspan="3">750~920</td><td rowspan="3">730~900</td><td rowspan="3">—</td><td rowspan="3"></td><td rowspan="3">—</td><td rowspan="3"></td><td rowspan="3">14</td><td rowspan="3">14</td><td rowspan="3">14</td><td rowspan="3">—</td><td rowspan="3">—</td><td rowspan="3"></td></tr>
<tr><td>D</td></tr>
<tr><td>E</td></tr>
</tbody>
</table>

表 7-6　低合金高强度结构钢的夏比(V 型)冲击试验指标(GB/T 1591—2008)

牌号	质量等级	试验温度/℃	冲击吸收能量/J(纵向),≥		
			公称厚度(直径,边长)/mm		
			12~150	150~250	250~400
Q345	B	20	34	27	—
	C	0			
	D	−20			27
	E	−40			
Q390	B	20	34	—	—
	C	0			
	D	−20			
	E	−40			
Q420	B	20	34	—	—
	C	0			
	D	−20			
	E	−40			
Q460	C	0	34	—	—
	D	−20			
	E	−40			
Q500、Q550、Q620、Q690	C	0	55	—	—
	D	−20	47		
	E	−40	31		

表 7-7　低合金高强度结构钢的弯曲试验指标(GB/T 1591—2008)

牌号	试样方向	180°弯曲试验,D=弯曲压头直径, a=试验厚度(边长)	
		钢材厚度(直径、边长)/mm	
		≤16	16~100
Q345、Q390、Q420、Q460	宽度不小于 600 mm 的扁平材,拉伸试验取横向试样,宽度小于 600 mm 的扁平材、型材及棒材取纵向试样	D=2a	D=3a

3)钢板、压型钢板

用光面轧辊轧制而成的扁平钢材,以平板状态供货的称钢板,以卷状供货的称钢带。按轧制温度不同,分为热轧和冷轧两种。热轧钢板按厚度分为厚板(厚度大于 4 mm)和薄板(厚度为 0.35~4 mm)两种,冷轧钢板只有薄板(厚度为 0.2~4 mm)一种。

建筑用钢板及钢带主要是碳素结构钢。一些重型结构、大跨度桥梁、高压容器等也采用低合金钢板。一般厚板可用于焊接结构;薄板可用作屋面或墙面等围护结构,或用作涂层钢板的原材料;钢板还可用来弯曲为型钢,

薄钢板经冷压或冷轧成波形、双曲形、V 形等形状,称为压型钢板。彩色钢板(又称有机涂层薄钢板)、镀锌薄钢板、防腐薄钢板等都可用来制作压型钢板。其特点是:单位质量轻、强度高、抗震性能好、施工快、外形美观等。主要用于围护结构、楼板、屋面等,还可将其与保温材料等复合,制成复合墙板等,用途十分广泛。

7.3.2 钢筋混凝土用钢材

钢筋混凝土结构用的钢筋和钢丝,主要由碳素结构钢和低合金结构钢轧制而成。主要品种有热轧钢筋、冷加工钢筋、热处理钢筋、预应力混凝土用钢丝和钢绞丝。

1.钢筋

1)热轧钢筋

用加热钢坯轧成的条形成品钢筋,称为热轧钢筋。它主要用于钢筋混凝土和预应力混凝土结构的配筋,是建筑工程中用量最大的钢材品种之一。

热轧钢筋主要有用 Q235 碳素结构钢轧制的光圆钢筋和用合金钢轧制的带肋钢筋两类。热轧光圆钢筋表面平整光滑,截面为圆形;而热轧带肋钢筋表面通常有两条纵肋和沿长度方向均匀分布的横肋。带肋钢筋按肋纹的形状分为月牙肋和等高肋,如图 7-8 所示。月牙肋横肋的纵截面呈月牙形且与纵肋不相交,而等高肋横肋的纵截面高度相等且与纵肋相交。月牙肋钢筋具有生产简便、强度高、应力集中敏感性小、疲劳性能好等优点,但其与混凝土的黏结锚固性能稍逊于等高肋钢筋。

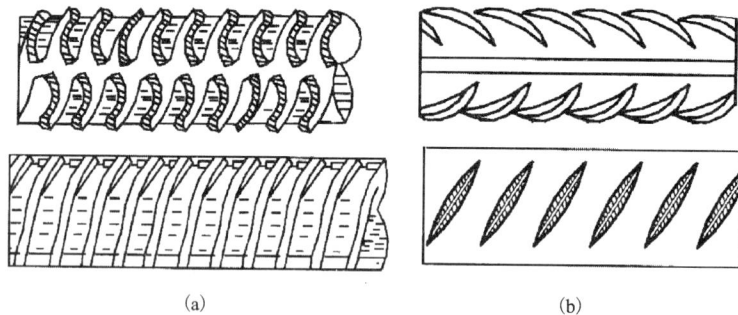

图 7-8 带肋钢筋外形

(a)等高肋;(b)月牙肋

根据《钢筋混凝土用热轧光圆钢筋》(GB 1499.1—2017)和《钢筋混凝土用热轧带肋钢筋》(GB 1499.2—2018)的规定,热轧钢筋的牌号、牌号构成及等级见表 7-8,力学性能及工艺性能应符合表 7-9。

HPB300 级钢筋是用碳素结构钢经热轧而成,其强度较低,但塑性好,伸长率高,便于弯折成形、容易焊接。广泛用于普通钢筋混凝土构件中,可用作中小型钢筋混凝土结构的主要受力钢筋、构件的箍筋及钢、木结构的拉杆等,以及作为冷加工(冷拉、冷拔、冷轧)的原料。

表 7-8　热轧钢筋的牌号表示（GB 1499.1—2017，GB 1499.2—2018）

类别	牌号	牌号构成	英文字母含义
热轧光圆钢筋	HPB300	由 HPB+屈服强度特征值构成	HPB—热轧光圆钢筋的英文（Hot rolled Plain Bars）缩写
普通热轧带肋钢筋	HRB400	由 HRB+屈服强度特征值构成	HRB—热轧带肋钢筋的英文（Hot rolled Ribbed Bars）缩写 E——地震的英文（Earthquake）缩写
普通热轧带肋钢筋	HRB500	由 HRB+屈服强度特征值构成	
普通热轧带肋钢筋	HRB600	由 HRB+屈服强度特征值构成	
普通热轧带肋钢筋	HRB400E	由 HRB+屈服强度特征值构成+E	
普通热轧带肋钢筋	HRB500E	由 HRB+屈服强度特征值构成+E	
细晶粒热轧带肋钢筋	HRBF400	由 HRBF+屈服强度特征值构成	HRBF—在热轧带肋钢筋的英文缩写后加"细"的英文（Fine）首位字母。 E——地震的英文（Earthquake）缩写
细晶粒热轧带肋钢筋	HRBF500	由 HRBF+屈服强度特征值构成	
细晶粒热轧带肋钢筋	HRBF400E	由 HRBF+屈服强度特征值构成+E	
细晶粒热轧带肋钢筋	HRBF500E	由 HRBF+屈服强度特征值构成+E	

表 7-9　热轧钢筋的性能（GB 1499.1—2017，GB 1499.2—2018）

牌号	屈服强度/MPa	抗拉强度/MPa	断后伸长率/%	最大力总伸长率/%	冷弯试验（180°）公称直径 a/mm	冷弯试验（180°）弯曲压头直径 D/mm
	≥	≥	≥	≥		
HPB300	300	420	25.0	10.0	a	$D=a$
HRB400 HRBF400	400	540	16	7.5	6~25	$D=4a$
HRB400E HRBF400E	400	540	—	9.0	28~40 >40~50	$D=5a$ $D=6a$
HRB500 HRBF500	500	630	15	7.5	6~25	$D=6a$
HRB500E HRBF500E	500	630	—	9.0	28~40 >40~50	$D=7a$ $D=8a$
HRB600	600	730	14	7.5	6~25 28~40 >40~50	$D=6a$ $D=7a$ $D=8a$

　　400 级热轧带肋钢筋采用低碳低合金镇静钢和半镇静钢热轧而成，其强度高，塑性和可焊性也较好，钢筋表面带有纵肋和横肋，从而加强了钢筋与混凝土之间的握裹力，广泛用于大中型钢筋混凝土结构的受力钢筋，以及预应力钢筋。

　　500 级和 600 级热轧带肋钢筋采用中碳低合金镇静钢热轧而成，提高强度的同时又保证其塑性和韧性，主要用于预应力钢筋。

2）冷轧带肋钢筋

冷轧带肋钢筋采用热轧圆盘条经冷轧而成，表面带有沿长度方向均匀分布的二面或三面的横肋。根据《冷轧带肋钢筋》（GB 13788—2017）规定，其牌号按抗拉强度特征值分为六个牌号，即 CRB550、CRB650、CRB800、CRB600H、CRB680H、CRB800H、CRB550、CRB600H 为普通混凝土用钢筋，CRB650、CRB800、CRB800H 为预应力混凝土用钢筋，CRB680H 既可作为普通钢筋混凝土用钢筋，也可作为预应力混凝土用钢筋使用。C、R、B、H 分别为冷轧、带肋、钢筋、高延性四个词的英文首位字母，数值为抗拉强度的最小值。CRB550、CRB600H、CRB680H 公称直径范围为 4~12 mm，CRB650、CRB800、CRB800H 及以上牌号的公称直径为 4 mm、5 mm、6 mm。

冷轧带肋钢筋各等级的力学性能和工艺性能应符合表 7-10 的规定。

表 7-10　冷轧带肋钢筋力学性能和工艺性能（GB 13788—2017）

牌　号	屈服强度 $R_{P0.2}$ /MPa, ≥	抗拉强度 R_m /MPa, ≥	伸长率/%, ≥		弯曲试验（180°）	反复弯曲次数	应用松弛初始应力应相当于公称抗拉强度的70%
			$A_{11.3}$	A_{100}			1000 h 松弛率/%, ≤
CRB550	500	550	11.0	—	$D=3a$	—	—
CRB650	585	650	—	4.0	—	3	8
CRB800	720	800	—	4.0	—	3	8
CRB600H	540	600	14.0	—	$D=3d$	—	—
CRB680H	600	680	14.0	—	$D=3d$	4	5
CRB800H	720	800	—	7.0	—	4	5

D 为弯曲压头直径，d 为钢钢公称直径。

冷轧带肋钢筋是采用冷加工方法强化的典型产品，冷轧后强度明显提高，但塑性也随之降低，使强屈比变小。

2. 预应力混凝土用钢丝与钢绞线

1）预应力混凝土用钢丝

预应力混凝土用钢丝是采用优质碳素钢或其他性能相应的钢种，经冷加工及时效处理或热处理而制得的高强度钢丝。根据《预应力混凝土用钢丝》（GB/T 5223—2014），预应力混凝土用钢丝可分为冷拉钢丝（WCD）和消除应力钢丝（WLR），按外形可分为光圆钢丝（P）、刻痕钢丝（H）和螺旋肋钢丝（I）三种。

钢丝与钢绞线

冷拉钢丝的力学性能应符合表 7-11 的规定。

消除应力光圆钢丝和螺旋肋钢丝的力学性能应符合表 7-12 的规定。

刻痕钢丝的力学性能，除弯曲次数外其他应符合表 7-12 规定，其弯曲次数均应不小于 3 次。

预应力混凝土用钢丝强度高、柔性好、松弛率低、耐腐蚀、无接头、施工方便，主要用于大跨度屋架、薄腹梁、吊车梁、桥梁等大型预应力混凝土构件，还可用于电杆、轨枕等预应力混凝土构件。

表 7-11 压力管道用冷拉钢丝的力学性能（GB/T 5223—2014）

公称直径 d_a/mm	公称抗拉强度 R_m/MPa	最大力的特征值 F_m/kN	最大力的最大值 $F_{m,max}$/kN	0.2%屈服力 $F_{p0.2}$/kN ≥	每210 mm扭矩的扭转次数 N ≥	断面收缩率 Z/% ≥	氢脆敏感性能负载为70%最大力时,断裂时间 t/h≥	应力松弛性能初始力为最大力70%时,1000 h应力松弛率 r/% ≥
4.00		18.43	20.99	13.85	10	35		
5.00		28.86	32.79	21.65	10	35		
6.00	1470	41.56	47.21	31.17	8	30		
7.00		56.57	64.27	42.42	8	30		
8.00		73.88	83.93	55.41	7	30		
4.00		19.73	22.24	14.80	10	35		
5.00		30.82	34.75	23.11	10	35		
6.00	1570	44.38	50.03	33.29	8	30		
7.00		60.41	68.11	45.31	8	30		
8.00		78.91	88.96	59.18	7	30	75	7.5
4.00		20.99	23.50	15.74	10	35		
5.00		32.78	36.71	24.59	10	35		
6.00	1670	47.21	52.86	35.41	8	30		
7.00		64.26	71.96	48.20	8	30		
8.00		83.93	93.99	92.95	6	30		
4.00		22.25	24.76	16.69	10	35		
5.00		34.75	38.68	26.06	10	35		
6.00	1770	50.04	55.69	37.53	8	30		
7.00		68.11	75.81	51.08	6	30		

表 7-12　消除应力光圆钢丝和螺旋肋钢丝的力学性能（GB/T 5223—2014）

公称直径 d_a/mm	公称抗拉强度 R_m/MPa	最大力的特征值 F_m/kN	最大力的最大值 $F_{m,max}$/kN	0.2%屈服力 $F_{p0.2}$/kN ≥	最大力总伸长率 (L_0=200 mm) A_{gt}/%, ≥	反复弯曲性能		应力松弛性能	
						弯曲次数/(次/180°), ≥	弯曲半径 R/mm	初始力相当于实际最大力的百分数/%	1000 h 应力松弛率 r/%, ≤
4.00		18.48	20.99	16.22		3	10		
4.80		26.61	30.23	23.35		4	15		
5.00		28.86	32.78	25.32		4	15		
6.00		41.56	47.21	36.47		4	15		
6.25		45.10	51.24	39.58		4	20		
7.00		56.57	64.26	49.64		4	20		
7.50	1470	64.94	73.78	56.99		4	20		
8.00		73.88	83.93	64.84		4	20		
9.00		93.52	106.25	82.07		4	25		
9.50		104.19	118.37	91.44		4	25		
10.00		115.45	131.16	101.32		4	25		
11.00		139.69	158.70	122.59		—	—		
12.00		166.26	188.88	145.90		—	—		
4.00		19.73	22.24	17.37		3	10		
4.80		28.41	32.03	25.00		4	15		
5.00		30.82	34.75	27.12		4	15		
6.00		44.38	50.03	39.06		4	15		
6.25		48.17	54.31	42.39		4	20		
7.00		60.41	68.11	53.16		4	20		
7.50	1570	69.36	78.20	61.04	3.5	4	20	70	2.5
8.00		78.91	88.96	59.44		4	20		
9.00		99.88	112.60	87.89		4	25		
9.50		111.28	125.46	97.93		4	25	80	4.5
10.00		123.31	139.02	108.51		4	25		
11.00		149.20	168.21	131.30		—	—		
12.00		177.57	200.19	156.26		—	—		
4.00		20.99	23.50	18.47		3	10		
5.00		32.78	36.71	28.85		4	15		
6.00		47.21	52.86	41.54		4	15		
6.25	1670	51.24	57.38	45.09		4	20		
7.00		64.26	71.96	56.55		4	20		
7.50		73.78	82.62	64.93		4	20		
8.00		83.93	93.98	73.86		4	20		
9.00		105.25	118.97	93.50		4	25		
4.00		22.25	24.76	19.58		3	10		
5.00		34.75	38.68	30.58		4	15		
6.00	1770	50.04	55.69	44.03		4	15		
7.00		68.11	75.81	59.94		4	20		
7.50		78.20	87.04	68.81		4	20		
4.00		23.38	25.89	20.57		3	10		
5.00	1860	36.51	40.44	32.13		4	15		
6.00		52.58	58.23	46.27		4	15		
7.00		71.57	79.27	62.98		4	20		

216

2)预应力混凝土用钢绞线

若将两根、三根、七根、十九根圆形断面的钢丝捻成一束,经过消除内应力的热处理后就制成了预应力混凝土用钢绞线。钢绞线按原材料和制作方法的不同有标准型钢绞线、刻痕钢绞线(代号I)和模拔型钢绞线(代号C)三种,按照捻制结构的不同分为五种结构类型,其代号为:1×2、1×3、1×3I、1×7、(1×7)C、1×7I、1×19S(1+9+9西鲁式)、1×19W(1+6+6/6瓦林吞式),其中1×2、1×3、1×7、1×19分别指用2根、3根、7根和19根钢丝捻制而成的钢绞线,其外形见图7-9。钢绞线的力学性能应符合表7-13(扫右边二维码可见表7-13)。

表7-13
钢绞线尺寸及拉伸性能

预应力钢绞线强度高、柔韧性好、质量稳定、与混凝土黏结性好、无接头、施工方便,适用于大荷载、大跨度及需曲线配筋的预应力屋架、桥梁和薄腹梁等结构的预应力钢筋混凝土结构。

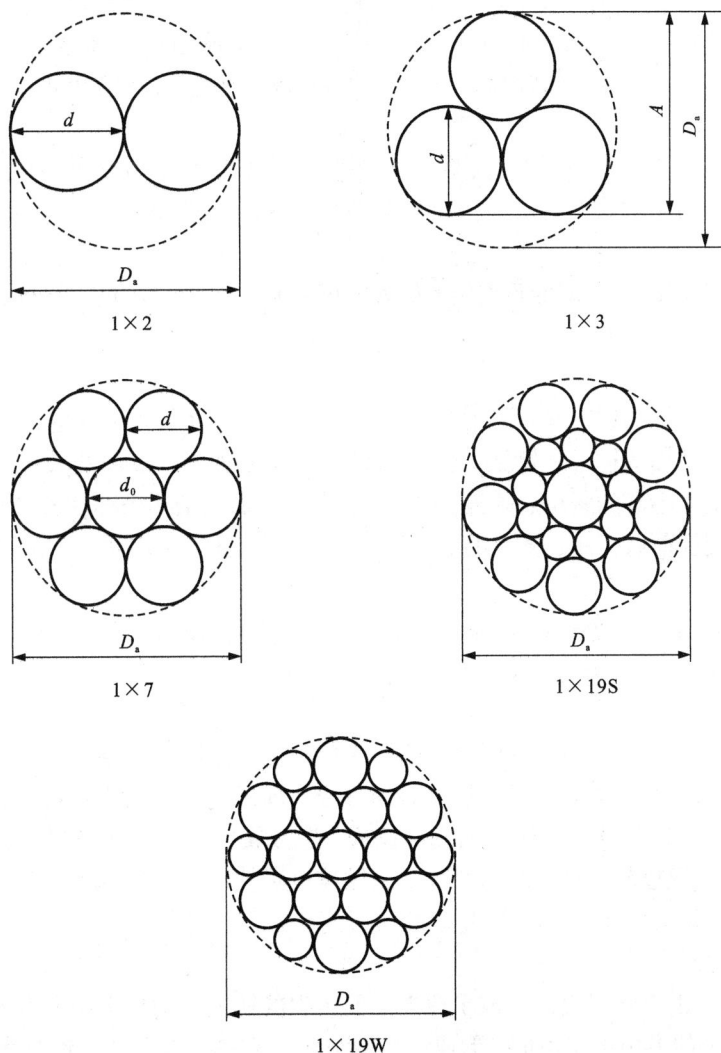

D_a—公称直径,d—钢丝直径。

图7-9　钢绞线外形示意图

7.4 钢材的选用原则及锈蚀与防止

1. 钢材的选用原则

1) 荷载性质

对经常承受动力或振动荷载的结构,易产生应力集中,引起疲劳破坏,须选用材质高的钢材。

2) 使用温度

经常处于低温状态的结构,钢材易发生冷脆断裂,特别是焊接结构,冷脆倾向更加显著,应该要求钢材具有良好的塑性和低温冲击韧性。

3) 连接方式

焊接结构当温度变化和受力性质改变时,易导致焊缝附近的母体金属出现冷、热裂纹,促使结构早期破坏。所以焊接结构对钢材化学成分和机械性能要求应较严。

4) 钢材厚度

钢材力学性能一般随厚度增大而降低,钢材经多次轧制后,钢的内部结晶组织更为紧密,强度更高,质量更好。故一般结构用的钢材厚度不宜超过 40 mm。

5) 结构重要性

选择钢材要考虑结构使用的重要性,如大跨度结构、重要的建筑物结构,须相应选用质量更好的钢材。

2. 钢材的锈蚀

钢材的锈蚀是指钢的表面与周围介质发生化学作用或电化学作用而遭到侵蚀而破坏的过程。锈蚀不仅使钢结构有效断面减小,浪费大量钢材,而且会形成程度不等的锈坑、锈斑,造成应力集中,加速结构破坏。若受到冲击荷载、循环交变荷载作用,将产生锈蚀疲劳现象,使钢材疲劳强度大为降低,甚至出现脆性断裂。

钢筋的锈蚀

钢材锈蚀的主要影响因素有环境湿度、侵蚀性介质性质及数量、钢材材质及表面状况等。

根据锈蚀作用机理,可分为以下几类。

1) 化学锈蚀

指钢材直接与周围介质发生化学反应而产生的锈蚀。这种锈蚀多数是氧化作用,使钢材表面形成疏松的氧化物。在常温下,钢材表面形成一薄层钝化能力很弱的氧化保护膜,它疏松,易破裂,有害介质可进一步渗入而发生反应,造成锈蚀。在干燥环境下,化学锈蚀进展缓慢。但在温度或湿度较高的环境条件下,腐蚀速度加快,这种腐蚀亦可由空气中的二氧化碳或二氧化硫作用,以及其他腐蚀性物质的作用而产生。

2) 电化学锈蚀

电化学锈蚀是由于金属表面形成了原电池而产生的锈蚀。钢材本身含有铁、碳等多种成分,由于这些成分的电极电位不同,形成许多微电池。在潮湿空气中,钢材表面将覆盖一层薄水膜。在阳极区,铁被氧化成 Fe^{2+} 离子进入水膜。因为水中溶有来自空气中的氧,故在阴极区氧将被还原为 OH^- 离子,两者结合成为不溶于水的 $Fe(OH)_2$,并进一步氧化成为疏松易剥落的红棕色铁锈 $Fe(OH)_3$。钢铁在酸碱盐溶液及海水中发生的腐蚀,地下管线的土壤腐

蚀,在大气中的腐蚀,与其他金属接触处的腐蚀,均属于电化学腐蚀,可见电化学腐蚀是钢材腐蚀的主要形式。

3)应力锈蚀

钢材在应力状态下锈蚀加快的现象,称为应力锈蚀。所以,钢筋冷弯处、预应力钢筋等都会因应力存在而加速锈蚀。

钢材锈蚀时,伴随体积增大,最严重的可达原体积的6倍。在钢筋混凝土中会使周围的混凝土胀裂。

3. 锈蚀的防止

1)保护层法

在钢材表面施加保护层,使钢与周围介质隔离,从而防止锈蚀。保护层可分为金属保护层和非金属保护层两类。

金属保护层是用耐蚀性较强的金属,以电镀或喷镀的方法覆盖钢材表面,如镀锌、镀锡、镀铬等。

非金属保护层是用有机或无机物质作保护层。常用的是在钢材表面涂刷各种防锈涂料,此法简单易行,但不耐久。此外还可采用塑料保护层、沥青保护层及搪瓷保护层等。

2)制成合金钢

钢材的化学成分对耐锈蚀性有很大影响。如在钢中加入合金元素铬、镍、钛、铜,制成不锈钢,可以提高耐锈蚀能力。

混凝土中的钢筋处于碱性介质条件下,而氧化保护膜为碱性,故不致锈蚀。但应注意,若在混凝土中大量掺入掺合料,或因碳化反应会使混凝土内部环境中性化,或由于在混凝土外加剂中带入一些卤素离子,特别是氯离子,会使锈蚀迅速发展。混凝土配筋的防腐蚀措施主要有提高混凝土密实度、确保保护层厚度、限制氯盐外加剂及加入防锈剂等方法。对于预应力钢筋,一般含碳量较高,又经过冷加工强化或热处理,较易发生腐蚀,应特别予以重视。

钢结构中型钢的防锈,主要采用表面涂覆的方法。例如表面刷漆,常用底漆有红丹、环氧富锌漆、铁红环氧底漆等,面漆有灰铅漆、醇酸磁漆、酚醛磁漆等。薄壁型钢及薄钢板制品可采用热浸镀锌或镀锌后加涂塑料复合层。

7.5　钢材的验收与储运

7.5.1　钢筋的验收

钢筋的检查验收按《钢及钢产品交货一般技术要求》(GB/T 17505—1998)的规定进行。

1. 钢筋出厂质量合格证的验收

(1)钢筋出厂时其出厂质量合格证和试验报告必须项目齐全、真实、字迹清楚,不允许涂抹、伪造。

(2)钢筋出厂质量合格证中应包括钢筋品种、规格、强度等级、出厂日期、出厂编号、试验数据(包括屈服强度、抗拉强度、伸长率、冷弯性能、化学成分等内容)、试验标准等内容和性能指标,合格证编号、检验机构盖章。各项应填写齐全,不得错漏。

2.常用钢筋的进场验收

钢筋或预应力用钢丝或钢绞线进场时应按批号及直径分批验收，检查内容包括对钢筋标志、外观形状、钢筋的各项技术性能等。

(1)审查钢筋的外观质量。

热轧钢筋：表面不得有裂缝、结疤、分层和折叠；盘条钢筋如有凹块、凸块、划痕，不得超过横肋高度，表面不得沾有油污。

热处理钢筋：表面不得有裂缝、结疤、夹杂、分层和折叠；如有凹块、凸块、划痕，不得超过横肋高度，表面不得沾有油污。

钢绞线：不得有折断、横裂相互交叉的钢丝，表面不得有油渍，不得有麻锈坑。

碳素钢丝：表面不得有裂缝、结疤、机械损伤、分层、氧气铁皮(铁锈)和油迹；允许有浮锈。

冷拉钢筋：不得有局部颈缩现象。

(2)对钢筋的屈服强度、抗拉强度、伸长率、冷弯性能、屈服负荷、弯曲次数等指标的检验方法按相关规范规定进行。

以上各项验收合格后，方可由技术员、材料管理员等在合格证上签字以入库储存。同时也可以在钢筋质量合格证备注栏上由施工单位的技术人员注明单位工程名称、工程使用部位后，交现场材料管理员和资料员进行归档和保管。

7.5.2 钢筋的储运

1.运输

钢材在运输中要求不同钢号、炉号、规格的钢材分别装卸，以免混淆。装卸中钢材不许擦掷，以免损坏。在运输过程中，其一端不能悬空及伸出车身的外边。同时，装车时要注意荷重限制，不许超过规定，并注意装卸负荷的均衡，使钢材重量分布于几个轮轴上。

2.堆放

钢材的堆放要减少钢材的变形和锈蚀，节约用地，也要便于提取钢材。

(1)钢材进入现场必须分规格堆放在指定地点，并在每种规格钢筋上挂上钢筋规格标识牌。

(2)钢材堆放处要有防雨设施，以免生锈。

(3)堆放钢筋的架子下面要垫上石子，将石子夯实，并在上面垫上木方，并将其架子四周的立杆固定住，要保证外架的钢度，同时保持场地排水畅通。

(4)钢筋加工场电焊机、配电箱等设备安装应平衡、牢固，要有接地或接零保护装置和可靠的安全操作防护装置，并有专人负责操作定期维护保养，当班人作业完毕后，及时清理干净场地内的钢筋头及杂物。

7.6 钢筋性能的检测

7.6.1 钢筋的试验取样

1.常用钢筋必检项目

(1)热轧带肋钢筋、光圆钢筋、热处理钢筋、低碳钢热轧圆盘条钢筋的必试

项目为拉伸试验(包括屈服强度、抗拉强度、伸长率)和弯曲试验。

(2)预应力混凝土用钢丝的必试项目为:抗拉强度、伸长率、弯曲试验。

(3)预应力混凝土用钢绞线的必试项目为:整根钢绞线的最大负荷、屈服负荷、伸长率、松弛率、尺寸测量。

2. 批量

钢筋成批验收,每批应由同一牌号、同一炉号、同一质量等级、同一品种、同一尺寸、同一交货状态的每60 t钢筋为一验收批,不足60 t也按一批计。

3. 取样数量

(1)在每批直条钢筋应做两个拉伸检测、两个弯曲检测。碳素结构钢每批应做一个拉伸检测、一个弯曲检测。

(2)每批盘条钢筋应做一个拉伸检测、两个弯曲检测。

(3)逐盘或逐捆做一个拉伸检测,CRB550级每批做两个弯曲检测,CRB650级及以上每批做两个反复弯曲检测。

4. 取样方法

从外观和尺寸合格的钢筋中随机抽取2根(或2盘),于每根距端部500 mm处各取一套试样(两根试件),一根做拉伸试验,一根做弯曲试验。在拉伸检测中,如果其中一根试件的屈服强度、抗拉强度和伸长率三个指标有一个指标达不到钢筋标准规定值,应再抽取双倍(4根)钢筋,制成双倍(4根)试件重新做检测。复检时,如仍有一根试件的任意一个指标达不到标准要求,则不论该指标在第一次检测中是否达到标准,拉伸检测项目也判为不合格。在冷弯检测中,如有一根试件不符合标准要求,应同样抽取双倍钢筋,制成双倍试件重新检测,如仍有一根不符合标准要求,冷弯检测项目即为不合格。整批钢筋不予验收。

7.6.2 钢筋的拉伸性能检测

1. 检测目的

测定钢筋的屈服强度、抗拉强度和伸长率三个指标,评定钢筋的强度等级。

2. 主要仪器设备

(1)万能材料试验机:精度等级应不低于1%,其量程应能使试件的预期破坏荷载值在全量程的20%~80%范围内。见图7-10。

(2)钢筋打点机:分格间距为5 mm或10 mm,精度为0.1 mm。见图7-11。

(3)游标卡尺:量程应≥300 mm,分度值应≤0.05 mm。

3. 试验温度和试件制备

试验一般在室温10~35℃范围内进行,对温度要求严格的试验,试验温度应为(23±5)℃。

拉伸检测用钢筋试件不得进行车削加工,可以用两个或一系列等分小冲点或细划线标出原始标距(标记不应影响试样断裂),测量标距长度L_0(精确至0.1 mm),如图7-12所示。

计算钢筋强度用横截面积采用附表7-14所列公称横截面积。

4. 检测步骤

1)准备工作

检查试验机运行是否正常,根据试件的规格形状更换合适的夹具,根据试件的抗拉强度合理选用试验机的量程。

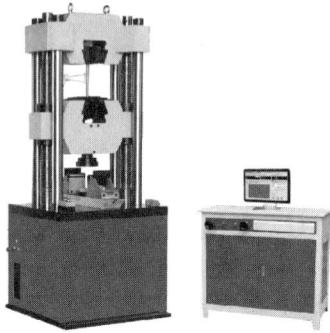

图 7-10 万能材料试验机

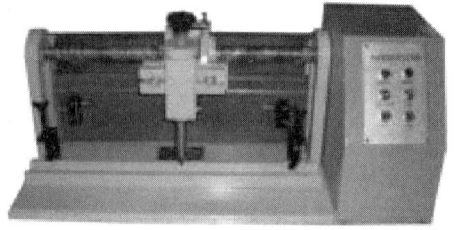

图 7-11 钢筋打点机

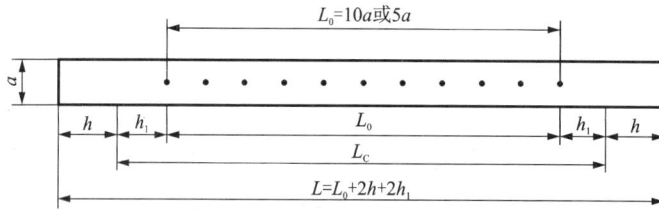

图 7-12 钢筋拉伸试验试件

表 7-14 钢筋的公称横截面积

公称直径/mm	公称横截面积/mm²	公称直径/mm	公称横截面积/mm²
8	50.27	22	380.1
10	78.54	25	490.9
12	113.1	28	615.8
14	153.9	32	804.2
16	201.1	36	1018
18	254.5	40	1257
20	314.2	50	1964

2）拉伸试验过程

将试件固定在试验机夹头内，启动试验机，关闭回油阀，慢慢开启送油阀。如果没有其他规定，在应力达到规定屈服强度的一半之前，可以采用任意的试验速率，在弹性范围和直至上屈服强度，试验机夹头的分离速率应尽可能保持恒定并在表 7-15 规定的应力速率范围内。屈服后试验机活动夹头在荷载下的移动速度为不大于 $0.5\ L_C/\text{min}$，直至试件拉断。

表7-15　拉伸试验应力速率

材料的弹性模量 E /MPa	应力速率/MPa·s^{-1}	
	最　小	最　大
<150000	2	20
≥150000	6	60

注：弹性模量小于150000 MPa的典型材料包括锰、铝合金、铜和钛，弹性模量大于150000 MPa的典型材料包括铁、钢、钨和镍基合金。

3）上屈服力 F_{eH} 和下屈服力 F_{eL} 的确定

（1）上屈服力 F_{eH} 定义为力首次下降（或测力度盘指针首次往回摆）前的最大力值。即屈服前的第一个峰值力（第一个极大力值），不管其后的峰值力比它大或比它小，见图7-13（a）、7-13（b）。

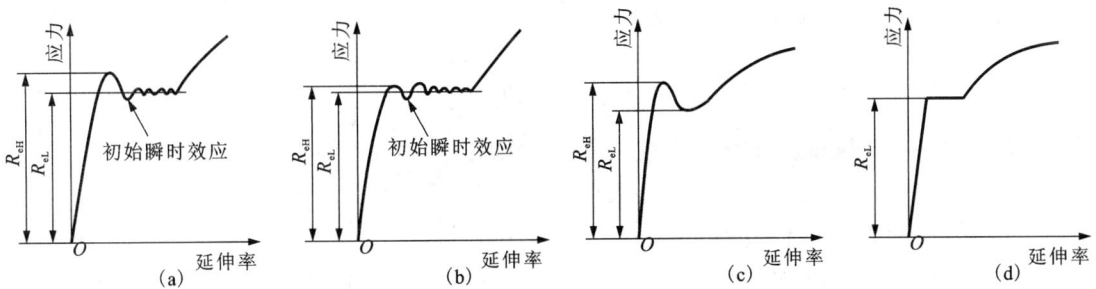

图7-13　不同类型曲线的上屈服强度 R_{eH} 和下屈服强度 R_{eL}

（2）下屈服力 F_{eL} 定义为不计初始瞬时效应时，屈服阶段中指示的最小力值（或测力度盘指针回摆过程中的最小力值）。当屈服阶段中出现2个或2个以上谷值力时，则舍去第一个谷值力，取其余谷值力中的最小值，见图7-13（a）、7-13（b）；如只出现1个下降谷值力，则取该谷值力，图7-13（c）。

（3）当屈服阶段中呈现屈服平台时，下屈服力 F_{eL} 取平台力值，图7-13（d）；如呈现多个而且后者高于前者的屈服平台时，则取第一个平台力值。

（4）正确的判定结果应该是下屈服力一定小于上屈服力。

向试件连续加荷至试件拉断，关闭送油阀，读出最大荷载 F_m（N）。取下拉断的试件，关闭试验机，打开回油阀，让试验机工作油缸回到初始位置。

4）断后标距的测定

将已拉断试件的两段在断裂处对齐，尽量使其轴线位于一条直线上。如拉断处由于各种原因形成缝隙，则此缝隙应计入试件拉断后的标距部分长度内。

如拉断处到邻近标距端点的距离大于 $L_0/3$ 时，可用卡尺直接量出被拉长的标距长度 L_u（mm）。如拉断处到邻近的标距端点距离小于等于 $L_0/3$ 时，可按下述移位法确定 L_u：在长段上，从拉断处 O 取基本等于短格数，得 B 点，接着取等于长段所余格数［偶数，图7-14（a）］的一半，得 C 点；或者取所余格数［奇数，图7-14（b）］减1与加1的一半，得 C 与 C_1

点。移位后的 L_u 分别为 $AO+OB+2BC$ 或者 $AO+OB+BC+BC_1$。

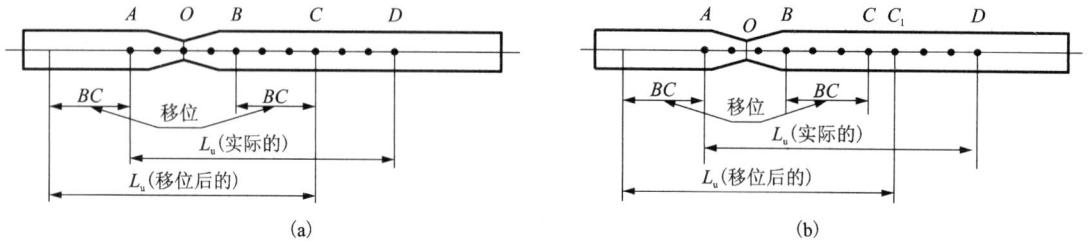

(a)   (b)

图 7-14　用位移法计算标距

如用直接量测所求得的伸长率能达到技术条件的规定值，则可不采用移位法。

5. 结果计算与结论评定

（1）钢筋的屈服强度 R_{eL}、抗拉强度 R_m 计算。

按下式计算试件的屈服强度、抗拉强度：

$$R_{eL} = \frac{F_{eL}}{S_0} \qquad R_m = \frac{F_m}{S_0}$$

式中：R_{eL}、R_m——钢筋的屈服强度和抗拉强度，MPa；

$\quad\quad\quad F_{eL}$、F_m——钢筋的屈服荷载和最大荷载，N；

$\quad\quad\quad S_0$——试件的公称横截面积，mm^2。

当 R_{eL}、R_m 大于 1000 MPa 时，应计算精确至 10 MPa，按"四舍六入五单双法"修约；为 200~1000 MPa 时，计算至 5 MPa，按"二五进位法"修约；小于 200 MPa 时，计算至 1 MPa，小数点数字按"四舍六入五单双法"处理。

（2）断后伸长率 A 的计算。

断后伸长率按下式计算（精确至 0.5%）：

$$A_{10}(A_5) = \frac{L_u - L_0}{L_0} \times 100\%$$

式中：A_{10}、A_5——表示 $L_0 = 10a$ 和 $L_0 = 5a$ 时的断后伸长率（a 为试件原始直径）；

$\quad\quad\quad L_0$——原标距长度 $10a(5a)$，mm；

$\quad\quad\quad L_u$——试件拉断后直接量出或按移位法确定的标距部分的长度，mm（精确至 0.1 mm）。

（3）如试件在标距端点上或标距外断裂，则试验结果无效，应重新做试验。

7.6.3　钢筋的冷弯性能检测

1. 检测目的

测定钢筋的工艺性能，对钢筋塑性进行严格检验，也间接测定钢筋内部的缺陷及可焊性，评定钢筋的质量。

2. 主要仪器设备

万能材料试验机或压力机，应配备下列弯曲装置之一：配有两个支辊和一个弯曲压头的支辊式弯曲装置，配有一个 V 型模具和一个弯曲压头的 V 型模具式弯曲装置，虎钳式弯曲

224

装置。

3.试验温度和试件制备

试验一般在室温 10~35℃ 范围内进行，对温度要求严格的试验，试验温度应为23±5℃。

钢筋冷弯试件不得进行车削加工，试样长度通常按下式确定：$L \approx 5a + 150$ mm（a 为试件公称直径）。

4.试验步骤

1)准备工作

根据钢筋的类别、规格按相应产品标准，更换试验机的弯曲压头（弯芯直径），然后根据钢筋试件的规格调节好弯曲支座两支持辊间的净距离，并检查试验机的运行是否正常。

两支辊间距离 l 按下式确定，并且在检测过程中不允许有变化。

$$l = (D + 3a) \pm 0.5a$$

式中：l——弯曲支座两支持辊间的净距离，mm；

　　　D——确定的弯芯直径，mm；

　　　a——钢筋的公称直径，mm。

2)弯曲试验

将弯曲试件安放在试验机的弯曲支持辊中心处，启动试验机，关闭回油阀，慢慢开启送油阀，按(1 ± 0.2) mm/s 的加荷速率均匀加荷，将试样弯曲至规定角度后卸荷，取下试样察看弯曲结果。

5.结果评定

弯曲后，按有关标准规定检查试样弯曲外表面，进行结果评定。若无肉眼可见裂纹，则评定试样合格。否则，应重新取双倍试样进行复检，若复检试样弯曲外表面均无肉眼可见裂纹，可评定为合格。若仍有不合格的，则评定为不合格品。

模块小结

建筑钢材的技术性质主要包括抗拉性能、冲击性能、硬度、耐疲劳性、冷弯性能和焊接性能。其中前四项为力学性能，后两项为工艺性能。钢材的强度等级主要根据抗拉性能（屈服强度、抗拉强度、伸长率）和冷弯性能来确定。

建筑工程用钢材包括钢结构用钢和混凝土结构用钢。最常用的钢结构用钢材有优质碳素结构钢、低合金钢及各种型材、钢板、钢管等。最常用的混凝土结构用钢材有热轧钢筋、冷轧带肋钢筋及预应力钢丝、钢绞线等。其中热轧钢筋是最主要的品种。

钢材具有强度高、韧性和塑性好、可焊可铆、易于加工、便于装配等优点，但钢材容易锈蚀、防火性能较差，使用时应结合工程特点选用适合的钢品种，注意钢材的防火和防锈蚀处理。

技能考核题

一、填空题

1.钢材拉伸过程可分为弹性阶段、_____阶段、_____阶段和_____阶段。

2.钢材在冷弯试验时采用的弯曲角度愈_____，弯心直径对试件厚度(或直径)的比值愈_____，表示对冷弯性能的要求愈高，冷弯更有助于暴露钢材的_____。

3.通过钢材的拉伸试验，可以检测钢材的_____强度和_____强度和_____。

4.建筑工地或混凝土预制构件厂对钢筋常用的冷加工方法有_____及_____等，钢筋冷加工后_____提高，故可达到节约钢材的目的。

5.低合金结构钢综合性能好，更适用于_____、承受_____和_____的结构中。

6.碳素结构钢随着牌号的增加，_____含量增加，_____相应提高，而_____则降低。

8.带肋钢筋按肋纹形状分为_____和_____，带肋钢筋与光圆钢筋相比，与混凝土的握裹力_____。

9.钢材根据脱氧程度不同可分为_____、_____和_____。

10.HPB300级钢筋常用于_____钢筋混凝土结构，HRB400级钢筋常用于_____钢筋混凝土结构，HRB500级钢筋常用于_____钢筋混凝土结构。

11.钢材的时效有_____和_____两种，强度较高的钢筋应采用_____。

12.低合金结构钢的牌号表示方法由_____、_____和_____组成。

二、单项选择题

1.在钢结构中常用( )钢，轧制成钢板、钢管、型钢来建造桥梁、高层建筑及大跨度钢结构建筑。

A.碳素钢 　　　　B.低合金钢 　　　　C.热处理钢筋 　　　　D.冷拔低碳钢丝

2.钢材随着其牌号的增加，其( )

A.屈服强度、抗拉强度高且塑性好 　　　　B.屈服强度、抗拉强度高且塑性差

C.屈服强度、抗拉强度低且塑性好 　　　　D.屈服强度、抗拉强度低且塑性差

3.以下各种元素对于钢材来说有害的是( )。

A. Si、Mn 　　　　B. S、P 　　　　C. Al、Ti 　　　　D. V、Nb

4.建筑结构钢合理的屈强比一般为( )。

A. 0.50~0.65 　　B. 0.60~0.75 　　C. 0.70~0.75 　　D. 0.80~0.85

5.工程结构设计时，钢材是以( )作为设计计算取值依据。

A.颈缩强度 　　　B.弹性极限 　　　C.屈服强度 　　　D.抗拉强度

6.低合金高强度结构钢中合金元素的掺量应小于( )%。

A. 3 　　　　　　B. 4 　　　　　　C. 5 　　　　　　D. 6

7.以下常用于预应力钢筋混凝土工程的钢材种类是( )。

A. HPB300 　　　B. HRB400 　　　C. HRB500 　　　D. CRB550

8.钢丝、钢绞线主要用于( )。

A.普通混凝土结构

B.作为冷加工的原料

C.用作箍筋

D.大荷载、大跨度及需曲线配筋的预应力混凝土结构

9.普通碳素结构钢按( )分为 A、B、C、D 四个质量等级。

A.硫、磷杂质的含量由多到少　　　　　　B.硫、磷杂质的含量由少到多

C.碳的含量由多到少　　　　　　　　　　D.硅、锰的含量由多到少

10.钢筋冷拉又经时效后,( )提高。

A.R_e　　　　　　B.R_m　　　　　　C.R_p　　　　　　D.R_e 和 R_m

三、多项选择题

1.普通碳素钢随着钢中含碳量的增加,则( )。

A.强度提高　　　　B.硬度提高　　　　C.塑性降低　　　　D.韧性提高

2.吊车梁和桥梁用钢,要注意选用( )的钢材。

A.韧性较大　　　　B.脆性较大　　　　C.硬度小　　　　D.时效敏感性小

3.钢材的屈强比大,则( )。

A.钢材利用率高　　　　　　　　　　　B.钢材利用率低

C.结构安全可靠程度高　　　　　　　　D.结构安全可靠程度低

4.评定钢材冷弯性能的指标有:( )

A.试件弯曲的角度 α　　　　　　　　B.弯心直径 D

C.弯心直径对试件厚度(或直径)的比值 D/a

D.试件的伸长率

5.通过钢材的拉伸试验,可以检测钢材的哪些技术指标( )。

A.冲击韧性　　　B.抗拉强度　　　C.屈服点　　　D.伸长率

四、判断题

1.钢材的屈强比越大,其结构的安全可靠性越高。　　　　　　　　　　( )

2.建筑钢材经冷拉后其强度会有提高,塑性和韧性也随之提高。　　　　( )

3.对于同一钢材,其 A_5 大于 A_{10}。　　　　　　　　　　　　　　　( )

4.钢材的屈强比宜选择在 0.70~0.85 之间。　　　　　　　　　　　　　( )

5.低合金高强度结构钢因为强度高,能节约钢材,但成本很高。　　　　( )

6.钢筋进行冷拉处理,是为了提高其加工性能。　　　　　　　　　　　( )

7.碳素结构钢的牌号越大,其强度越高,塑性越好。　　　　　　　　　( )

8.A_5 是表示钢筋拉伸至变形达 5% 时的伸长率。　　　　　　　　　　( )

五、名词解释

1.屈服阶段

2.强化阶段

3.屈强比

4.钢材的时效

5.冷弯性能

6.钢材的冷加工

六、案例分析

1.从进场的一批 Φ20HRB400 钢筋中抽样,并截取两根钢筋作拉伸试验,测得如下结果:达到屈服下限的荷载分别为 137.5 kN 和 135.8 kN,拉断时荷载分别为 184.4 kN 和 182.7 kN,试件断后标距分别为 118 mm 和 121 mm。试计算此钢筋的屈服强度、抗拉强度

(修约到 5 MPa)和伸长率(修约到 0.5%)，评价其利用率及使用中的安全可靠程度。

2.工程中通常会将钢筋进行冷加工和时效处理，经这种处理后，钢筋的性能有何变化？工程中采取此措施有何实际意义？

3.结构设计时要选择合理的钢材屈强比，该选值对工程有什么实际意义？

4.普通低合金高强度结构钢的牌号如何表示？为什么工程中广泛使用低合金高强度结构钢？

模块八　建筑功能材料

【课程思政目标】

1.具有坚定正确的政治方向、良好的职业道德和诚信品质；

2.爱岗敬业，具有工匠精神、劳动精神、劳模精神；

3.具有良好的质量意识、规范意识、环保意识、安全意识；

4.培养家国情怀，具有较强的集体荣誉感和团队协作精神。

【能力目标】

1.具有对不同的建筑部位选用合适的建筑功能材料的能力；

2.能根据相关标准检测常用建筑材料的性能；

3.能分析处理施工中因建筑功能材料的质量等原因导致的工程技术问题。

【知识目标】

1.掌握沥青防水材料、沥青制品的使用及技术性质；

2.熟悉建筑密封材料、绝热材料、吸声材料与隔声材料的分类与应用；

3.了解其他建筑功能材料的选择和使用。

【本模块推荐学习的标准和规范】

《弹性体改性沥青防水卷材》（GB 18242—2008）

《塑性体改性沥青防水卷材》（GB 18243—2008）

《高分子防水卷材》（GB 18173.1—2012）

《屋面工程技术规范》（GB 50345—2012）

《屋面工程质量验收规范》（GB 50207—2012）

8.1　建筑防水材料

防水材料是指能防止雨水、雪水、地下水等对建筑物和各种构筑物的渗透、渗漏和侵蚀的材料。本章主要介绍柔性防水材料，按主要成分可分为沥青防水材料、高聚物改性沥青防水材料及合成高分子防水材料三大类。

8.1.1　建筑防水体系

现代建筑防水体系可以分为三种类型。

1.刚性防水体系

刚性防水体系又称刚性屋面，是由水泥浆、防水砂浆等组成的防水层所构成的均匀、密实、无洞孔和微裂缝的整体防水体系。

建筑防水体系

2.自防水体系

建筑结构、构件通过结构材料本身所具有的防水性能，再经过适当的构造设计和施工方法而构成的防水体系。钢筋混凝土屋盖整体浇灌过程中掺入一定的防水剂，设计一定的坡

度，便构成了自防水混凝土体系。

3.柔性防水体系

柔性防水体系是指所用的防水材料具有一定的柔韧性、弹性、塑性、耐温性和可施工性。如沥青系防水层、弹塑性的防水卷材以及防水涂膜等，是现在一般建筑物采用最多的一种防水体系。

柔性防水体系按所用材料不同分为卷材、油膏和涂料三种。

8.1.2 沥青

沥青是一种憎水性的有机胶凝材料。它是由一些极其复杂的高分子碳氢化合物及这些碳氢化合物的一些非金属(氧、硫、氮等)的衍生物所组成的混合物。沥青在常温下呈固体、半固体或液体的状态。

沥青材料具有良好的不透水性、不导电性；能与砖、石、木材及混凝土等牢固黏结，并能抵抗酸、碱及盐类物质的腐蚀作用；具有良好的耐久性；高温时易于进行加工处理，常温下又很快地变硬，并且具有抵抗变形的能力；相对便宜，并可以大量获得。因此，其被广泛地应用于建筑、铁路、道路、桥梁及水利工程中。

沥青材料可分为地沥青和焦油沥青两大类。地沥青包括天然沥青和石油沥青；焦油沥青包括煤沥青、木沥青、泥炭沥青、页岩沥青。工程中使用最多的是煤沥青和石油沥青，石油沥青的防水性能好于煤沥青，但煤沥青的防腐、黏结性能较好。

1.石油沥青

石油沥青是石油经蒸馏提炼出各种轻质油品(汽油、煤油等)及润滑油以后的残留物，经再加工得到的褐色或黑褐色的黏稠状液体或固体状物质，略有松香味，能溶于多种有机溶剂，如三氯甲烷、四氯化碳等。

1)石油沥青的分类

按原油的成分分为石蜡基沥青、沥青基沥青和混合基沥青。按石油加工方法不同分为残留沥青、蒸馏沥青、氧化沥青、裂解沥青和调和沥青。按用途划分为道路石油沥青、建筑石油沥青和普通石油沥青。

2)石油沥青的组分

石油沥青的成分非常复杂，在研究沥青的组成时，将化学成分相近和物理性质相似而具有特征的部分划分为若干组，即组分。各组分的含量多少会直接影响沥青的性质。一般分为油分、树脂、地沥青质三大组分，此外，还有一定的石蜡固体。各组分的主要特征及作用见表8-1。

表 8-1　石油沥青的组分及其主要特性

组分		状态	颜色	密度/(g·cm⁻³)	含量/%	作用
油分		黏性液体	淡黄色至红褐色	<1	40~60	使沥青具有流动性
树脂	酸性	黏稠固体	红褐色至黑褐色	≥1	15~30	使沥青与矿物的黏附性提高
	中性					使沥青具有黏附性和塑性
地沥青质		粉末颗粒	深褐色至黑褐色	>1	10~30	能提高沥青的黏性和耐热性；含量提高，使塑性降低

油分和树脂可以互溶，树脂可以浸润地沥青质。以地沥青质为核心，周围吸附部分树脂和油分，构成胶团，无数胶团均匀地分布在油分中，形成胶体结构。

石油沥青的状态随温度不同也会改变。温度升高，固体沥青中的易熔成分逐渐变为液体，使沥青流动性提高；当温度降低时，它又恢复为原来的状态。石油沥青中各组分不稳定，会因环境中的阳光、空气、水等因素作用而变化，油分、树脂减少，地沥青质增多，这一过程称为"老化"。这时，沥青层的塑性降低，脆性增加，变硬，出现脆裂，失去防水、防腐蚀效果。

3)石油沥青的技术性质

(1)黏滞性。黏滞性是指沥青材料在外力作用下抵抗发生黏性变形的能力。半固体和固体沥青的黏性用针入度表示，液体沥青的黏性用黏滞度表示。黏滞度和针入度是划分沥青牌号的主要指标。

黏滞度是液体沥青在一定温度下经规定直径的孔，漏下 50 mL 所需的秒数。其测定示意图如图 8-1 所示。黏滞度常以符号 C_t^d 表示。其中 d 是孔径(mm)，t 为试验时沥青的温度(℃)，黏滞度大时，表示沥青的黏性大。

针入度是指在温度为 25℃ 的条件下，以 100 g 的标准针，经 5 s 沉入沥青中的深度，0.1 mm 为 1 度。其测定示意图如图 8-2 所示。针入度大，流动性大，黏性小。针入度在 5~200 度。

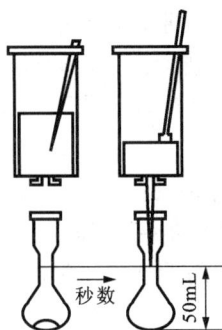

图 8-1 标准黏度测定示意图

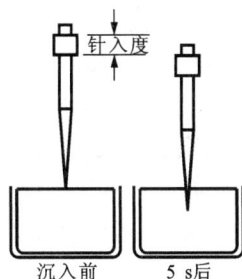

图 8-2 针入度测定示意图

(2)塑性。塑性是指沥青在外力作用下变形的能力。用延伸度表示，简称延度。塑性表示沥青开裂后的自愈能力及受机械力作用后的变形而不破坏的能力。

延度的测定方法是将沥青试样制成"∞"字形标准试模(中间最小截面积 1 cm²)(图 8-3)，在一定温度(25℃)和一定拉伸速度(50 mm/min)下，将试件拉断时延伸的长度，用 cm 表示，称为延度。延度越大，塑性越好。

(3)温度稳定性。温度稳定性是指沥青的黏性和塑性随温度的升降而变化的性能。变化程度越小，沥青的温度稳定性越大。

温度稳定性用软化点来表示，即沥青材料由固态变为具有一定流动性的膏体时的温度。软化点通常用"环球法"测定，如图 8-4 所示。就是将熬制脱水后的沥青试样，注入内径为 18.9 mm 的铜环中，环上置一重 3.5 g 的钢球，放在水或甘油中，以 5℃/min 的升温速度下进行加热，加热至沥青软化，直至在钢球荷重作用下使沥青产生 25.4 mm 挠度时的温度即为软化点。

沥青的软化点在 50~100℃。软化点高，沥青的耐热性好，但软化点过高，又不易加工和施工；软化点低的沥青，夏季高温时易产生流淌而变形。

除上述三大指标外，还有大气稳定性、闪点、燃点、溶解度等，都对沥青的使用有影响，如大气稳定性好的沥青，沥青层的耐久性就好，耐用时间就长，闪点和燃点直接影响沥青熬制温度的确定。

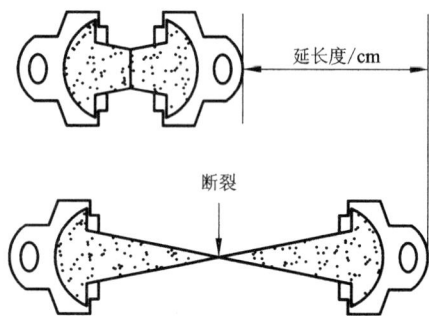

图 8-3 "∞"字延度试件示意图

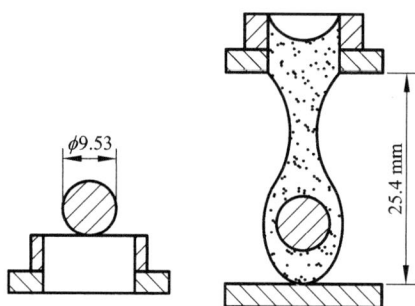

图 8-4 软化点测定示意图

（4）大气稳定性。大气稳定性是指石油沥青在大气因素的长期作用下抵抗老化的性能。

沥青的老化分为两个阶段：第一阶段的老化可强化沥青的结构，使沥青与矿料颗粒表面的黏结得到加强；然后到达第二阶段——真正的老化阶段，这时沥青的稠度和脆性进一步增加，沥青结构遭到破坏，最终导致道路沥青面层的破坏。

沥青的大气稳定性除了与沥青本身的性能、大气因素作用的强烈程度有关外，还与其他一些因素有关，如沥青使用过程中的温度状况、沥青混合料面层的密实程度。沥青在长时间加热或在高温下加热，会产生氧化和聚合反应，从而失去黏结的性能，同时也使得沥青在将来的使用过程中更容易老化，而且沥青混合料面层中存在的孔隙，会促使外界的空气和水的进入，加速沥青的老化。

沥青的大气稳定性常以蒸发损失和蒸发后针入度比来评定。其测定方法是：先测定沥青试样的质量和针入度值，然后将试样置于加热损失试验专用烘箱中，在 163℃ 下蒸发 5 h，待冷却后再测其质量和针入度值。计算蒸发损失质量占原质量的百分数，称为蒸发损失；计算蒸发后针入度占原针入度的百分数，称为蒸发后针入度比。蒸发损失百分数越小和蒸发后针入度比越大，则表示沥青的大气稳定性越高，老化越慢。

（5）闪点和燃点。沥青材料在使用时有时需加热，当加热至一定温度时，沥青材料在挥发的油分蒸气与周围空气组成混合气体，此混合气体遇火焰则易发生闪火。若继续加热，油分蒸气的饱和度增加，由此种蒸气与空气组成的混合气体遇火焰极易燃烧，从而引发火灾。为此，需测定沥青加热后闪火和燃烧的温度，即闪点和燃点。

闪点和燃点是保证沥青加热质量和施工安全的一项重要指标。其试验方法是：将沥青试样盛于试验仪器的标准杯中，按规定加热速度进行加热。当加热达到某一温度时，点火器扫拂过沥青试样任何一部分表面，出现一瞬即灭的蓝色火焰状闪光时，此时的温度即为闪点；

按规定的加热速度继续加热，至达点火器扫拂过沥青试样表面时产生燃烧火焰，并持续 5 s 以上，此时的温度即为燃点。

（6）溶解度。沥青的溶解度是指石油沥青在三氯乙烯中溶解的百分率（即有效物质的含量）。那些不溶解的物质为有害物质（沥青碳或似碳物），会降低沥青的性能，应加以限制。

（7）含水量。沥青中含有水分，施工中挥发太慢，影响施工速度，所以要求沥青中含水量不宜过多。在加热过程中，如水分过多，易产生溢锅现象，引起火灾，使材料损失。所以在熔化沥青时应加快搅拌速度，促进水分蒸发，控制加热温度。

4）沥青的标准和应用

沥青的主要技术标准以针入度、相应的软化点和延伸度来表示，见表8-2。

表8-2 道路石油沥青和建筑石油沥青技术标准

项目	道路石油沥青（GB/T 15180—2010）							建筑石油沥青（GB/T 494—2010）	
	200	180	140	100甲	100乙	60甲	60乙	30	10
针入度（25℃，100 g）/0.1 mm	201~300	161~200	121~160	91~120	81~120	51~80	41~80	36~50	10~25
延伸度（25℃）/cm，≥	—	100	100	90	60	70	40	3.5	1.5
软化点（环球法）/℃，≥	30~45	35~45	38~48	42~52	42~52	45~55	45~55	60	95
溶解度（三氯乙烯，四氯化碳或苯）/%，≥	99	99	99	99	99	99	99	99.5	99.5
蒸发损失（160℃，5 h）/%，≤	1	1	1	1	1	1	1	1	1

在施工现场，应掌握沥青质量、牌号的鉴别方法（见表8-3），以便正确使用。

表8-3 石油沥青的外观及牌号鉴别

项目		鉴别方法
沥青形态	固态	敲碎，检查其断口，色黑而发亮的质好，暗淡的质差
	半固态（即膏状体）	取少许，拉成细丝，丝越长越好
	液态	黏性强、有光泽、没有沉淀和杂质的较好；也可用一小木条插入液体中，轻轻搅动几下，提起，丝越长越好
沥青牌号	140~100	质软
	60	用铁锤敲，不碎，只出现凹坑而变形
	30	用铁锤敲，成为较大的碎块
	10	用铁锤敲，成为较小的碎块，表面色黑有光

道路石油沥青黏性差，塑性好，容易浸透和乳化，但弹性、耐热性和温度稳定性较差，主要用来拌制各种沥青混凝土或沥青砂浆，用来修筑路面和各种防渗、防护工程，还可用来配制填缝材料、黏结剂和防水材料。建筑石油沥青具有良好的防水性、黏结性、耐热性及温度稳定性，但黏度大，延伸变形性能较差，主要用于屋面和各种防水工程，并用来制造防水卷材，配制沥青胶和沥青涂料。普通石油沥青性能较差，一般较少单独使用，可以作为建筑石油沥青的掺配材料。

5）沥青的掺配

当单独使用一种牌号沥青不能满足工程的耐热性要求时，用两种或三种沥青进行掺配。掺配量用下式计算：

$$较软沥青掺量(\%)=\frac{较硬沥青的软化点-要求沥青的软化点}{较硬沥青的软化点-较软沥青的软化点}\times100 \qquad (8-1)$$

$$较硬沥青的掺量(\%)=100-较软沥青的掺量 \qquad (8-2)$$

经过试配，测定掺配后沥青的软化点，最终掺量以试配结果（掺量-软化点曲线）来确定满足要求软化点的配比。如用三种沥青进行掺配，可先计算两种的掺量，然后再与第三种沥青进行掺配。

2. 煤沥青

煤沥青是炼焦或生产煤气的副产品，烟煤干馏时所挥发的物质冷凝得到的黑色黏稠物质，称为煤焦油，煤焦油再经分馏提取各种油品后的残渣即为煤沥青。与石油沥青相比，煤沥青具有的特点见表8-4。煤沥青中含有酚，有毒，防腐性好，适用于地下防水层或防腐蚀材料。

表8-4 石油沥青与煤沥青的主要区别

性质	石油沥青	煤沥青
密度/(g·cm⁻³)	近于1.0	1.25~1.28
锤击	韧性较好	韧性差，较脆
颜色	灰亮褐色	浓黑色
溶解性	易溶于汽油煤油中，呈棕黑色	难溶于汽油煤油中，呈黄绿色
温度敏感性	较好	较差
燃烧	烟少无色，有松香味，无毒	烟多，黄色，臭味大，有毒
防水性	好	较差(含酚，能溶于水)
大气稳定性	较好	较差
抗腐蚀性	差	较好

3. 改性沥青

对沥青进行氧化、乳化、催化，或者掺入橡胶、树脂等物质，使得沥青的性质发生不同程度的改善，得到的产品称为改性沥青。

1）橡胶改性沥青

橡胶改性沥青是掺入橡胶（天然橡胶、丁基橡胶、氯丁橡胶、丁苯橡胶、再生橡胶）的沥青,具有一定橡胶特性,其气密性、低温柔性、耐化学腐蚀性,耐光、耐气候性、耐燃烧性均得到改善,可用于制作卷材、片材、密封材料或涂料。

2)树脂改性沥青

树脂改性沥青是用树脂改性的沥青,可以提高沥青的耐寒性、耐热性、黏结性和不透水性,常用品种有聚乙烯、聚丙烯、酚醛树脂等。

3)橡胶树脂改性沥青

橡胶树脂改性沥青同时加入橡胶和树脂,可使沥青同时具备橡胶和树脂的特性,性能更加优良,主要产品有片材、卷材、密封材料、防水涂料。

4)矿物填充料改性沥青

矿物填充料改性沥青是指为了提高沥青的黏结力和耐热性,减小沥青的温度敏感性,加入一定数量矿物填充料(滑石粉、石灰粉、云母粉、硅藻土)的沥青。

8.1.3 防水卷材

防水卷材是一种可卷曲的片状制品,按组成材料分为沥青防水卷材、高聚物改性沥青防水卷材、合成高分子防水卷材三大类。

防水卷材

各类防水卷材应具有良好的耐水性、温度稳定性和抗老化性,同时应具有必要的机械强度、柔韧性、延伸性和抗断裂能力。

1.沥青防水卷材

沥青防水卷材是在基胎(原纸或纤维织物等)浸涂沥青后,在表面撒布粉状或片状隔离材料制成的一种防水卷材。

1)主要品种的性能及应用

(1)石油沥青纸胎防水卷材。石油沥青纸胎防水卷材是采用低软化点石油沥青浸渍原纸,用高软化点沥青涂盖油纸的两面,再撒以隔离材料而制成的一种纸胎油毡。

《石油沥青纸胎油毡》(GB 326—2007)规定:油毡按卷重和物理性能分为Ⅰ型、Ⅱ型、Ⅲ型,油毡幅宽为1000 mm,其他规格可由供需双方商定。每卷油毡的总面积为20±0.3 m^2。按产品的名称、类型和标准号顺序标记。如Ⅲ型石油沥青纸胎油毡标记为:油毡Ⅲ型GB 326—2007。Ⅰ型、Ⅱ型油毡适用于辅助防水、保护隔离层、临时性建筑防水、建筑防潮及包装等;Ⅲ型油毡适用于防水等级为Ⅲ级的屋面工程的多层防水。

纸胎油毡成本较低,易腐蚀,使用的沥青材料的温度敏感性大、低温柔性差、易老化,因而使用年限较短,耐久性差,抗拉强度低,消耗大量优质纸源。

(2)石油沥青玻璃布油毡(简称玻璃布油毡)。采用玻璃布为胎基,涂抹石油沥青,并在两面撒布隔离材料所制。具有拉力大及耐霉菌性好的特点,适用于要求强度高及耐霉菌性好的防水工程,柔韧性也比纸胎油毡好,易于在复杂部位粘贴和密封。石油沥青玻璃布油毡主要用于铺设地下防水、防潮层、金属管道的防腐保护层。根据行业标准《石油沥青玻璃布油毡》(JC/T 84—1996)规定,规格为1000 mm,分为一等品和合格品两个等级。每卷油毡的总面积为20±0.3 m^2。

(3)石油沥青玻璃纤维油毡(简称玻纤油毡)。石油沥青玻璃纤维油毡是采用玻璃纤维薄毡为胎基,浸涂石油沥青,表面撒以矿物粉料或覆盖以聚乙烯薄膜等隔离材料制成的一种防水卷材。其指标应符合《石油沥青玻璃纤维油毡》(GB/T 14686—2008)的规定,柔性好(在

0~10℃弯曲无裂纹），耐化学微生物腐蚀，寿命长。用于防水等级为Ⅲ级的屋面工程。

（4）铝箔面油毡。铝箔面油毡是用玻纤毡为胎基，浸涂氧化沥青，表面用压纹铝箔贴面，底面撒以细颗粒矿物料或覆盖以聚乙烯（PE）膜制成的防水卷材。具有反射热和紫外线的功能及美观效果，能降低屋面及室内温度，阻隔蒸汽渗透，用于多层防水的面层和隔气层。

2）石油沥青防水卷材的储存、运输和保管

不同规格、标号、品种、等级的产品不得混放；卷材应保管在规定温度下，粉毡和玻璃毡不高于4℃，片毡不高于50℃。纸胎油毡和玻纤油毡需立放，高度不超过两层，所有搭接边的一端必须朝上面；玻璃布油毡可以同一方向平放堆置成三角形，最高码放10层，并应存放在远离火源、通风、干燥的室内，防止日晒、雨淋和受潮。用轮船和铁路运输时，卷材必须立放，高度不得超过两层，短途运输可平放，不宜超过4层，不得倾斜或横压，必要时加盖苫布；人工搬运要轻拿轻放，避免出现不必要的损伤；产品质量保证期为一年。

2.改性沥青防水卷材

高聚物改性沥青卷材是以合成高分子聚合物改性沥青为涂盖层、纤维织物或纤维毡为基胎，粉状、粒状、片状或薄膜材料为防粘隔离层制成的防水卷材，具有高温不流淌、低温不脆裂、拉伸强度高、延伸率较大等优异性能。

1）常用品种的性能及应用

常用品种有弹性体改性沥青防水卷材、塑性体改性沥青防水卷材等，高聚物改性沥青有SBS、APP、PVC和再生胶改性沥青等。

（1）塑性体（APP）改性沥青防水卷材。塑性体改性沥青防水卷材是指以聚酯毡（PY）、玻纤毡（G）、玻纤增强聚酯毡（PYG）为胎基，无规聚丙烯（APP）或聚烯烃类聚合物做改性剂，两面覆以隔离材料所制成的防水卷材，简称APP卷材。其上表面隔离材料有聚乙烯膜（PE）、细砂（S）和矿物粒料（M），下表面隔离材料有细砂（S）、聚乙烯膜（PE）。卷材幅宽为1000 mm，聚酯毡的厚度有3 mm、4 mm、5 mm三种，玻纤毡的厚度有3 mm、4 mm两种，玻纤增强聚酯毡卷材厚度为5 mm。按其性能分为Ⅰ型、Ⅱ型，其物理力学性能应符合《塑性体改性沥青防水卷材》（GB 18243—2008）的规定，见表8-5。

表8-5　塑性体改性沥青防水卷材的材料性能（GB18243—2008）

序号	项　　目		指标				
			Ⅰ		Ⅱ		
			PY	G	PY	G	PYG
1	可溶物含量 /（g·m⁻²），≥	3 mm	2100				—
		4 mm	2900				—
		5 mm	3500				
		试验现象	—	胎基不燃	—	胎基不燃	—
2	耐热性	℃	110		130		
		≤mm	2				
		试验现象	无流淌、滴落				

236

续表 8-5

序号	项目		指标				
			I		II		
			PY	G	PY	G	PYG
3	低温柔性 /℃		-7		-15		
			无裂缝				
4	不透水性 30 min		I		0.3 MPa		
			PY	G			
			0.3 MPa	0.2 MPa			
5	拉力	最大峰拉力/(N/50 mm) ≥	500	350	800	500	900
		次高峰拉力/(N/50 mm) ≥	—	—	—	—	800
		试验现象	拉伸过程中,试件中部无沥青涂盖层开裂或与胎基分离现象				
6	延伸率	最大峰时延伸率/% ≥	25		40		
		第二峰时延伸率/% ≥	—				15
7	浸水后质量增加/% ≤	PE、S	1.0				
		M	2.0				
8	热老化	拉力保证率/% ≥	90				
		延伸率保证率/% ≥	80				
		低温柔性/℃	-2		-10		
			无裂缝				
		尺寸变化率/% ≤	0.7	—	0.7	—	0.3
		质量损失/% ≤	1.0				
9	接缝剥离强度/(N/mm) ≥		1.0				
10	钉杆撕裂强度[a]/N ≥		—				300
11	矿物粒料粘附性[b]/g ≤		2.0				
12	卷材下表面沥青涂盖层厚度[c]/mm ≥		1.0				
13	人工气候加速老化	外观	无滑动、流淌、滴落				
		拉力保持率/% ≥	80				
		低温柔性/℃	-2		-10		
			无裂缝				

注:a. 仅适用于单层机械固定施工方式卷材。b. 仅适用于矿物粒料表面的卷材。c. 仅适用于热熔施工的卷材。

APP 卷材具有良好的防水性能、耐高温性能和较好的柔韧性(耐-15℃不裂),能形成高强度、耐撕裂、耐穿刺的防水层,耐紫外线照射、耐久寿命长,热熔法黏结,可靠性强。广泛用于各种领域和类型的防水,尤其是工业与民用建筑的屋面及地下防水、地铁、隧道桥和高架桥上沥青混凝土桥面的防水，但必须用专用胶黏剂黏结。

（2）弹性体改性沥青防水卷材。以聚酯毡（PY）、玻纤毡（G）、玻纤增强聚酯毡（PYG）为胎基，以苯乙烯-丁二烯-苯乙烯（SBS）热塑性弹性体作石油沥青改性剂，两面覆以隔离材料所制成的防水卷材。其上表面隔离材料有聚乙烯膜（PE）、细砂（S）和矿物粒料（M），下表面隔离材料有细砂（S）、聚乙烯膜（PE）。按其性能分为Ⅰ型、Ⅱ型。

SBS卷材规格、品种与APP相同，其物理性能应符合表8-6的规定。SBS卷材属高性能的防水材料，保持沥青防水的可靠性和橡胶的弹性，提高了柔韧性、延展性、耐寒性、黏附性、耐气候性，具有良好的耐高、低温性，可形成高强度防水层，并耐穿刺、硌伤、撕裂和疲劳，出现裂缝能自我愈合，能在寒冷气候热熔搭接，密封可靠。

表8-6　弹性体改性沥青防水卷材的材料性能（GB 18242—2008）

序号	项　目		指标				
			Ⅰ		Ⅱ		
			PY	G	PY	G	PYG
1	可溶物含量 /(g·m⁻²)， ≥	3 mm	2100				—
		4 mm	2900				—
		5 mm	3500				
		试验现象	—	胎基不燃	—	胎基不燃	—
2	耐热性	℃	90		105		
		≤mm	2				
		试验现象	无流淌、滴落				
3	低温柔性 /℃		−20		−25		
			无裂缝				
4	不透水性 30 min		Ⅰ		0.3 MPa		
			PY	G			
			0.3 MPa	0.2 MPa			
5	拉力	最大峰拉力/(N/50 mm) ≥	500	350	800	500	900
		次高峰拉力/(N/50 mm) ≥	—	—	—	—	800
		试验现象	拉伸过程中，试件中部无沥青涂盖层开裂或与胎基分离现象				
6	延伸率	最大峰时延伸率/% ≥	30		40		—
		第二峰时延伸率/% ≥	—		—		15
7	浸水后质量增加/% ≤	PE、S	1.0				
		M	2.0				

续表 8-6

序号	项 目		指标				
			I		II		
			PY	G	PY	G	PYG
8	热老化	拉力保证率/% ≥	90				
		延伸率保证率/% ≥	80				
		低温柔性/℃		−15		−20	
			无裂缝				
		尺寸变化率/% ≤	0.7	—	0.7	—	0.3
		质量损失/% ≤	1.0				
9	渗油性	张数 ≤	2				
10	接缝剥离强度/(N/mm) ≥		1.5				
11	钉杆撕裂强度ᵃ/N ≥		—				300
12	矿物粒料粘附性ᵇ/g ≤		2.0				
13	卷材下表面沥青涂盖层厚度ᶜ/mm ≥		1.0				
14	人工气候加速老化	外观	无滑动、流淌、滴落				
		拉力保持率/% ≥	80				
		低温柔性/℃		−15		−20	
			无裂缝				

注：a. 仅适用于单层机械固定施工方式卷材。b. 仅适用于矿物粒料表面的卷材。c. 仅适用于热熔施工的卷材。

SBS 卷材广泛应用于各种领域和类型的防水工程。最适用于以下工程：工业与民用建筑的常规及特殊屋面防水；地下工程的防水，尤其适合低温、寒冷地区的防水。

（3）冷自粘橡胶改性沥青卷材。冷自粘橡胶改性沥青卷材是用 SBS 和丁苯橡胶（SBR）等弹性体及沥青材料为基料，并掺入增塑增黏材料和填充材料，采用聚乙烯膜或铝箔为表面材料或无表面覆盖层，底表面或上表面覆涂硅隔离、防黏材料制成的可自行黏结的防水卷材。

《自粘橡胶改性沥青卷材》（JC 840—1999）规定：每卷面积有 20 m²、10 m²、5 m² 三种；宽度有 920 mm、1000 mm 两种，厚度有 2.2 mm、1.5 mm、2.0 mm 三种。分为聚乙烯膜、铝箔、无膜三种。具有良好的柔韧性、延展性，适应基层变形能力强，施工时不需涂胶黏剂。采用聚乙烯膜为表面材料，适用于非外露的屋面防水；采用铝箔为覆面材料，适用于外露的防水工程。

2）高聚物改性沥青防水卷材的外观要求

成卷卷材应卷紧整齐，端面里进外出不得超过 10 mm；成卷卷材在规定温度下展开，在距卷芯 1.0 m 长度外，不应有 10 mm 以上的裂纹和黏结；胎基应浸透，不应有未被浸透的条纹；卷材表面应平整，不允许有孔洞、缺边、裂口，矿物粒（片）应均匀并且紧密黏附于卷材表面；每卷接头不多于 1 个，较短一段不应少于 1.0 m，接头应剪切整齐，加长 150 mm，备作黏结。

3）高聚物改性沥青防水卷材单位面积质量、面积及厚度

APP卷材、SBS卷材单位面积质量、面积及厚度的规定见表8-7。

4）高聚物改性沥青防水卷材储存、运输与保管

不同品种、等级、标号、规格的产品应有明显标记，不得混放；卷材应存放在远离火源、通风、干燥的室内，防止日晒、雨淋和受潮；卷材必须立放，高度不得超过两层，不得倾斜或横压，运输时平放不宜超过4层；应避免与化学介质及有机溶剂等有害物质接触。

表8-7 高聚物改性沥青防水卷材单位面积质量、面积及厚度

规格（公称厚度）		3 mm			4 mm			5 mm		
上表面材料		PE	S	M	PE	S	M	PE	S	M
下表面材料		PE	PE、S		PE	PE、S		PE	PE、S	
面积 /（m²·卷⁻¹）	公称面积	10、15			10、7.5			7.5		
	偏差	±0.10			±0.10			±0.10		
单位面积质量 /（kg·m⁻²）		3.3	3.5	4.0	4.3	4.5	5.0	5.3	5.5	6.0
厚度 /mm	平均值≥	3.0			4.0			5.0		
	最小单值	2.7			3.7			4.7		

3. 合成高分子防水卷材

以合成树脂、合成橡胶或橡胶-塑料共混体为基料，加入适量的化学助剂和添加剂，经过混炼（塑炼）压延或挤出成型、定型、硫化等工序制成。有橡胶类（三元乙丙卷材、丁基橡胶卷材、氯化聚乙烯卷材、氯磺化聚乙烯卷材、氯丁橡胶卷材、再生胶卷材），树脂类（聚氯乙烯卷材、聚乙烯卷材、乙烯共聚物卷材）和橡塑共混类（氯化聚乙稀—橡胶共混卷材、聚丙烯—乙烯共聚物卷材）。

1）常用品种的性能及应用

（1）三元乙丙橡胶防水卷材（EPDM）。三元乙丙橡胶防水卷材是以三元乙丙橡胶或掺入适量丁基橡胶为基料，加入各种添加剂而制成的高弹性防水卷材。有硫化型（JL）和非硫化型（JF）两类。规格中厚度为1.0 mm、1.2 mm、1.5 mm、2.0 mm；宽度为1.0 m、1.2 m；长度为20 m。

三元乙丙橡胶防水卷材的耐老化性能好，使用寿命长（估计30年以上），耐紫外线、耐氧化、耐气温变化性好，弹性好，拉伸性能优异，抗裂性极佳，耐高、低温性好，能在严寒或酷热环境中使用。《高分子防水卷材》（GB 18173.1—2012）对其物理力学性能做了相应规定。

三元乙丙卷材在工业及民用建筑的屋面工程中，适用于外露防水层的单层或多层防水，如易受振动、易变形的建筑防水工程，有刚性保护层或倒置式屋面及地下室、桥梁、隧道防水。

（2）聚氯乙烯防水卷材（PVC卷材）。聚氯乙烯防水卷材是以聚氯乙烯树脂为主要基料，掺加适量添加剂加工而成的防水材料，属非硫化型、高档弹塑性防水材料。按基料分为S

型、P 型两种。S 型是以煤焦油与聚氯乙烯树脂混溶料为基料的柔性卷材，P 型是以增塑聚氯乙烯树脂为基料的塑性卷材。按有无增强材料分为均质型（单一的 PVC 片材）和复合型（有纤维毡或纤维织物增强材料）两个品种。均质型 PVC 卷材按国家标准《聚氯乙烯防水卷材》（GB 12952—2003）规定，分为无复合层的 N 类、用纤维单面复合的 L 类、织物内增强的 W 类，厚度为 1.2 mm、1.5 mm、2.0 mm，长度为 10 m、15 m 和 20 m。每类型又分为 I 型和 II 型。

PVC 卷材的拉伸强度高、伸长率大，对基层的伸缩和开裂变形适应性强，卷材幅面宽，可焊接性好；具有良好的水蒸气扩散性，冷凝物容易排出；耐穿透、耐腐蚀、耐老化，低温柔性和耐热性好。可用于各种屋面防水、地下防水及旧屋面维修。

（3）氯化聚乙稀-橡胶共混防水卷材。以氯化聚乙烯树脂和丁苯橡胶混合体为基料，加入各种添加剂加工而成，简称共混卷材。属硫化型高档防水卷材。

卷材的厚度有 1.0 mm、1.2 mm、1.5 mm、1.8 mm、2.0 mm，幅宽有 1000 mm、1200 mm，长度为 20 m，其物理性能应符合《高分子防水材料》（GB 18173.1—2012）的规定。具有高延伸率、高强度，耐臭氧性能和耐低温性能好，耐老化性、耐水和耐腐蚀性强。性能优于单一的橡胶类或树脂类卷材，对结构基层的变形适应能力大，适用于屋面的外露和非外露防水工程，地下室防水工程以及水池、土木建筑的防水工程等。

2）合成高分子卷材的外观要求

卷材表面应平整、边缘整齐，不允许出现裂纹、气泡、机械损伤、折痕、穿孔、杂质及异常黏着的缺陷；允许在 20 m 长度内有一接头，并加长 150 mm，备作搭接；接头处要求剪切平整，最短段不小于 2.5 m 等。

8.1.4 防水涂料

防水涂料是以沥青、合成高分子材料等为主体，在常温下呈无定形流态或半固态，经涂布能在结构物表面形成坚韧的防水膜物料的总称。防水涂料固化成膜后的防水涂膜具有良好的防水性能，特别适合于各种复杂不规则部位的防水，能形成无接缝的完整防水膜。大多采用冷施工，不必加热熬制，涂布的防水涂料既是防水层的主体，又是黏结剂，因而施工质量容易保证。

防水涂料

按其成膜物质的主要成分分为沥青类、水泥类、高聚物改性沥青类和合成高分子类。

1.防水涂料的组成、分类和特点

防水涂料实质上是一种特殊涂料，它的特殊性在于当涂料涂布在防水结构表面后，能形成柔软、耐水、抗裂和富有弹性的防水涂膜，隔绝外部的水分子向基层渗透。因此，在原材料的选择上不同于普通建筑涂料，主要采用憎水性强、耐水性好的有机高分子材料，常用的主体材料采用聚氨酯、氯丁胶、再生胶、SBS 橡胶和沥青以及它们的混合物，辅助材料主要包括固化剂、增韧剂、增黏剂、防霉剂、填充料、乳化剂、着色剂等，其生产工艺和成膜机理与普通建筑涂料基本相同。

防水涂料根据组分的不同可分为单组分防水涂料和双组分防水涂料两类。根据成膜物质的不同可分为沥青基防水材料、高聚物改性沥青防水材料和合成高分子材料防水材料三类。如按涂料的介质不同，又可分为溶剂型、水乳型和反应型三类，不同介质的防水涂料的性能特点见表 8-8。

表 8-8 溶剂型、乳液型和反应型防水涂料的性能特点

项目	溶剂型防水涂料	水乳型防水涂料	反应型防水涂料
成膜机理	通过溶剂的挥发、高分子材料的分子链接触、缠结等过程成膜	通过水分子的蒸发，乳胶颗粒靠近、接触、变形等过程成膜	通过预聚体与固化剂发生化学反应成膜
干燥速度	干燥快，涂膜薄而致密	干燥较慢，一次成膜的致密性较低	可一次形成致密的较厚的涂膜，几乎无收缩
储存稳定性	储存稳定性较好，应密封储存	储存期一般不宜超过半年	各组分应分开密封存放
安全性	易燃、易爆、有毒，生产、运输和使用过程中应注意安全使用，注意防火	无毒，不燃，生产使用比较安全	有异味，生产、运输和使用过程中应注意防火
施工情况	施工时应通风良好，保证人身安全	施工较安全，操作简单，可在较为潮湿的找平层上施工，施工温度不宜低于5℃	施工时需现场按照规定配方进行配料，搅拌均匀，以保证施工质量

一般来说，防水涂料具有以下 6 个特点：

（1）防水涂料在常温下呈液态，特别适宜在立面、阴阳角、穿结构层管道、不规则屋面、节点等细部构造处进行防水施工，固化后能在这些复杂表面处形成完整的防水膜。

（2）涂膜防水层自重轻，特别适宜于轻型薄壳屋面的防水。

（3）防水涂料施工属于冷施工，可刷涂，也可喷涂，操作简便，施工速度快，环境污染小，同时减小了劳动强度。

（4）温度适应性强，防水涂层在−30~80℃条件下均可使用。

（5）涂膜防水层可通过加贴增强材料来提高抗拉强度。

（6）容易修补，发生渗漏可在原防水涂层的基础上修补。

防水涂料的主要优点是易于维修和施工，特别适用于管道较多的卫生间、特殊结构的屋面以及旧结构的堵漏防渗工程。

2.防水涂料的主要技术性质

由于防水涂料形成的防水涂层必须连续无缝隙，与基层产生良好的黏结，也不能因基层开裂、预制构件节点的松动、保护层开裂等原因造成防水涂层的破坏。因此，防水涂料应具有良好的防水、防渗性能外，还必须具有较好的抗拉强度、延伸率、抗撕裂强度及耐候性等。其主要技术性质有：

1）含固量（固体量）

含固量是指涂料内所含固体物质的比例，主要为主要成膜物质和助剂，这些物质与涂料的黏性和涂膜的硬度、强度、耐候性和厚度等密切相关。含固量高的涂料黏性较好，涂膜的厚度大，耐高温性和耐磨性较好。

2）延伸性

延伸性是指当防水基层或保护层产生开裂或变形较大时涂层抵抗开裂的能力。抗裂性通

常与主体材料的性能有关，例如韧性、强度和塑性等。

3）不透水性

不透水性是反映防水涂料抵抗压力水渗透的能力，这是防水涂料最基本的要求。不透水性的好坏主要与涂膜的分子结构、致密度及厚度有关。一般来说，双组分反应型的不透水性比其他防水涂料好，溶剂型比水乳型防水涂料的不透水性强。

4）低温柔韧性是指涂膜在低温条件下抵抗变形而不开裂的能力，主要与主体材料和增韧剂的种类、数量有关。

5）耐热性

耐热性是指涂膜在高温下不流淌、无起泡和脱落等现象的性能。

6）其他技术性能

防水涂料还有耐老化性能，耐酸碱性、黏结性等。

3. 常用的防水涂料

1）沥青基防水涂料

沥青基防水涂料的成膜物质是石油沥青，一般分为溶剂型和水乳型两种。溶剂型沥青涂料是将石油沥青直接溶解于汽油等有机溶剂后制得的溶液。沥青溶液施工后所形成的涂膜很薄，一般不单独作防水涂料使用，只用作沥青类油毡施工时的基层处理剂。水乳型沥青防水涂料是将石油沥青分散于水中所形成的水分散体。目前常用的沥青类防水涂料有水乳无机矿物厚质沥青涂料、水性石棉沥青防水涂料、石灰乳化沥青、水性铝粉屋面反光涂料、溶剂型屋面反光隔热涂料，膨润土—石棉乳化沥青防水涂料、阳离子乳化高腊石油沥青防水涂料等。

2）高聚物改性防水涂料

沥青防水涂料通过适当的高聚物改性可以显著提高其柔韧性、弹性、流动性、气密性、耐化学腐蚀性和耐疲劳等性能。高聚物改性沥青防水涂料一般是用再生橡胶、合成橡胶或SBS 等对沥青进行改性而制成的水乳型或溶剂型防水涂料。

3）合成高分子防水涂料

合成高分子防水涂料是以合成橡胶或合成树脂为主要成膜物质，加入其他辅料而配制成的单组分或多组分防水涂料。合成高分子防水涂料的品种很多，常见的有硅酮、氯丁橡胶、聚氯乙烯、聚氨酯、丙烯酸酯、丁基橡胶、氯磺化聚乙烯、偏二氯乙烯等防水涂料。

4. 防水涂料的储运及保管应符合下列要求

防水涂料的包装容器必须密封严实，容器表面应有标明涂料名称、生产厂名、生产日期和产品有效期的明显标志；储运及保管的环境温度应不得低于0℃；严防日晒、碰撞，渗漏；应存放在干燥、通风、远离火源的室内，料库内应配备专门用于灭扑有机溶剂的消防措施；运输时，运输工具、车轮应有接地措施，防止静电起火。

5. 常用防水涂料的性能及用途

常用防水涂料的性能及用途，见表8-9。

表 8-9 常用防水涂料的性能及用途

涂料种类	特　　　点	适　用　范　围
乳化沥青防水涂料	成本低，施工方便，耐热性好，但延伸率低	适用于民用及工业建筑厂房的复杂屋面和青灰屋面防水，也可涂于屋顶钢筋板面和油毡屋面防水
橡胶改性沥青防水涂料	有一定的柔韧性和耐水性，常温下冷施工，安全可靠	适用于工业及民用建筑的保温屋面、地下室、洞体、冷库地面等的防水
硅橡胶防水涂料	防水性好，成膜性、弹性黏结性好，安全无毒	地下工程、储水池、厕浴间、屋面的防水
PVC 防水涂料	具有弹塑性，能适应基层的一般开裂或变形	可用于屋面及地下工程、蓄水池、水沟、天沟的防腐和防水
三元乙丙橡胶防水涂料	具有高强度、高弹性、高延伸率，施工方便	可用于宾馆、办公楼、厂房、仓库、宿舍的建筑屋面和地面防水
聚丙烯酸酯防水涂料	黏结性强，防水性好，延伸率高，耐老化，能适应基层的开裂或变形，冷施工	广泛应用于中、高级建筑工程的各种防水工程，平面、立面均可施工
聚氨酯防水涂料	强度高，耐老化性能优异，延伸率大，黏结力强	用于建筑屋面的隔热防水工程，地下室、厕浴间的防水，也可用于彩色装饰性防水
粉状黏性防水涂料	属于刚性防水，涂层寿命长经久耐用，不存在老化问题	适用于建筑屋面、厨房、厕浴间、坑道、隧道地下工程防水

8.1.5 屋面防水材料的选择

　　屋面防水工程应根据建筑物的类别、重要程度、使用功能要求确定防水等级，并应按相应等级防水设防；对防水有特殊要求的建筑屋面，应进行专项防水设计。屋面防水等级和设防要求应符合《屋面工程技术规范》（GB 50345—2012）规定。如表 8-10。

表 8-10 屋面防水等级和设防要求

防水等级	建筑类别	设防要求
I 级	重要建筑和高层建筑	两道防水设防
II 级	一般建筑	两道防水设防

8.2 建筑密封材料

　　建筑密封材料也称建筑防水油膏，主要应用在板缝、接头、裂隙、屋面等部位。通常要求建筑密封材料具有良好的黏结性、抗下垂性、不渗水透气，易于施工；还要求具有良好的弹塑性，能长期经受被黏构件的伸缩和振动，在接缝发生变化时不断裂、剥落，并要有良好的耐老化性能，不受热和紫外线的影响，长期保持密封所需要的黏结性和内聚力等。

　　1. 建筑密封材料的组成和分类

　　建筑密封材料的原材料主要为高分子合成材料和各种辅料，与防水涂料十分类似。建筑

244

密封材料的防水效果主要取决于两个方面：一是油膏本身的密封性、憎水性和耐久性等；二是油膏和基材的黏附力。黏附力的大小与密封材料对基材的浸润性、基材的表面性状(粗糙度、清洁度、温度和物理化学性质等)以及施工工艺密切相关。

建筑密封材料按形态的不同一般可分为不定型密封材料和定型密封材料两大类(表8-11)。不定型密封材料常温下呈膏体状态；定型密封材料是将密封材料按密封工程特殊部位的不同要求制成带、条、方、圆、垫片等形状，定型密封材料按密封机理的不同可分为遇水膨胀型和非遇水膨胀型两类。

表8-11 建筑密封材料的分类及主要品种

分类	类型		主要品种
不定型密封材料	非弹性密封材料	油性密封材料	普通油膏
		沥青基密封材料	橡胶改性沥青油膏、桐油橡胶改性沥青油膏、桐油改性沥青油膏、石棉沥青腻子、沥青鱼油油膏、苯乙烯焦油油膏
		热塑性密封材料	聚氯乙烯胶泥、改性聚氯乙烯胶泥、塑料油膏、改性塑料油膏
	弹性密封材料	溶剂型弹性密封材料	丁基橡胶密封膏、氯丁橡胶密封膏、氯磺化聚乙烯橡胶密封膏、丁基氯丁再生胶密封膏、橡胶改性聚酯密封膏
		水乳型弹性密封材料	水乳丙烯酸密封膏、水乳氯丁橡胶密封膏、改性EVA密封膏、丁苯胶密封膏
		反应型弹性密封材料	聚氨酯密封膏、聚硫密封膏、硅酮密封膏
定型密封材料	密封条带		铝合金门窗橡胶密封条、丁腈胶—PVC门窗密封条、自黏性橡胶、水膨胀橡胶、PVC胶泥墙板防水带
	止水带		橡胶止水带、嵌缝止水密封胶、无机材料基止水带、塑料止水带

2.常用建筑密封材料

1)橡胶沥青油膏

橡胶沥青油膏是以石油沥青为基料，加入橡胶改性材料和填充料等经混合加工而成，是一种弹塑性冷施工防水嵌缝密封材料，是目前我国产量最大的品种。

它具有良好的防水防潮性能，黏结性好，延伸率高，耐高低温性能好，老化缓慢，适用于各种混凝土屋面、墙板及地下工程的接缝密封等，是一种较好的密封材料。

2)聚氯乙烯胶泥

聚氯乙烯胶泥是以煤焦油为基料，聚氯乙烯为改性材料，掺入一定量的增塑剂、稳定剂和填充料，在130~140℃下塑化而形成的热施工嵌缝材料，是目前屋面防水嵌缝中适用较为广泛的一类密封材料。

其主要特点是生产工艺简单，原材料来源广，施工方便，具有良好的耐热性、黏结性、弹塑性、防水性以及较好的耐寒性、耐腐蚀性和耐老化性能。适用于各种工业厂房和民用建筑的屋面防水嵌缝，以及受酸碱腐蚀的屋面防水，也可用于地下管道的密封和卫生间等。

3)有机硅建筑密封膏

有机硅建筑密封膏是以有机硅橡胶为基料配制成的一类高弹性高档密封膏。有机硅密封膏分为双组分和单组分两种，单组分应用较多。

有机硅建筑密封膏具有优良的耐热、耐寒、耐老化及耐紫外线等耐候性能，与各种基材如混凝土、铝合金、不锈钢、塑料等有良好的黏结力，并且具有良好的伸缩耐疲劳性能，防水、防潮、抗震、气密、水密性能好。适用于各类建筑物和地下结构的防水、防潮和接缝处理。

4）聚硫橡胶密封材料

聚硫橡胶密封材料是由液态聚硫橡胶（多硫聚合物）为主剂，以金属过氧化物（多数为二氧化铅）为固化剂，加入增塑剂、增韧剂、填充剂及着色剂等配制而成。是目前世界上应用最广、使用最成熟的一类弹性密封材料。聚硫橡胶密封材料也分为单组分和双组分两类。目前国内双组分聚硫橡胶密封材料的品种较多。

这类密封材料的特点是弹性特别高，能适应各种变形和振动，黏结强度好（0.63 MPa）。抗拉强度高（1~2 MPa）、延伸率大（500%以上）、直角撕裂强度大（8 kN/m），并且它还具有优异的耐候性，极佳的气密性和水密性，良好的耐油、耐溶剂、耐氧化、耐湿热和耐低温性能，使用温度范围广，对各种基材如混凝土、陶瓷、木材、玻璃、金属等均有良好的黏结性能。

聚硫橡胶密封材料适用于混凝土墙板、屋面板、楼板、地下室等部位的接缝密封以及金属幕墙、金属门窗框四周、中空玻璃的防水、防尘密封等。

5）聚氨酯弹性密封膏

聚氨酯弹性密封膏是由多异氰酸酯与聚醚通过加成反应制成预聚体后，加入固化剂、助剂等在常温下交联固化而成的一类高弹性建筑密封膏。聚氨酯弹性密封膏分为单组分和双组分两种，以双组分的应用较广，单组分的目前已较少应用。其性能比其他溶剂型和水乳型密封膏优良，可用于防水要求中等和偏高的工程。

聚氨酯弹性密封膏对金属、混凝土、玻璃、木材等均有良好的黏结性能，具有弹性大、延伸率大、黏结性好、耐低温、耐水、耐油、耐酸碱、抗疲劳及使用年限长等优点。与聚硫、有机硅等反应型建筑密封膏相比，价格较低。聚氨酯弹性密封膏广泛应用于墙板、屋面、伸缩缝等沟缝部位的防水密封工程，以及给排水管道、蓄水池、游泳池、道路桥梁、机场跑道等工程的接缝密封与渗漏修补，也可用于玻璃、金属材料的嵌缝。

6）水乳型丙烯酸密封膏

水乳型丙烯酸密封膏是以丙烯酸酯乳液为黏结剂，掺入少量表面活性剂、增塑剂、改性剂以及填充料、颜料经搅拌研磨而成。

该类密封材料具有良好的黏结性能、弹性和低温柔韧性能，无溶剂污染、无毒、不燃，可在潮湿的基层上施工，操作方便，特别是具有优异的耐候性和耐紫外线老化性能，属于中档建筑密封材料，其适用范围广、价格便宜、施工方便，综合性能明显优于非弹性密封膏和热塑性密封膏，但要比聚氨酯、聚硫、有机硅等密封膏差一些。

水乳型丙烯酸密封膏主要用于外墙伸缩缝、屋面板缝、石膏板缝、给排水管道与楼屋面接缝等处的密封。该类材料中含有约15%的水，故在温度低于0℃时不能使用。

7）止水带

止水带也称为封缝带，是处理建筑物或地下构筑物接缝（伸缩缝、施工缝、变形缝）用的一类定型防水密封材料。常用品种有橡胶止水带、塑料止水带等。

橡胶止水带是以天然橡胶或合成橡胶为主要原料，掺入各种助剂及填充料，经塑炼、混炼、模压而成。具有良好的弹塑性、耐磨性和抗撕裂性能，适应变形能力强，防水性能好。但使用温度和使用环境对物理性能有较大的影响，当作用于止水的温度超过 50℃，以及受强烈的氧化作用或受油类等有机溶剂的侵蚀时不宜采用。橡胶止水带一般用于地下工程、小型水坝、贮水池、地下通道、河底隧道、游泳池等工程的变形缝部位的隔离防水以及水库、输水洞等处闸门的密封止水。

塑料止水带目前多为软质聚氯乙烯塑料止水带，是由聚氯乙烯树脂、增塑剂、稳定剂等原料经塑炼、造粒、挤出、加工成型而成。塑料止水带的优点是原料来源丰富，价格低廉，耐久性好，物理力学性能能满足使用要求。可用于地下室、隧道、涵洞、溢洪道、沟渠等的隔离防水。

3. 密封材料的储运，保管应遵守下列规定

应避开火源、热源，避免日晒、雨淋，防止碰撞，保持包装完好无损；外包装应贴有明显的标记，标明产品的名称、生产厂家、生产日期和使用有效期；应分类储放在通风、阴凉的室内，环境温度不应超过 50℃。

8.3　绝热材料

绝热材料

在冬季，由于室外气温较低，室内的热量通过房屋的外围护结构会不断向外散失，使室内气温和围护结构内部的温度逐渐降低。为了保持一定的室内气温，在寒冷地区，一方面必须设置采暖设备（如火炉、暖气片等），另一方面在建筑上也必须相应地采取保温措施，以减少热量的损失，也就是说要求围护结构具有一定的保温和隔热能力。在建筑学中，将用于控制室内热量外流的材料称为保温材料，把阻止室外热量进入室内的材料称为隔热材料，保温、隔热材料统称为绝热材料。建筑物选择合适的绝热材料，既可以保证室内有适宜的温度，为人们构筑一个温暖、舒适的环境，从而提高人们的生活质量，又可以减少建筑物的采暖和空调能耗而节约能源。据统计，具有良好绝热功能的建筑，其能源可节省 25%～50%。因此，在建筑工程中，合理选择和使用绝热材料具有重要意义。

8.3.1　绝热材料的基本要求

建筑工程上使用绝热材料一般要求其导热系数不大于 0.175 W/(m·K)，表观密度小于 600 kg/m³，抗压强度不小于 0.3 MPa。此外，还应该根据工程特点，考虑材料的吸湿性、温度稳定性、耐腐蚀性等性能及技术经济指标。

8.3.2　影响材料绝热性能的主要因素

衡量绝热材料性能优劣的主要指标是导热系数。导热系数的物理意义是指单位厚度（1 m）的材料，当其相对两侧表面的温度差为 1 K 时，经单位面积（1 m²）单位时间（1 s）所通过的热量。导热系数是通过材料本身热量传导能力大小的量度，导热系数越小，则通过材料传递的热量就越少，材料的导热能力越差，其绝热性能越好。它受本身物质构成、孔隙率、材料所处的温、湿度及热流方向的影响。

1. 材料的物质组成

材料的导热系数受自身组成物质的化学组成和分子结构的影响。化学组成和分子结构比

较简单的物质的导热系数要大于结构复杂的物质。

2. 孔隙率

由于固体物质的导热系数比空气的导热系数大得多，因此，一般来说，材料的孔隙率越大，导热系数越小。材料的导热系数不仅与孔隙率有关，还与孔隙的大小、形状及连通情况有关。当孔隙率相同时，孔隙尺寸小且封闭的材料比孔隙尺寸大且连通的材料的导热系数要小，这是由于空气热对流作用减弱的缘故。

3. 温度

材料的导热系数随温度的升高而增大，因为温度升高，材料中固体分子的热运动增强，同时，材料孔隙中空气的导热和孔壁间的辐射作用也有所增加。

4. 湿度

材料受潮吸水后，导热系数会大大提高。这是因为水的导热系数比空气的导热系数约大20倍。若水结冰，导热系数将更大，因为冰的导热系数约为空气导热系数的80倍。

5. 热流方向

对于纤维状材料，热流方向与纤维排列方向垂直时的导热系数要小于平行时的导热系数。这是因为前者对空气的对流等起到阻碍作用。

8.3.3 常用的绝热材料

常用的绝热材料按其成分可以分为有机和无机两大类。无机绝热材料是用矿物质原料做成的呈松散状、纤维状或多孔状的材料(如浮石、火山渣、硅藻土、石棉、膨胀珍珠岩、陶粒、玻璃棉、加气混凝土等)；有机绝热材料是用有机原料制成(如软木、木丝、刨花、泡沫塑料、泡沫橡胶等)。一般来说，无机绝热材料的密度大于有机绝热材料，且不宜腐蚀，不会燃烧，有的能耐高温；而有机绝热材料则质量轻，导热性低，成本较低，但耐热性较差，高温下易分解变质或燃烧，一般温度高于120℃时就不宜使用。

1. 无机纤维状绝热材料

无机纤维状绝热材料以矿物棉及玻璃棉为主，制成板或筒状制品，由于不燃、吸声、耐久、价格便宜、施工简便而广泛用于住宅建筑和热工设备的表面。

(1)玻璃棉及制品。玻璃棉是以石灰石、萤石等天然矿物、岩石为主要原料，在玻璃熔炉中熔化后制成的一种纤维状材料。纤维直径为12 μm，一般的堆积密度为40~150 kg/m³，价格与矿棉制品相近，可制成各种用途的玻璃棉毡、玻璃棉板、玻璃棉套管及一些异形制品。其具有轻质、导热系数低、吸声性能好、过滤效率高、不燃烧、耐腐蚀等性能，是一种优良的绝热、吸声、过滤材料。

(2)矿物棉及制品。矿物棉一般包括矿渣棉和岩石棉。矿渣棉所用原料有高炉硬矿渣、铜矿渣和其他矿渣等，另加一些调整原料(含氧化钙、二氧化硅的原料)。岩石棉的主要原料是天然岩石，经熔融后吹制而成纤维状产品。

矿物棉具有轻质、不燃、绝热和电绝缘等性能，且原料来源丰富，成本较低，可制成矿棉板、矿棉防水毡及管套等，可用作建筑物的墙壁、屋顶、顶棚等处的保温隔热和吸声材料，以及热力管道的保温材料。

2. 无机散粒状绝热材料

散粒状绝热材料包括膨胀蛭石、膨胀珍珠岩等。

(1)膨胀蛭石及其制品。蛭石是一种天然矿物，在850~1000℃的温度下煅烧时，短时间体积急剧膨胀而成的一种金黄色或灰白色的颗粒状材料，单个颗粒的体积能膨胀约20倍。

膨胀蛭石的特点：表观密度小，导热系数小，可在1000~1100℃温度下使用，防火，防腐，化学稳定性好，无毒，无味等，但吸水性较大。膨胀蛭石可以呈松散状铺设于墙壁、楼板、屋面等夹层中，作为绝热、隔声之用，使用时应注意防潮，以免吸水后导热系数增加影响绝热效果。

膨胀蛭石也可与水泥、水玻璃等胶凝材料配合，浇制成板，用于墙、楼板和屋面板等构件的绝热。

(2)膨胀珍珠岩及其制品。膨胀珍珠岩是由天然珍珠岩煅烧而成的，呈蜂窝泡沫状的白色或灰白色颗粒，是一种高效能的绝热材料。

膨胀珍珠岩的特点：表观密度小，导热系数小，使用温度范围广（最高使用温度可达800℃，最低使用温度为-20℃），化学稳定性好，无毒，无味，吸湿性小，施工方便等。膨胀珍珠岩制品是以膨胀珍珠岩为主，配合适量胶凝材料，经拌和、成型、养护后制成的具有一定形状的板、块、管壳等制品。膨胀珍珠岩及其制品的生产占我国保温材料年产量的一半以上，作为一种轻质保温材料在我国得到广泛使用，建筑上广泛用于围护结构、热工设备等处的隔热保温。

3.无机多孔类绝热材料

无机多孔类绝热材料主要有泡沫类和发气类产品。它们整个体积内含有大量均匀分布的气孔(开口气孔、闭口气孔或二者皆有)。

(1)泡沫混凝土。泡沫混凝土是由水泥、水、松香泡沫剂混合后经搅拌、成型、养护而成的一种多孔、轻质、保温、隔热、吸声材料，也可用粉煤灰、石灰、石膏和泡沫剂制成粉煤灰泡沫混凝土。泡沫混凝土的表观密度为300~500 kg/m³，导热系数为0.082~0.186 W/(m·K)。

(2)加气混凝土。加气混凝土是由钙质材料(水泥、石灰)和硅质材料(石英砂、粉煤灰、粒化高炉矿渣等)经磨细、配料，在加入发气剂(铝粉、双氧水)后，进行搅拌、浇筑、发泡、切割及蒸压养护等工序生产而成，是一种保温隔热性能良好的轻质材料。由于加气混凝土的表观密度小(500~700 kg/m³)，导热系数[0.093~0.164 W/(m·K)]比黏土砖小很多，因而24 cm厚的加气混凝土墙体，其保温隔热效果优于37 cm厚的砖墙。此外，加气混凝土的耐火性能良好。

(3)硅藻土。硅藻土是一种被称为硅藻的水生植物的残骸。其孔隙率为50%~80%，因此硅藻土有很好的保温隔热性能，其导热系数仅有0.060 W/(m·K)；最高使用温度可达900℃。硅藻土常用作填充料或制成硅藻土砖等制品。

(4)微孔硅酸钙。微孔硅酸钙是以石英砂、硅藻土或硅石与石灰为原料经配料、拌和、成型及水热合成的绝热材料。其主要水化产物为托贝莫来石或硬硅钙石。以托贝莫来石为主要水化产物的微孔硅酸钙，其表观密度约为200 kg/m³，导热系数为0.047 W/(m·K)，最高使用温度约为650℃。以硬硅钙石为主要水化产物的微孔硅酸钙，其表观密度约为230 kg/m³，导热系数为0.056 W/(m·K)，最高使用温度可达1000℃。

(5)泡沫玻璃。泡沫玻璃是由玻璃粉和发泡剂等经配料、烧制而成的多孔材料。泡沫玻璃表观密度为150~600 kg/m³，导热系数小，抗压强度高(0.8~15 MPa)、抗冻性好、耐久性好，并且对水分、水蒸气和其他气体具有不渗透性，还容易进行机械加工。泡沫玻璃可用来砌筑墙体，也可用于冷藏设备的保温，或用作漂浮、过滤材料。

4.有机绝热材料

(1)泡沫塑料。泡沫塑料是以各种树脂为基料，加入各种辅助料经加热发泡制得的轻质保温材料。泡沫塑料目前广泛用作建筑上的保温隔热材料，其表观密度很小，隔热性能好，加工使用方便。常用的泡沫塑料有聚苯乙烯泡沫塑料、聚氯乙烯泡沫塑料、聚氨酯泡沫塑料、泡沫酚醛塑料和脲醛泡沫塑料等。该类绝热材料可用作复合墙板及屋面板的夹芯层及满足冷藏和包装等绝热需要。

(2)硬质泡沫橡胶。硬质泡沫橡胶是用化学发泡剂制成，特点是导热系数小而强度大。其表观密度为 $0.064\sim0.12\ \text{g/cm}^3$。表观密度越小，保温性能越好，但强度越低。硬质泡沫橡胶的抗碱和盐的侵蚀能力较强，但不抗强的无机酸及有机酸的侵蚀。它不溶于醇等弱溶剂，但易被某些强有机溶剂软化溶解。硬质泡沫橡胶为热塑性材料，耐热性不好，在 65℃ 左右开始软化。硬质泡沫橡胶有良好的低温性能，低温下强度较高且具有较好的体积稳定性，可用于冷冻库。

(3)碳化软木板。碳化软木板是以一种软木橡树的外皮为原料，经适当破碎后再在模型中成型，在 300℃ 左右经热处理而成。由于软木树皮层中含有无数树脂包含的气泡，所以成为理想的保温、绝热、吸声材料，且具有不透水、无味、无毒等特性，并且有弹性，柔和耐用。

(4)植物纤维复合板。植物纤维复合板是以植物纤维为主要材料加入胶结料和填充料而制成的。如木丝板是以木材下脚料制成的木丝，加入硅酸钠溶液及普通硅酸盐水泥混合，经成型、冷压、养护、干燥而制成；甘蔗板是以甘蔗渣为原料，经过蒸制、加压、干燥等工序制成的一种轻质、吸声、保温材料。

8.4 吸声材料

吸声材料是一种能在很大程度上吸收由空气传递的声波能量的建筑材料。在影剧院、音乐厅、大会堂、播音室及噪声大的工厂车间等室内的墙面、地面、顶棚等部位，采用适当的吸声材料，能改善声波在室内的传播质量，保持良好的音响效果。

吸声材料

8.4.1 材料的吸声性能

声音在传播过程中，一部分声能随着距离的增大而扩散，另一部分声能则因空气分子的吸收而减弱。声能的这种减弱现象，在室外空旷处颇为明显，但在室内如果房间的空间不大，则声能减弱就不起主要作用，而主要是室内墙壁、天花板、地板等材料表面对声能的吸收。

当声波遇到材料表面时，一部分被反射，另一部分穿透材料，其余的声能转化为热能而被吸收。被吸收的声能 E（包括部分穿透材料的声能在内）与原先传递给材料的全部声能 E_0 之比，称为吸声系数 α。吸声系数是评定材料吸声性能好坏的主要指标，用下式表示：

$$\alpha = \frac{E}{E_0} \tag{8-3}$$

假如入射声能的 60% 被吸收，40% 被反射，则该材料的吸声系数就等于 0.6。当入射声能 100%被吸收而无反射时，吸声系数等于 1。当门窗开启时，吸声系数相当于 1。一般材料的吸声系数在 0~1 之间。

材料的吸声性能除了与材料本身性质、厚度及材料表面状况(有无空气层及空气层的厚度)有关外，还与声波的入射角及频率有关。因此，吸声系数用声音从各个方向入射的平均值表示，并应指出是哪一频率的吸收。一般而言，材料内部开放连通的气孔越多，吸声性能越好。同一材料，对于高、中、低不同频率其吸声系数不同。为了全面反映材料的吸声性能，规定取 125 Hz、250 Hz、500 Hz、1000 Hz、2000 Hz、4000 Hz 六个频率的吸声系数来表示材料的吸声特性。任何材料对声音都能吸收，只是吸收程度有很大的不同。通常对上述六个频率的平均吸声系数大于 0.2 的材料认为是吸声材料。

8.4.2　吸声材料的基本要求

(1)为发挥吸声材料的作用，必须选择材料的气孔是开放且相互连通的，气孔越多，吸声效果越好。开放的气孔越多，吸声性能越好。

(2)选用的吸声材料应不易虫蛀、腐朽且不易燃烧。

(3)尽可能选用吸声系数较高的材料，以便节约材料用量，达到经济目的。

(4)吸声材料强度一般较低，故应设置在墙裙以上，以免碰撞破坏。

(5)为使吸声材料充分发挥作用，应安装在最容易接受声波和反射次数最多的表面上，但不应把吸声材料都集中在顶棚或墙壁上，而应比较均匀地分布在室内各表面上。

8.4.3　常用的吸声材料

1.多孔性吸声材料

多孔性吸声材料是比较常用的一种吸声材料，它具有良好的中高频吸收性能。多孔性吸声材料具有大量的内外连通微孔，透气性良好。当声波入射到材料表面时，声波很快地顺着微孔进入材料内部，引起孔隙内的空气振动，由于摩擦、空气粘滞阻力和材料内部的热传导作用，相当一部分声能转化为热能而被吸收。

材料的吸声性能与材料的表观密度和内部构造有关。在建筑装修中，吸声材料的厚度、材料背后空气层以及材料孔隙特征等，对吸声性能均有较大影响。

2.膨胀珍珠岩装饰吸声制品

膨胀珍珠岩装饰吸声制品是以膨胀珍珠岩为集料，配合适量的胶黏剂，并加入其他辅助材料制成的板块材料。按所用的胶黏剂及辅料不同，膨胀珍珠岩装饰吸声制品可分为水玻璃珍珠岩板、石膏珍珠岩板、水泥珍珠岩板、沥青珍珠岩板等。膨胀珍珠岩板具有质轻、不燃、吸声、施工方便等优点，多用于墙面或顶棚装饰与吸声工程。

膨胀珍珠岩吸声砖是以适当粒径的膨胀珍珠岩为集料，加入胶黏剂，按一定配比，经搅拌、成型、干燥、焙烧或养护而成的，具有吸声隔热、可锯可钉、施工方便的特点，常用于消声砌体工程。

3.矿棉装饰吸声板

矿棉装饰吸声板是以矿渣棉、岩棉或玻璃棉为基料，加入适量的胶黏剂、防潮剂，经过加压和烘干制成的板状材料。该吸声板质轻、不燃、吸声效果好、保温、施工方便，多用于吊顶和墙面吸声装饰。

4. 穿孔板和吸声薄板

将铝合金板和不锈钢板穿孔加工制成的金属穿孔吸声装饰板，由于其强度高，可制得较大穿孔率的微孔板，背衬多孔材料使用。金属穿孔吸声装饰板主要起饰面作用。

吸声薄板有胶合板、石膏板、石棉水泥板、硬质纤维板等。通常是将它们的四周固定在龙骨上，背后由适当的空气层形成的空腔组成共振吸声结构。若在其空腔内填入多孔材料，可在很宽的频率范围内提高吸声系数。

5. 木丝吸声板

木丝吸声板是以白杨木纤维为原料，结合独特的无机硬水泥黏合剂，采用连续操作工艺，在高温、高压条件下制成的。其抗菌防潮、结构结实，富有弹力，抗冲击，节能保温。

8.5 隔声材料

声波传播到材料或结构时，因材料或结构吸收会失去一部分声能，透过材料的声能总是小于材料或结构的声能，这样，材料或结构起到了隔声作用，我们把能减弱或隔断声波传递的材料称为隔声材料。材料的隔声能力可通过材料对声波的透射系数 τ 来衡量，计算公式为：

$$\tau = \frac{E_\tau}{E_0} \tag{8-4}$$

隔声材料

式中：τ——声波透射系数；

　　　E_τ——透过材料的声能；

　　　E_0——入射总声能。

材料的透射系数越小，说明材料的隔声性能越好，但在工程上常用构件的隔声量 R（单位是 dB）来表示构件对空气声隔绝能力，它与透射系数的关系是 $R = -10\lg\tau$。数值越大，隔声性能越好。同一材料或结构对不同频率的入射声波有不同隔声量。必须指出的是，吸声性能好的材料，不能简单地把它们作为隔声材料使用。

人们要隔绝的声音，按传播途径有空气声（通过空气传播的声音）和固体声（通过固体的撞击或振动传播的声音）两种，两者隔声的原理不同。

对空气声的隔绝，主要依据声学中的"质量定律"，即材料的表观密度越大，越不易受声波作用而产生振动，其声波通过材料传递的速度迅速减弱，其隔声效果越好。所以应选用表观密度大的材料（如混凝土、实心砖、钢板等）作为隔绝空气声的材料。

对固体声隔绝最有效的措施是隔断其声波的连续传递，即在产生和传递固体声的结构（如梁、框架、楼板与隔墙以及它们的交接处等）层中加入具有一定弹性的衬垫材料，如软木、橡胶、毛毡、地毯或设置空气隔离层等，以阻止或减弱固体声的继续传播。

由此可知，材料的隔声原理与材料的吸声（吸收或消耗转化声能）原理不同，吸声效果好的多孔材料（有开口连通而不穿透或穿透孔型）隔声效果不一定好。

8.6　建筑防水材料性能的检测

8.6.1　沥青针入度的检测

沥青的针入度是指在规定温度和时间内，附加一定质量的标准针垂直贯入沥青试样的深度，以 0.1 mm 表示。一般非经注明，规定的试验条件指：试验温度为 25℃，标准针的质量（包括标准针、针的连杆及附加砝码的质量）为 100 ± 0.05 g，时间为 5 s。

沥青性能的检测

1.检测目的

测定沥青的针入度，用以评价道路黏稠石油沥青的黏滞性，并确定沥青标号。还可以进一步计算沥青的针入度指数 PI，用以描述沥青的温度敏感性；计算当量软化点 T_{800}（相当于沥青针入度为 800 时的温度），用以评价沥青的高温稳定性；计算当量脆点 $T_{1.2}$（相当于沥青针入度为 1.2 时的温度），用以评价沥青的低温抗裂性能。

本方法适用于测定道路石油沥青、聚合物改性沥青针入度以及液体石油沥青蒸馏或乳化沥青蒸发后残留物的针入度。

2.主要检测仪器

（1）针入度仪：为提高测试精度，针入度试验宜采用能够自动计时的针入度仪进行测量，要求针和针连杆必须在无明显摩擦下垂直运动，针的贯入深度必须精确至 0.1 mm。针和针连杆组合件总质量为 50 ± 0.05 g，另附 50 ± 0.05 g 砝码一只，试验时总质量为 100 ± 0.05 g。为提高测试精密度，不同温度的针入度试验宜采用自动针入度仪进行测试。针入度仪如图 8-5 所示，由以下部分组成。

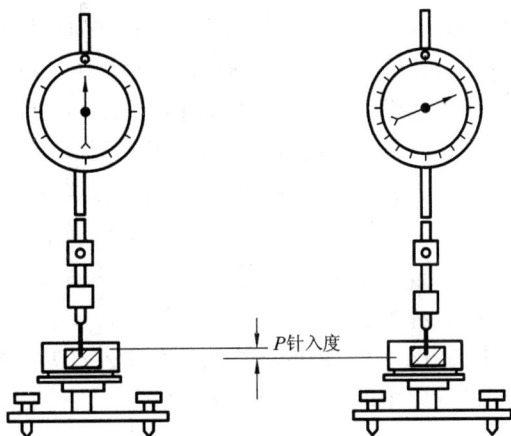

图 8-5　沥青针入度仪

①标准针：由硬化回火的不锈钢制成，洛氏硬度 HRC 为 54~60，表面粗糙度 Ra 为 0.2~0.3 μm，针及针杆总质量为 2.5 ± 0.05 g。

②盛样皿：金属制，圆柱形平底。小盛样皿的内径 55 mm，深 35 mm（适用于针入度小于 200）；大盛样皿内径 70 mm，深 45 mm（适用于针入度 200~350）。对于针入度大于 350 的试样需使用特殊盛样皿，其深度不小于 60 mm，试样体积不小于 125 mL。

（2）恒温水槽：容量不小于 10 L，控温准确度为 0.1℃。水槽中应设有一带孔的搁架，位于水面下不小于 100 mm，距水槽底不得少于 50 mm 处。

（3）平底玻璃皿：容量不小于 1 L，深度不小于 80 mm。内设有一不锈钢三脚支架，能使盛样皿稳定。

（4）温度计或温度传感器，精度为 0.1℃。

（5）计时器：精度为 0.1 s。

（6）位移计或位移传感器：精度为 0.1 mm。

（7）盛样皿盖：平板玻璃，直径不小于盛样皿开口尺寸。

（8）溶剂：三氯乙烯。

（9）其他：电炉或砂浴、石棉网、金属锅或瓷把坩埚等。

3.检测步骤

（1）沥青试样准备方法。

①将装有试样的盛样皿带盖放入恒温烘箱中，当石油沥青试样中含有水分时，烘箱温度80℃左右，加热至沥青全部熔化后供脱水用。当石油沥青中无水分时，烘箱温度宜为软化点温度以上90℃，通常为135℃左右。沥青试样不得直接采用电炉或煤气炉明火加热。

②当石油沥青试样中含有水分时，将盛样皿放在可控温的砂浴、油浴、电热套上加热脱水，不得已采用电炉、煤气炉加热脱水时必须加放石棉垫。时间不超过30 min，并用玻璃棒轻轻搅拌，防止局部过热。在沥青温度不超过100℃的条件下，仔细脱水至无泡沫为止，最后的加热温度不超过软化点以上100℃（石油沥青）或50℃（煤沥青）。

③将盛样皿中的沥青通过0.6 mm的滤筛过滤。

（2）制备试样方法。

过滤后不等冷却立即将试样灌入盛样皿中，试样深度应超过预计针入度值10 mm，并盖上盛样皿，以防落入灰尘。盛有试样的盛样皿在15～30℃室温中冷却不少于1.5 h（小盛样皿）、2 h（大盛样皿）或3 h（特殊盛样皿）后移入保持规定试验温度±0.1℃的恒温水槽中不少于1.5 h（小盛样皿）、2 h（大盛样皿）或3 h（特殊盛样皿）。

注意：在沥青灌模过程中如试样冷却，反复加热的次数不得超过2次，以防沥青老化影响试验结果；灌模剩余的沥青应立即清洗干净，不得重复使用。

（3）调整针入度仪使之水平。检查针连杆和导轨，以确认无水和其他外来物，无明显摩擦。用三氯乙烯或其他溶剂清洗标准针并擦干。将标准针插入针连杆，用螺丝固紧。按试验条件，加上附加砝码。

（4）取出达到恒温的盛样皿，并移入水温控制在试验温度±0.1℃（可用恒温水槽中的水）的平底玻璃皿中的三脚架上，试样表面以上的水层深度不少于10 mm。

（5）将盛有试样的平底玻璃皿置于针入度仪的平台上。慢慢放下针连杆，用适当位置的反光镜或灯光反射观察，使针尖恰好与试样表面接触，将位移计或刻度盘指针复位为零。

（6）开始试验，按下释放键，这时计时与标准针落下贯入试样同时开始，至5 s时自动停止。

（7）读取位移计或刻度盘指针的读数，准确至0.1℃。

（8）同一试样平行试验至少3次，各测试点之间及与盛样皿边缘的距离不应小于10 mm。每次试验后将盛有盛样皿的平底玻璃皿放入恒温水槽，使平底玻璃皿中水温保持试验温度。每次试验应换一根干净标准针或将标准针取下用蘸有三氯乙烯溶剂的棉花或布揩净，再用干棉花或布擦干。

（9）测定针入度大于200的沥青试样时，至少用3支标准针，每次试验后将针留在试样中，直至3次平行试验完成后，才能将标准针取出。

（10）测定针入度指数PI时，按同样的方法在15、25、30℃（或5℃）3个或3个以上（必要时增加10℃、20℃等）温度条件下分别测定沥青的针入度，但用于仲裁试验的温度条件应为5个。

4.允许误差

（1）当试验结果小于50（0.1 mm）时，重复性试验的允许差为2（0.1 mm），再现性试验的允许差为4（0.1 mm）。

（2）当试验结果等于或大于50（0.1 mm）时，重复性试验的允许差为平均值的4%，再现性试验的允许差为平均值的8%。

注意：试验的允许误差规定是非常重要的项目，本法对精密度的规定尽量按国际上通行的方法采用重复性和再现性表述。沥青重复性试验是指在短期内，在同一实验室，由同一个试验人员，对同一试样，完成两次以上的试验操作，所得试验结果之间的误差（通常用标准差表示）。再现性试验是指在两个以上不同的实验室，由各自的试验人员，采用各自的仪器，按相同的试验方法，对同一试样，分别完成试验操作所得试验结果之间的误差。这两种精密度的表示方法是对试验方法本身的规定，不应超过规定的允许差。

重复性试验和再现性试验只有在需要时才做，它可以用来对实验室进行论证，评价实验室的水平。重复性试验往往是对试验检验人员的操作水平、取样代表性的检验；再现性试验则同时检验仪器设备的性能。通过这两种试验检验结果的法定效果，如试验结果不符合精确度要求时，试验结果即属无效。通常某一试验的某次试验结果的获得是同时进行几次试验，以几次平行试验的平均值作为试验结果。试验方法一般均规定几次试验结果的允许误差，它并不属于重复性试验。这里平行试验的允许误差是检验这一次试验的精确度，是对试验方法本身的要求，其重复性和再现性试验的允许误差与作为一次试验取2或3个平行试验的差值含义不同，它是多次试验的结果，即平均值之间的允许差，故要求更为严格。

5.结果计算与结论评定

下面介绍针入度指数 PI、当量软化点 T_{800}、当量脆点 $T_{1.2}$ 的确定方法。

测定针入度指数 PI 时，按同样的方法在 15℃、25℃、30℃（若 30℃时的针入度值过大，可采用 5℃代替）3 个温度条件下分别测定沥青的针入度。根据测试结果可按下列各式确定针入度指数、当量软化点及当量脆点。

将 3 个或 3 个以上不同温度条件下测试的针入度值取对数，令 $y=\lg P$，$x=T$，按式（8-5）的针入度对数与温度的直线关系，进行 $y=a+bx$ 一元一次方程的线性回归，求取针入度温度指数 $A_{\lg Pen}$。

$$\lg P = K + A_{\lg Pen} \times T \tag{8-5}$$

式中：$\lg P$——不同温度条件下测得的针入度值的对数；

　　　T——试验温度，℃；

　　　K——回归方程的常数；

　　　$A_{\lg Pen}$——回归方程的系数 b。

按式（8-5）回归时必须进行相关性检验，直线回归相关系数 R 不得小于 0.997（置信度 95%），否则，试验无效。

按式（8-6）确定沥青的针入度指数，并记为 PI

$$PI = \frac{20 - 500A_{\lg Pen}}{1 + 50A_{\lg Pen}} \tag{8-6}$$

按式（8-7）确定沥青的当量软化点 T_{800}

$$T_{800} = \frac{\lg 800 - K}{A_{\lg Pen}} = \frac{2.9031 - K}{A_{\lg Pen}} \tag{8-7}$$

按式(8-8)确定沥青的当量脆点 $T_{1.2}$。

$$T_{1.2} = \frac{\lg 1.2 - K}{A_{\lg Pen}} = \frac{0.0792 - K}{A_{\lg Pen}} \tag{8-8}$$

按式(8-9)计算沥青的塑性温度范围 ΔT。

$$\Delta T = T_{800} - T_{1.2} = \frac{2.8239}{A_{\lg Pen}} \tag{8-9}$$

6. 试验报告

(1)应报告标准温度(25℃)时的计入度 T_{25} 以及其他试验温度 T 所对应的针入度 P，及由此求取针入度指数 PI、当量软化点 T_{800}、当量脆点 $T_{1.2}$ 的方法和结果，当采用公式计算时，应报告按式(8-5)回归的直线相关系数 R。

(2)同一试样三次平行试验结果的最大值和最小值之差在表 8-12 所列允许偏差范围内时，计算三次试验结果的平均值，取整数作为针入度试验结果，以 0.1 mm 为单位。

表 8-12　平行试验结果极差的允许偏差范围

针入度/(0.1 mm)	允许差值/(0.1 mm)
0~49	2
50~149	4
150~249	12
250~500	20

当试验值不符合此要求时，应重新进行。

8.6.2　沥青延度的检测

沥青的延度是指规定形态的沥青试样，在规定温度下以一定速度受拉伸至断开时的长度，以 cm 表示。试验温度与拉伸速度根据有关规定，通常采用的试验温度为 25℃、15℃、10℃或 5℃，拉伸速度为(5±0.25) cm/min。当低温采用 1±0.05 cm/min 拉伸速度时，应在报告中注明。

1. 检测目的

测定沥青的延度，可以评价黏稠沥青的塑性变形能力。本方法适用于测定道路石油沥青、聚合物改性沥青、液体石油沥青蒸馏和乳化沥青蒸发残留物的延度。

2. 主要检测仪器

(1)延度仪：延度仪的测量长度不宜大于 150 cm，仪器应有自动控温、控速系统。应满足试件浸没于水中，能保持规定的试验温度及规定的拉伸速度拉伸试件，且试验时应无明显振动。

(2)试模：黄铜制，由两个端模和两个侧模组成，试模内侧表面粗糙度 Ra 为 0.2 μm，其形状及尺寸如图 8-6 所示。

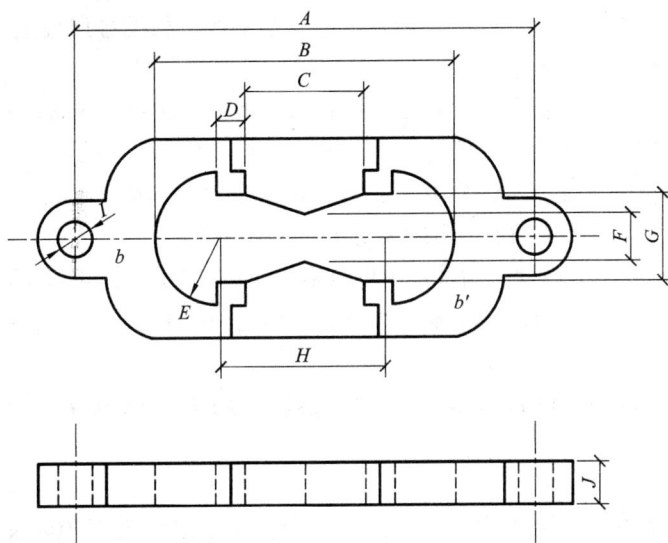

A—两端模环中心点距离 111.5~113.5 mm；B—试件总长 74.5~75.5 mm；

C—端模间距 29.7~30.3 mm；D—肩长 6.8~7.2 mm；

E—半径 15.75~16.25 mm；F—最小横断面宽 9.9~10.1 mm；

G—端模口宽 19.8~20.2 mm；H—两半圆心间距离 42.9~43.1 mm；

I—端模孔直径 6.5~6.7 mm；J—厚度 9.9~10.1 mm。

图 8-6　延度仪试模

（3）试模底板：玻璃板或磨光的铜板，不锈钢板（表面粗糙度 Ra 为 0.2 μm）。

（4）恒温水槽：容量不小于 10 L，控制温度的准确度为 0.1℃，水槽中设有带孔搁架，搁架距水槽底不得少于 50 mm。试件浸入水中深度不小于 100 mm。

（5）温度计：量程为 0~50℃，分度值为 0.1℃。

（6）砂浴或其他加热炉具。

（7）甘油滑石粉隔离剂（甘油与滑石粉的质量比 2:1）。

（8）其他：平刮刀、石棉网、酒精、食盐等。

3. 检测步骤

（1）制备试样。

①将隔离剂拌和均匀，涂于清洁干燥的试模底板和两个侧模的内侧表面，并将试模在试模底板上装妥。

②按规定方法（同沥青针入度试验准备试样方法）准备试样，将试样仔细自试模的一端至另一端往返数次缓缓注入模中，最后略高出试模。注意：灌模时勿使气泡混入。

③试件在室温中冷却不少于 1.5 h，然后用热刮刀刮除高出试模的沥青，使沥青面与试模面齐平。沥青的刮法应自模的中间刮向两端，且表面应刮得平滑。将试模连同底板再放入规定试验温度的水槽中保温 1.5 h。

（2）检查延度仪拉伸速度是否符合规定要求，然后移动滑板使其指针正对标尺的零点。将延度仪注水，并保温达试验温度±0.1℃。

（3）将保温后的试件连同底板移入延度仪的水槽中，然后将盛有试样的试模自玻璃板或不锈钢板上取下，将试模两端的孔分别套在滑板及槽端固定板的金属柱上，并取下侧模。水面距试件表面应不小于 25 mm。

（4）开动延度仪，并注意观察试样的延伸情况。此时应注意，在试验过程中，水温应始终保持在试验温度规定范围内，且仪器不得有振动，水面不得有晃动，当水槽采用循环水时，应暂时中断循环，停止水流。在试验中，当发现沥青细丝浮于水面或沉入槽底时，应在水中加入酒精或食盐，调整水的密度至与试样相近后，重新试验。

（5）试件拉断时，读取指针所指标尺上的读数，以 cm 表示。在正常情况下，试件延伸时应成锥尖状，拉断时实际断面接近于零。如不能得到这种结果，则应在报告中注明。

4. 允许误差

当试验结果小于 100 cm 时，重复性试验的允许差为平均值的 20%，再现性试验的允许差为平均值的 30%。

5. 试验报告

同一试样，每次平行试验不少于三个，如三个测定结果均大于 100 cm，试验结果记作"＞100 cm"；特殊需要也可分别记录实测值。如三个测定结果中，有一个以上的测定值小于 100 cm，若最大值或最小值与平均值之差满足重复性试验精度要求，则取三个测定结果的平均值的整数作为延度试验结果，若平均值大于 100 cm，记作"＞100 cm"；若最大值或最小值与平均值之差不符合重复性试验精度要求，试验应重新进行。

8.6.3 沥青软化点的检测

沥青软化点是指沥青试样在规定尺寸的金属环内，上置规定尺寸和重量的钢球，放于水或甘油中，以规定的速度加热(5±0.5) ℃/min，至钢球下沉达规定距离时的温度，以℃表示。

1. 检测目的

测定沥青的软化点，可以评定黏稠沥青的热稳定性。

本方法适用于测定道路石油沥青、聚合物改性沥青、煤沥青、液体石油沥青蒸馏残留物和乳化沥青蒸发残留物的软化点。

2. 主要检测仪器

（1）环与球软化点仪：软化点仪多为双球结构形式，环与球法软化点仪由下列几个部分组成。

钢球：直径为 9.53 mm，质量为 3.5±0.05 g。

试样环：用黄铜或不锈钢等制成。

钢球定位环：用黄铜或不锈钢制成。

金属支架：由两个主杆和三层平行的金属板组成。上层为一圆盘，直径略大于烧杯直径，中间有一圆孔，用以插放温度计。中层板上有两个孔，以供放置试样环，中间有一小孔可支持温度计的测温端部。一侧立杆距环上面 51 mm 处刻有水高标记。环下面距下层板为25.4 mm，而下底板距烧杯底不小于 12.7 mm，也不得大于 19 mm。三层金属板和两个主杆由两螺母固定在一起。

耐热玻璃烧杯：容积 800~1000 mL，直径不小于 86 mm，高度不小于 120 mm。

温度计：量程为 0~80℃，分度值为 0.5℃。

(2)试样底板:金属板(表面粗糙度 Ra 为 0.8 μm)或玻璃板。

(3)环夹:由薄钢条制成,用以夹持金属环,以便刮平试样表面。

(4)平直刮刀;甘油滑石粉隔离剂。

(5)加热炉具:装有温度调节器的电炉或其他加热炉具。应采用带有振荡搅拌器的加热电炉,振荡子置于烧杯底部。

(6)恒温水槽:控温的准确度为±0.5℃。

(7)其他:新煮沸过的蒸馏水、石棉网。

3.检测步骤

(1)制备试样。

①将试样环置于涂有隔离剂的金属板上,按规定方法准备好沥青试样,然后缓缓注入试样 环内至略高出环面为止。如估计软化点高于120℃,则试样环和金属底板均应预热至80~100℃。

②试样在室温冷却 30 min 后,用热刮刀刮除环面上的试样,应使其与环面齐平。

(2)试样软化点在80℃以下者,试验步骤如下:

①将装有试样的试样环连同金属板置于5±0.5℃水的恒温水槽中至少 15 min;同时将金属支架、钢球、钢球定位环等亦置于相同水槽中。

②烧杯内注入新煮沸并冷却至5℃的蒸馏水,水面略低于立杆上的深度标记。

③从恒温水槽中取出盛有试样的试样环放置在支架中层板的圆孔中,并套上定位环;然后将整个环架放入烧杯中,调整水面至深度标记,并保持水温为5±0.5℃。环架上任何部分不得附有气泡。将 0~100℃的温度计由上层板中心孔垂直插入,使端部测温头底部与试样环下面齐平。

④将烧杯移至放有石棉网的加热炉具上,然后将钢球放在定位环中间的试样中央,立即开动电磁振荡搅拌器,使水微微振荡,并开始加热,使杯中水温在 3 min 内调节至维持每分钟上升 5±0.5℃。在加热过程中,应记录每分钟上升的温度值,如温度上升速度超出此范围,则试验应重做。

⑤试样受热软化逐渐下坠,至与下层底板表面接触时,立即读取温度,精确至 0.5℃。

(3)试样软化点在80℃以上者,试验步骤如下:

①将装有试样的试样环连同金属底板置于装有 32±1℃甘油的恒温槽中至少 15 min;同时将金属支架、钢球、钢球定位环等亦置于甘油中。

②在烧杯内注入预先加热至32℃的甘油,其液面略低于立杆上的深度标记。

③从恒温槽中取出装有试样的试样环,按上述方法进行测定,精确至 1℃。

4.允许误差

当试样软化点小于80℃时,重复性试验的允许差为1℃,再现性试验的允许差为4℃。

当试样软化点等于或大于80℃时,重复性试验的允许差为2℃,再现性试验的允许差为8℃。

5.试验报告

同一试样平行试验两次,当两次测定值的差值符合重复性试验精度要求时,取其平均值作为软化点试验结果,精确至 0.5℃。

8.6.4　防水卷材的拉力检测

1. 检测目的

用于检测防水卷材的抵抗拉力破坏的能力。

2. 主要检测仪器

拉力试验机：能同时测定拉力和延伸率，保证拉力测试值在量程的 20%～80% 之间，精度 1%；能够达到 250±50 mm/min 拉伸速度，测长装置测量精度 1 mm。

3. 检测步骤

（1）试件制备。

①取样后，在标准条件下放置 24 h，试件尺寸为 120 mm×25 mm，裁取试件距卷材边缘不小于 100 mm。试件数量为纵横向各 6 个。

②将所裁取的试件制成哑铃型试件。

（2）试验条件。试验温度为 23±2℃；试验相对湿度为 60%±15%。

（3）试验操作。调整好拉力机后，将试件夹持在夹具中心，并不得歪扭，上下夹具之间的距离为 50 mm，开动拉力机，拉伸速度为 250±50 mm/min，使受拉试件被拉断为止。

（4）读数。读出拉断时指针所指数值，此数值即为试件的最大拉力 p 及夹具间的距离 L_3。

4. 结果计算及结论评定

（1）试件的拉力按下式计算（精确到 1 N/cm）：

$$T = \frac{p}{B} \tag{8-10}$$

式中：T——试件拉力，N/cm；

$\quad$ p——最大拉力，N；

$\quad$ B——试件中间部位宽度，cm。

试件的断裂伸长率按下式计算（精确至 1%）：

$$E = \frac{100(L_3 - L_2)}{L_2} \tag{8-11}$$

式中：E——断裂伸长率，%；

$\quad$ L_2——试件起始夹具间距离，mm；

$\quad$ L_3——试件断裂时夹具间距离，mm。

（2）结果评定。分别以五个纵向及横向试件的平均值作为试验结果。

8.6.5　防水卷材的不透水检测

1. 检测目的

检测防水卷材的不透水性。

2. 主要检测仪器

（1）不透水仪。具有三个透水盘的不透水仪，它主要由液压系统、测试管路系统、夹紧装置和透水盘等部分组成，透水盘底座内径为 92 mm，压力表测量范围为 0～0.6 MPa，精度为 2.5 级。

（2）定时钟。

3.检测步骤

（1）试验制备。取样后，在标准条件下放置24 h，并裁取所需试件，试件尺寸为150 mm×150 mm，裁取试件距卷材边缘不小于100 mm。试件数量为3个。

（2）试验条件。与拉力试验相同。

（3）试验准备。首先将洁净水注满水箱；启动油泵，在油压的作用下，夹脚活塞带动夹脚上升。然后先将水缸内的空气排净，由水缸活塞将水从水箱吸入水缸，完成水缸充水过程。当水缸储满水后，由水缸同时向三个试座充水，三个试座充满水并已接近溢出状态时，关闭试座进水阀门。由于水缸容积有限，当完成向试座充水后，水缸内储存水已近断绝，需通过水箱向水缸再次充水，其操作方法与一次充水相同。

（4）安装试件。将三块试件分别置于三个透水盘试座上，涂盖材料薄弱的一面接触水面，并注意O形密封圈应固定在试座槽内，试件上盖上金属压盖(或油毡透水测试仪的探头，然后通过夹脚将试件压紧在试座上。如产生压力影响结果，可向水箱泄水，达到减压目的。

（5）压力保持。打开试座进水阀，通过水缸向装好试件的透水盘底座继续充水，当压力表达到指定压力时，停止加压，关闭进水阀和油泵，同时开动定时钟或油毡透水测定仪定时器，随时观察试件是否有渗水现象，并记录开始渗水时间。在规定测试时间其中一块或两块试件有渗漏时，必须立即关闭控制相应试座的进水阀，以保证其余试件能继续测试。

（6）卸压。当测试达到规定时间即可卸压取样，启动油泵，夹脚上升后即可取出试件，关闭油泵。

4.结果计算与结论评定

所以试件在规定时间内不透水则认为不透水性检测通过。

模块小结

建筑功能材料主要有防水材料、密封材料、绝热材料、吸声材料和隔声材料等。

建筑防水材料主要有沥青材料、防水卷材、防水涂料等。建筑工程中使用较多的沥青材料是石油沥青，其技术性质包括防水性、粘滞性、塑性、温度稳定性和大气稳定性等。防水材料主要包括沥青防水卷材、聚合物改性沥青防水材料和合成高分子防水材料三大系列，广泛应用于屋面、地下河构筑物的防水中。防水涂料主要包括沥青基防水涂料、高聚物改性防水涂料、合成高分子防水涂料，当它涂布在防水结构表面后，能形成柔软、耐水、抗裂和富有弹性的防水涂膜，隔绝外部水分向基层渗透。

建筑密封材料按形态分为不定型密封材料和定型密封材料两大类。主要应用在板缝、接头、裂隙、屋面等部位。

绝热材料是具有保温隔热性能的材料，分为无机纤维状绝热材料、无机散粒状绝热材料、无机多孔类绝热材料、有机绝热材料等四大类，其作用原理是降低对流和辐射，切断热传导。

吸声材料具有较强的吸收声能、减低噪声的性能，主要有多孔性吸声材料、膨胀珍珠岩装饰吸声制品、矿棉装饰吸声板、穿孔板和吸声薄板、木丝吸声板等，衡量材料吸声性能的主要指标是吸声系数，吸声系数越大，材料的吸声效果越好。

隔声材料能减弱或隔断声波传递，材料的隔声能力可通过材料对声波的透射系数τ来衡量。对空气声的隔绝，主要依据声学中的"质量定律"；对固体声隔绝最有效的措施是在产生和传递固体声的结构层中加入具有一定弹性的衬垫材料。

技能考核题

一、单项选择题

1. 石油沥青的组分（油分、树脂及地沥青质）长期在大气中将会转化，其转化顺序是（ ）。

A. 按油分→树脂→地沥青质的顺序递变 B. 按地沥青质→树脂→油分的顺序递变

C. 固定不变 D. 不断减少

2. 石油沥青油纸、油毡的标号按（ ）确定。

A. 耐热度 B. 抗拉强度 C. 质量 D. 原纸的质量

3. 软化点较高的沥青，其（ ）较小。

A. 黏性 B. 温度敏感性 C. 塑性 D. 大气稳定性

4. 沥青的牌号用（ ）表示。

A. 针入度 B. 延度 C. 软化点 D. 闪点

5. 石油沥青材料属于（ ）。

A. 散粒材料 B. 纤维结构 C. 层状结构 D. 胶体结构

二、多项选择题

1. 以下属于合成高分子防水卷材的是（ ）。

A. 三元乙丙橡胶防水卷材 B. APP 防水卷材

C. 聚氯乙烯防水卷材 D. SBS 防水卷材

2. 以下属于有机绝热材料的是（ ）。

A. 软木 B. 泡沫塑料 C. 石棉 D. 膨胀珍珠岩

模块九　建筑装饰材料

【课程思政目标】

1. 具有坚定正确的政治方向、良好的职业道德和诚信品质；

2. 爱岗敬业，具有工匠精神、劳动精神、劳模精神；

3. 具有良好的质量意识、规范意识、环保意识、安全意识；

4. 培养家国情怀，具有较强的集体荣誉感和团队协作精神。

【能力目标】

1. 认识各种常用的建筑装饰材料。

2. 具有合理选用建筑装饰材料的能力。

【知识目标】

1. 了解装饰材料的定义、分类、选用原则和发展趋势。

2. 熟悉建筑装饰材料的主要性能和应用。

【本模块推荐学习的标准和规范】

《天然花岗石建筑板材》(GB/T 18601—2009)

《天然大理石建筑板材》(GB/T 19766—2016)

《建筑材料放射性核素限量》(GB 6566—2010)

《中空玻璃》(GB/T 11944—2012)

《陶瓷砖》(GB/T 4100—2006)

　　建筑装饰材料，又称建筑饰面材料，是指铺设或涂装在建筑物表面起装饰和美化环境作用的材料。建筑装饰材料是集材料、工艺、造型设计、美学于一身的材料，它是建筑装饰工程的重要物质基础。建筑装饰的整体效果和建筑装饰功能的实现，在程度上受到建筑装饰材料的制约，尤其受到装饰材料的光泽、质地、质感、图案、花纹等装饰特性的影响。因此，熟悉各种装饰材料的的性能、特点，按照建筑物及使用环境条件，合理选用装饰材料，才能材尽其能、物尽其用，更好地表达设计意图，并与室内其他配套产品来体现建筑装饰性。

9.1　建筑装饰石材

　　建筑装饰石材是指具有可锯切、抛光等加工性能，在建筑物上作为饰面材料的石材。装饰石材与建筑石材的区别在于多了装饰性。包括天然装饰石材和人造装饰石材两大类。天然装饰石材主要有大理石和花岗岩，人造装饰石材则包括水磨石、人造大理石、人造花岗岩和其他人造装饰石材。

9.1.1 天然石材

天然石材是最古老的建筑材料之一，资源丰富，分布广泛，取材方便。河北的赵州桥（如图9-1所示），是我国古代著名的石结构建筑，建于隋代大业年间（公元605—618年），由著名匠师李春设计和建造，距今已有约1400年的历史，是当今世界上现存最早、保存最完善的古代敞肩石拱桥。

天然石材是指从天然岩石中开采出来的，并经加工成块状或板状材料的总称。建筑装饰用的天然石材主要有花岗岩和大理石两种。天然石材结构致密，具有抗压强度高、耐水、耐磨、纹理自然、耐久性好等特点，在建筑上使用天然石材，有坚定、稳定的质感，可以显得庄重、雄伟的艺术效果。作为高级饰面材料，受到人们的喜爱，特别是很多宾馆、商场等公共建筑均使用天然石材作为地面、墙面等的装饰材料。下面具体介绍常用的花岗岩和大理石。

图9-1　赵州桥

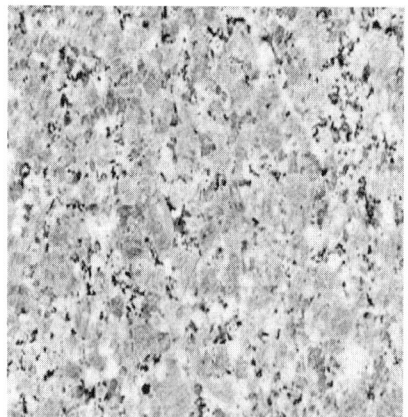

图9-2　花岗岩

1. 花岗岩
1）花岗岩的定义及组成

花岗岩（如图9-2）是岩浆在地下深处经冷却凝结形成的火成岩（深成岩），部分花岗岩为岩浆和沉积岩经变质而形成的片麻岩类或混合岩化的岩石。主要矿物成分是长石、石英、少量云母及其他暗色矿物（橄榄石类、辉石类、角闪石类及黑云母等）。其化学成分随产地不同而有所不同，但是各种花岗岩的 SiO_2 含量都很高，一般达到70%以上，所以花岗岩属酸性岩石，对环境中酸性介质的抵抗能力较强，具有良好的化学稳定性，其主要成分如表9-1所示。

花岗岩

表9-1　花岗岩的主要化学成分

化学成分	SiO_2	Al_2O_3	CaO	MgO	Fe_2O_3
含量/%	67~75	12~17	1~2	1~2	0.5~1.5

花岗岩颜色取决于其矿物组成和相对含量，一般呈灰白、微黄、淡红等颜色。因为花岗岩是深成岩，常能形成发育良好、肉眼可辨的矿物颗粒，因而得名。花岗岩不易风化，颜色

美观,外观色泽可保持百年以上,由于其硬度高、耐磨损,除了用作高级建筑装饰工程、大厅地面外,还是露天雕刻的首选之材。

2)花岗岩的性能及技术标准

天然花岗岩结构致密,吸水率小,表面硬度大,化学稳定性好,耐久性强,但耐火性差。花岗岩是一种优良的建筑石材,它常用于基础、桥墩、台阶、路面,也可用于砌筑房屋、围墙,尤其适用于修建有纪念性的建筑物,天安门前的人民英雄纪念碑就是由一整块100 t的花岗岩琢磨而成的。在我国各大城市的大型建筑中,曾广泛采用花岗岩作为建筑物立面的主要材料。也可用于室内地面和立柱装饰,耐磨性要求高的台面和台阶踏步等。由于修琢和铺贴费工,因此是一种价格较高的装饰材料。在工业上,花岗岩常用作耐酸材料。

天然花岗岩的缺点主要有:自重大,用于房屋建筑与装饰时会增加建筑物的重量;硬度大,给开采和加工造成困难;质脆,耐火性差,当温度达到800℃以上时,由于花岗岩中所含石英发生晶型转变,造成体积膨胀,从而导致石材爆裂,失去强度;某些花岗岩含有微量放射性元素,对人体有害,应根据花岗岩石材的放射性强度水平确定其应用范围。

天然石材的放射性是人们关注度较高的热点问题,经过检验表明,绝大多数的天然石材所含有的放射性元素的剂量很小,一般不会危及人体健康。但有部分花岗岩产品的放射性物质指标超标。长期使用时会对人体健康不利、造成环境污染,因此有必要对此类天然石材的应用加以限制。根据我国建筑材料的标准《天然石材产品放射防护分类控制标准》(JC 518—1993),按镭当量浓度,将天然石材产品分为 A、B、C 三个等级。其中,A 类产品,其使用范围不受限制;B 类产品不可用于居室内饰面,可用于其他一切建筑物的内、外饰面;C 类产品可用于一切建筑物的外饰面。因此,家居装修时,只能选用 A 类产品,而不能用 B 类和 C 类产品。

根据《天然花岗石建筑板材》(GB/T 18601—2009),花岗石板材按形状分为毛光板、普型板、圆弧板和异型版;按表面加工程度分为镜面板、细面板和粗面板;按用途分为一般用途(用于一般性装饰用途)、功能用途(用于结构性承载用途或特殊功能要求)。其中毛光板按厚度偏差、平面度公差、外观质量等将板材分为优等品(A)、一等品(B)和合格品(C)三个等级;普型板按规格尺寸偏差、平面度公差、角度公差、外观质量等将板材分为优等品(A)、一等品(B)和合格品(C)三个等级;圆弧板按规格尺寸偏差、直线度公差、线轮廓度公差、外观质量等将板材分为优等品(A)、一等品(B)和合格品(C)三个等级。各个等级的技术等级要求应符合相应的规定。

3)花岗岩的应用

花岗岩装饰板材主要用作建筑室内外饰面,以及大型建筑物基础、踏步、堤坝、栏杆、桥梁、路面、城市雕塑等,还可用于吧台、服务台、收款台及家具装饰。应根据不同的使用场合选择不同的物理性能及表面装饰效果的花岗岩。

2. 大理石

1)大理石的定义及组成

大理石是地壳中原有的岩石经过地壳内高温高压作用形成的变质岩,地壳的内力作用促使原来的各类岩石发生质的变化。质的变化是指原来岩石的结构、构造和矿物成分的改变,经过质变形成的新的岩石类型称为变质岩。

大理石

大理石主要由方解石、石灰石、蛇纹石和白云石组成,其主要成分以碳酸钙为主,约占50%以上。其他还有碳酸镁、氧化钙、氧化锰及二氧化硅等。由于大理石一般都

含有杂质，而且碳酸钙在大气中受二氧化碳、碳化物、水气的作用，也容易风化和溶蚀，而使表面很快失去光泽，大理石一般比较软，这是相对于花岗石而言的。

天然大理石具有纯黑、纯白、纯灰、浅灰、绿色、红色、青色、黄色等多种色彩，且斑纹多样、光泽柔润、绚丽多彩，装饰效果非常好。大理石的颜色和光泽由其所含成分决定。纯净的大理石为白色，称为汉白玉，纯白和纯黑的大理石属于名贵品种，比较稀少。

2）大理石的性能及技术标准

大理石经长期天然时效，组织结构均匀，线胀系数极小，内应力完全消失，不变形；刚性好，耐磨性强，温度变形小；碱性中硬石材，除了少数几种质地特别坚硬的以外（如汉白玉），一般仅用于室内，大理石的花纹如图9-3所示。

物理性能：相对密度为 2970 ~ 3070 kg/m³，抗压强度为 50~140 MPa，莫氏硬度为3~4度，使用年限为30~100年。大理石结构致密，吸水率小，抗压强度高，但硬度不大，因此，大理石相对较容易锯解、雕琢和磨光。经过加工后的大理石有较高的光泽度，并使大理石原有的美丽花纹和色泽最大限度地显现出来。

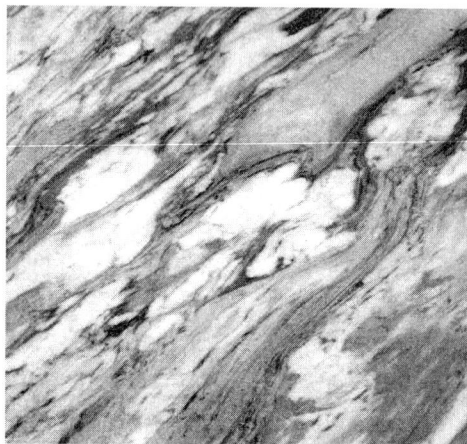

图9-3 大理石

大理石板材按形状分为普型板和圆弧板（装饰面轮廓线的曲率半径处处相同的饰面板材）。普型板按规格尺寸偏差、平面度公差、角度公差及外观质量将板材分为优等品（A）、一等品（B），合格品（C）三个等级。圆弧板按规格尺寸偏差、直线度公差、线轮廓度公差及外观质量将板材分为优等品（A）、一等品（B）、合格品（C）三个等级。

大理石的标记顺序：荒料产地地名、花纹色调特征描述、大理石编号（按《天然大理石建筑板材》的规定）、类别、规格尺寸、等级、标准号。例如，用房山汉白玉大理石荒料加工的 600 mm×600 mm×20 mm 普型、优等品板材，标记如下：房山汉白玉大理石：M1101 PX 600×600×20 A GB/T 19766—2016。

表9-2 大理石普型板尺寸允许偏差

项目		允许偏差/mm		
		优等品	一等品	合格品
长度、宽度		0 −1.0	0 −1.5	
厚度	≤12 mm	±0.5	±0.8	±1.0
	>12 mm	±1.0	±1.5	±2.0
干挂板材厚度		+2.0 0		+3.0 0

表 9-3　大理石圆弧板尺寸允许偏差

项目	允许偏差/mm		
	优等品	一等品	合格品
弦长	0 -1.0		0 -1.5
高度	0 1.0		0 1.5

注：圆弧板壁厚最小值应不小于 20 mm。

3）大理石的应用

大理石主要用于建筑物的室内饰面，如柱面、墙面、窗台、服务吧台、电梯门脸、踢脚线等，也可以加工成工艺品和壁画，是非常理想的室内高级装饰材料。

大理石有美丽的颜色、花纹，有较高的抗压强度和良好的物理化学性能，资源分布广泛，易于加工，随着经济的发展，大理石应用范围不断扩大，用量越来越大，在人们生活中起着重要作用。特别是近十几年来大理石的大规模开采、工业化加工、国际性贸易，使大理石装饰板材大批量地进入建筑装饰装修业，不仅用于豪华的公共建筑物，也进入了家庭的装饰。大理石还大量用于制造精美的用具，如家具、灯具、烟具及艺术雕刻等。有些大理石（包括石灰岩、白云岩、大理岩等）还可以作耐碱材料。在大理石开采、加工过程中产生的碎石、边角余料也常用于人造石、水磨石、石米、石粉的生产，可用于涂料、塑料、橡胶等行业的填充料。

9.1.2　人造石材

人造石材是以不饱和聚酯树脂为黏结剂，配以天然大理石或方解石、白云石、硅砂、玻璃粉等无机物粉料，以及适量的阻燃剂、颜色等，经配料混合、瓷铸、振动压缩、挤压等方法成型固化制成的。一般指人造大理石、人造花岗石和水磨石等。人造石材具有质轻、强度高、耐腐蚀、耐污染、施工方便等优点，是现代建筑理想的装饰材料。

人造石材

1. 人造石材的分类

人造石材按所用的胶凝材料的不同分为以下四类。

1）树脂型人造石材

树脂型人造石材是以不饱和聚酯树脂为胶结剂，与天然大理碎石、石英砂、方解石、石粉或其他无机填充料按一定的比例配合，再加入催化剂、固化剂、颜料等外加剂，经混合搅拌、固化成型、脱模烘干、表面抛光等工序加工而成。使用不饱和聚酯树的产品光泽好、颜色鲜艳丰富、可加工性强、装饰效果好；这种树脂黏度低，易于成型，常温下可固化。成型方法有振动成型、压缩成型和挤压成型。室内装饰工程中采用的人造石材主要是树脂型。

2）复合型人造石材

复合型人造石材采用的黏结剂中，既有无机材料，又有有机高分子材料。其制作工艺是：先用水泥、石粉等制成水泥砂浆的坯体，再将坯体浸于有机单体中，使其在一定条件下聚合而成。对板材而言，底层用性能稳定而价廉的无机材料，面层用聚酯和大理石粉制作。

无机胶结材料可用快硬水泥、白水泥、普通硅酸盐水泥、铝酸盐水泥、粉煤灰水泥、矿渣水泥以及熟石膏等。有机单体可用苯乙烯、甲基丙烯酸甲酯、醋酸乙烯、丙烯腈、丁二烯等，这些单体可单独使用，也可组合使用。复合型人造石材制品的造价较低，但它受温差影响后聚酯面易产生剥落或开裂。

3) 水泥型人造石材

水泥型人造石材是以各种水泥为胶结材料，砂、天然碎石粒为粗细骨料，经配制、搅拌、加压蒸养、磨光和抛光后制成的人造石材。配制过程中，混入色料，可制成彩色水泥石。水泥型石材的生产取材方便，价格低廉，但其装饰性较差。水磨石即属此类。

水磨石是将碎石拌入水泥制成混凝土制品后表面磨光的制品。一般预制水磨石板是以普通混凝土为底层，以添加颜料的白水泥和彩色水泥与各种大理石渣拌制的混凝土为面层组成的。水磨石板具有美观、强度高、施工方便等特点，颜色可以根据具体环境的需要任意配置，花色品种很多，并可以在施工时拼铺成各种不同的图案。水磨石板广泛用于建筑物的地面、柱面、台面、踢脚线、窗台等处，是常用的人造石材之一。

4) 烧结型人造石材

烧结型人造石材的生产方法与陶瓷工艺相似，是将长石、石英、辉绿石、方解石等粉料和赤铁矿粉，以及一定量的高岭土共同混合，一般配比为石粉60%，黏土40%，采用混浆法制备坯料，用半干压法成型，再在窑炉中以1000℃左右的高温焙烧而成。烧结型人造石材的装饰性好，性能稳定，但需经高温焙烧，因而能耗大、造价高。

由于不饱和聚酯树脂具有黏度小，易于成型；光泽好；颜色浅，容易配制成各种明亮的色彩与花纹；固化快，常温下可进行操作等特点，因此在上述石材中，目前使用最广泛的，是以不饱和聚酯树脂为胶结剂而生产的树脂型人造石材，其物理、化学性能稳定，适用范围广，又称聚酯合成石。

2. 人造石材的应用

人造石材从诞生至今经历几十年的研究、开发和创新，使人造石材能开发多种材料广泛应用于商业、住宅甚至军事领域等。

在商业用途上，人造石材的使用几乎不受限制。根据产品的适应性，它可用于健康中心、医疗机构、公共写字楼、厂矿公司、购物中心等空间里的设备设施。当它作用于柜台、墙体、水槽、展示架、家具、电梯等器物时，色彩纹理设计独特的人造石材无不显示其体贴、温暖、可塑性强、可自由切裁、弯曲、研磨、接合耐久等卓越性能，产品的这些特点，使消费者在使用时可以大胆创作，保持美感。

在家居装饰方面，人造石材优越于一般传统建材所没有的耐酸、耐碱、耐冷热、抗冲击的特点，作为一种质感佳、色彩多的饰材，不仅能美化室内外装饰，满足其设计上的多样化需求，更能为建筑师和设计师提供极为广阔的设计空间，以创造空间，表达自然感觉。

许多家庭在居室的厨房和卫生间的装修中都采用了人造石材做台面。由于人造石材是模仿天然大理石的表面纹理加工而成的，具有类似大理石的机理特点，在硬度、光泽及耐磨性上都比天然大理石好，这种树脂黏度低、易于成型、固化快，可在常温下固化。而且，人造石材色泽、纹理细腻，花纹图案可以由设计者自行控制确定，可任意塑造成100多种色彩斑斓、感觉优雅的不同品种。丰富的色彩想象、天然的色素和不同材质的结合可以创造出缤纷的色系。颜色与质材相得益彰，设计的空间会因此更加广阔，人的激情也会因此而常有常新。

9.2　建筑装饰陶瓷

陶瓷是以黏土为主要原料以及各种天然矿物经过配料、制坯、干燥、焙烧而制得的成品。陶瓷是陶器和瓷器的总称。用于建筑工程的陶瓷制品，则称为建筑陶瓷，主要包括墙地砖、釉面砖、陶瓷锦砖和琉璃制品等。

我国建筑陶瓷的历史非常悠久，制陶技艺的产生可追溯到公元前4500年至前2500年的时代，自古以来就作为建筑物的优良装饰材料之一。可以说，中华民族发展史中的一个重要组成部分是陶瓷发展史，中国人在科学技术上的成果以及对美的追求与塑造，在许多方面都是通过陶瓷制作来体现的，并形成各时代非常典型的技术与艺术特征。

9.2.1　建筑陶瓷的分类

陶瓷制品按原料和焙烧温度不同可分为陶质、瓷质和炻质三大类。

1.陶器

陶器主要是以陶土、河沙为主要原料，配以少量的瓷土或熟料等，经高温（1000℃左右）烧制而成的，可施釉或不施釉。其制品的烧结程度相对较低，为多孔结构，孔隙率大，吸水率较大（10%～22%），强度较低，抗冻性较差，断面粗糙，不透明，敲击时声音粗哑。

陶器可分为粗陶和精陶两种。粗陶一般是以铁、钛和溶剂含量较高的易熔黏土或难熔黏土为主要原料，经过焙烧后的成品一般带有颜色，建筑工程中使用的砖、瓦、陶管等都属于粗陶。精陶多以铁、钛较低且焙烧后呈白色的难熔黏土、长石和石英等为主要原料，一般经素烧或釉烧两次烧成，通常呈白色或象牙色，吸水率为9%～12%，高的可达18%～22%，建筑饰面用的彩陶、美术陶瓷、釉面砖等均属于精陶。精陶按其用途不同，可分为建筑精陶、日用精陶和美术精陶。

2.瓷器

以瓷土、长石、石英等天然原料制得坯胎经高温烧制获得的陶瓷制品。胎体玻化或部分玻化，而且一般都上釉。其制品的烧结程度高，结构致密，气孔率低，吸水率不大于3%，质地硬，耐酸、耐碱、耐热性能都很好，强度大，敲击声清脆。瓷器按原料的化学成分与制作工艺的不同，分为粗瓷和细瓷两种。

3.炻器

炻器是介于陶器和瓷器之间的制品，也称半瓷。原料常用含较多伊利石类黏土。坯体易于致密烧结，吸水率一般在6%以下，不透明，无釉，也不透水。质地致密坚硬，跟瓷器相似，多为棕色、黄褐色或灰蓝色。

许多化工陶瓷和建筑陶瓷属炻器范围。吸水率在3%以下，坯体接近白色的炻器，称细炻器，也称白炻器。具有抗冲击，抗无机酸（氢氟酸除外）以及热稳定性较好的特点。炻器餐具能适用机械化洗涤。炻器有很好的性能，因此也可制作卫生洁具、耐酸容器等。炻器造型一般多边直筒形为主，线角处理采用软角线（转折线不明显，呈圆弧），具有朴实、浑厚、粗犷的风格。厚胎，边圆厚，不怕碰击，又称"厚胎瓷"。

炻器透明度较差。它一般以白釉为主，有时加色釉，装饰主要以色釉和釉下彩色边、线或色块。画面适宜用平涂的纹饰，造型、装饰形成统一风格。花纹多在素胎上彩饰后再上透明釉烧成；有的在釉面上加彩，多采取喷涂方法，也可用丝网花纸。

9.2.2 常用的建筑陶瓷制品

建筑装饰陶瓷

建筑装饰中常用的陶瓷制品主要有釉面砖、外墙贴面砖、陶瓷锦砖、墙地砖、琉璃制品、卫生陶瓷等。下面详细介绍几种常用的建筑陶瓷制品。

1. 釉面砖

釉面砖就是砖的表面经过烧釉处理的砖。就是表面用釉料一起烧制而成的，坯体又分陶土和瓷土两种，陶土烧制出来的背面呈红色，瓷土烧制的背面呈灰白色。釉面砖表面可以绘各种图案和花纹，比抛光砖色彩和图案丰富，因为表面是釉料，所以耐磨性不如抛光砖。

釉面砖又称釉面内墙砖，属于多孔精陶或炻质釉制品，习惯上称之为瓷砖，是建筑装饰工程中最常用、最重要的饰面材料之一。

1) 釉面砖的外观质量

按釉面颜色，釉面砖可分为单色(包括白色)、花色和图案砖三种；按正面形状可分为正方形、长方形和异形配件砖三种。为增强与基层的黏结力，釉面砖的背面具有凹槽纹，背纹深度一般不小于0.2 mm。釉面砖的尺寸规格很多，有300 mm×200 mm×5 mm、150 mm×150 mm×5 mm、100 mm×100 mm×5 mm、300 mm×150 mm×5mm等。异形配件砖的外形及规格尺寸更多，可根据需要选配。

2) 釉面砖的主要技术性能

釉面砖的主要技术性能应符合《陶瓷砖》(GB/T 4100—2015)的有关规定，主要包括以下几个方面：

尺寸偏差。通常要求在0.5 mm以内。

外观质量。釉面砖根据表面缺陷、色差、平整度、边直度和直角度、白度等分为优等品、一等品和合格品三个质量等级。

物理力学性能。釉面砖的物理力学性能主要包括：吸水率不大于21%；弯曲强度应不小于16 MPa；当厚度大于或等于7.5 mm时，弯曲强度应不小于13 MPa；经急冷急热试验和抗龟裂试验后，釉面不应出现裂纹。

3) 釉面砖的特点和用途

釉面砖具有强度高、防潮、防火、耐酸碱、抗急冷急热、表面光滑及易清洗等许多优良的性能。主要用于厨房、浴室、卫生间、实验室、精密仪器车间及医院等室内墙面、台面的饰面材料。

釉面砖一般不宜用于室外，因为釉面砖是多孔的精陶坯体，在长期与空气中的水分接触的过程中，会吸收大量水分而产生吸湿膨胀的现象。而面层釉料的吸水率较小，吸湿膨胀也非常小，所以当坯体吸水后产生的膨胀应力大于釉面抗拉强度时，会导致釉面层的开裂或剥落，严重影响装饰效果。

2. 墙地砖

墙地砖包括建筑外墙装饰贴面用砖和室内外地面装饰铺贴用砖，由于这类砖的发展趋向于墙、地两用，故称之为墙地砖。墙地砖按其表面是否施釉，可分为彩色釉面陶瓷墙地砖(简称彩釉砖)和无釉陶瓷墙地砖两类。

墙地砖是以优质陶土、石英砂等材料经研磨、压制、施釉、烧结等工序，形成的陶质或瓷质板材。焙烧温度在 1100℃ 左右。墙地砖质地比较致密，强度高，吸水率小（低于 6%），热稳定性、耐磨性及抗冻性均较好。厚的墙地砖一般用作铺地砖，薄的一般用作墙砖。

墙地砖主要用于铺贴客厅、室外台阶、餐厅、走道、阳台的地面、墙面及室内门厅、厨房和卫生间。

3. 琉璃制品

建筑琉璃制品是我国古代建筑中的一大发明。它最早出现于北魏，盛于明清时期，长期广泛用于宫廷、园林、寺院等重要建筑，具有中国文化和艺术特色。我国绚丽多姿的古代建筑，给人最突出的印象之一，就是那金碧辉煌的琉璃瓦屋顶、琉璃壁墙，其中就有世界著名的九龙壁。琉璃构件几乎成了中国古代建筑的特征，一直为中外人士所欣赏、赞美。北京的故宫、天坛、十三陵及颐和园等古代建筑群，因为采用了琉璃瓦和琉璃构件的装饰，显得富丽堂皇、光彩夺目，在世界建筑史上更是独树一帜。琉璃技术世代相传，持续不断提高、发展及大量应用，直到 21 世纪的今天，它仍然在建筑上焕发青春，时至今日其应用范围扩展到民宅、商业、旅游度假、别墅、公共建筑的领域。

琉璃制品是一种带釉陶瓷，它是以难熔黏土为原料，经配料、成型、干燥、素烧，表面涂以琉璃釉料之后，再经烧制而成的制品，琉璃的主要成分为二氧化硅、氧化铝和硅加助溶剂氧化铅。颜色常见的有黄色、蓝色和青色等。

琉璃制品的耐久性好，不易剥釉，不易褪色，表面光滑，不易玷污，色泽鲜艳，装饰建筑物富丽堂皇、雄伟壮观，富有我国传统的民族特色。用于建筑工程的琉璃制品主要有琉璃瓦（如图 9-4 所示）、琉璃砖、琉璃花窗、栏杆等装饰建材，主要用于建筑屋面材料，如板瓦、筒瓦、滴水、勾头以及飞

图 9-4　琉璃瓦

禽走兽等用作檐头和屋脊的装饰物，也常用于具有民族色彩的宫殿和建造园林中的亭、台、楼、阁，以增加园林的景色美。

4. 陶瓷锦砖

陶瓷锦砖是陶瓷什锦砖的简称，又称陶瓷马赛克，是以优质瓷土烧制而成的片状的小块瓷砖，其边长不大于 40 mm。按表面性质可分为有釉和无釉两种，目前各地产品多为无釉。

陶瓷锦砖色泽多样，花色繁多，可拼成织锦似的图案，因而得名。陶瓷锦砖色泽多样，质地坚实，经久耐用，能耐酸、耐碱、耐火、耐磨，抗压力强，吸水率小，不渗水，易清洗，可用于工业与民用建筑的洁净车间、门厅、走廊、餐厅、厕所、浴室、工作间、化验室等处的地面和内墙面，并可作高级建筑物的外墙饰面材料。彩色陶瓷锦砖还可用于镶拼成壁画，其装饰性和艺术性都比较好。

9.3　建筑装饰木材

木材在建筑工程上的应用，已有悠久的历史，也是传统的三大建筑材料之一。木材是天

然生长的有机高分子材料，广泛应用于国民经济的各个部分。具有很多优良的性能，如轻质高强、导电导热性低、较好的弹性和韧性、能承受冲击和振动、易于加工等优点；但天然木材构造不均匀，具有各向异性，易吸湿变形，且易腐、易燃，加之树木生长周期长，成长不易等。在应用木材作为建筑材料时，对木材的节约使用和综合利用十分重要。

9.3.1 木材的分类

木材按照树叶的外观形状可分为针叶树和阔叶树两大类。

针叶树材多为常绿树，树干通直高大，易得大材，材质均匀轻软，纹理平顺，加工性价好，故又称软材。其强度较高，表观密度和干湿变形较小，耐腐蚀性较强，为建筑工程中的主要用材，广泛应用于承重结构构件、门窗、地面用材及装饰用材等。常用的针叶树种有冷杉、云杉、红杉、马尾松等。

阔叶树材大多为落叶树，树干通直部分较短，材质一般重而硬，较难加工，故又称硬材。干湿变形大，易翘曲和干裂。建筑上常用作尺寸较小的构件，不宜制作承重构件。有些树种纹理美观，适合用于室内装修、制作家具和胶合板等。常用的阔叶树种有樟木、柞木、槐木、桦木、杨木、水曲柳、青岗木、榆木等。

木材按用途和加工程度的不同可分为原条、原木和锯材等类型。

伐倒的木材经过打枝、剥皮后，未经加工造材的树木的树干称为原条，主要用在建筑工程的脚手架和家具等。原木是原条长向按尺寸、形状、质量的标准规定或特殊规定截成一定长度的木段。在建筑、家具、工艺雕刻及造纸等多方面都有很大用途。伐倒木经打枝和剥皮后的原木或原条，按一定的规格要求加工后的成材称为锯材，包括整边锯材、毛边锯材、板材、枋材等，主要用于建筑工程、桥梁、家具、造船、车辆、包装箱板等。

9.3.2 木材的构造

木材的构造决定了它的性质，由于树种的差异和树木生长环境的不同，木材构造差别很大。通常研究木材的构造从宏观和微观两个方面进行。

1. 木材的宏观构造

木材的宏观构造是指用肉眼或借助低倍放大镜（通常为 10 倍）所能观察到的木材特征，也称为木材的粗视特征。根据木材的各向异性，我们可以从树干的 3 个切面上来剖析其宏观构造，3 个切面分别为横切面（垂直于树轴的切面）、径切面（通过树轴的纵切面）和弦切面（平行于树轴的纵切面），如图 9-5 所示。

由图可见，树干是由树皮、木质部和髓心三部分组成。

1）树皮

树皮是指树干外表面的整个组织，起保护树木的作用，建筑上用途不大。针叶树的树皮一般呈红褐色，阔叶树的树皮一般呈褐色。

2）木质部

木质部是木材作为建筑材料使用的主要部分。研究木材的构造主要就是研究木质部的构造，木质部是髓心和树皮之间的部分，是木材的主体。许多树种的木质部接近树干中心的部分颜色较深，称为芯材。芯材含水量较少，所以湿胀干缩较小，抗腐蚀性也较强。芯材是由树干中心部分较老的细胞，随着树龄的增加而逐渐失去生活机能所形成的，仅起支持树干的力学作用。靠近横切面的外部，颜色较浅的部分称为边材，它含水量较多，易翘曲变形，抗腐蚀性较芯材差。一般来说，芯材比边材的利用价值大。

从横切面上可看到深浅相同的同心圆环，即所谓"年轮"。在同一年轮内，春天生长的木质，色浅质软，称为春材(早材)；夏秋两季生长的木质，色深质硬，称为夏材(晚材)。同一树种，年轮越密而均匀，材质越好；夏材部分越多，木材强度愈高。

3) 髓心

在树干中心由第一轮年轮组成的初生木质部分称为髓心。其材质松软，强度低，易腐朽开裂。对材质要求高的用材不得带有髓心。髓心的结构系指髓心腔内物质和腔壁形状。

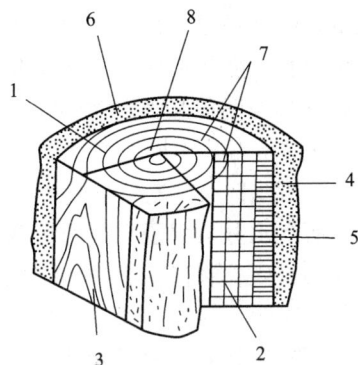

1—横切面；2—径切面；3—弦切面；4—树皮；
5—木质部；6—年轮；7—木射线；8—髓心。

图9-5　木材的三个切面

从髓心向外呈放射状分布的横向纤维，称为髓线。木材弦切面上髓线呈长短不一的纵线，在径切面上则形成宽度不一的射线斑纹。髓线的细胞壁很薄，质软，与其周围细胞结合力弱，木材干燥时易沿髓线开裂。

2. 木材的微观结构

在显微镜下观察到的木材构造，称为微观结构，又称显微结构。借助显微镜观察到木材3个切面的细胞排列，90%～95%都是纵向的空心管状细胞排列。在径切面上可看到横向排列的髓线(薄壁细胞)。每一细胞分作细胞壁和细胞腔两部分。细胞壁由若干层细纤维组成，其纵向连接较横向连接牢固。细纤维间存在极小的空隙，能吸附和渗透水分。细胞本身的组织构造在很大程度上决定木材的性质，如细胞壁越厚，细胞腔越小，组织越均匀，则木材越密实，承受外力的能力也越强，细胞壁吸附水分的能力也越强，表观密度和强度越大，湿胀干缩率也越大。与春材相比，夏材的细胞壁较厚，细胞腔较小。

9.3.3　木材的物理和力学性质

木材的物理力学性质主要包括密度、表观密度、含水率、变形、强度等，其中对木材材质影响最大的是含水率。

1. 密度和表观密度

干燥的各种木材的密度相差不大，平均为 1.55 g/cm^3。各种木材的表观密度，则因所含厚壁细胞的比率、空隙率及含水率不同而有很大差异，通常以含水率为15%(标准含水率)时的表观密度为准。木材的表观密度平均值为 500 kg/m^3。

2. 含水率

木材的含水率是指木材中所含水的重量占干燥木材重量的百分比。木材中所含水分有三种，分为自由水、吸附水和结合水。自由水是指呈游离状态存在于木材的细胞腔和细胞间隙中的水分；吸附水是指被吸附在细胞壁的纤维丝间的水分；结合水是指木材化学组成中的水分，含量极少。自由水与木材的表观密度、传导性、抗腐蚀性、燃烧性、干燥性、渗透性和保水性有关，而吸附水则是影响木材强度和胀缩变形的主要原因。

当木材中无自由水，而细胞壁内吸附水达到饱和时，这时的木材含水率称为纤维饱和点。纤维饱和点随树种而异，通常为25%~35%，平均值约为30%。纤维饱和点是木材含水率是否影响其强度和湿胀干缩的临界值。木材的含水率随所处环境的湿度不同而有很大的变化，当潮湿的木材在干燥大气存放或人工干燥时，自由水先蒸发，然后吸附水才蒸发。反之，干燥的木材吸水时，首先吸收成为吸附水，而后才能吸收成为自由水。

木材所含水分与周围空气的湿度达到平衡时的含水率称为木材的平衡含水率，是木材干燥加工时的重要控制指标。

3. 湿胀干缩

木材具有显著的湿胀干缩性能。当木材含水率在纤维饱和点以上变化时，只有自由水增减变化，木材的体积不发生变化。当木材的含水率在纤维饱和点以下时，随着干燥，细胞壁中的吸附水开始蒸发，体积收缩；反之，干燥木材吸湿后，体积将发生膨胀，直到含水率达到纤维饱和点为止。木材的这种变形程度因为树种而不同，一般来说，木材表观密度越大，夏材含量越多，变形就越大，如硬木等。

木材由于构造不均匀，致使各方向上胀缩也不一样，在同一木材中，这种变化沿弦向最大，径向次之，纵向（顺纤维方向）最小。含水率对木材膨胀变形的影响大致如图9-6所示。湿材干燥后，因其各向收缩不同，其截面形状和尺寸将会发生一定的改变。

为了避免木材在使用过程中含水率变化太大而引起变形或开裂，防止木材构件接合松弛或凸起，最好在木材加工使用之前，将其风干至使用环境中常年平均的平衡含水率。例如，预计某地木材使用环境的年平均温度为20℃，相对湿度为70%，那么其平衡含水率约为13%，则事先宜将木材风干至该含水率后再加工使用。

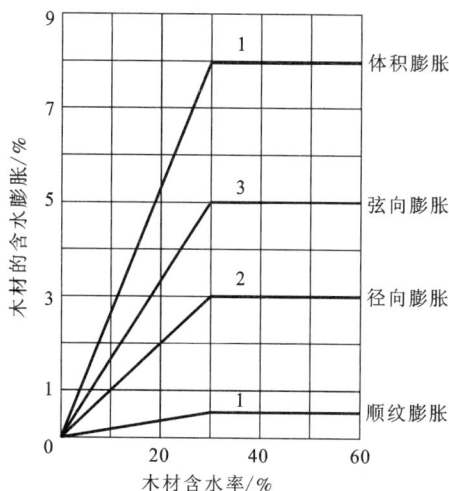

图9-6 含水率对木材胀缩变形的影响

4. 强度

木材的强度按照受力状态分为抗压、抗拉、抗剪和抗弯四种，其中抗压、抗拉及抗弯强度还有顺纹、横纹之分。作用力方向和木材纤维方向平行时，称为顺纹；作用力方向垂直于纤维方向时，称为横纹。由于木材结构构造各向不同，在顺纹方向，木材的抗拉强度和抗压强度都比横纹方向高很多，而横纹方向，弦向又不同于径向。

1）抗压强度

（1）顺纹抗压强度。顺纹抗压强度是作用力方向与木板纤维方向平行时的抗压强度。这种受压破坏是细胞壁丧失稳定性的结果，而非纤维断裂。木材顺纹抗压强度受疵病影响较小，是木材各种力学性质中的基本指标之一。其强度仅次于顺纹抗拉和抗弯强度，在土建工程中利用最广，常用于柱、斜撑、桩及桁架等承重构件。

（2）横纹抗压强度。横纹抗压强度是作用力与木材纤维主向垂直时的抗压强度。木材的横纹受压使木材受到强烈的压紧作用，产生大量变形。起初变形于外力成正比，当超过比例极限后，细胞壁丧失稳定，此时虽然压力增加较小，但变形增加较大，直到细胞腔和细胞间隙逐渐被压紧后，变形的增加又放慢，而受压能力继续上升。所以，木材的横纹抗压强度以使用中所限制的变形量来确定，一般取其比例极限作为横纹抗压强度指标。横纹抗压强度又分为弦向与径向两种。当作用力方向与年轮相切时，为弦向横纹抗压；作用力与年轮垂直时，则为径向横纹抗压。木材横纹抗压强度一般只有其顺纹抗压强度的 10%～20%。

2）抗拉强度

（1）顺纹抗拉强度。顺纹抗拉强度指拉力方向与木材纤维方向一致时的抗拉强度。顺纹受拉破坏时，木纤维往往并未拉断，而只产生纤维的撕裂和连接处受到破坏。顺纹抗拉强度在木材诸强度中最大，一般为顺纹抗压强度的 2～3 倍，其值介于 49～196 MPa 之间，波动较大。木材的顺纹抗拉强度虽然很高，但往往不能得到充分的利用。因为受拉杆件连接处应力复杂，木材可能在顺纹受拉的同时，还存在着横纹受压或横纹受剪，而它们的强度远低于顺纹抗拉强度，在顺纹抗拉强度尚未达到之前，其他应力易导致木材破坏。另外，木材抗拉强度受木材疵病，如木节、斜纹影响极为显著，而木材又多少都有一些缺陷，因此顺纹抗拉强度实际反较顺纹抗压强度低。

（2）横纹抗拉强度。拉力方向与木材纤维成任何角度的倾斜，直到与木材纤维相垂直时所产生的最大应力，有时特指拉力与木材纤维相垂直时的最大应力。横纹拉力的破坏，主要是木材纤维细胞连接的破坏，横纹抗拉强度仅为顺纹的 2.5%～10%，其值很小，因此使用时应尽量避免木材受横纹拉力作用。

3）抗弯强度

木材的抗弯强度是指木材受横向静力载荷作用时所产生的最大弯曲应力。木材弯曲时产生较复杂的应力，在木材的上部引起顺纹压力，在下部则为顺纹受拉，而在水平面中受到的则是剪切力，两个端部又承受横纹挤压。木材受弯破坏时，通常是受拉区先达到强度极限，形成微小的不明显的裂纹，但不会立即破坏，随着外力增大，裂纹逐渐扩展，产生大量的塑性变形。当下部受拉区域内许多纤维达到强度极限时，纤维本身及纤维间连接断裂而导致木材最后破坏。

木材具有良好的抗弯性能，抗弯强度为顺纹抗压强度的 1.5～2 倍，因此在建筑工程中应用很广泛，主要用作木梁、桁架、地板、桥梁、脚手架等。木材中木节、斜纹对抗弯强度影响很大，特别是当它们分布在受拉区时。另外，裂纹不能承受弯曲构建中的顺纹剪切。

4）抗剪强度

木材的剪切分顺纹剪切、横纹剪切和横纹切断三种，如图 9-7 所示，因此有顺纹抗剪强度、横纹抗剪强度和横纹切断强度。

（1）顺纹剪切

顺纹剪切是指剪切力方向平行于纤维方向。在剪切力作用下，沿纤维方向木材的两部分彼此分开。此时，因纤维间产生纵向位移和受横纹拉力作用，剪切面中纤维的连接遭到破坏，而绝大部分纤维本身并没有破坏，所以木材顺纹抗剪强度很小，一般为同一方向抗压强度的 15%～30%。木材中有裂纹、斜纹和交错纹理时，对强度有显著影响。

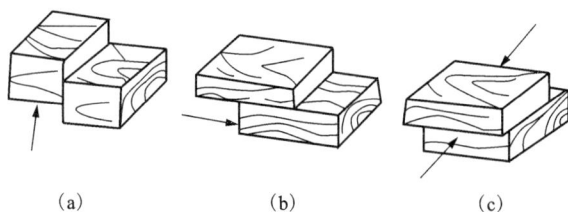

图 9-7　木材的剪切

(a)横纹剪切；(b)顺纹剪切；(c)横纹切断

（2）横纹剪切

横纹剪切是指剪切力方向垂直于纤维方向，而剪切面则和纤维方向平行。这种剪切作用完全是破坏剪切面中的纤维横向连接，故木材横纹抗剪强度比顺纹抗剪强度低。实际工程中一般不出现横纹剪切破坏。

（3）横纹切断

横纹切断是指剪切力方向和剪切面均垂直于木材纤维方向，将木材纤维横向切断，因此木材横纹切断强度较大，一般为顺纹剪切强度的4~5倍。

木材无缺陷时各强度数值大小关系见表9-4所示。

表 9-4　木材强度大小关系

抗压		抗弯	抗剪		抗拉	
顺纹	横纹		顺纹	横纹	顺纹	横纹
1	1/10~1/3	1.5~2	1/7~1/3	1/2~1	2~3	1/20~1/3

5）影响木材强度的因素

木材强度的影响因素主要有含水率、环境温度、负荷时间、疵病等。

（1）含水率的影响

木材的强度受含水率影响很大。当木材的含水率在纤维饱和点以上变化时，只是自由水在变化，对木材的强度没有影响；当木材的含水率在纤维饱和点以下变化时，随含水率的降低，吸附水减少，细胞壁趋于紧密，木材强度增大；反之，木材的强度减小。含水率对木材各种强度的影响程度是不同的，对顺纹抗压强度和抗弯强度影响较大，对顺纹抗剪强度和顺纹抗拉强度影响较小（如图9-8所示）。

测定木材强度时，通常规定以木材含

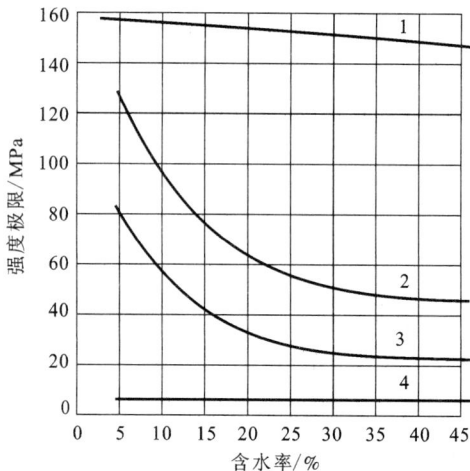

图 9-8　木材含水率对强度的影响

1—顺级抗拉强度；2—抗弯强度；
3—顺纹抗压强度；4—顺纹抗剪强度

水率为12%(称木材的标准含水率)时的强度作为标准值,其他含水率时的强度按下式换算(适用于木材含水率在9%~15%范围内):

$$\sigma_{12} = \sigma_W[1+\alpha(W-12)] \tag{9-1}$$

式中:σ_{12}——含水率为12%时的木材强度;

$\quad\quad\sigma_W$——含水率为W%时的木材强度;

$\quad\quad W$——实测木材含水率;

$\quad\quad\alpha$——含水率校正系数,顺纹抗压为0.05(红松、落叶松、杉、榆、桦),0.04(其他树种),顺纹抗拉阔叶树为0.015(阔叶树材),针叶树为0,抗弯为0.04,顺纹抗剪为0.03,横纹抗压为0.045。

(2)环境温度的影响

环境温度对木材的强度有直接影响。当木材温度升高时,组成细胞壁的成分会逐渐软化,强度随之降低。在通常的气候条件下,温度升高不会引起木材化学成分的改变,温度降低时,木材还将恢复原来的强度。当温度从25℃升至50℃时,针叶树材抗拉强度降低10%~15%,抗压强度降低20%~24%。但当木材长期处于40~60℃时,木材会发生缓慢碳化;当木材长期处于60~100℃时,会引起木材水分和所含挥发物的蒸发,而呈暗褐色,强度下降,变形增大;当温度在140℃以上时,木材中的纤维素发生热裂解,色渐变黑,强度明显下降。所以,如果环境温度可能长期超过50℃时,则不应采用木结构。

当环境温度降至0℃以下时,木材中的水分结冰,强度将增大,但木质变得较脆,一旦解冻,木材各项强度都将低于未冻时的强度。

(3)负荷时间对强度的影响

荷载在结构上作用时间的长短对木材的强度有很大影响。木材在长期荷载作用下所能承受的最大应力称为木材的持久强度,它仅为木材在短期荷载作用下极限强度的50%~60%,这是由于木材在长期荷载作用下将发生较大的蠕变,随着时间的增长,产生大量连续的变形而破坏。木结构一般都处于长期负荷状态,所以,在木结构设计时,通常以木材的持久强度为依据。

(4)木材的疵病对强度的影响

木材在生长、采伐、保存过程中,会产生内部和外部的缺陷,这些缺陷统称为疵病。木材中的疵病主要有木节、斜纹、裂纹、虫蛀、腐朽等,会造成木材构造的不连续性和不均匀性,从而使木材的强度降低。

木节是包围在树干中的树枝基部,分为活节、死节、松软节、腐朽节等几种。木节会破坏木材的均匀性和完整性,显著降低其顺纹抗拉强度,而对顺纹抗压强度影响较小;木节可增大木材横纹抗压强度,顺纹和横纹抗剪强度。木节对抗弯强度的影响取决于木节在构件截面高度上的位置。越靠近受拉边部,影响越大;位于受压区时,影响较小。

斜纹为木纤维与树轴成一定夹角,斜纹易使木材开裂和翘曲,会使柱材严重扭曲,严重降低其顺纹抗拉强度,抗弯次之,对顺纹抗压强度影响较小。

由于受外力或温度、湿度变化的影响,致使木材纤维之间发生脱离的现象,称为裂纹。按开裂部位和开裂方向不同,分为径裂、轮裂和干裂三种。

此外变色、腐朽、虫害、伤疤等疵点,会影响木材构造的连续性,严重影响其力学性质和使用价值。

9.3.4 木材的防腐和防火

木材具有许多优点，但也存在两大缺点，一是易腐，二是易燃，因此在建筑中使用木材时，必须考虑木材的防腐和防火问题。

1. 木材的防腐

木材腐朽是受木腐菌侵害的结果。木材被真菌侵害后，会改变颜色，结构渐渐变得松软、脆弱、强度降低，这种现象称为木材腐朽。

引起木材变质腐朽的真菌常见的有霉菌、变色菌、腐朽菌三种。霉菌只是寄生在木材表面，对材质无破坏作用，经过抛光即可除去；变色菌是以细胞腔内淀粉、糖类为养料，使木材变成蓝、红、黄、褐或灰等颜色，除影响外观外，不破坏木材的细胞壁，对木材的破坏作用很小；腐朽菌在适宜条件下便可在木材表面、端部、裂纹或林木伤口处生长菌丝体，分泌水解酶、氧化还原酶、发酵酶等，可以分解纤维素、木质素等作为其养料，使细胞壁遭致完全破坏。受侵木材先变色或着色，最后软腐或粉化。

真菌在木材中生存和繁殖必须具备四个条件：适宜的温度、水分、空气中的氧和适当的养料。因此要从木材产生腐朽的原因着手，思考木材的防腐问题。木材的防腐通常采取两种方式：一种是创造条件，使木材不适于真菌寄生和繁殖；另一种是把木材变成含毒的物质，使其不能作为真菌的养料。

第一种方法主要是将木材十燥（风十或烘干）至含水率在20%以下，并对木结构构件采取通风、防潮、表面涂刷油漆等措施，以保证木材处于气干状态，或将木材全部浸入水中隔绝空气保存。干燥法分自然干燥和人工干燥两种。自然干燥，主要是堆垛，利用太阳辐射热和空气对流作用，达到平衡含水量的目的，需1~2年或更长时间；人工干燥，主要是窑干法，在窑内以热空气或过热蒸汽穿过堆叠的木材表面进行热交换，使木材内水分逐渐散发。

注意：不能剧烈地改变干燥介质温度和湿度，如超过了木材内部水分散发速度，则会导致木材开裂、变形。

第二种方法主要是将防腐剂注入木材内，使木材成为真菌的有毒物质。木材防腐剂种类很多，一般分水溶性防腐剂、油质防腐剂和膏状防腐剂三类。

木材腐朽除了真菌所致外，还会遭受昆虫的蛀蚀。常见的蛀虫有白蚁、天牛、蠹虫等。防止虫蛀的方法主要是采用化学药剂处理，一般来说，防虫蛀的办法通常是向木材注入防虫剂。

2. 木材的防火

木材属于易燃材料，达到某一温度时木材会着火燃烧。由于木材作为一种理想的装饰材料被广泛用于各种建筑之中，因此，木材的防火问题就显得尤为重要。

木材的防火措施主要有两种，分别是表面涂敷法和溶液浸注法。

表面涂敷法是在木材表面涂刷一层防火涂料，使之成为难燃材料，以达到遇小火能自熄，遇大火能延缓或阻止燃烧而赢得灭火时间的目的。它不仅可以起到防火的作用，还可以起到防腐和装饰的作用。溶液浸注法是将阻燃剂浸注到木材内部达到阻燃效果。浸注分为常压和加压浸注，加压浸注使阻燃剂浸入量及深度大于常压浸注。因此在对木材防火要求较高的情况下，应采用加压浸注。浸注之前，应尽量使木材达到充分干燥，并初步加工成型。否则防火处理后再进行锯、刨等加工，会使木材中浸有的阻燃剂部分流失。

9.3.5 木材的应用

木材是传统的建筑材料,在古建筑和现代建筑中都得到了广泛应用。在结构上,木材主要用于构架和屋顶,如梁、柱、椽、望板、斗拱等。我国许多建筑物均为木结构,它们在建筑技术和艺术上均有很高的水平,并具独特的风格。另外,木材在建筑工程中还常用作混凝土模板及木桩等。

建筑装饰木材

在国内外,木材历来被广泛用于建筑室内装修与装饰,它给人以自然美的享受,还能使室内空间产生温暖与亲切感。在古建筑中,木材更是用作细木装修的重要材料,这是一种工艺要求极高的艺术装饰。建筑工程中常用的木质板材主要有以下几种。

1. 条木地板

条木地板是室内使用最普遍的木质地面,它是由龙骨、地板等部分构成。地板有单层和双层两种,双层者下层为毛板,面层为硬木条板,硬木条板多选用水曲柳、柞木、枫木、柚木、榆木等硬质树材,单层条木板常选用松、杉等软质树材。条板宽度一般不大于 120 mm,板厚为 20~30 mm,材质要求采用不易腐朽和变形开裂的优质板材。

2. 拼花木地板

拼花木地板是较高级的室内地面装修,分双层和单层两种,两者面层均为拼花硬木板层,双层者下层为毛板层。面层拼花板材多选用水曲柳、柞木、核桃木、栎木、榆木、槐木、柳桉等质地优良、不易腐朽开裂的硬木树材。双层拼花木地板固定方法,是将面层小板条用暗钉钉在毛板上,单层拼花木地板则可采用适宜的黏结材料,将硬木面板条直接黏贴于混凝土基层上。

拼花小木条的尺寸一般为长 250~300 mm,宽 40~60 mm,板厚 20~25 mm,木条一般均带有企口。

3. 胶合板

胶合板是将原木旋切成的薄片,用胶黏合热压而成的人造板材,其中薄片的叠合必须按照奇数层数进行,而且保持各层纤维互相垂直,胶合板最高层数可达 15 层。

胶合板大大提高了木材的利用率,其主要特点是:材质均匀,强度高,无疵病,幅面大,使用方便,板面具有真实、立体和天然的美感。广泛用作建筑物室内隔墙板、护壁板、顶棚板、门面板以及各种家具及装修。在建筑工程中,常用的是三合板和五合板。我国胶合板目前主要采用水曲柳、椴木、桦木、马尾松及部分进口原料制成。

4. 纤维板

纤维板是将木材加工下来的板皮、刨花、树枝等边角废料,经破碎、浸泡、研磨成木浆,再加入一定的胶料,经热压成型、干燥处理而成的人造板材,分硬质纤维板、半硬质纤维板和软质纤维板三种。纤维板的表观密度一般大于 800 kg/m³,适合作保温隔热材料。

纤维板的特点是材质构造均匀,各向同性,强度一致,抗弯强度高(可达 55 MPa),耐磨,绝热性好,不易胀缩和翘曲变形,不腐朽,无木节、虫眼等缺陷。生产纤维板可使木材的利用率达 90%以上。

5. 刨花板、木丝板、木屑板

刨花板、木丝板、木屑板是分别以刨花木渣、边角料刨制的木丝、木屑等为原料,经干燥后拌入胶粘剂,再经热压成型而制成的人造板材。所用黏结剂为合成树脂,也可以用水泥、菱苦土等无机的胶凝材料。这类板材一般表观密度较小，强度较低，主要用作绝热和吸声材料，但其中热压树脂刨花板和木屑板，其表面可粘贴塑料贴面或胶合板作饰面层，这样既增加了板材的强度，又使板材具有装饰性，可用作吊顶、隔墙、家具等材料。

9.4　金属装饰材料

金属装饰材料在建筑上应用已经有多年的历史，在现代建筑中，金属装饰材料的种类繁多，尤其是一些合金材料，更具有其他材料无法比拟的特质，因此在建筑中被广泛应用。目前，金属装饰材料中，作为装饰应用最多的是铝材，随着不锈钢材料应用的增加，防腐技术的发展，各种普通钢材的应用也逐渐增加。但目前应用最多的还是铝和铝合金以及钢材和其复合制品。

金属装饰材料分为黑色金属和有色金属两大类。黑色金属包括铸铁、钢材，其中的钢材主要是作房屋、桥梁等的结构材料，只有钢材的不锈钢用作装饰使用。有色金属包括有铝及其合金、铜及铜合金、金、银等，它们广泛地用于建筑装饰装修中。

现代金属装饰材料用于建筑物中更是多种多样，丰富多彩。这是因为金属装饰材料具有独特的光泽和颜色，作为建筑装饰材料，金属庄重华贵、经久耐用，均优于其他各类建筑装饰材料。

9.4.1　铝合金装饰材料

1. 铝

铝是有色金属中的轻金属，密度为 2.7 g/m³，银白色，在地壳的组成中占 8.13%，仅次于氧和硅。铝的导电性能和导热性能都很好，化学性质也很活泼，暴露于空气中，表面易生成一层氧化铝薄膜，保护下面金属不再受到腐蚀，所以铝在大气中耐蚀性较强，但因薄膜极薄且呈多孔状，因而其耐蚀性有一定限度。铝还可以进行表面着色，从而获得具有良好的装饰效果。

铝合金装饰材料

2. 铝合金

纯铝具有很好的塑性，可制成管、棒、板等。但铝的强度和硬度较低，因此为提高铝的实用性，通常在铝中加入镁、铜、锰、锌、硅等元素组成合金，这样既保持了铝轻质的特点，又明显提高了自身的机械性能。

铝合金按照合金元素可分为二元合金和三元合金，如 Al-Mn 合金、Al-Mg 合金、Al-Mg-Si 合金等。铝合金按照加工方法可分为铸造铝合金、装饰铝合金和变形铝合金。铝合金装饰制品有铝合金门窗、铝合金百页窗帘、铝合金装饰板、铝箔、镁铝饰板、镁铝曲板、铝合金吊顶材料、铝合金栏杆、扶手、屏幕、格栅等。

3. 常用的铝合金制品

建筑装饰工程中常用的铝合金制品包括铝合金门窗、铝合金幕墙、铝合金装饰板、铝合金龙骨和各种室内装饰配件等。

铝合金门窗，简称铝窗，是指采用铝合金挤压型材为框、梃、扇料制作的门窗。铝合金门窗的使用在建筑上已有 30 余年的历史，由于其维修费用低、色彩造型丰富、耐久性较好。铝合金门窗与普通木门窗、钢门窗相比，优势有：轻质，性能好（封闭性好，气密性、水

密性、隔声隔热性能显著)、耐腐蚀、维修方便、色调美观,便于进行工业化生产等,所以铝合金门窗应用非常普遍。

铝合金装饰板,又称为铝合金压型板或天花扣板,用铝、铝合金为原料,经辊压冷压加工成各种断面的金属板材,常用的有铝合金花纹板、铝合金波纹板、铝合金穿孔板、铝合金压型板和蜂窝芯铝合金复合板等。具有重量轻、强度高、刚度好、耐腐蚀、经久耐用等优良性能。板表面经阳极氧化或喷漆、喷塑处理后,可形成装饰要求的多种色彩。

9.4.2　钢材装饰材料

1. 不锈钢材料

不锈钢是指耐空气、蒸汽、水等弱腐蚀介质和酸、碱、盐等化学侵蚀性介质腐蚀的钢。通俗地说,不锈钢就是不容易生锈的钢,实际上一部分不锈钢,既有不锈性,又有耐酸性(耐蚀性)。不锈钢的不锈性和耐蚀性是由于其表面上有铬氧化膜(钝化膜)的形成。这种不锈性和耐蚀性是相对的。试验表明,钢在大气、水等弱介质中和硝酸等氧化性介质中,其耐蚀性随钢中铬含量的增加而提高,当铬含量达到一定的百分比时,钢的耐蚀性发生突变,即从易生锈到不易生锈,从不耐蚀到耐腐蚀。下面介绍几种常用的不锈钢装饰材料。

装饰钢材

1)不锈钢板

不锈钢板表面光洁,有较高的塑性、韧性和机械强度,耐酸、碱性气体、溶液和其他介质的腐蚀。它是一种不容易生锈的合金钢,但不是绝对不生锈。我们可以根据自己的喜好在不锈钢板上进行着色处理,所制的各种颜色的彩色不锈钢制品,其色泽能随着光照角度改变而产生变幻的色调,主要是用于各类高档装修领域。

2)不锈钢包覆钢管(板)

不锈钢包覆钢管(板)是在普通钢管(板)的表面包覆不锈钢而成的,不仅可节省价格昂贵的不锈钢而且具有更好的可加工性,使用效果和应用领域同不锈钢管(板)。

2. 彩色涂层钢板

彩色涂层钢板是在经过表面预处理的基板上连续涂覆有机涂料,然后进行烧烤固化而成的产品。具有轻质高强、色彩鲜艳、抗震性好、耐久性好等特点,并且加工简便、安装方便,广泛应用于建筑外墙及屋面、家电、装潢、汽车等领域。

我们之所以在普通钢板上涂刷各种彩色涂料,其实是为了提高普通钢板的装饰性和耐腐蚀性,使钢板表面涂刷一层具有保护性的装饰膜。钢板的涂层大致可以分为有机涂层、无机涂层和复合涂层三类。有机涂层钢板发展较快,有机涂层可以制成各种不同的色彩和花纹,彩色钢板因而得名。彩色钢板的生产工艺可分为静电喷漆、薄膜层压和涂料涂覆三种方法。

3. 复合板材

金属复合板材是指在一层金属上覆以另外一种材料板子,以达到在不降低使用效果(防腐性能、机械强度等)的前提下节约资源、降低成本的效果。用于装饰的复合板材主要有塑料复合钢板、隔热夹芯板和复合隔热板等。

1)塑料复合钢板

塑料复合钢板是在普通钢板或压型钢板的表面贴上一层塑料薄膜,或是喷上一层 0.2～0.4 mm 厚的软质或半硬质聚氯乙烯塑料薄膜而制成的复合板材,分单面和双面覆层两种。

具有塑料耐腐蚀的特点，又具有普通钢板可进行弯折、咬口、钻孔等加工性能，可作为室内墙面装饰板材和屋面板，还可以用于制作家具以及各种防腐制品。

2）隔热夹芯板

隔热夹芯板使用高强胶黏剂把两层成型金属板与聚苯乙烯泡沫板加压加热固化而成的装饰板材。

3）复合隔热板

复合隔热板的内、外两层均采用镀锌钢板，表面涂以硅酮聚酯，中心注入聚氨酯泡沫塑料，可作为隔热材料。

隔热夹芯板和复合隔热板都可以用于隔墙，与墙体一次完成，既有分隔作用，表面又无须装饰，可广泛用于高层建筑和写字楼中作为分隔构件。

9.5　建筑塑料装饰制品

塑料是以合成树脂为主要原料，在一定温度和压力下塑化成各种形状，而在常温常压下又能保持其形状不变的制品。用于建筑工程的塑料制品统称为建筑塑料。建筑塑料制品之所以发展如此迅速，是因为塑料有很多的优点，例如：表观密度小，一般在 $0.8\sim2.2\ \mathrm{g/cm^3}$ 之间，单位体积内的重量比钢材和水泥轻很多；比强度高，有些品种的比强度接近甚至超过钢材；导热系数小，为金属材料的 $1/500\sim1/600$，保温性能好；化学稳定性好，对酸、碱、盐及蒸汽的作用具有良好的稳定性；电绝缘性能好，绝大多数塑料不导电；装饰效果好，色彩丰富等。但是塑料的热膨胀系数较大，弹性模量较低、易老化、易燃，燃烧时会产生有毒烟雾，这些都是建筑塑料的弱点，通过对塑料基材和添加剂的改性，建筑塑料性能才能得到不断的改善。

建筑塑料制品的种类繁多，合成树脂是塑料的基本组成材料，按受热时性能的变化，分为热塑性塑料和热固性塑料。热塑性塑料加热后可以塑化变形，冷却以后硬化为固定的形状，这个过程可以反复进行，因受热之后具有塑性变形能力而得名。热固性塑料在第一次加热加工成为制品之后，再次加热时材料不能被熔化，直至材料分解破坏也不具有塑性变形的能力。这种材料通常在第一次加工的受热过程中在高温下发生化学反应而成为固体材料，因而称为热固性塑料。

1.热塑性塑料

我们日常生活中使用的大部分塑料属于热塑性塑料。聚乙烯、聚丙烯、聚氯乙烯、聚苯乙烯、聚碳酸酯、丙烯酸类塑料、其他聚烯烃及其共聚物等都是热塑性塑料。热塑性塑料中树脂分子链都是线型或带支链的结构，分子链之间无化学键产生，加热时软化流动，冷却变硬的过程是物理变化。其质轻、耐磨、着色力强、润滑性好，但是耐热性差、易变性、易老化。下面介绍几种常用的热塑性塑料。

1）聚乙烯(PE)塑料

聚乙烯高分子材料是目前使用量最大，进口量最多的品种，它主要制备成板材、管材、薄膜和容器，广泛用于工业、农业和日常生活。其结晶度高、机械性能好、具有很好的耐溶剂型和化学稳定性。

按合成时压力、温度的不同，PE分为高压法聚乙烯和低压法聚乙烯。高压法聚乙烯是以高纯度乙烯单体为原料，在160~270℃、150~300 MPa高压下，用高压釜法或管式法进行生产。其结构上含有较多的支链，其密度、结晶度较低，质软透明，伸长率、冲击强度和低温韧性较好，也称为低密度聚乙烯。低压聚乙烯在60~90℃、0.1~1.5 MPa低压下制得。其大分子上支链少、结晶度高、密度大，其质坚韧，机械强度好，也称为高密度聚乙烯。

聚乙烯塑料制品有排水管、燃气管、大口径双型波纹管、电线电缆绝缘材料、防水防潮薄膜、卫生洁具、中空制品、钙塑泡沫装饰板等。

2）聚氯乙烯（PVC）塑料

聚氯乙烯塑料是由氯乙烯单体聚合而成的，是常用的热塑性塑料之一。纯聚氯乙烯树脂是坚硬的热塑性物质，其分解温度与塑化温度极为接近，而且机械强度较差。因此，无法用聚氯乙烯树脂来塑制产品，必须加入增塑剂、稳定剂、填充料等以改善性能，制成聚氯乙烯塑料，然后再加工成各类产品。聚氯乙烯加入30%~50%的增塑剂时形成软质聚氯乙烯制品，若加入稳定剂和外润滑剂则形成了硬质聚氯乙烯制品。

软质聚氯乙烯制品的质地柔软，它的性能决定于加入增塑剂的品种、数量和其他助剂的情况。软质聚氯乙烯可挤压或注射成板材、型材、薄膜、管道、地板砖、壁纸等，由其制成的密封带，其抗腐蚀能力优于金属止水带。还可以将聚氯乙烯树脂磨成粉悬浮在液态增塑剂中，制成低黏度的增塑溶胶，喷塑或涂于金属构件、建筑物表面作为防腐、防渗材料。硬质聚氯乙烯制品力学强度较大，有良好的耐老化和抗腐蚀性能，但使用温度较低。它适于制作排水管道、外墙覆面板、天窗、建筑配件等。

改性的氯化聚氯乙烯，其性能与聚氯乙烯相近，但耐热性、耐老化、耐腐蚀性有所提高。另外氯乙烯还能分别与乙烯、丙烯、丁二烯、醋酸乙烯进行共聚改性，特别是引入了醋酸乙烯，使聚氯乙烯塑性增大，改善其加工性能，并减少了增塑剂的用量。

3）聚丙烯（PP）塑料

聚丙烯塑料是以丙烯为单体在催化剂（TiCl₃）作用下聚合而成的树脂，无毒、无味、密度小，强度、刚度、硬度、耐热性均优于低压聚乙烯，有较高的抗弯曲疲劳强度，可在100℃左右使用，具有良好的电性能和高频绝缘性，不受湿度影响，但低温时变脆、不耐磨、易老化，适于制作一般机械零件、耐腐蚀零件和绝缘零件。常见的酸、碱有机溶剂对它几乎不起作用，可用于食具。

聚丙烯塑料主要用于生产薄膜、吸塑片、水管材、耐高压给水管、卫生洁具、建筑模壳等。

4）聚苯乙烯（PS）塑料

聚苯乙烯树脂是由苯乙烯经聚合而成，是一种无色透明的材料，它具有密度小、无臭、质地坚硬、冲击时有清脆的金属声音、电绝缘性好、印刷性能好、易成型加工、易着色等优点，但是聚苯乙烯塑料的耐磨性差、抗冲击性不好、耐候性差、耐热性也不高，因而很少用于工业制品。其产量仅次于聚乙烯和聚氯乙烯。

聚苯乙烯最大的用途是制作泡沫塑料，用于防震及防热包装，在建筑工程中可用作装饰、保温材料、制作成片材用于隔断、吊顶灯片等。

2.热固性塑料

热固性塑料是指在受热或其他条件下能固化或具有不熔特性的塑料，如酚醛塑料、环氧塑料、聚氨酯塑料、不饱和聚酯塑料等。热固性塑料耐热性、刚性、稳定性好。主要用于隔热、耐磨、绝缘、耐高压电等恶劣环境中。

1) 酚醛树脂(PF)塑料

酚醛塑料，俗称电木粉，是由苯酚和甲醛经缩聚反应制成的树脂，加入填充料后制成的热固性塑料，是最重要的热固性塑料的一类。其质硬而脆、尺寸稳定、机械强度高，坚韧耐磨，耐热、耐电弧、耐烧蚀、耐腐蚀，电绝缘性能优异。适于制作各种装饰面板、建筑模板，制作各种涂料或黏结剂，用于粘贴人造板材。

2) 环氧树脂(EP)塑料

环氧塑料是以环氧树脂为基材的塑料。环氧树脂是泛指分子中含有两个或两个以上环氧基团的有机高分子化合物，除个别外，它们的相对分子质量都不高。环氧树脂的分子结构是以分子链中含有活泼的环氧基团为其特征，环氧基团可以位于分子链的末端、中间或成环状结构。由于分子结构中含有活泼的环氧基团，使它们可与多种类型的固化剂发生交联反应而形成不熔。环氧树脂是无色或黄色的粘稠液体或固体。固化后机械强度、冲击强度很好，耐摩擦性和电绝缘性优良，收缩性小、耐水、耐化学腐蚀等性能，但是环氧树脂脆性较大、耐热性差。环氧树脂用玻璃纤维增强后制成的玻璃钢，可作为轻型结构材料。发泡后可做绝热、防震、吸声及漂浮材料，由于环氧树脂对金属与非金属之间有很强的黏结力，是最常用的粘合剂、涂料的原料。

环氧树脂主要用作黏合剂、玻璃纤维增强塑料、防腐地坪、高级路面和机场跑道、建筑用粘合剂和涂料等。

3) 聚氨酯(PU)塑料

聚氨酯是大分子链上含有重复的氨基甲酸酯基团的高聚物，称为聚氨基甲酸酯，简称聚氨酯。有线型结构和体型结构之分。线型结构的聚氨酯一般是高熔点结晶聚合物，体型结构的聚氨酯的分子结构较复杂。工业上线型聚氨酯多用作热塑性弹性体和合成纤维，体型聚氨酯广泛用于泡沫塑料、涂料、胶黏剂和橡胶制品等。聚氨酯树脂具有强度极高、耐磨、耐撕裂、挠曲性能好、耐臭氧、耐紫外线和耐油等优点。聚氨酯树脂制成的产品有泡沫塑料、弹性体、涂料、胶黏剂、纤维、合成皮革以及铺面材料等。其中聚氨酯泡沫塑料是聚氨酯材料中用量最大的品种之一。聚氨酯泡沫塑料按不同的用途和软硬程度可分为软质泡沫塑料、硬质泡沫塑料、半硬质泡沫塑料等，在建筑中应用最广泛的是硬质聚氨酯泡沫塑料。

在建筑上，硬质聚氨酯泡沫塑料被广泛用作工业及民用建筑、商业建筑、冷库等的墙体、地板、屋面、顶棚等结构的建筑材料。

4) 不饱和聚酯塑料

不饱和聚酯塑料由饱和二元酸、不饱和二元酸和饱和二元醇经缩聚而制得的不饱和线型热固性树脂。这种聚酯在液态乙烯基单体(如18%~40%苯乙烯或苯乙烯和甲基丙烯酸甲酯的混合物)中的溶液经交联固化，而成为体型结构。在加工时应加入催化剂、固化剂等使之交联成型。它具有化学稳定性优良、强度高、黏结性好、弹性好、耐热、耐水及工艺性能良好等特点。

建筑中，不饱和聚酯树脂主要用于涂料，其涂层具有良好的力学性质，耐热，并对水、稀酸、稀碱、汽油、油类、酒精以及其他化学药品的作用稳定，它的光泽及耐火性好，可以涂装木材、混凝土等，还可用于生产玻璃钢、卫生洁具、人造大理石、人造花岗石及塑料涂布地板等。

9.6　建筑装饰涂料

涂料是指应用于物体表面而能结成坚韧保护膜的物料的总称。涂料有建筑涂料、工业涂料和特种涂料三大类，其中建筑涂料是产量最高、消耗量最大的一种，具有方便、经济、不增加建筑物自重、施工效率高、翻新维修方便、装饰效果好、提高材料的耐久性等优点。建筑涂料是涂料中的一个重要类别，在我国，一般将用于建筑物内墙、外墙、顶棚、地面、卫生间的涂料称为建筑涂料。

9.6.1　装饰涂料的组成材料

涂料最早是以天然植物油脂、天然树脂如亚麻子油、桐油、松香、生漆等为主要原料的植物油脂，以前称为油漆。目前，合成树脂在很大程度上已取代了天然树脂，正式命名为涂料。根据涂料中各成分的作用，其基本组成可分为主要成膜物质、次要成膜物质和辅助成膜物质三部分，如图 9-9 所示。

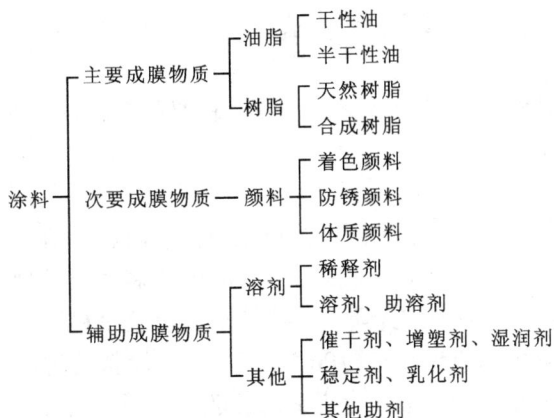

图 9-9　涂料的组成

1. 主要成膜物质

主要成膜物质也称胶粘剂。它的作用是将其他组分黏结成一个整体，并能牢固附着在被涂基层表面形成坚韧的保护膜。主要成膜物质分为油料与树脂两类，其中油料成膜物质又分为干性油(桐油等)、半干性油(大豆油等)两类，而树脂成膜物质则分为天然树脂(虫胶、松香等)与合成树脂(酚醛醇酸、硝酸纤维等)两类。现代建筑涂料中，成膜物质多用树脂，尤以合成树脂为主。它是决定涂料性能的主要物质，因此它应该具有较好的耐酸碱性、耐水性、耐冲击性，能在常温下固化成膜，以及具有原材料丰富、价格便宜等特点。

2. 次要成膜物质

次要成膜物质不能单独成膜，它包括颜料与填料。颜料不溶于水和油，不仅能赋予涂料美观的色彩，还能使涂膜具有一定的遮盖力，同时也可提高涂膜的机械强度，减小涂抹收缩，还能防止紫外线的穿透作用提高涂膜的耐候性。填料能增加涂膜厚度，提高涂膜的耐磨性和硬度，减少收缩，降低成本等作用。常用的有碳酸钙、硫酸钡（重晶石粉）、滑石粉等。

3. 辅助成膜物质

辅助成膜物质不能构成涂膜，但可用以改善涂膜的性能或影响成膜过程，常用的有助剂和溶剂。助剂包括催干剂（铝、锰氧化物及其盐类）、增塑剂、乳化剂等。能有效地改善涂膜的干燥时间、柔韧性、抗氧化性、抗紫外线及耐老化等性能。

溶剂则起溶解成膜物质、降低黏度、利于施工的作用，还能提高涂料的渗透力，改善涂料与基层的黏结力，节约涂料的用量等。常用的溶剂有苯、丙酮、汽油等。

9.6.2 建筑涂料的分类

建筑涂料的品种很多，各种分类方法也不尽相同，分类如下。

1. 按建筑物使用部位分类

按使用部位分主要分为墙面涂料、地面涂料、屋面涂料和顶棚涂料，下面详细介绍两种：

（1）墙面涂料。它又分为外墙涂料和内墙涂料。墙面涂料的作用是保护墙体和装饰墙体的立面。它能提高墙体的耐久性或弥补墙体在功能方面的不足。它通过赋予墙面色彩、一定的质感和表面的立体图案或线条来装饰墙面。要达到这些目的，就要求墙面涂料有较好的耐污染性、耐水、耐老化性。对外墙涂料的要求比内墙的更高些，因为它的使用条件严格，保养更换也较困难。

（2）地面涂料。它对地面起装饰和保护作用，有的还有特殊功能如防腐蚀、防静电等。地面涂料要求有较好的耐磨损性。

2. 按涂料的分散介质分类

（1）溶剂型涂料。它以高分子合成树脂为成膜物质，以有机溶剂如脂肪烃、芳香烃酯类等为分散介质，主要是靠溶剂的挥发而成膜。传统的油涂料也是一种溶剂型涂料。

（2）水性涂料。它以水作为分散介质。一种是水溶液型涂料，它以水溶性高聚合物作为成膜物质。例如，聚乙烯醇水玻璃涂料（106涂料），这种涂料的耐水性较差。另一种是乳液型涂料，它以各种不饱和单体经乳液聚合得到的分散体系（称为乳液）为基础，配合各种颜色和助剂后成为乳液涂料。乳液涂料中的高聚合物以极细小的颗粒分散在水中，随着水分的挥发，颗粒在一定温度下（大于最低成膜温度）凝结成膜。

3. 按主要成膜物质分类

涂料的成膜物质众多，分为有机涂料、无机涂料和无机-有机复合涂料。

（1）有机涂料是以高分子化合物为主要成膜物质所组成的涂料。将其涂于物体表面，能形成一层附着坚牢的涂膜。

（2）无机涂料是以无机材料为主要成膜物质的涂料。在建筑工程中常用的涂料是碱金属硅酸盐水溶液和胶体二氧化硅的水分散液。用以上两种成膜物，可制成硅酸盐和硅溶胶（胶体二氧化硅）无机涂料，再加入颜料、填料以及各种助剂，可制成硅酸盐和硅溶胶（胶体二氧化硅）无机涂料，具有良好的耐水、耐碱、耐污染、耐气性能。

（3）无机-有机复合涂料的基料主要是水性有机树脂与水溶性硅酸盐等配制成的混合液，或是在无机涂料表面上涂布有机聚合物制成的悬浮液。

4. 按涂膜层状态分类

按涂膜层状态分类，建筑涂料可分为薄质涂料、厚质涂料和砂壁状涂料等。

5. 按特殊功能分类

按特殊功能分类，建筑涂料可分为防火涂料、防水涂料、防霉涂料、防虫涂料、防结露涂料等。

6. 按膜层外观分类

按膜层外观分类，建筑涂料可分为皱皮漆、锤纹漆、橘纹漆和浮雕漆。

9.6.3　常用建筑涂料

1. 聚醋酸乙烯乳液涂料

聚醋酸乙烯乳液涂料是以聚醋乙烯为主要成膜物质的内墙涂料，无味、无毒、不燃、易于施工、透气性好、附着力强、耐水性好、颜色鲜艳、无结露现象。醋酸乙烯单体在水介质中均聚得到的乳液，价格低廉，是一种中档内墙涂料，适用于一般民用建筑的内墙装饰。

2. 乙丙乳胶漆

乙丙乳胶漆是由乙丙乳液、颜料、填料及各种助剂制成的。以水做稀释剂，安全无毒，施工方便，干燥迅速，耐候性、保光保色性较好。适用于住宅、商店、宾馆、工矿、企事业单位的建筑外墙饰面。

3. 氟碳涂料

氟碳涂料是指以氟树脂为主要成膜物质的涂料，又称氟碳漆、氟涂料、氟树脂涂料等。在各种涂料之中，氟树脂涂料由于引入的氟元素电负性大，具有特别优越的各项性能。耐候性、耐热性、耐低温性、耐化学药品性，而且具有独特的不粘性和低摩擦性。

4. 丙烯酸酯涂料

以丙烯酸酯或甲基丙烯酸酯为主要原料合成的树脂称丙烯酸酯树脂，由丙烯酸酯树脂为主要基料的涂料属丙烯酸酯涂料。丙烯酸酯涂料按成膜特性分为热塑性丙烯酸酯涂料和热固性丙烯酸酯涂料。热塑性丙烯酸酯涂料由丙烯酸树脂溶于有机溶剂而制得，如丙烯酸清漆、丙烯酸瓷漆，待溶剂挥发后，形成美观而坚固的涂膜。热固性丙烯酸酯涂料则是通过自交联或与环氧树脂、氨基树脂、异氰酸酯等交联（常温或烘干）完成成膜过程，交联使漆膜变成巨大的网状结构，提高了涂膜多方面的物理性能及防腐蚀、耐化学品性能。

9.7　建筑玻璃

玻璃是现代建筑工程中十分重要的装饰材料之一，随着现代科学技术和玻璃技术的发展及人民生活水平的提高，建筑玻璃的功能不再仅仅是满足采光要求，而是要具有能调节光线、保温隔热、安全（防弹、防盗、防火、防辐射、防电磁波干扰）、艺术装饰等特性。随着需求的不断发展，玻璃的成型和加工工艺方法也有了新的发展。现在，已开发出了夹层、钢化、离子交换、釉面装饰、化学热分解及阴极溅射等新技术玻璃，使玻璃在建筑中的用量迅速增加。

9.7.1　玻璃的组成和性质

1. 玻璃的组成

玻璃是用石英砂（SiO_2）、纯碱（Na_2CO_3）、长石（$R_2O \cdot Al_2O_3 \cdot 6SiO_2$）和石灰石（$CaCO_3$）

装饰涂料

为主要原料，在 1550~1600℃ 高温下熔融、成型、冷却固化而成的非金属材料，主要成分是二氧化硅。为了改善玻璃的某些性能和满足特种技术要求，常常在玻璃生产过程中加入辅助性原料，或经特殊工艺处理，则可制得具有特殊性能的玻璃。

2. 玻璃的性质

1）表观密度

玻璃的表观密度与其化学成分有关，故变化很大，而且随温度升高而减小。普通硅酸盐玻璃的表观密度在常温下大约是 2500 kg/m³。

2）力学性质

玻璃的力学性质决定于化学组成、制品形状、表面性质和加工方法。凡含有未熔杂物、结石、节瘤或具有微细裂纹的制品，都会造成应力集中，从而急剧降低其机械强度。

在建筑中玻璃经常承受弯曲、拉伸、冲击和震动，很少受压，所以玻璃的力学性质的主要指标是抗拉强度和脆性指标。玻璃的实际抗拉强度为 30~60 MPa。普通玻璃的脆性指标（弹性模量与抗拉强度之比 E/R 拉）为 1300~1500（橡胶为 0.4~0.6）。脆性指标越大，说明脆性越大。

3）热物理性能

（1）玻璃的导热性很差，在常温时其导热系数仅为铜的 1/400，但随着温度的升高将增大。另外，它还受玻璃的颜色和化学组成的影响。②玻璃的热膨胀性决定于化学组成及其纯度，纯度越高热膨胀系数越小。③玻璃的热稳定性决定于玻璃在温度剧变时抵抗破裂的能力。玻璃的热膨胀系数越小，其热稳定性越高。玻璃制品越厚、体积越大，热稳定性越差。因此须用热处理方法提高制品的热稳定性。

4）化学稳定性

玻璃具有较高的化学稳定性，但长期遭受侵蚀性介质的腐蚀，也能导致变质和破坏。

5）玻璃的光学性能

玻璃既能透过光线，又能反射光线和吸收光线，所以厚玻璃和多层重叠玻璃，往往是不易透光的。玻璃反射光能与投射光能之比称为反射系数。反射系数的大小决定于反射面的光滑程度、折射率、投射光线入射角的大小、玻璃表面是否镀膜及膜层的种类等因素。

玻璃吸收光能与投射光能之比称为吸收系数；透射光能与投射光能之比称为透射系数。反射系数、透射系数和吸收系数之和为 100%。普通 3 mm 厚的窗玻璃在太阳光垂直投射的情况下，反射系数为 7%，吸收系数为 8%，透射系数为 85%。

将透过 3 mm 厚标准透明玻璃的太阳辐射能量作为 1.0，其他玻璃在同样条件下透过太阳辐射能的相对值称为遮蔽系数。遮蔽系数越小说明通过玻璃进入室内的太阳辐射能越少，冷房效果越好，光线越柔和。

9.7.2　常用的玻璃制品

1. 普通平板玻璃

平板玻璃具有透光、隔热、隔声、耐磨、耐气候变化的性能，有的还有保温、吸热、防辐射等特征，因而广泛应用于镶嵌建筑物的门窗、墙面、室内装饰等。

平板玻璃的规格按厚度通常分为 2 mm、3 mm、4 mm、5 mm 和 6 mm，亦有生产 8 mm 和 10 mm 的。一般 2 mm、3 mm 厚的适用于民用建筑物，4~6 mm 的

建筑玻璃

用于工业和高层建筑。下面介绍几种常用的普通平板玻璃。

1）窗用平板玻璃

窗用平板玻璃也称平光玻璃或镜片玻璃，简称玻璃，是未经研磨加工的平板玻璃。主要用于建筑物的门窗、墙面、室外装饰等，起着透光、隔热、隔声、挡风和防护的作用，也可用于商店柜台、橱窗及一些交通工具（汽车、轮船等）的门窗等。窗用平板玻璃的厚度一般有 2 mm、3 mm、4 mm、5 mm、6 mm 五种，其中 2~3 mm 厚的常用于民用建筑，4~6 mm 厚的主要用于工业及高层建筑。

2）磨光玻璃

磨光玻璃称镜面玻璃或白片玻璃，是经磨光抛光后的平板玻璃，分单面磨光和双面磨光两种，对玻璃磨光是为了消除玻璃中含有玻筋等缺陷。磨光玻璃表面平整光滑且有光泽，从任何方向透视或反射景物都不发生变形，其厚度一般为 5~6 mm，尺寸可根据需要制作。常用以安装大型高级门窗、橱窗或制镜。

3）磨砂玻璃

磨砂玻璃也称毛玻璃，是用机械喷砂、手工研磨或使用氢氟酸溶液等方法，将普通平板玻璃表面处理为均匀毛面而成的。该玻璃表面粗糙，使光线产生漫反射，具有透光不透视的特点，且使室内光线柔和。它常被用于卫生间、浴室、厕所、办公室、走廊等处的隔断，也可作黑板的板面。

4）有色玻璃

有色玻璃也称彩色玻璃，分透明和不透明两种。该玻璃具有耐腐蚀、抗冲刷、易清洗等优点，并可拼成各种图案和花纹。适用于门窗、内外墙面及对光有特殊要求的采光部位。

5）装饰镜

装饰镜是室内装饰必不可少的材料。可映照人及景物，扩大室内视野及空间，增加室内明亮度。可采用高质量浮法平板玻璃及真空镀铝或镀银的镜面。可用于建筑物（尤其是窄小空间）的门厅、柱子、墙壁、顶棚等部位的装饰。

2. 压花玻璃

压花玻璃也称花纹玻璃或滚花玻璃，是用无色或有色玻璃液，通过刻有花纹的滚筒连续压延而成的带有花纹图案的平板玻璃。压花玻璃的特点是透光（透光率 60%~70%）不透视，表面凹凸的花纹不仅漫射、柔和了光线，而且具有很高的装饰性。在压花玻璃有花纹的一面，经气溶胶喷涂或经真空镀膜、彩色镀膜后，具有良好的热反射能力，立体感丰富，给人一种华贵、明亮的感觉，若恰当地配以灯光后，装饰效果更佳。应用时注意，花纹面朝向室内侧，透视性要考虑花纹形状。压花玻璃适用于对透视有不同要求的室内各种场合的内部装饰和分隔，可用于加工屏风、台灯等工艺品和日用品。

3. 安全玻璃

1）钢化玻璃

钢化玻璃是将平板玻璃加热到软化温度后，迅速冷却使其骤冷或用化学法对其进行离子交换而成的。这使得玻璃表面形成压力层，因此比普通玻璃抗弯强度提高 5~6 倍，抗冲击强度提高约 3 倍，韧性提高约 5 倍。钢化玻璃在碎裂时，不形成锐利棱角的碎块，因而不伤人。钢化玻璃不能裁切，需按要求加工，可制成磨光钢化玻璃、吸热钢化玻璃，用于建筑物门窗、隔墙及公共场所等防振、防撞部位。弯曲的钢化玻璃主要用于大型公共建筑的门窗、工业厂房的天窗及车窗玻璃。

2）夹层玻璃

夹层玻璃是将两片或多片平板玻璃用透明塑料薄片，经热压粘合而成的平面或弯曲的复合玻璃制品。玻璃原片可采用磨光玻璃、浮法玻璃、有色玻璃、吸热玻璃、热反射玻璃、钢化玻璃等。夹层玻璃的特点是安全性好，这是由于中间粘合的塑料衬片使得玻璃破碎时不飞溅，致使产生辐射状裂纹，不伤人，也因此使其抗冲击强度大大高于普通玻璃。另外，使用不同玻璃原片和中间夹层材料，还可获得耐光、耐热、耐湿、耐寒等特性。夹层玻璃适用于安全性要求高的门窗，如高层建筑的门窗，大厦、地下室的门窗，银行等建筑的门窗，商品陈列柜及橱窗等防撞部位。

3）夹丝玻璃

夹丝玻璃是将普通平板玻璃加热到红热软化状态后，再将预热处理的金属丝或金属网压入玻璃中而成。其表面可是压花或磨光的，有透明或彩色的。夹丝玻璃的特点是安全性好，这是由于夹丝玻璃具有均匀的内应力和抗冲击强度，因而当玻璃受外界因素（地震、风暴、火灾等）作用而破碎时，其碎片能粘在金属丝（网）上，防止碎片飞溅伤人。此外，这种玻璃还具有隔断火焰和防火蔓延的作用。夹丝玻璃适用于振动较大的工业厂房门窗、屋面、采光天窗，需安全防火的仓库、图书馆门窗，建筑物复合外墙及透明栅栏等。

4）防盗玻璃

防盗玻璃是夹层玻璃的特殊品种，一般采用钢化玻璃、特厚玻璃、增强有机玻璃、磨光夹丝玻璃等以树脂胶胶合而成的多层复合玻璃，并在中间夹层嵌入导线和敏感探测元件等接通报警装置。

4. 节能玻璃

1）吸热玻璃

吸热玻璃是在玻璃液中引入有吸热性能的着色剂（氧化铁、氧化镍等）或在玻璃表面喷镀具有吸热性的着色氧化物（氧化锡、氧化锑等）薄膜而成的平板玻璃。吸热玻璃一般呈灰、茶、蓝、绿、古铜、粉红、金等颜色，它既能吸收70%以下的红外辐射能，又保持良好的透光率及吸收部分可见光、紫外线的能力，具有防眩光、防紫外线等作用。吸热玻璃适用于既需要采光、又需要隔热之处，尤其是炎热地区，需设置空调、避免眩光的大型公共建筑的门窗、幕墙、商品陈列窗、计算机房及火车、汽车、轮船的挡风玻璃，还可制成夹层、中空玻璃等制品。

2）热反射玻璃

热反射玻璃是表面用热、蒸发、化学等方法喷涂金、银、铝、铜、镍、铬铁等金属及金属氧化物或粘贴有机物薄膜而制成的镀膜玻璃。热反射玻璃对太阳光具有较高的热反射能力，热透过率低，一般热反射率都在30%以上，最高可达60%左右，且保持了良好的透光性，是现代最有效的防太阳玻璃。热反射玻璃具有单向透视性，其迎光面有镜面反射特性，它不仅有美丽的颜色，而且可映射周围景色，使建筑物和周围景观相协调。其玻璃背光面与透明玻璃一样，能清晰地看到室外景物。热反射玻璃适用于现代高级建筑的门窗、玻璃幕墙、公共建筑的门厅和各种装饰性部位，用它制成双层中空玻璃和组成带空气层的玻璃幕墙，可取得极佳的隔热保温及节能效果。

模块小结

建筑装饰材料是建筑装饰工程的物质基础。装饰材料的基本要求包括颜色、光泽、透明度、表面组织、耐玷污性、形状尺寸及质感等。选用装饰材料的时候不仅要考虑满足使用功能和满足装饰效果，而且还要满足安全、经济实用和耐久性的要求。

常用的装饰材料有装饰石材、建筑陶瓷、木材、金属装饰材料、建筑涂料和塑料等。通过本章的学习，对装饰材料的性质和应用有初步的了解，并根据这些基础知识合理地选用适当的装饰材料。

技能考核题

一、填空题

1. 涂料的基本组成是_____、_____和_____，其中决定涂料使用和涂膜主要性能的物质是_____。

2. 陶瓷制品按原料和焙烧温度不同可分为_____、_____和_____三大类。

3. 常用的安全玻璃的主要品种有_____、_____、_____和防盗玻璃等。

二、单项选择

1. 下列各选项中不属于节能玻璃的是( )。

A. 低辐射玻璃 B. 夹层玻璃 C. 中空玻璃 D. 热反射玻璃

2. 以下哪个指标是影响木材强度和湿胀干缩的临界值? (_____)

A. 吸水率 B. 含水率 C. 平衡含水率 D. 纤维饱和点

三、判断

1. 花岗岩由于抗风化性能较差，在建筑装饰中主要用于室内饰面。 ( )

2. 釉是不吸水的玻璃质物质，因此有釉砖的吸水率低、破坏强度高，无釉砖的吸水率高、破坏强度低。 ( )

参考文献

[1] 郑伟. 湖南省高等职业院校学生专业技能抽查标准与题库丛书. 建筑工程技术[M]. 长沙：湖南大学出版社，2011

[2] 本书编写委员会. 湖南省建筑企业专业技术管理人员岗位资格考试大纲[M]. 北京：中国环境科学出版社，2012

[3] 刘正武. 土木工程材料[M]. 上海：同济大学出版社，2005

[4] 魏鸿汉. 建筑材料[M]. 北京：中国建筑工业出版社，2004

[5] 蒋建清. 材料员[M]. 北京：中国环境科学出版社，2012

[6] 陈宝璠. 土木工程材料检测实训[M]. 北京：中国建材工业出版社，2009

[7] 陈晓明，陈桂萍. 建筑材料[M]. 北京：人民交通出版社，2008

[8] 宋岩丽. 建筑与装饰材料[M]. 北京：中国建筑工业出版社，2005

[9] 谭平. 建筑材料检测实训指导[M]. 北京：中国建材工业出版社，2008

[10] 陈茂明. 材料员专业知识与实务[M]. 北京：中国环境科学出版社，2007

[11] 现行建筑材料规范大全[M]. 北京：中国建筑工业出版社，1995

[12] 现行建筑材料规范大全(增补版)[M]. 北京：中国建筑工业出版社，2000

[13] 曹世晖，王四清. 建筑与装饰材料[M]. 长沙：中南大学出版社，2013

[14] 中华人民共和国行业标准. 建筑生石灰(JC/T 479—2013)[M]. 北京：中国建材工业出版社，2013

[15] 中华人民共和国行业标准. 建筑消石灰粉(JC/T 481—2013)[M]. 北京：中国建材工业出版社，2013

[16] 中华人民共和国国家标准. 建筑石膏(GB/T 9776—2022)[M]. 北京：中国标准出版社，2022

[17] 中华人民共和国国家标准. 通用硅酸盐水泥(GB 175—2007)[M]. 北京：中国标准出版社，2007

[18] 中华人民共和国国家标准. 白色硅酸盐水泥(GB/T 2015—2017)[M]. 北京：中国标准出版社，2017

[19] 中华人民共和国国家标准. 中热硅酸盐水泥、低热硅酸盐水泥(GB 200—2017)[M]. 北京：中国标准出版社，2017

[20] 中华人民共和国国家标准. 水泥细度检验方法(GB/T 1345—2005)[M]. 北京：中国标准出版社，2005

[21] 中华人民共和国国家标准. 水泥标准稠度用水量、凝结时间、安定性检验方法(GB 1346—2011)[M]. 北京：中国标准出版社，2011

[22] 中华人民共和国国家标准. 水泥胶砂强度检验方法(ISO 法)(GB/T 17671—2021)[M]. 北京：中国标准出版社，2021

[23] 中华人民共和国国家标准. 水泥取样方法(GB/T 12573—2008)[M]. 北京：中国标准出版社，2008

[24] 中华人民共和国国家标准. 建设用砂(GB/T 14684—2022)[M]. 北京：中国标准出版社，2011

[25] 中华人民共和国国家标准. 建设用卵石、碎石(GB/T 14685—2022)[M]. 北京：中国标准出版社，2011

[26] 中华人民共和国国家标准. 混凝土结构工程施工及验收规范(GB 50204—2015)[M]. 北京：中国标准出版社，2015

[27] 中华人民共和国行业标准. 混凝土拌和用水标准(JGJ 63—2006)[M]. 北京：中国建筑工业出版社，2006

[28] 中华人民共和国国家标准. 普通混凝土拌合物性能试验方法(GB/T 50080—2016)[M]. 北京：中国标准出版社，2016

［29］中华人民共和国国家标准. 混凝土物理力学性能试验方法标准（GB/T 50081—2019）［M］. 北京：中国标准出版社，2019

［30］中华人民共和国行业标准. 普通混凝土配合比设计规程（JGJ 55—2011）［M］. 北京：中国建筑工业出版社，2011

［31］中华人民共和国国家标准. 混凝土外加剂（GB/T 8075—2017）［M］. 北京：中国标准出版社，2017

［32］中华人民共和国国家标准. 混凝土强度检验评定标准（GB/T 50107—2010）［M］. 北京：中国标准出版社，2010

［33］中华人民共和国行业标准. 混凝土用砂、石质量及检验方法标准（JGJ 52—2006）［M］. 北京：中国建筑工业出版社，2006

［34］中华人民共和国行业标准. 砌筑砂浆配合比设计规程（JGJ/T 98—2010）［M］. 北京：中国建筑工业出版社，2010

［35］中华人民共和国行业标准. 建筑砂浆基本性能试验方法标准（JGJ/T 70—2009）［M］. 北京：中国建筑工业出版社，2009

［36］中华人民共和国国家标准. 烧结普通砖（GB/T 5101—2017）［M］. 北京：中国标准出版社，2017

［37］中华人民共和国国家标准. 烧结多孔砖和多孔砌块.（GB 13544—2011）［M］. 北京：中国标准出版社，2011

［38］中华人民共和国国家标准. 烧结空心砖和空心砌块（GB 13545—2014）［M］. 北京：中国标准出版社，2014

［39］中华人民共和国国家标准. 蒸压灰砂实心砖和实心砌块（GB/T 11945—2019）［M］. 北京：中国标准出版社，2019

［40］中华人民共和国行业标准. 炉渣砖（JC/T 525—2007）［M］. 北京：中国建材工业出版社，2007

［41］中华人民共和国行业标准. 蒸压粉煤灰砖（JC 239—2014）［M］. 北京：中国建材工业出版社，2014

［42］中华人民共和国行业标准. 承重混凝土多孔砖.（GB/T 25779—2010）［M］. 北京：中国标准出版社，2010

［43］中华人民共和国国家标准. 蒸压加气混凝土砌块（GB/T 11968—2020）［M］. 北京：中国标准出版社，2020

［44］中华人民共和国国家标准. 砌墙砖试验方法（GB/T 2542—2012）［M］. 北京：中国标准出版社，2012

［45］中华人民共和国国家标准. 碳素结构钢（GB/T 700—2006）［M］. 北京：中国标准出版社，2006

［46］中华人民共和国国家标准. 低合金高强度结构钢（GB/T 1591—2018）［M］. 北京：中国标准出版社，2018

［47］中华人民共和国国家标准. 钢筋混凝土用热轧光圆钢筋（GB 1499.1—2017）［M］. 北京：中国标准出版社，2017

［48］中华人民共和国国家标准. 钢筋混凝土用热轧带肋钢筋（GB 1499.2—2018）［M］. 北京：中国标准出版社，2018

［49］中华人民共和国国家标准. 冷轧带肋钢筋（GB 13788—2017）［M］. 北京：中国标准出版社，2017

［50］中华人民共和国国家标准. 预应力混凝土用钢丝（GB/T 5223—2014）［M］. 北京：中国标准出版社，2014

［51］中华人民共和国国家标准. 预应力混凝土用钢绞线（GB/T 5224—2023）［M］. 北京：中国标准出版社，2023

［52］中华人民共和国国家标准. 钢及钢产品交货一般技术要求（GB/T 17505—2016）［M］. 北京：中国标准出版社，2016

［53］中华人民共和国国家标准. 金属材料室温拉伸试验方法（GB/T 228.1—2021）［M］. 北京：中国标准出版社，2010

［54］中华人民共和国国家标准. 金属材料弯曲试验方法（GB/T 232—2010）［M］. 北京：中国标准出版社，2010

［55］中华人民共和国国家标准. 建筑石油沥青（GB/T 494—2010）［M］. 北京：中国标准出版社，2010

［56］中华人民共和国国家标准. 重交通道路石油沥青（GB/T 15180—2010）［M］. 北京：中国标准出版社，2010

［57］中华人民共和国国家标准. 石油沥青纸胎油毡（GB 326—2007）［M］. 北京：中国标准出版社，2007

［58］中华人民共和国国家标准. 石油沥青玻璃纤维胎防水卷材（GB/T 14686—2008）［M］. 北京：中国标准出版社，2008

［59］中华人民共和国国家标准. 塑性体改性沥青防水卷材（GB 18243—2008）［M］. 北京：中国标准出版社，2008

［60］中华人民共和国国家标准. 弹性体改性沥青防水卷材（GB 18242—2008）［M］. 北京：中国标准出版社，2008

［61］中华人民共和国行业标准. 自粘聚合物改性沥青防水卷材（GB 23441—2009）［M］. 北京：中国标准出版社，2009

［62］中华人民共和国国家标准. 高分子防水卷材（GB 18173.1—2012）［M］. 北京：中国标准出版社，2012

［63］中华人民共和国国家标准. 聚氯乙烯防水卷材（GB 12952—2003）［M］. 北京：中国标准出版社，2003

［64］中华人民共和国国家标准. 屋面工程技术规范.（GB 50345—2012）［M］. 北京：中国标准出版社，2012

［65］中华人民共和国国家标准. 沥青软化点测定法（环球法）（GB/T 4507—2014）［M］. 北京：中国标准出版社，2014

［66］中华人民共和国国家标准. 沥青针度测定法（GB/T 4509—2010）［M］. 北京：中国标准出版社，2010

［67］中华人民共和国国家标准. 沥青延度测定法（GB/T 4508—2010）［M］. 北京：中国标准出版社，2010

［68］中华人民共和国国家标准. 天然花岗石建筑板材（GB/T 18601—2009）［M］. 北京：中国标准出版社，2009

［69］中华人民共和国国家标准. 建筑材料放射性核素限量（GB 6566—2010）［M］. 北京：中国标准出版社，2010

［70］中华人民共和国国家标准. 天然大理石建筑板材（GB/T 19766—2016）［M］. 北京：中国标准出版社，2016

［71］中华人民共和国国家标准. 陶瓷砖（GB/T 4100—2015）［M］. 北京：中国标准出版社，2015